柳鸣九文集

卷 9

法兰西文学大师十论

拾遗集

海天出版社（中国·深圳）

图书在版编目（CIP）数据

柳鸣九文集.9,法兰西文学大师十论·拾遗集/柳鸣九著.—深圳：海天出版社，2015.6
ISBN 978-7-5507-1322-2

Ⅰ.①柳… Ⅱ.①柳… Ⅲ.①柳鸣九—文集②文学研究—法国③随笔—作品集—中国—当代 Ⅳ.①I217.2 ②I565.06 ③I267.1

中国版本图书馆CIP数据核字（2015）第057120号

柳鸣九文集.卷9
LIUMINGJIU WENJI JUAN 9

出 品 人	陈新亮
项目负责人	于志斌
选题策划	林星海
责任编辑	曾韬荔
责任校对	叶 果 张 玫
责任技编	蔡梅琴
装帧设计	李松璋

出版发行	海天出版社
地　　址	深圳市彩田南路海天综合大厦（518033）
网　　址	www.htph.com.cn
订购电话	0755-83460202（批发） 0755-83460239（邮购）
设计制作	深圳市斯迈德设计企划有限公司（0755-83144228）
印　　刷	深圳市新联美术印刷有限公司
开　　本	787mm×1092mm 1/16
印　　张	36.5
字　　数	473千
版　　次	2015年6月第1版
印　　次	2015年6月第1次
定　　价	125.00元

海天版图书版权所有，侵权必究。
海天版图书凡有印装质量问题，请随时向承印厂调换。

柳鸣九在书房

在巴尔扎克墓前

柳鸣九在典礼上致辞

巴黎郊区,曾在这里度过思考之夜(1981年)

法兰西文学大师十论

柳鸣九/著

/司汤达的心理情结与文学创作
/雨果其人，雨果奇观
/不朽的《约翰·克利斯朵夫》
/给萨特以历史地位
/论加缪及其创作

名家专题精讲

复旦大学出版社
www.fudanpress.com.cn

原版《法兰西文学大师十论》

目 录

法兰西文学大师十论

序　言 ……………………………………………… 003

1　低调济世的人文主义巨人蒙田 ……………… 005

2　卢梭论 ………………………………………… 023
　开辟了一个时代的思想家卢梭 ………………… 024
　卢梭代表作《忏悔录》的典范意义 …………… 042

3　司汤达论 ……………………………………… 059
　司汤达的心理情结与文学创作 ………………… 060
　《红与黑》：一个生不逢时的悲剧 …………… 081

4　论巴尔扎克和他的《人间喜剧》 …………… 093

5　雨果论 ………………………………………… 153

雨果总论
——《雨果文集》(二十卷本)总序 ………… 154
在首都文化界纪念雨果诞生200周年大会上的开幕词 ………… 170

6 重新评价左拉的几个问题 ………… 175

7 不朽的《约翰·克利斯朵夫》 ………… 195

8 萨特论 ………… 209

作家兼斗士的萨特 ………… 210
世事沧桑话萨特 ………… 220

9 马尔罗及其文学创作 ………… 225

10 从《西西弗神话》到《反抗者》 ………… 261

拾遗集

对"影响中国人的十部法国书籍和影响法国人的十部中国书籍"评选活动的祝词	299
答光明网记者问	301
法国书籍在中国的历史际遇	304
"在中国最有影响的十部法国书籍"评选揭晓发布会上的致辞	310
纪念加缪逝世50周年 ——在上海译文出版社《加缪全集》新书发布会上的发言	314
加缪与先贤祠	321
且说大仲马移葬先贤祠	325
雨果的美文与"新潮派洋八股"	337
读短篇小说之王,三十篇足矣! ——《莫泊桑短篇小说精集》后记	344
莫泊桑快餐	347
作为幽默小说家的莫泊桑	349
点击都德的幽默小说	354
《巴黎圣母院》导读	357
钱锺书先生的精神遗产 ——纪念他诞辰100周年	377
纪念翻译巨匠傅雷	382
傅雷翻译业绩的启示	385
傅雷与《傅雷家书》	388
一部有生命的书 ——李健吾著《福楼拜评传》序	390
值得关注的努力	394
《巴黎漫步》序言	396

"盗火者文丛"序 ·· 398
诺贝尔奖作为一种价值标准
　　——"全球诺贝尔奖获得者传记大系"总序 ········ 401
诺贝尔奖得主的昭示
　　——"诺贝尔奖获奖者传记中学生读本"总序 ······· 404
为了咀嚼与消化
　　——"法国当代文学广角文丛"总序 ················ 406
"法国当代文学广角文丛"小祭 ························· 409
文化积累的一种最佳方式
　　——"外国文学名家精选书系"出版说明 ··········· 413
"名家点评外国小说中学生读本"十二卷总序 ······· 414
"外国文学经典名著丛书"总序 ·························· 419
"世界名著名译文库"总序 ································ 424
"本色文丛"总序两篇 ······································ 427
提倡提倡幽默
　　——《外国幽默讽刺小说选》总序 ·················· 432
学术道路、学术诚实及其他
　　——答《光明日报》"人物版"主编问 ·············· 440
推石上山的脚步
　　——答北京大学"新中国外国文学研究60年口述史"
　　　课题小组问 ·· 450
治史三长、学者散文及其他
　　——答《湘水》访谈组问 ····························· 483
文学的角色、文学的地位、法国文学的影响及其他
　　——答《今日中国》"法文版"主编问 ·············· 495
为了一个人文书架
　　——答《生活》杂志记者问 ·························· 503

《"大师书架"世界文学典藏》序 …………………… 508
"文学温暖童年"是综合的人文精神建设工程 …………… 510
对麦田守望者的祝愿 …………………………………… 513
再为中学生办一次事
　　——一次非纯学术的学术经历 ………………… 515
学界繁荣20年
　　——法国文学研究会厦门会议开幕词 ………… 524
困境中的执着与机巧
　　——对《世界文学大师的短篇故事》书系的感言与祝愿 …… 527
困境中的拼搏 …………………………………………… 530
杨武能的道路与贡献 …………………………………… 535
几点浅见 ………………………………………………… 541
梅里美文学创作中的双璧 ……………………………… 544
莫狄亚诺的魅力 ………………………………………… 547
中国人为何赞赏莫狄亚诺 ……………………………… 552
莫狄亚诺获奖消息传来的那一天
　　——耄耋纪事 …………………………………… 558
悼念何西来 ……………………………………………… 563

法兰西文学大师十论

柳鸣九 著

序　言

复旦大学出版社近年推出了一套很有意思的丛书"名家专题精讲",每一卷由十讲或十论组成,颇为规整,办得欣欣向荣,已成一定的规模了。其成功显然来自其创意——从一些已有学术文化影响的学人的论著中,撷其"十要",有点像是"挤柠檬",呈献给读者的,是浓度较大的一杯"果汁"。这不仅对高等院校的学子甚有参考价值,对于广大的一般读者也有一定的可读性。因此,出版社邀约我参加其行列,我欣然应承了。

我这些年来的文字工作,虽然可分为几个方面,但相当大部分都与法国文学史的研究有关,当然,从文字结果来说,有思潮流派的论述,有关于文学评价的论争,有作家作品的评论鉴赏,有散文随笔。不同方面的文字已成不同的书,而从我的文学史研究本身而言,最基础的部分则要算是作家作品的研究。

一个国家的文学历史,实际上是一部又一部、一批又一批、一代又一代的作家作品产生、流通与承继的过程,归根结底,可以说就是作家作品的出现史。在某个时代,出现了巨匠级、大师级的作家,产生了传世不朽的作品,自然就构成了这个时代文学的辉煌,自然就写成了这个时代文学的灿烂历史。相反,如果一个时代没有留下经得起时间考验的作家作品,如果其作家作品终于都泯灭在历史的尘土之下,那么呈现于历史上的,就只能是一个空白。因此,离开了作家作品,就没有文学史上的流派,就没有文学史上的方法与主义,就没有文学的阶段与分期,当然更没有后代批评家、理论家攀附于其上的种种观念、理论、术语、概念以及纯理论的高谈阔论。对此,不妨作个形象的比喻,一个国家、一个民族的文学史,就好像是一条长河,而作家作品就像是长河上的一个个景点,一片片景观,一座座市镇、村落,它们才是长河流程的一个个标志,如果沿着河道,只是一片罗布泊式的景象,那么还有什么江河可言?

由此观之,对文化发展过程、文学进程事实本身的认识与研究,应该是文化观念、文学理论研究的基础与前提,其必要性与重要性是不言而喻的。然而,近些年来,在文化学术界,比起对观念理论、方法主义的纯理论研究,对文化史、文学史的研究不是过多,而是相对较少。这便是我从自己的论著中选出10个具体的历史"个案"组成这本"十论"的考虑。

"名家专题精讲"是一套规格性特别强的丛书,每个入场者,都存在一定程度的"削足适履"的问题,携带什么入场,携带多少入场,都必须服从一定的规范,很难照顾学科本身体系的完整与其中份额的平衡,就以这本书而言,名为"法兰西文学大师十论",未能包括进来的巨匠就不止一位,如福楼拜、普鲁斯特等。好在这是"精讲",而不是无所不包的"百科全书",不必求全完备,只要每一个"讲座"都言之有物,面对读者也就算有了一个交待了。

2004 年 1 月

1

低调济世的人文主义巨人蒙田

文欲载道，文欲济世，文欲唤醒众生，文欲促变一个时代，非得慷慨激越吗？非得高调昂扬吗？非得自命为世间绝对的真理、唯一的真理吗？非得咄咄逼人、"强买强卖"吗？非得居高临下、训斥施教吗？

在历史上，激昂慷慨的文字，自有其功能与效应，但欲达到上述种种目的，并非只有一途，并非只有一种文字。亲和平易、低调谦逊、不以真理自命而能润人济世，完成时代重大使者亦有之，16世纪法国的蒙田就是一个伟大的先例。

一

蒙田生活在法国16世纪这个特殊的时代，生活在法国从一个社会形态开始向另一个社会形态逐渐过渡的漫长过程的开端，充满了阵痛与混乱的开端。这个时代的显著特征是新旧思想激烈碰撞，新旧社会利益、新旧社会力量酷烈冲突与争夺，虽然新世纪的曙光已在遥远的未来透露，但这时却不折不扣要算是一个黑暗浓重的"乱世"。

马克思曾经指出："资本主义生产的最初萌芽，在14世纪、15世纪，已经稀疏地可以在地中海沿岸的若干城市看到。"家庭手工业进一步发展为受商业资本控制的手工工场。生产力逐渐发展到了新的水平。动力技术的革新，使得纺织、矿业与冶金等行业都有了相当大的改观。造船业与航海业突飞猛进,出现了上千吨的船只。从15世纪末开始,哥伦布、亨利、迪亚士、达·伽马、麦哲伦先后纷纷完成了各自的地理大发现的壮举,为环球的世界性市场的出现奠定了基础。商品经济得以达到空前的规模,资本主义原始积累加速进行,新兴资本主义关系使得大城市如雨后春笋般出现,佛罗伦萨、威尼斯、热那亚、伦敦、安特卫普、阿姆斯特丹、里斯本都发展成为当时著名的国际商业都会。

在物质生活发生了如此巨大变化的基础上,欧洲的意识形态、精神文化领域里出现了两股强劲的暖流,那就是文艺复兴与宗教改革。

16世纪的法国,就是处于这样一个转暖与变革的欧洲环境中,其内部机制就在这种暖和的气候中进行运转而推动着这个民族的历史进程。

法国的16世纪是资本主义因素在封建经济的躯体里孕育而出并扭曲而长的时代。在好些行业里,资本主义手工工场已经成批出现,以纺织业为例,有的城市就达到了拥有织机八千部的生产规模。对外贸易有了长足的发展,资本原始积累已经开始以相当的规模在进行。当然,封建经济仍占统治地位,在这样的整体躯壳中,资本主义关系的发展不能不带有一定的曲折性。

最初的资产阶级产生了,但显然还不足以自强自立,他们从属于王权,依靠王权,攀附王权,其常见的方式就是贷款给封建政府;作为回报,政府把几项主要的税收包给商人高利贷者,而他们则在王权的保护伞下超额地征税以中饱私囊。另一种方式则是通过向政府当局纳捐以获得法官、税吏、财政官的职位。此外,富有的资产者还可以凭其财力购买破落贵族的产业与爵号。所有这些渠道,都使得法国历史上出现了一种与其经济方式截然不同,但在社会地位与身份等级上与世袭贵族靠拢的阶层,是为"穿袍贵族",它与世袭的"佩剑贵族"皆为社会的上层。

全国的政治统治权仍集中在国王与他周围的少数宫廷贵族的手里。从15世纪80年代起,三级会议一直没有召开,专制王权形成与加强的过程仍在进行,并朝接近完成的阶段前进。虽然地方上的大贵族仍有不小的权势,但拥兵自重、割据称霸的已经没有了。弗朗索瓦一世(1515~1547)即位后,即大兴土木,修饰宫殿,讲究华贵,倡导艺文,一时歌舞升平,巴黎的宫廷成为全国贵族心仪趋附的对象,形成了王权鼎盛的盛世景象。1516年,弗朗索瓦一世又成功地与教皇立奥十世签订条约,规定法国教会大部分收入归国王所有,法国的大主教与主教以及高级僧侣都由国王任命,国王实际上成了本国教会的首脑。弗朗索瓦一世的工商业政策则很符合资产者的利益,因而在抑制国内贵族势力与对外进行扩张这两个方面,都得到了资产阶级的支持。如果不是意大利战争与国内宗教战争大伤了法国的元气,打乱了王权不断强化的过程,路易十四式的太阳王本可以提前一个世纪出现。

意大利战争是法国封建王权走向兴盛后自我膨胀所致,完全是出于侵略扩张的目的,早在路易十二时期即已开始(1494~1495),而到弗朗索瓦一世时期更为频繁,战争虽互有胜负,但遭到失败的基本上是法国:1521年,法军被逐出意大利;1525年,弗朗索瓦一世被俘,后以重金赎身;1544年,查理五世攻入法国,逼法求和。弗朗索瓦一世去世后,其子亨利二世(1547~1559)又曾恢复战争,终于在1559年与哈布斯堡皇室签约缔和。整个意大利战争延绵达65年之久,使得法兰西国力凋疲,王权削弱,而不久后,整个国家又陷于宗教战争的深渊。

法国16世纪的宗教战争,实质是不同的贵族势力争夺全国政治统治权的斗争,只不过是在欧洲宗教改革的背景上带有意识形态的色彩,而其中交织的矛盾也更为错综复杂。

新教的信奉者起初以城市各阶层的市民为主,后来在农民与贵族中越来越多的人也信新教,特别是南部的中小贵族,更是有意利用加尔文派在国外的力量来与王权对抗，以求恢复对王权的独立地位。而王权，从弗朗索瓦一世到亨利二世，出于政治利害考虑，都对新教采取了非常严厉的镇压政策，1540年成立了宗教裁判所，1549年又专设惩治加尔文教徒的特别法庭，即"火焰法庭"。但到16世纪50年代，地方上很多大贵族也改奉加尔文派，新教势力更大，法国实际上已形成了与以王权为核心的天主教贵族集团相对抗的新教贵族势力，这些新教的信奉者在法国被称为"胡格诺教徒"，其声势越来越大，席卷了诺曼底、多菲内、圣东日、塞文山区等地区与大部分大中城市，而在其行列里也有很多在知识文化界享有盛名的人物，如雕塑家、建筑家让-古容，诗人阿格里帕·多比涅，农学家奥利维埃·德·塞尔，外科医生昂布鲁瓦兹·帕雷等，至于一些"穿袍贵族"、担任公职的资产者，更是其中的活动分子。拥有巨大实力的胡格诺派，已对王权与天主教贵族集团构成了明显的威胁，宗教信仰的对立与冲突越来越带有不同贵族集团争夺政治统治权的性质，代表新教势力而走上政治斗争前台充当领袖人物的则是纳伐尔王、波旁家族的安托·万及其兄弟路易·德·孔代与海军大将加斯巴尔·德·科利尼等。

亨利二世逝世后，查理九世于1560年继位时年仅15岁，由母后喀德琳摄政，以东北部贵族吉斯为首的天主教贵族集团与喀德琳联合，跟新教贵族集团的矛盾愈演愈烈，终于爆发了30多年的宗教战争（1562~1594），战争时断时续，两种势力时而有所妥协，不久又兵刃相见，其间最为惨烈的事件是1572年8月24日的"圣巴托罗缪之夜"。在这次惨案中，天主教贵族集团串通王室发动突然袭击，屠杀了2000多名胡格诺派人士，此后战争进行得更为酷烈，由于宗教战争是在广大地区进行，而且几乎触及每个村落，其破坏性也就更大，远远超过"百年战争"。

1584年，亨利三世的兄弟安茹公爵病死，由此产生王位继承权的问题,宗教战争又进一步演化为争夺王位的战争,史称"三亨利之战",争夺战在亨利三世、代表天主教贵族集团核心力量的亨利·吉斯与代表新教势力的波旁家族的亨利之间进行,伴随着这场旷日持久之战,各地又发生了一些农民起义,整个法国陷于四分五裂。亨利三世杀除亨利·吉斯后,与波旁家族的亨利联合,但不久他又被人刺死,因此,代表胡格诺派势力的波旁家族的亨利继承王位,是为亨利四世,从此,法国开始了由波旁王朝统治的时代。

亨利四世于1589年上台,为了结束国内纷争的局面,他决心放弃新教信仰,重新皈依天主教,因此,他进入了巴黎,成为了全国公认的国王。但他于1598年4月13日颁布了南特赦令,对宗教纷争与尖锐矛盾作了妥协平衡的处理,一方面宣布天主教为法国国教,在全国恢复天主教的宗教仪式,把没收的土地与财产归还给天主教会;另一方面则规定胡格诺教徒亦有信仰自由与本派的宗教生活自由,并在担任官职上,与天主教徒拥有平等的权利,甚至还允许胡格诺教派仍保留100多个据点堡垒,作为国王履行赦命的担保。南特赦令作为欧洲第一个宗教宽容的结果,虽然是以血与火的代价换来的,但要算宗教改革运动一个最实际的成果,它在法国奠定了国内和平的基础。在这个基础上,才迎来了17世纪路易十四的盛世,法国两大有产阶级平衡妥协、各得其所、相安无事的和平朝代。

蒙田就生活在这样一个时代,他活了59年,有30年是在宗教战争期间度过的。他亲眼看见了宗教战争的爆发,也颇受战争颠簸之苦,特别是见证了这场惨烈的战争给法国带来的破坏与伤害。他在战争中观察思考,形成了他的哲理,写成了他不朽的传世之作《随笔集》。

二

米歇尔·德·蒙田(Michel Eyquem de Montaigne,1533~1592),

1533年2月28日生于贝利哥尔的蒙田城堡，这是他祖父靠做酒与咸鱼生意发家致富后购置的产业。他父亲参加过意大利战争，写过一部旅行日记，担任过波尔多市的市长，在其手里，他家的城堡得以修缮一新。

蒙田是多子女家庭的孩子，兄弟姐妹共有7人之多。其父追求时尚，按意大利方式让蒙田从两岁起就在一位不懂法语的德籍学者的管教下学习拉丁文，这在当时是很讲究的教育方式。蒙田学习母语法文，倒是后来的事，因为当时法文正在定型的过程中，弗朗索瓦一世刚把它规定为官方语言。6岁时，蒙田进入以名师济济而著称的居耶纳学校就读，在这里系统学习了古希腊罗马的文化典籍。由于战祸波及波尔多，蒙田后又转学到杜鲁斯学习法律。

1554年，21岁的蒙田被任命为贝里格间接税最高法院的推事，三年后又进入波尔多最高法院。在这里，他结识了作家拉博埃西（La Boetie，1530~1563），两人结成了莫逆之交。从1559年到1562年，蒙田的仕途甚为坦荡，他因居耶纳省宗教冲突的事务，被波尔多最高法院多次派往巴黎，还曾陪同弗朗索瓦二世巡视巴黎。1562年，他在巴黎最高法院宣誓效忠天主教。

1565年，蒙田与一个富家小姐结婚，她给他带来了一大笔嫁妆。1568年，其父去世，蒙田又继承了父亲的称号与产业，其家底之雄厚是不言而喻的。1569年，他从事拉丁文翻译并出版了15世纪的神学家与医学教授雷蒙·塞邦赞的《自然神学》一书，此书力图对宗教的教义与神秘加以理性地剖析，其影响直到17世纪末仍甚为可观。蒙田后来又在自己的《随笔集》第二卷第十二章对这位学者进行了论述。1570年，他辞去在波尔多最高法院的职务，到巴黎出版他的好友拉博埃西的文集，其中包括拉丁文诗歌、法文诗歌以及翻译作品，这是他真正意义上的第一个文学活动。同年，他喜得一子，后来，他又陆续添了5个孩子，但除了一个女儿幸存外，其他都夭折。

1571年，38岁的蒙田决定从仕途退隐，他自称"长期以来厌倦了在法院的职守与一切公务负担"，要去过闲适、宁静、纯朴的乡绅生活。他隐居在自己的城堡里，潜心研读古希腊罗马典籍，并撰写读书心得与笔记，这就是他写作《随笔集》的开始。

1572年"圣巴特罗缪之夜"大屠杀后，宗教战争进行得更为酷烈，查理九世的三支军队对新教徒展开了进攻，蒙田身不由己卷入了战争。他随着居耶纳省的天主教贵族乡绅参加了国王的一支军队，但他故去的好友拉博埃西的《甘愿受奴役》一书，却被编入了新教的小册子出版。1577年，蒙田被国王封为侍臣。

1579年，他完成了《随笔集》的第一卷，立即又投入第二卷的写作。1580年，《随笔集》两卷本出版。为了医治他的肾结石症，蒙田去了巴黎与意大利。在巴黎，他向国王亨利三世赠送了他的新著，得到了赞许与好评；在罗马，他谒见了教皇并呈献了《随笔集》，同样也得到了教廷的认可。次年，他被授予"罗马市民"的称号，并当选为波尔多市市长，任期两年。1582年，大受欢迎的《随笔集》经修订增补后再版。不久，蒙田即陷于繁多的政治事务之中。他于1583年第二次当选为波尔多市市长，任期两年。在任期内，他颇为开明，曾为当时的第三等级的捐税负担鸣不平，他作为一个天主教的信奉者，却与新教势力及其政治上的代表纳伐尔王关系甚密，曾经在自己的城堡接待过这位未来的亨利四世，因此，他在时任国王亨利三世与纳伐尔王——波旁家族的亨利之间进行了斡旋，充当调停人的角色。他第二个市长任期的最后一个月，瘟疫大流行，他被迫离开了自己的城堡。

晚年，蒙田的影响更为扩大，声誉极高，崇拜者、追随者日益增加，德·古内小姐就是最重要的一个。从1586年起，蒙田又续写《随笔集》。1587年，《随笔集》第三卷在巴黎出版。此后，《随笔集》又再版多次，每次再版，蒙田均作了大量的增补，使内容更为丰富，特别是大大增添了关于他自己的生活习惯、兴趣爱好与心态情怀的章节，使《随笔集》成为了一部具有自我人文风度的书。

蒙田逝世于纳伐尔王上台成为亨利四世的三年之后。他终于盼到了他翘首以待的国内和平。他逝世后的第三年，德·古内小姐根据蒙田修订增补的遗稿，整理出版了《随笔集》的第五版。

三

《随笔集》分三卷，上卷五十七章，中卷三十七章，下卷十三章，总共一百零七章。每章一个论题，各自独立，既不连贯，也不相关。论题则广涉历史、哲理、文化、艺术、人性、人情、处世行事、世态心理、趣味时尚、自我审视等各个领域，如《论罗马帝国的强盛》《谈德勒战役》《论西塞罗》《论维吉尔的诗》《谈衣着习惯》《论想象力》《论友谊》《就节制》《论忧伤》《论信仰自由》《谈三种交往》《论经验》《怯懦是暴虐的根由》《万事皆有自己适宜的时机》等等。如果说全书的论题已经极为广泛的话，那么各章的论说、陈述、分析，往往又枝叶蔓延，延伸发挥，触类旁通，引申开远，故其内容之丰富纷繁、茂密芜杂，实有如一片极目无垠、郁郁葱葱、气势宏大的大林莽。

《随笔集》与蒙田，应该可说是"文如其人"这一至理最典型、最完全的一个范例了。蒙田自己在《随笔集》中曾经这样说过："我写这本书纯粹是为了我的家庭和我个人，我宁愿以一种朴实、自然、平平常常的姿态出现，我描绘的是我自己，我很乐意把自己完整地、赤裸裸地描绘出来，我自己是这本书的材料"，"我研究自己甚于研究其他科目"。事实上，蒙田在《随笔集》里不仅描绘自己、勾画自己，而且也剖析自己、探究自己，更多地则是以自我为本，以自己的性情为参照来体察世情、贴近人性，当然，他对社会、现实、世态、习俗、历史、事物、学问、哲理等广泛领域的见解、观点、议论、评析，无不渗透着他自我性灵的色彩。因此，不认知蒙田其人，就不可能充分理解《随笔集》；认知蒙田，是开启《随笔集》的入门钥匙。总而言之，蒙田的"自我"，既是《随笔集》的精魂，也是《随笔集》的"血肉"，即《随笔集》实实在在的具体内容。

在16世纪，蒙田其人能出现、存在并成为一种人生景观、精神景观，这本身就是一种奇迹，把《随笔集》中所展现出来的蒙田自我，放在当时的法国社会现实背景上，就不难看出其令人惊奇之处。在宗教战争的战火长期燃烧在他的家门口、村村为战、人人为战的环境里，他却艰难地坚持了不卷入主义，"在我周围，多少城堡都设了防，据我所知，在法国，像我这样地位的人，把城堡完全交付上苍保佑的人只有我一个"，并且还能够处变不惊，临危不乱："我不想吓得魂不附体，也没有半点逃跑的念头。"在全国都分裂为两大对立的阵营、政派斗争酷烈的气氛下，他却保持了超然的调和主义的立场，"在这一派眼里，我是那一派的，而在那一派眼里，我又是这一派的"，而且他并非远离政治旋涡的"逍遥派"，倒是处在为政者敏感的、难以回避的地位上，但他却以淡然平和的方式把在波尔多市长任期内的复杂矛盾处得十分成功："到任后，我就忠实而认真地认识自己，完全如我所知的那样：没有记性，没有警觉，没有经验，没有魄力，也没有仇恨，没有野心，没有贪欲，没有激情"，终于在市长任期里深得民望。他存在于一个充满血腥气的乱世，自己的生活也常动荡不定，但他不仅没有参与杀戮与争斗，反而超乎于混战之上，过得平静而安详，甚至营造出了自己的"世外桃源"："我们要保留一个完全属于我们自己的自由空间，犹如店铺的后间，建立起我们真正的自由和最最重要的隐逸与清静。"在自己的空间里，他过着完全潇洒的生活："我的大脑就像脱缰的野马，成天有想不完的事"，"我让自己的思想无所事事，自由地运转和休息"，以及"我想睡就睡，想学习就学习"，"若是右边的风景不美，我就走左边"，等等。总之，这样的超越的精神意境与洒脱的人生情致，在16世纪实为一种极为难得的景观，这是淡泊超脱的人生观、平和折中的思维方式、节制谨慎的处世态度，在一个酷烈时代里所能创造的最大奇迹，一种人格奇迹。

虽然《随笔集》是一部涉及面广、林林总总的巨制鸿篇，但对于蒙田这样一个具有上述精神倾向与生活态度的人来说，他不可能在其中致力于表述自己关于社会现实、政治历史、宗教信仰的全部思维，在他丰富广阔的精神世界里，在他所认知与思考的种种事物中，他必然有所取舍，有所表述，也有所不表述；有所涉及，也有所回避。因此，人们不能期望《随笔集》是一本那个时代所有重要领域中所有重要思维的"百科全书"，它只是一本经过了特定精神倾向与生活态度过滤过、筛选过的论题汇集。最为明显的是，虽然宗教战争是那个时代最大的灾难，无时无处不影响着法国人的生活，但《随笔集》却并没有正面地评论它。再如，他虽然对法国宫廷与法国政界有大量就近的观察与见闻，对当时一些显赫政要均有具体的接触与感性认识，然而《随笔集》却并没有留下多少记载与观感。应该说，《随笔集》涉及当时重大的社会政治问题还不如拉伯雷的《巨人传》那么多，因此，作者特定人格类型带给《随笔集》在题材范围上的首要特点，就是对尖锐的社会历史现实课题的疏离化。

就蒙田对希腊罗马人文传统的承继以及他对16世纪满目疮痍的法国社会现实的了解而言，他有条件成为一个观点鲜明、言论尖锐的政论家式的思想家。事实上，他也不乏慷慨的正义感与激越的情怀，《随笔集》时有对社会现实弊端切中要害的锋利之语，如针对司法黑暗的"我亲眼看到，多少判决比罪犯还罪恶"，并且强烈地抨击了酷刑，还曾坦言，自己在当法官的13年中，宁愿有负法院，也不愿愧对人类，慷慨之情溢于言表。又如对于政治，他所作的尽力逃避的努力，充分表露了他的厌恶之心，他在"话说"了野蛮部落食人的现象后，直接针对当时的法国现实："我所不以为然的是，我们在评判他的错误的同时，对我们自己的错误熟视无睹"，尖锐地指出"以虔诚与信仰为借口"，"将一个知疼知痛的人体折磨拷打得支离破碎，一点一点加以烧烤"，实际上要比食人肉者"更为野蛮"（第一卷第三十一章），所有这些，都表现了蒙田面对社会黑暗的强烈正义感。

尽管如此，鲜明尖锐的立场表述成分毕竟不是《随笔集》的主要成分，甚至可以说，它所占的比重实在是很小，占绝大比重的成分是平和的议论，娓娓道来的话说，层层深入的剖析。显而易见，蒙田并不想让他的作品成为尖锐的政论、对社会现实的批判书、声讨黑暗的檄文，他竭力避免这种可能，很少使用抨击、指责、针砭、批判这些较为激烈的手段，也尽可能少地作截然的断语、带有明显精神倾向与取舍标准的结论，显然要求自己完全成为一个哲人，以哲学家超越的态度面对他的那些原本就具有浓烈哲学探讨性的论题。这就决定了《随笔集》另一个重要的特点，即论说与语态上的哲理化。

这种哲理化往往是绕过了社会、历史、现实中具体的人与事，不去论具体事实的是非，而又超越至根本的事理，致力于解决根本的思维方式、理性的取舍、立世的态势，从而使人摆脱词语的纠缠、功利的干扰而达到认知的自由境界。仅以第三卷第一章《谈功利与诚实》为例，看起来它是在进行哲理探讨，实际上是针对国内战争。在这里，蒙田不是对造成极大破坏的宗教战争进行具体的分析批判，表示反对与抗议的立场，而是针对人人为战的背景下，世人身不由己所卷入的种种战争逻辑与战争意识形态，提倡一系列有利于避战的哲理态度与行事准则：如力戒狂热，"绝不头脑发热"，"不轻易作过深的内心的介入与评诺"，"愤怒的仇恨超出了正当责任范围，便是一种狂热"；如提倡节制与温和，"在天下大乱、世事变幻莫测之时，不是靠温和与节制来拯救自己吗"，"有节制地行事，那么风暴将在他们头顶上刮过而不给他们留下灾难"；如警告一些人不要从恶，"不应把背信弃义、阴险狡猾的行为称作勇敢"，不应把"自己邪恶与凶暴的天性美其名曰热心","因为他们鼓动战争并非战争是正义的,而是为战争而战争,为他们自己的利益";如劝诫不要盲目忠诚,"竭尽全力地效忠一方和另一方,既不能算是有良心,更不能算是谨慎";如反对绝对忠君,提倡道义的多元化,"即便为了效忠国王、大众事业和法律,也并非可以无所不为,对祖国的义务并不排斥其他义务,而且公民们对父母恪尽孝道亦符合国家利益";如反对战争中"丧失人性"的大义灭亲宣传,"别听那些天性凶恶、嗜血成性、六亲不认之辈宣扬这种所谓的说理,抛开那超乎寻常的、不可企及的公正,我们要取法最有人情味的行为",等等。所有这些从人本理性出发的哲理无不都是对战争观念、战争法纪不利的离心拉力。同样,对宗教战争中"圣巴特罗缪之夜"大屠杀,蒙田也不是进行愤怒而无济于事的谴责,而是大谈特谈背信弃义行为之卑劣,从罗马的历史谈到埃及、俄罗斯的事例,唾弃了"借口要与对手达成友好协定,邀他来家会晤,并设宴款待,然后把他抓起来杀掉"的"圣巴特罗缪之夜"式的阴谋,从根本的道义上有力地针砭了这次惨绝人寰的大屠杀的卑鄙性质。

四

《随笔集》的哲理化最主要的表现形式是对古希腊罗马哲人、思想家的大量引述。作为一部散文集,这里所有的篇章几乎无一是由身边琐事、花木鱼虫、风花雪月、生活现象等常见的散文题材所引发出来的,而大都像是谈古希腊罗马丰富典籍后的读书笔记,所有的篇章或者是命题与思想由古代哲人所引发而来,或者是对古代哲人论说与见解的感言与阐发,或者是在自己大发议论时对古代哲人的援引,因此,这些篇章都有对古希腊罗马思想家、哲学家、历史学家与文学家的名言、警句、隽永见解的大量引证,它们与蒙田本人的阐释、议论、发挥、引申浑然一体,水乳交融,相得益彰,实际上成为了蒙田本人思想见解不可分割的组成部分，极大地丰富、深化了《随笔集》的思想内涵。这既是蒙田对古希腊罗马思想文化宝库大规模的继承，也是对古代思想传统的一次辉煌的创造性发展，构成了《随笔集》哲理性的一个重大内容。这也正是《随笔集》在思想上的进步性、超越性，甚至革新性之所在。

古希腊罗马的思想文化作为西方文明的一大源头极为灿烂辉煌，它在历史的长河中之所以具有不朽的价值，就在于它是在没有任何宗教与法权意识形态束缚禁锢的条件下，以人为本，对人性、对人类社会生活与历史事件进行了唯物的、切实的思考与研究的结果，它即使有多神的神话传说，但也是人性味、人情味十足的神话传说，因此，在后来的中世纪备受压抑人性、禁锢精神、扼杀欲求的宗教意识形态的排斥与打压。《随笔集》对古希腊罗马人本主义传统的召唤、继承与发扬，在宗教意识形态冲突十分激烈、国内宗教战争极为残酷的16世纪的法国，其革新的意义是不言而喻的，而蒙田这样做的规模、深度与无保留的程度，即使在好几个世纪之内，也是罕见而难得的。

对于后世来说，《随笔集》不仅展示了古希腊罗马极为丰富多彩的思想文化宝库，而且提供了一整套以人为本、渗透着文艺复兴精神、人文主义的世界观与人生观。这里有唯物的宇宙观、自然观："每种造物按照自己的特征发展，个个又保持大自然的固有法则给它们确定的区别"；有人类应遵循世界客观规律的思想："人应该限制和安排在这种法则范围里，不能越雷池一步"（第二卷第十二章）；有非常透彻的神学观、宗教观："人自以为想象出了上帝，其实想象出的还是他自己"，"神性的条件是通过人并以人为依据而形成的"（第二卷第十二章）；有豁达的生死观："无人能够免除一个人的死亡，千条道路畅行无阻"，"死亡是治百病的药方"，"心甘情愿的死是最美的死"，"人类将生命世代相传有如赛跑者交接火炬"，"生就意味着死"，"哲学家一生都准备死亡"（第三卷第十二章），"生活应该顺其自然"（第二卷第三章）；有辩证的人性观："心灵与肉体协调一致，因为这样才有了人"（第二卷第十二章），"我们这些人，即使是最好的人也都有罪恶"（第二卷第二章），人"摇摆不定，一生充满了矛盾"（第二卷第一章），"永远在探索"；而对自我的状态："首先要做的便是认识自我，明确自己该做什么"，"做你自己的事，要有自知之明"，"无论是孩童与老叟，谁忘了哲学就要吃苦"。在这种认知的基础上，蒙田提倡人道的生活："最美好的是过普普通通、合乎人道的生活"，具体来说，在乱世之中"满足现状，自得其乐"（第一卷第三章）。如劝诫贪求财富："财富是玻璃做成的，闪闪发光，但很容易破碎"（第一卷第十四章）；坚持工作："但愿我死时还在工作"（第一卷第二十章）；主张保持自我的独立："我们不受任何国王的统治，人人有权支配自己"（第一卷第二十六章），"善于听从自己，服从自己的原则"，"最能干的人是依靠自己力量的人"（第三卷第十二章）；要求在生活中不断学习："生活的艺术是所有艺术中最首要的，学会这一艺术要通过生活而非学习"（第一卷第二十六章）；向往美德："头脑里要装有君子的形象"，"我静静地迈步于清新宜人的树林，思索着哲人君子可做什么事情"（第一卷第三十九章），等等。显而易见，《随笔集》中丰富精彩的思想见解所构成的世界观、自然观，完全是与当时占统治地位的宗教神学世界观相对立的，带有不容忽视的革命性。《随笔集》所宣扬的豁达、自然、积极、向上的人生观、生活态度，则对长期遭受教会思想统治的世人，具有重大的思想启蒙与精神重建的意义。

五

作为哲人，蒙田最具有自己特色的是他的"怀疑论"。他把主体与客观世界、客体对象的关系，归结为"我知道什么呢"这样一个怀疑主义的命题。在蒙田的思想中,这个命题既概括了人对客观世界认识的有限性,也是对人应如何面对客观世界的一种主张、一种提倡。

关于对客观世界的认识问题,蒙田有非常清醒的判断,那就是人的知识的有限性,人认识的相对性:"我们知道的东西再多,也是我们不知的东西中极小的一部分,这就是说,我们以为有的知识,跟我们的无知相比,仅是沧海一粟。"(第二卷第十二章)同时,他对认知科学的内容与阶段作了精辟的概括:"哲学的目的就是寻找真理、学问和信念","寻求东西的人,都会遇到这么一个阶段:或者他说找到了东西,或者他说没有找到东西,或者他说还在找东西。所有的哲学无不属于这三类中的一类。"(第二卷第十二章)基于这一系列切实而深刻的认识,他提出了这样体现了认识论至理的警句:"知道自己无知,判断自己无知,谴责自己无知,这不是完全的无知;完全的无知,是不知道自己无知的无知。"(第二卷第十二章)

应该说,关于世界万物内涵无限、人主观认知有限的论述,并非从蒙田始,而是在古希腊罗马思想文化宝库中早已有之。事实上,《随笔集》也援引了不少古代哲人的见解,并化为了自己的论述,如:"我不能宣称我懂得真理和达到真理,我只是提到这些问题,不是发现这些问题"(第二卷第十二章),"我们不可能认识什么、理解什么、知道什么;我们的感觉是有限的,我们的智力是弱的,我们的人生又太短了"。因而蒙田的命题"我知道什么呢"是人类认识论真理论唯物现实传统中的一个组成部分,它既反映了人类与客观世界关系的实际状况,也蕴含着人类有限的悲怆感叹,至今仍不失为认识论真理。

至于"我知道什么呢"作为一种思想文化取向,作为一种学术立场,则不仅具有修身养性的道德意味,而且在文化、社会甚至政治的意义上,在当时还十分带有针对性。对于蒙田这样一个性格温和、中庸、内敛、谦让的人来说,在文化学术上主张这种不事张扬、不作炫耀、虚心低调的态势,确乃真实性格使然,并非矫饰作态,甚至可以说,它就是蒙田特定处世哲学、处世态度的一部分。也正由于蒙田本人博闻多才、学识精深,这种平和谦逊的学术思想风格,显然更增添了他精神人格上的风采。而把这种立场态度放在16世纪的时代背景上,其社会意义就更为突显,这个世纪残酷的内战固然是新时代条件下各种利益的冲突碰撞所决定的,也与宗教、文化、思想领域里不同意识形态势不两立的斗争有很大的关系,在偏执己见、武断专横、唯我独尊,对思想异己动辄以迫害、审判、火刑作为打击手段的宗教狂热时期,"我知道什么呢"的哲理有如一服清凉剂,对时代社会无疑具有深远的影响,而对武断、张狂的宗教意识形态而言,其质疑的锋芒也是显而易见的。

六

《随笔集》不仅是法国文学史上第一部散文集,而且是一部成规模、在艺术上已完全成熟并具有文学形式定型化意义的散文集,它提供了散文的某种光辉典范。

蒙田把他这样一部文集取名为"随笔"(Essais)本身就是一个开创之举,这使得法国文学史上第一次出现了这个文学术语,也第一次出现了这样一种类型,即随心写来、不拘成法,以自由表述思想、抒写性灵为目的的文学类型,这就是散文,它日后大肆发展,长盛不衰,已发展为文学领域中的"泱泱大国"。如果要在这块领地进一步给蒙田的《随笔集》定性、定位的话,那么,我们可把它称为"哲人散文"、"学者散文"。

作为"哲人散文"、"学者散文",《随笔集》首先是以其思想哲理内容见长。与生活散文、风物散文不同,《随笔集》中思想浓度占有绝大的比重,作者广博的学识、高远的意境、睿智的见地构成了

《随笔集》在内容上的闪闪灵光，令人应接不暇的景观。在这里，作者要展示的思想实在是太多了，他专心致志地赶他的思想行程，无暇舞文弄墨、起承转合、玩弄词藻、矫情作秀，这使得《随笔集》成为了一本在风格上纯朴的书、平实的书。

作为一个真正的哲人、真正的学者，蒙田具有一种精神上的气韵，这种气韵来自他思想的底蕴与体系。蒙田首先顺应的、遵循的就是这种精神气韵，发而为文，则成为了文章的气势，或为洋洋洒洒、自由洒脱，或为恣意纵横、天马行空，或为旁征博引、枝叶横生，或为磅礴壮观、气势万千，唯独不知拘谨、呆滞、修饰、限缩为何物。一些评论贬称之为散漫、杂乱，但蒙田这种无拘无束无序之态，正是他思想演绎、深化、旁征、延伸的结果，是他顺应思想气韵自然而然的结果。在这个意义上，《随笔集》是一部最本色、最少矫情的学者散文。

《随笔集》作为哲人散文而不同于哲人论文在于其语言的艺术性。它的语势、语态由于顺应精神气韵，随心绪所至而具有自由的风度；娓娓道来，平易近人，有亲和力；自由畅达，如行云流水，有赏心悦目之效。其遣词造句，语义明晓凝练，并求隽永意味，语感则富有感情色彩与形象性，在说理议论的篇章中，亦不乏具象形容的文字。

卢梭论

开辟了一个时代的思想家卢梭

卢梭(1712~1778)是法国18世纪最杰出的思想家之一,也是一位具有深远影响的文学家。他的一生是被侮辱与被损害的一生。他的出身和生活经历比孟德斯鸠和伏尔泰较为接近人民,因而思想也更为激进。他是封建社会愤慨的抗议者。他反映了小资产阶级的某些愿望。在后来的资产阶级革命中,他的论著成为激进民主派的精神向导。

一

卢梭于1712年6月28日出生于瑞士日内瓦一个小资产阶级钟表匠家庭。他的祖先是法国血统,信奉加尔文新教,为逃避天主教的宗教迫害,在16世纪中叶移居日内瓦,并取得了"公民"的资格。他在这个民主政体的共和国,新教的中心城市度过了他的童年,对它感情很深,他一生都以"日内瓦公民"自诩。

他自幼丧母,父亲对他从不束缚和管教,对他的教育不外是和他一道读文艺小说。父子两人读起来往往通宵不眠,"直到第二天清晨听到燕子呢喃的时候"。卢梭在他童年时代所读过的大量书籍中,最喜爱的是普鲁塔克的《希腊罗马名人传》。他后来回忆说,那些古代的历史人物,使他"形成了自由思想和民主精神,以及不愿忍受奴役和束缚的骄傲性格"。

卢梭很小就寄人篱下，14岁被迫外出谋生。他在店铺里当过学徒，受尽了老板的折磨。但这不仅没有使他不羁的性格就范，倒是更激起他的反抗。一次，他到郊外游玩，乐而忘返，最后城门已闭，他不愿意回去受东家的惩罚，决然不辞而别，离开了日内瓦，开始了他的流浪生活。这时，他还不到16岁。

他流浪过很多地方。因为衣食无着，他被送进都兰的宗教收容所。天主教会用哄骗和逼迫的办法使他改变了原来对新教的信仰，成了天主教徒，但他一生对天主教都很反感。他在店铺里当过伙计，后无缘无故被赶走；他做过贵族家庭的随从，不久，他宁可与流浪汉到自由天地里去游历，放弃了向上爬的前程；他进过宗教学校，实在不能忍受那种"监牢式的生活"，于是一走了事。他在流浪中，广泛接触了社会生活的实际。他亲眼看到农民是如何受压榨，平民是如何被损害，从统治阶级横行霸道中，他痛感在那个社会里"强权即公理"；他在受苦的生活里，受尽富贵人家的白眼和虐待，却得到劳动人民的照顾和帮助，深切体会到"在人民中，纯朴的感情到处可见，而在上等阶级里，只讲利害与虚荣"。所有这一切在他心里"种下了反对不幸的人民所遭受的苦难的根苗"，使他后来在自己的论著里对这个时代、社会发出了激愤的抗议。

他流浪生活开始不久，就认识了华伦夫人。每当遇到困境，他便去投靠她。从1732年起，他先在尚贝里地方华伦夫人的家里过了几年，学习了音乐，成为音乐教师。1736年，他们又移居到阿尔卑斯山麓一个小村庄夏默特，在这里，他广泛学习了数学、天文学、历史、地理，系统地钻研了唯物主义哲学。他特别喜爱当时刚出版的伏尔泰的《哲学通讯》，他说："这部作品引起了我对学术的极大热情。"他还参加田园劳动，在葡萄熟了的时候，与农民一起分享收获的愉快。他常年生活在山区优美的景色中，这培养了他以后在文学作品中表现得很动人的对大自然的美感。

1741年，他前往巴黎，口袋里带着他所发明的音乐简谱法。他把简谱法呈给法兰西学士院，学士院被保守迂腐的学究所控制，完全否定了他的发明创造。他谋得驻意大利使馆秘书的职务，不久又因与上司不合而丢了饭碗。他回巴黎后，以抄写乐谱为生，同时，应狄德罗、达朗贝之约，替《百科全书》写音乐方面的稿子。他和狄德罗友谊很深，狄德罗被捕入狱，他上书要求释放，并声称愿意陪同过监狱生活以示抗议。1749年，在从巴黎到范赛纳监狱去探望狄德罗的路上，他看到第戎学院公开征文的广告，题目是"科学与艺术的复兴是否有助于改善风俗"。在狄德罗的鼓励下，卢梭写了《论科学与艺术》这篇论文去应征，中选后，他的名声很快传遍了法国。1755年，第戎学院又以"人类不平等的起源"为题公开征文，卢梭再一次撰文应征。他的论文虽然没有中选，但出版后影响更大，这就是他著名的《论人类不平等的起源》。卢梭不仅在这两篇文章里表现了惊世骇俗的激进思想，而且在生活为人上，也表现出独立不羁、与贵族统治阶级不同流合污的反抗态度。宫廷演出他的歌舞剧《乡村卜师》（1752）时邀他出席，他故意不修边幅以示怠慢。国王要亲自"赐给"他年金，他为了洁身自好，"以后敢于讲人格独立、主张公道的话"，而不去接受。他非常厌恶"巴黎的繁华和上流社会的奢侈"，从1756年起，他隐居到巴黎近郊的蒙特莫朗西森林的附近，直到1762年。在这里，他发表了他的《给达朗贝论戏剧的信》（1758），出版了《新爱洛绮丝》（1761）、《社会契约论》（1762）、《爱弥儿》（1762）三部重要作品。也是在此期间，他强烈的个人主义和落落寡合的性格，使他与狄德罗以及百科全书派的朋友产生裂痕；他因对戏剧意见不一，和伏尔泰、达朗贝也进行了激烈的争论。

他的为人和论著，早为统治阶级所嫉恨。1762年《爱弥儿》出版后，大理院下令焚烧，并要逮捕作者，卢梭不得不逃往瑞士。瑞士当局同样下令烧他的书，他不得不逃到普鲁士的属地莫蒂亚。教会发表文告宣布卢梭是上帝的敌人,他在莫蒂亚又无法容身而不得不流亡到圣彼得岛。管辖该岛的伯尔尼政府命令他离开,他又被迫到英国去找哲学家休谟。在封建政府和反动教会的迫害下,卢梭的精神受到莫大的刺激,几乎失常。他到英国后不久就和休谟发生了争吵,只好化名回到法国,长期在外省各地辗转逃避,直到1770年才重返巴黎。在这漫长的逃亡生活期间,他发表了他多年编成的《音乐辞典》;为了答复反动派的攻击和污蔑,他写了《山中来信》(1764),这更引起了教会对他的嫉恨。从1765年起,他着手写他的自传《忏悔录》。

卢梭的晚年是孤独、不幸的。他仍受到封建统治阶级严密的监视。在街上,贵族的车辆故意撞他或溅他一身泥。他过着清贫的生活。在完成《忏悔录》之后,他又写了自传的续篇《一个孤独的散步者的遐想》。1778年7月2日,他悲愤的一生结束了。法国资产阶级革命后,1794年,他的遗体在隆重的仪式下移葬于巴黎的伟人公墓,在伏尔泰墓的旁边。

二

卢梭的理论著作是革命前夕资产阶级舆论准备的一个重要组成部分。这些论著猛烈地抨击了整个封建主义的意识形态、上层建筑,同时,从理论上回答了资产阶级革命前夕所提出的一系列社会、政治问题,明确地提出了反映资产阶级要求的口号和政治方案,直接为资产阶级革命服务,因而在人类思想发展史上占有重要的地位。卢梭的理论著作数量不少,主要的有以下几部。

《论科学与艺术》(1750)是卢梭第一篇重要的论文。它是应第戎学院公开征文而写的,对征文的题目"科学与艺术的复兴是否有助于改善风俗"给了完全否定的答复。论文分两部分,第一部分论述科学与艺术在历史上的消极作用，第二部分论述科学与艺术何以"有害"。

这篇论文笼统否定科学与艺术，缺乏科学的具体分析。但它一开始就表现出一种敢于反对"人人尊敬的一切事物"的战斗精神和傲视传统观念的叛逆态度。当卢梭一笔否定科学与艺术的时候，他实际上是指向统治阶级的文明，指向封建贵族的繁文缛节、虚伪的谈吐、华丽的词章、轻佻的文学艺术。他认为这些文明掩盖了社会的罪恶，在文明的"虚伪的面幕"下边，是"猜忌、恐怖、冷酷、戒备、仇恨与奸诈"，而这些文明又"束缚人们的精神"，"不断强迫着"、"命令着人们""遵循这些习俗而永远不能遵循自己的天性"。因此，他得出这样的结论：私有制产生以后的文明，其作用就在于"把花冠缀在束缚着人们的枷锁之上"，从根本上清算了包括了他自己那个时代的整个阶级社会的意识形态。与此同时，卢梭热情赞颂劳动人民的朴实自然，他这样说："只有在庄稼人的粗布衣服下面，而不是在廷臣的绣金衣服下面，才能发现有力的身躯。装饰与德行是格格不入的，因为德行是灵魂的力量。"卢梭这篇论文中对统治阶级文明的批判和对劳动人民的同情，给他以后的论著和创作定下了激进的基调。

但卢梭没有脱离历史唯心主义，他从抽象的人性中去找寻产生文化的根由。他认为："天文学诞生于迷信"，"几何学诞生于贪婪"，"甚至道德本身都诞生于人类的骄傲"。他把社会意识、道德文明视为造成社会罪恶和历史倒退的原因，根本颠倒了社会意识形态、道德习俗决定于经济基础、政治制度的关系，因而，他的论证就不能不陷于矛盾，并且不能看到进步的科学艺术与统治阶级文明的根本区别。

卢梭的《给达朗贝论戏剧的信》（1758）重复了他在《论科学与艺术》中的基本思想。达朗贝在替《百科全书》写的《日内瓦》一文中，对这个城市自加尔文新教占统治地位后禁止演戏表示惋惜，并且建议日内瓦政府修建一个剧场。卢梭对此表示反对，就写了这封有名的信。他完全否定文学艺术的教育作用，认为戏剧作品对道德风俗毫无好处，悲剧刺激人们的感情，而喜剧培养嘲讽的情绪。他以高乃依、拉辛、伏尔泰的作品为例，偏激地加以指责。在他看来，戏剧作品已经是要不得了，如果修建剧场、上演剧本、演员出现在街头，那就更会带来奢侈淫逸的风气，使社会道德沦于败坏。他主张以健康有益的娱乐代替演戏，如全民节日的庆祝活动、乡村婚礼中的舞会等等。卢梭对戏剧的偏激观点，与其他启蒙思想家，如伏尔泰、狄德罗等认为戏剧可以提高道德、加强理性的观点是抵触的。这一次争论，导致了卢梭和他们关系的破裂。

三

《论人类不平等的起源》（1755）是卢梭最重要的一部理论著作，是他理论体系的核心。这部论著以其所提出问题的重大和论述的深刻，在整个欧洲思想史上占有重要的地位。

在论著的第一部分里，卢梭把人类的原始状态当作人类的黄金时代加以描绘。在他看来，那时因为没有私有制和不平等，人类的生活简单、思想纯朴，还不知道什么是"恶"，只有"本能的同情心"，因此和平共处，没有争斗。同时，卢梭把阶级社会产生以后的"文明人"和"原始人"进行对比，认为人类在脱离自然状态进入文明社会以后，就有了"不平等"和"奴役"，人与人的关系就变得虚伪、罪恶。卢梭把人类的原始社会加以理想化，歌颂人类的自然状态，这一方面说明了他不能根据社会发展的规律向前看，另一方面表现了他对阶级社会的否定和批判。

论著的第二部分，指出人类的不平等起源于私有观念的产生和私有财产的出现。卢梭说："第一个用围墙围起一块土地的人想出说：这是我的，并且找到颇为简单的人相信那是他的，这个人就是文明社会的真正创始人。"卢梭认为，有私有财产就产生贫富差别，富人和强者为了保护私有财产，就制造了法律和执行法律的官吏、国家和政府，就出现了掠夺财富的战争，在人与人的关系中，平等不存在了，代之而来的是"奴役"和"压迫"。卢梭把私有财产的产生称为人类不平等的第一阶段。而国家机器的出现，又使人类不平等更为加深，这是第二阶段。最后，不平等的第三阶段，是专制的形成、暴君统治的出现，这是不平等的顶点。在这里，卢梭对专制暴政进行了尖锐的批判，他指责在暴政之下，不再有美德，也没有诚实可言，而只有奴隶们"极盲目地服从"。

卢梭在考察人类不平等的起源和发展时，运用了辩证的方法，得出了深刻的结论。卢梭把生产力有了发展、私有财产出现以后不平等的产生看作是进步；但是，这种进步否定了人类的自然状况，同时也是退步。而文明每向前进一步，不平等也就向前进一步。在这个过程里，人类社会为自己建立的各种制度，就转变为它们原来的目的的对立物。卢梭举例说，"人民设立封建领主是为着保护自己的自由"，但这些封建领主后来又成为了人民的压迫者，最后形成了专制暴政。在暴政面前，人人都是奴隶，一切个人又成为平等的成员。而且，专制君主既然可以用暴力进行统治，同样"当他被驱逐的时候，他是不能抱怨暴力的"，"暴力可以支持他，暴力也可以推翻他"，这样一来，暴力统治的不平等又转变为使用暴力的平等。卢梭这些论述充满了辩证法的精神，恩格斯在《反杜林论》中称赞它"几乎是堂而皇之地把自己的辩证起源的印记展示出来"。①

卢梭写作这部书带有很明显的启蒙意图。他说，他要"戳穿一些人的卑劣的谎言"，他以封建主义的意识形态为他的对立面。他批判了那种认为上帝创造人类以后不平等就是天经地义的宗教思想，批判了自由可以转让的封建理论。他论述人生来是平等的，自由是天赋的人权，因而从根本上否定了封建专制和奴役的合法性。他把矛头指向

---

① 恩格斯：《反杜林论》，《马克思恩格斯选集》第三卷第179页。

那些在封建社会中被视为神圣的事物和原则，他根本否认贵族世袭制是"神圣的永恒的权利"，指出它只是不平等产生后的一个"恶果"；他剥去统治阶级加在专制制度上的"天赋王权"之类神圣不可侵犯的外衣，指出那是不平等的顶点，最违反"善的观念"、"正义的原理"，并且论证了"以暴抗暴"原则的合理性。所有这些，就给即将到来的资产阶级推翻封建专制制度的斗争提供了充足的理论根据。因此，卢梭这部论著是反封建专制的启蒙和号召，后来在资产阶级革命的准备和进行过程中，都起了很大的作用。革命高潮中，马拉就曾在巴黎的街头宣读过这部论著。

卢梭在这部著作里固然写出了一些深刻的理解，但他的历史观基本上是唯心主义的，他根本不可能认识"在不同的所有制形式上，在生存的社会条件上，耸立着由各种不同情感、幻想、思想方式和世界观构成的整个上层建筑"①。他的研究不是以物质生产的实践活动为出发点，而是从抽象的人性本能出发。他声称："必须从人的性质本身来推论。"他用人的本能来解释私有观念的产生，又从私有财产产生后人性的恶性发展去说明阶级社会中种种纷争和罪恶，这样，他所描述的阶级社会的产生和发展，就成为了一部"观念决定观念"的历史。

四

《社会契约论》（1762）是卢梭为资产阶级革命提出的政治方案，是世界政治学说史上最著名的古典文献之一。

"人生来是自由的，但却无所不在枷锁之中"，人类社会这个矛盾是如何形成的？这是卢梭在《论人类不平等的起源》中讨论的课题。这个问题如何解决？他进一步在《社会契约论》里系统地阐述他的主张。他与当时法国封建专制的现存秩序针锋相对，提出了资产阶级民

---

① 马克思：《路易·波拿巴的雾月十八日》，《马克思恩格斯选集》第一卷第629页。

主共和国的理想。他认为,为了使人类摆脱不幸,必须推翻封建专制制度,建立以社会契约为基础的政体,即民主共和的政体。

在提出这个主张的时候,卢梭批判了强力可以产生特权、奴役天生合理之类的封建法权观念,而认为只有全体社会成员共同的约定"才可以成为人间一切合法权威的基础",因而,国家只应该是自由的人民所订立的社会契约的产物,也就是全体社会成员民主协商的结果。这里,卢梭把"民主"当作人类社会政治生活的基本准则,以此和封建主义的"专制"相对抗,并且以此作为他共和政治主张的理论基础。

在《社会契约论》里,卢梭以很大的热情鼓吹"自由"、"平等"的口号。他作为资产阶级的思想家,适应资产阶级反封建的利益,号召用暴力"打破自己身上的桎梏","恢复自己的自由"。他以自由平等为理想,宣扬他所主张的民主共和政体是自由平等的,在这里,"由于社会契约而人人平等",每个人失去了"天然的自由",但得到了"约定的自由",还"可以任意处置这种约定所留给自己的一切财富和自由",因而,这是一种比人类原始状态更高、更理想的自由平等。卢梭规定国家和政府必须接受社会契约的制约,否则人民就可以予以否决,但如果公民不服从社会契约,国家就有权强迫其服从。卢梭并不否定法律的作用和国家的镇压职能,他认为,背叛了国家的人应该受到惩罚。为了加强公民的职责观念,卢梭还主张建立一种"公民的宗教",规定"对坏人的惩罚"和"社会契约与法律的神圣性"为这种宗教的"积极的教条"。

卢梭在《社会契约论》里企图向全人类提出社会政治改革的方案,但实际上,他提出的方案不过是资产阶级的理想王国。而且,他的方案不仅不能解决私有制产生后人类社会的根本矛盾,相反,它肯定了私有制的永恒性。卢梭承认私有财产神圣不可侵犯,还提出"居高位者的一方必须节制财富与权势,而弱小者的一方必须节制贪婪与妄想","富而不骄、贫而知足",正式肯定"彻底平等"在他的理想国里"是不相宜的"。卢梭的主张反映了小私有者的某些愿望,但归根到底,只能导致以资本主义的不平等代替封建专制的不平等。

《社会契约论》虽然表现了局限性,但它反对封建专制、要求建立资产阶级民主共和国,在当时历史条件下是符合社会发展的要求和人民的愿望的。它对法国资产阶级革命影响很大,在革命中,成为了资产阶级激进派雅各宾党人的政治纲领,它的天赋人权、自由平等、主权在民的思想,都写进了1789年法国革命的《人权宣言》中。《社会契约论》对美国的独立革命也有影响,美国的《独立宣言》也表现了这部著作的精神和理想。

卢梭的理论著作不仅有丰富的思想内容,而且说理细致、议论精微,不时闪耀出思想的火花。他的笔端饱含感情,有雄辩的激昂慷慨,也有抒情的娓娓动听,在严密的推理中,精辟的见解往往又从生动的语言和形象的比喻中而出,在风格上呈现出丰富多姿,所有这些使卢梭的理论著作具有优美的散文特点。

五

卢梭主要的文学作品是《新爱洛绮丝》《爱弥儿》和《忏悔录》。和《忏悔录》同一类型的自传性作品还有《山中来信》和《一个孤独的散步者的遐想》。卢梭三部主要作品的特点和形式各不相同,但都是他宣传和表现启蒙思想的工具,和他的理论著作一样,也表现了强烈的反封建主义的精神。

《新爱洛绮丝》(1761)是卢梭著名的书信体小说。小说借用12世纪青年女子爱洛绮丝与她老师阿卜略尔的爱情故事为标题,写18世纪法国一对青年人朱丽和圣·普乐的恋爱悲剧。

圣·普乐是一个平民知识分子，在贵族家担任家庭教师，和他的学生贵族小姐朱丽发生了恋情。朱丽的父亲阶级成见很深，不许朱丽和圣·普乐结婚，仅仅因为这个青年人不是贵族出身。圣·普乐被迫离开。朱丽也被迫嫁给了贵族服尔玛，婚后她向丈夫坦白了自己过去与圣·普乐的恋情。服尔玛表示信任，把圣·普乐接到家里以宾客相待。朱丽与圣·普乐朝夕相见，彼此都压抑内心的感情，感到非常痛苦。最后，朱丽因重病而死，死前再次袒露对圣·普乐的感情，并要求他教育她的儿子。

卢梭对这个恋爱悲剧倾注了全部的同情，他把这对青年人的爱情表现得真挚动人、合情合理。在卢梭看来，"真诚的爱情的结合是一切结合中最纯洁的"。但是，封建等级制度阻碍了这一对青年结合在一起，成为了他们不幸的根源。在这里，卢梭站在资产阶级人道主义的立场上，以真实自然的感情为基础的婚姻理想和门当户对的阶级偏见为基础的封建婚姻的对立，通过这个悲剧的爱情故事对封建等级婚姻提出了抗议。

在卢梭的笔下，圣·普乐是一个品学兼优、才貌双全的知识分子，就其实际条件来说，比周围的人优秀得多，根据卢梭的人权主义原则，他是"完全应该得到朱丽的爱情"的。然而，他们的恋情却得不到社会的承认。那个社会只承认"高贵的血统"和贵族的头衔。朱丽的父亲就是这样一个封建卫道者，他根本不从实际的德才去衡量一个人的价值，顽固地反对自己的女儿嫁给平民出身的圣·普乐，而强迫她嫁给他自己的贵族朋友。由此，卢梭提出了一个问题：究竟贵族的头衔有什么实在的价值？他在小说第一卷第六十二封信里对这个问题作了回答。在这个有名的章节里，代表开明思想的爱德华爵士和朱丽的父亲进行了激烈的争论，卢梭通过人物之口这样彻底否定了整个贵族阶级：

贵族，这在一个国家里，只不过是有害而无用的特权，你们如此夸耀的贵族头衔有什么可令人尊敬的？你们贵族阶级对祖国的光荣、人类的幸福有什么贡献！你们是法律和自由的死敌，凡是在贵族阶级显赫不可一世的国家，除了专制的暴力和对人民的压迫以外，还有什么？

小说还通过圣·普乐在巴黎的见闻，批判了贵族上流社会的种种习俗风尚，这和小说中对华莱山区人民纯朴的思想感情、道德风俗的赞美，形成鲜明的对照，表现了卢梭否定贵族阶级文明、歌颂人类"自然状况"的一贯思想，使小说对现实的批判不限于狭隘的爱情问题，而有了比较广泛的社会内容。

《新爱洛绮丝》是资产阶级反封建斗争时期争取爱情自由的一部代表作。它的两个主人公都有某种反封建的精神。圣·普乐不承认封建道德，而把自由恋爱视为一种基本的人权，不断向朱丽证明他们的爱情本身就具有"美德的品格"。朱丽的思想较多地受她阶级地位的束缚，因而内心有更多的矛盾：爱情与名誉、门第观念、封建礼教的矛盾，等等。但她经过激烈的斗争，终于接受了圣·普乐的爱情。当她那专制粗暴的父亲强迫她嫁给他的朋友时，她对封建家长发出了愤慨的控诉："我的父亲把我出卖了，他把自己的女儿当作商品和奴隶，野蛮的父亲，丧失人性的父亲啊！"然而，整个小说立足于资产阶级个性解放的思想，因此主人公对封建社会的反抗是很有限的。起初，他们不敢公开自己的爱情；当封建家长逼迫他们时，虽然有人向他们提供了到美洲去生活的物质条件，他们却没有勇气冒封建社会之大不韪，不敢采取激烈的反抗方式离家出走；后来，朱丽成了贵族家庭的"贤妻良母"，以宗教思想压抑自己内心深处的感情，圣·普乐也按礼教行事处世。总之，他们的行为基本上没有越出封建道德的规范。他们不是封建社会的反抗者，而是封建社会的牺牲品，这也反映了作者在思想上看不出这种爱情的前途。

　　小说的故事在人物的通信中展开，情节进展缓慢。书信体的形式使作者能够让主人公大量倾诉自己的感情，对自己在爱情不自由、受尽压抑和束缚的处境中的种种痛苦、委屈、矛盾、失望、顾虑作细致的刻画和尽情的渲染，加上主人公缺少行动以及他们的爱情以悲剧告终，使整个作品具有一种感伤主义的情调。而作者对华莱山区、莱蒙湖畔、克拉伦乡间自然景色的描绘，则又在小说里留下一些清新优美的篇章。

六

　　《爱弥儿》（1762）的副标题是《论教育》，这是一部讨论教育问题的哲理小说。全书共分五卷，前四卷分述爱弥儿在婴儿、幼年、少年和青年四个时期的成长，最后一卷则是爱弥儿与苏菲结婚，成立了家庭。

　　卢梭的教育思想是他整个社会改革思想的一部分。他认为教育的目的是造就有用的人才，是要防止人在恶浊的社会环境中变坏。穷人接近自然状态，"没有进行教育的必要"，而富人则相反，因其阶级偏见背离自然状态，故必须进行教育。卢梭有意识把爱弥儿虚构为一个贵族子弟，在他的教育下成长，这意味着他把贵族阶级视为一个必须加以改造的对象，而他对爱弥儿的教育，又是处处针对这个阶级的种种恶习。这表现了卢梭民主主义的思想立场。

　　卢梭的教育思想体系，同时反映了卢梭的哲学、政治思想观点中的精华与缺陷。他认为人性本善，只是在社会环境里才变坏，因此，他提出教育不外是"顺乎天性"，让人的本性避免受社会偏见和恶习的影响而得到自由的发展。为了达到这个目的，在教育的环境上，他使爱弥儿远离城市，住在乡下，让他光着头、赤着脚在大自然中尽情地奔跑跳跃。在这里，爱弥儿整日"和质朴淳浑的农民接触"，和教师一道参加体力劳动，疲倦了就休憩在耕耘了的松软的土地上。在智育的内容上，卢梭主张摆脱"奴隶的偏见"，不让爱弥儿读那些帝王将相的历史，以免受其毒害，也不用统治阶级的道德礼教去束缚他的思想，甚至不让他玩金、银、水晶制作的玩具，以免形成爱慕虚荣和钱财的心理。在教育方法上，卢梭从唯物主义认识论出发，认为人的观念只能来源于对客观对象的感知，人的认识产生于具体的经验，因此，他总是通过实物教育、直观教育的方法，使爱弥儿在生活实践中获得知识。爱弥儿把窗户打破了，就让他夜晚睡在这屋子里，等他被寒风吹醒，自然就会觉悟到自己的错误。当爱弥儿不愿意学习地理知识的时候，就让他通过在森林里迷路的经验，明白地理知识的重要性。在教育的态度上，他对爱弥儿是引导，而不是压制，并且和爱弥儿结成平等相待的师生关系。

  卢梭对爱弥儿的教育，表现了他的启蒙主义的对人的理想。他不让爱弥儿成为一个文弱苍白的贵族，而要爱弥儿锻炼出强健的身体，培养他吃苦耐劳的精神；他反对贵族阶级的矫揉造作，而要爱弥儿形成朴实自然的作风；他针对封建专制的精神奴役，培养爱弥儿崇尚理性、独立思考、绝不盲从；他的教育使爱弥儿清除了封建等级观念，"在他眼里，仆人和帝王都是平等的"；他培养爱弥儿的民主思想，使他对普通人"富有同情"。爱弥儿应该成为什么样的人？卢梭一反把儿童培养成脱离实际、完全寄生的人的贵族教育，以"自食其力"的劳动者要求爱弥儿，他不仅培养爱弥儿务农，而且成为一个职业的木工。卢梭所有这些理想和标准，都是以贵族教育、贵族偏见为对立面的。他还特别强烈地反对贵族阶级、反动教会对儿童进行宗教毒害、灌输神的观念，他认为这会使人"走上邪路"，"成为宗教狂"。在第四卷中，他假借一个乡村教士之口，抒发了泛神论思想，这种思想否定了一个至高无上的神的存在，实际上是无神论思想的一种表现形式。正因为《爱弥儿》一书具有强烈的反封建统治和反宗教的精神，所以出版后，封建政府立即下令焚烧，卢梭也因此长期受到残酷的迫害。

卢梭的教育思想的最终目的美其名曰培养对社会有用的人才，其实是培养凌驾群众之上的个人精英，如在第四卷中，卢梭公开提出应该教育儿童"鄙视群众"。第五卷关于女子教育的论述，也没有摆脱封建思想的影响，表现了"男子中心论"的思想和妇女应该屈从夫权的陋见。

七

《爱弥儿》出版后，卢梭遭到统治阶级残酷的迫害，被恶毒咒骂为"疯子"、"野人"。在悲惨的流亡生活中，他感到有为自己辩护的必要，于是，怀着激愤的心情写了自传《忏悔录》（1778），回忆了从他出生到1766年被迫离开圣彼得岛之间50多年的生活经历。

这是一个平民知识分子在封建专制压迫面前维护自己的人权和尊严的作品，是对统治阶级迫害和污蔑的反击。卢梭自信他比那些攻击和迫害他的大人先生、正人君子来得高尚纯洁、诚实自然，因而，一开始他就悲愤地向他的时代社会问道："把和我同类的人群召集在我身边，让他们听我的忏悔……让他们每个人都像我这样坦率地把自己的内心袒露出来，有谁敢说：'我比这个人（指卢梭自己）更好？'"

在《忏悔录》里，卢梭讲述自己"本性善良"，家庭环境充满柔情，古代历史人物给了他崇高的思想，"若能继续下去，当然会决定我一生的性格"。但是，社会环境的恶浊、人与人之间关系的不平等，也使他受到了沾染。他偷过东西、撒过谎，做过损人利己的事。他想以这样的叙述说明他著名的人性论哲理：人性本善，但罪恶的社会环境却使人变坏。在这里，卢梭历数了他儿童时代寄人篱下所受到的粗暴待遇,入世后所遭遇的虐待,以及他耳闻目睹的种种不公。他愤怒地揭露那个社会的"弱肉强食"、"强权即公理"。这部自传名为"忏悔",实则"控诉"。另一方面,它对那些被侮辱、被损害的卑贱者,也倾注了深切的同情。

《忏悔录》是以一种坦率的风格写出来的,卢梭这样说:"我以同样的坦率讲述我的美德与罪过,我没有掩饰半点坏处,也没有添加丝毫德行……我完全按本来面目把自己表现出来,或可鄙、可恶,或善良、慷慨、高尚,都一一按当时的真实情况来讲述。"卢梭企图以这种坦然的作风,表明自己高于当时虚伪的封建道德;而且,他是站在人性论的立场上,把自己作为"人"的一个标本来进行剖析、对自我进行热烈的赞赏。"但是,人的本质并不是单个人所固有的抽象物。在其现实性上,它是一切社会关系的总和。"①卢梭所描绘的自我的个性,同样是受非常具体的阶级关系所决定的。他为了和宗教的"神道"对立,竭力推崇自己身上的"人性",肯定自己作为人的自然要求,如爱情自由的要求,但同时也把自己某些资产阶级性当作正当的"人性"加以肯定。他以感情丰富自诩,把感情视为个人行动的动力,把理智视为个人衡量一切、评判一切的标准,肯定自我的活动是独立自主的,以反对宗教对人的精神奴役。但同时,他又把自己一些低俗的冲动和趣味美化为符合"人性"的动因。他提倡个性自由,反对宗教信条和封建道德的束缚,他傲视一切地宣称"这个时代的习俗、礼教和偏见不值一顾",并把自己描绘成这样一个典型,但同时,他又把这些思想推向极端,宣扬他以个人为中心、以个人的意志和兴趣为出发点的"一任兴之所至"的个人主义人生态度。他把个性自由、人格独立、个人尊严作为基本人权来加以捍卫,要求社会以品德才能作为衡量人的标准,反对等级偏见。在他看来,心地纯洁的妓女,要比王公贵族高尚得多。他认为完美的品德应该是热爱"真"

---

① 马克思:《关于费尔巴哈的提纲》,《马克思恩格斯选集》第一卷第18页。

"善""美",待人善良和富有同情心;但同时他自己却并不以这些德行来要求自己,甚至反其道而行之——他不止一次偷过东西、诬赖过无辜者,从不负责抚养他的儿女,等等。他特别强调人的感情,主张感情的袒露和表现,并以自己这个特点自豪,但他同时又加以绝对化,走向了个人主义的感情放纵。总之,《忏悔录》所表现出来的卢梭的个性,就是反封建的资产阶级个性,这部自传是卢梭人生观的自白,是他资产阶级人道主义、人性论思想体系的集中体现,是一部个性解放的宣传书,既表现出反封建、反宗教的积极意义,又显露了资产阶级意识形态的局限性。

卢梭在回忆自己生平经历的时候,对当时的社会生活和各阶层人物也作了广泛的描述,给他的时代提供了一幅真实的素描。他在第二卷里描写宗教收容所黑暗得像监狱;在第四卷里写农民在苛捐杂税的盘剥下,在贪官污吏的骚扰下不得安宁的生活;在其他一些章节里暴露贵族男女的腐化堕落、教士神甫的丑恶虚伪,其批判的矛头直接指向当时的统治阶级,触及了当时社会的主要矛盾。

在《忏悔录》里,卢梭常抒写他对大自然的感情。他在那个恶浊的社会里,总是感到厌恶和苦恼,只要他一投入大自然的怀抱,他就感到心胸开阔,精神爽朗。有一次,他在里昂城郊外过着风餐露宿的流浪生活,面对着优美的夜景,完全忘记了他的贫困无助,竟然自得其乐,充满了乐观的情绪。卢梭通过这些叙述,提出了"回到大自然去"的口号。他这种对大自然的热爱,使他作品中有不少诗情画意的篇章。

《忏悔录》虽然是一部自传,但它思想内容丰富,人物形象鲜明,对社会生活有广泛的描写,情节生动真实,完全像一部小说,是卢梭文学创作中最为重要的作品。

卢梭的文学创作虽然数量不多,但在18世纪文学中具有鲜明的特色:它表现了强烈的个性解放的精神,把自我提高到超越一切的地位；它重视对感情的描写，整个作品充满一种激情的力量；它还表现了作者对大自然深沉的热爱，其中有不少情景交融的篇章。以上三个方面，构成了卢梭文学创作的特点，这些特点对后来19世纪欧洲浪漫主义文学产生了很大的影响，卢梭成为这个文学思潮的先驱。因此，德国浪漫主义诗人歌德说："卢梭开始了一个新时代。"

卢梭是一个具有多方面文艺才能的作家，他在音乐方面有很深的造诣。他发明了简谱法，编纂了《音乐辞典》（1767），早年写过歌剧《风流诗神》（1745）和《乡村卜师》（1752），还发表过一篇著名的音乐评论《论法国音乐的信》（1753），这篇评论彻底否定当时的法国音乐，引起贵族和宫廷对卢梭的激烈攻击。

卢梭代表作《忏悔录》的典范意义

在历史上多得难以数计的自传作品中,真正有文学价值的显然并不多,而成为文学名著的则更少。至于以其思想、艺术和风格上的重要意义而奠定了撰写者的文学地位——不是一个普通的文学席位,而是长久地受人景仰的崇高地位的,也许只有《忏悔录》了。卢梭这个不论在社会政治思想上,还是在文学内容、风格和情调上都开辟了一个新的时代的人物,主要就是通过这部自传推动和启发了19世纪的法国文学,使它——用当时很有权威的一位批评家的话来说——"获得最大的进步"、"自巴斯喀以来最大的革命"。这位批评家谦虚地承认:"我们19世纪的人就是从这次革命里出来的。"①

写自传总是在晚年,一般都是在功成名就、忧患已成过去的时候,然而对于卢梭来说,他这写自传的晚年是怎样的一个晚年啊!

1762年,他50岁,刊印他的著作的书商——阿姆斯特丹的马尔克-米谢尔·雷依,建议他写一部自传。毫无疑问,像他这样一个平民出身,走过了漫长的坎坷的道路,通过自学和个人奋斗居然成为知识界的巨子,名声传遍整个法国的人物,的确最宜于写自传作品了,何况在他的生活经历中还充满了五光十色和戏剧性。但卢梭并没有接

---

① 圣伯夫:《让-雅克·卢梭的〈忏悔录〉》,《月曜日丛谈》第一卷第78页,巴黎 Garnier Frères 版。

受这个建议,显然是因为自传将会牵涉到一些当时的人和事,而卢梭是不愿意这样做的。情况到《爱弥儿》出版后有了变化。大理院下令焚烧这部触怒了封建统治阶级的作品,并要逮捕作者,从此,他被当作"疯子"、"野蛮人"而遭到紧追不舍的迫害,开始了逃亡的生活。他逃到瑞士,瑞士当局也下令烧他的书;他逃到普鲁士的属地莫蒂亚,教会发表文告宣布他是上帝的敌人,他没法继续待下去,又流亡到圣彼得岛。对他来说,官方的判决和教会的谴责已经是够严酷的了,更沉重的一击又接踵而来:1765年出现了一本名为《公民们的感情》的小册子,对卢梭的个人生活和人品进行了攻击。令人痛心的是,这一攻击并不是来自敌人的营垒,而显然是友军之所为。卢梭眼见自己有被抹得漆黑、成为一个千古罪人的危险,迫切感到有为自己辩护的必要,于是在这一年,当他流亡在莫蒂亚的时候,他怀着悲愤的心情开始写他的自传。

整个自传是在颠沛流离的逃亡生活中断断续续完成的。在莫蒂亚和圣彼得岛时,他仅仅写了第一章,逃到英国伦敦后,他完成了第一章到第五章前半部分,第五章后半部分到第六章则是他回到法国后,1767年住在特利堡时完成的,这就是《忏悔录》的第一部。经过两年的中断,他于1769年又开始写自传的第七章至第十二章,即《忏悔录》的第二部,其中大部分是他逃避在外省期间写出来的,只有末尾一章完成于他回到了巴黎之后,最后"竣工"的日期是1770年11月。此后,他在孤独和不幸中活了将近8年,继续写了自传的续篇《一个孤独的散步者的遐想》。

《忏悔录》就是卢梭悲惨的晚年的产物,如果要举出他在那些不幸岁月中最重要的,甚至是唯一的内容,那就是这一部掺和着辛酸的书了。这样一部在残酷迫害下写成的自传,一部在四面受敌的情况下为自己的存在辩护的自传,怎么会不充满一种逼人的悲愤?它那著名的开篇,一下子就显出了这种悲愤所具有的震撼人心的力量。卢梭面对着种种谴责和污蔑、中伤和曲解，自信他比那些迫害和攻击他的大人先生、正人君子们来得高尚纯洁、诚实自然，一开始就向自己的时代社会提出了勇敢的挑战："不管末日审判的号角什么时候吹响，我都敢拿着这本书走到至高无上的审判者面前，果敢地大声说：'请看！这就是我所做过的，这就是我所想过的，我当时就是那样的人……请你把那无数的众生叫到我跟前来！让他们听听我的忏悔……然后，让他们每一个人在您的宝座前面，同样真诚地披露自己的心灵，看有谁敢于对您说：我比这个人好！'"①

这定下了全书的论辩和对抗的基调。在这对抗的基调后面，显然有着一种激烈的冲突，即卢梭与社会的冲突，这种冲突绝不是产生于偶然的事件和纠葛，而是有着深刻的社会阶级根由的。

卢梭这一个钟表匠的儿子，从民主政体的日内瓦走到封建专制主义之都巴黎，从下层人民中走进了法兰西思想界。像他这样一个身上带着尘土、经常衣食无着的流浪汉，和整个贵族上流社会当然是两个不同的世界，即使和同一营垒的其他启蒙思想家孟德斯鸠、伏尔泰、狄德罗也有很大的不同。孟德斯鸠作为一个拥有自己的庄园、同时经营工商业的"穿袍贵族"，一生过着安逸的生活；伏尔泰本人就是一个大资产者，家有万贯之财，一直是在社会上层活动；狄德罗也是出身于富裕的家庭，他虽然也过过清贫的日子，但毕竟没有卢梭那种直接来自社会底层的经历。卢梭当过学徒、仆人、伙计、随从，像乞丐一样进过收容所，只是在经过长期勤奋的自学和个人奋斗之后，才逐渐脱掉听差的号衣，成了音乐教师、秘书、职业作家。这就使他有条件把这个阶层的情绪、愿望和精神带进18世纪的文学。他第一篇引起全法兰西瞩目的论文《论科学与艺术》（1750）中那种对封建文明一笔否定的勇气，那种敢于反对"人人尊敬的事物"的战斗精神

---

① 卢梭：《忏悔录》第一部第1~2页。

和傲视传统观念的叛逆态度,不正反映了社会下层那种激烈的情绪?奠定了他在整个欧洲思想史上崇高地位的《论人类不平等的起源》(1755)和《社会契约论》(1762)对社会不平等和奴役的批判,对平等、自由的歌颂,对"主权在民"原则的宣传,不正体现了18世纪平民阶层在政治上的要求和理想?他那使得"洛阳纸贵"的小说《新爱洛绮丝》又通过一个爱情悲剧为优秀的平民人物争基本人权,而带给他悲惨命运的《爱弥儿》则把平民劳动者当作人的理想。因此,当卢梭登上了18世纪思想文化的历史舞台的时候,他也就填补了那个在历史上长期空着的平民思想家的席位。

但卢梭所生活的时代社会,对一个平民思想家来说,是完全敌对的。从他开始发表第一篇论文的18世纪50年代到他完成《忏悔录》的70年代,正是法国封建专制主义最后挣扎的时期,他逝世后11年就爆发了资产阶级革命。这个时期,有几百年历史的封建主义统治已经到了山穷水尽的境地。长期以来,封建生产关系所固有的矛盾、沉重的封建压榨已经使得民不聊生,农业生产低落;对新教徒的宗教迫害造成大量熟练工匠外流,导致了工商业的凋敝;路易十四晚年一连串对外战争和宫廷生活的奢侈浪费又使国库空虚;路易十五醉生梦死的荒淫更把封建国家推到了全面破产的边缘,以致到路易十六的时候,某些改良主义的尝试也无法挽救必然毁灭的命运了。这最后的年代是腐朽、疯狂的年代,封建贵族统治阶级愈是即将灭顶,愈是顽固地要维护自己的特权和统治。杜尔果当上财政总监后,提出了一些旨在挽救危机的改良主义措施,因而触犯了贵族特权阶级的利益,很快就被赶下了台。他的继任者内克仅仅把宫廷庞大的开支公之于众,就触怒了宫廷权贵,也遭到免职。既然自上而下的旨在维护封建统治根本利益的改良主义也不为特权阶级所容许,那么,自下而上的反对和对抗当然更要受到镇压。封建专制主义的鼎盛虽然已经·去不复返,但专制主义的淫威这时并不稍减。伏尔泰和狄德罗都进过监狱,受过迫害。这是 18 世纪思想家的命运和标志。等待着思想家卢梭的，就正是这种社会的和阶级的必然性，何况这个来自民间的人物，思想更为激烈，态度更为孤傲：他居然拒绝国王的接见和赐给的年金；他竟然表示厌恶巴黎的繁华和上流社会的奢侈；他还胆敢对"高贵的等级"进行如此激烈的指责："贵族，这在一个国家里只不过是有害而无用的特权，你们如此夸耀的贵族头衔有什么可令人尊敬的？你们贵族阶级对祖国的光荣、人类的幸福有什么贡献！你们是法律和自由的死敌，凡是在贵族阶级显赫不可一世的国家，除了专制的暴力和对人民的压迫以外还有什么？"[①]

《忏悔录》就是这样一个激进的平民思想家与反动统治激烈冲突的结果。它是一个平民知识分子在封建专制压迫面前维护自己不仅是作为一个人，更重要的是作为一个普通人的人权和尊严的作品，是对统治阶级迫害和污蔑的反击。它首先使我们感到可贵的是，其中充满了平民的自信、自重和骄傲，总之，一种高昂的平民精神。

由于作者的经历，他有条件在这部自传里展示一个平民的世界，使我们看到 18 世纪的女仆、听差、农民、小店主、下层知识分子以及卢梭自己的平民家族：钟表匠、技师、小资产阶级妇女。把这么多的平民形象带进 18 世纪文学，在卢梭之前只有勒·萨日。但勒·萨日在《吉尔·布拉斯》中往往只是把这些人物当作不断蔓延的故事情节的一部分，局限于描写他们的外部形象。卢梭在《忏悔录》中则完全不同，他所注重的是这些平民人物的思想感情、品质、人格和性格特点，虽然《忏悔录》对这些人物的形貌描写是很不充分的，但却足以使读者了解 18 世纪这个阶层的精神状况、道德水平、爱好与兴趣、愿望与追求。在这里，卢梭致力于发掘平民的精神境界中一切有

---

① 卢梭：《新爱洛绮丝》第一卷第 62 封信，《卢梭作品集》第六卷第 209 页，巴黎 Armand Aubrée 版。

价值的东西,自然淳朴的人性、值得赞美的道德情操、出色的聪明才智和健康的生活趣味等等。他把他平民家庭中那亲切宁静的柔情描写得多么动人啊,使它在那冰冷无情的社会大海的背景上,像是一个始终召唤着他的温情之岛。他笔下的农民都是一些朴实的形象,特别是那个不怕被税吏发现后就会被逼得破产,仍拿出丰盛食物款待他的农民,表现了多么高贵的慷慨;他遇到的那个小店主是那么忠厚和富有同情心,竟允许一个素不相识的流浪者在他店里骗吃了一顿饭;他亲密的伙伴、华伦夫人的男仆阿奈不仅人格高尚,而且有广博的学识和出色的才干;此外,还有"善良的小伙子"平民乐师勒·麦特尔,他的少年流浪汉朋友"聪明的巴克勒",可怜的"和善、聪明和绝对诚实的"女仆玛丽永,他们在那恶浊的社会环境里也都发散出了清新的气息,使卢梭对他们一直保持着美好的记忆。另一方面,卢梭又以不加掩饰的厌恶和鄙视追述了他所遇见的统治阶级和上流社会中的各种人物:"羹匙"贵族的后裔德·彭维尔先生"不是个有德的人";首席法官西蒙先生是"一个不断向贵妇们献殷勤的小猴子";教会人物几乎都有"伪善或厚颜无耻的丑态",其中还有不少淫邪的色情狂;贵妇人的习气是轻浮和寡廉鲜耻,有的"名声很坏";至于巴黎的权贵,无不道德沦丧、性情刁钻、伪善阴险。在卢梭的眼里,平民的世界远比上流社会来得高尚、优越。早在第一篇论文中,他就进行过这样的对比:"只有在庄稼人的粗布衣服下面,而不是在廷臣的绣金衣服下面,才能发现有力的身躯。装饰与德行是格格不入的,因为德行是灵魂的力量。"① 这种对"布衣"的崇尚,对权贵的贬责,在《忏悔录》里又有了再一次的发挥,他这样总结说:"为什么我年轻的时候遇到了这样多的好人,到我年纪大了的时候,好人就那样少了呢?是好人绝种了吗?不是的,这是由于我今天需要找好人的社会阶层已经不再是我当年遇到好人的那个社会阶层了。在一般平民中间,虽然只

---

① 卢梭:《论科学与艺术》。

偶尔流露热情，但自然情感却是随时可以见到的。在上流社会中，则连这种自然情感也完全窒息了。他们在情感的幌子下，只受利益或虚荣心的支配。"①卢梭自传中强烈的平民精神，使他在文学史上获得了他所独有的特色，法国人自己说得好："没有一个作家像卢梭这样善于把穷人表现得卓越不凡。"②

当然，《忏悔录》中那种平民的自信和骄傲，主要还是表现在卢梭对自我形象的描绘上。尽管卢梭受到了种种责难和攻击，但他深信在自己的"布衣"之下，比"廷臣的绣金衣服"下面更有"灵魂"和"力量"。在我们看来，实际上也的确如此。他在那个充满了虚荣的社会里，敢于公开表示自己对于下层、对于平民的深情，不以自己"低贱"的出身、不以他过去的贫寒困顿为耻，而宣布那是他的幸福年代，他把淳朴自然视为自己贫贱生活中最可宝贵的财富，他骄傲地展示自己生活中那些为高贵者的生活所不具有的健康的、闪光的东西以及他在贫贱生活中所获得、所保持着的那种精神上、节操上的风采。

他告诉读者，他从自己那充满真挚温情的平民家庭中获得了"一颗多情的心"，虽然他把这视为"一生不幸的根源"，但一直以他"温柔多情"、具有真情实感而自豪；他又从"淳朴的农村生活"中得到了"不可估量的好处"，"心里豁然开朗，懂得了友情"，虽然他后来也做过不够朋友的事，但更多的时候是在友情与功利之间选择了前者，甚至为了和流浪少年巴克勒的友谊而高唱着"再见吧，都城，再见吧，宫廷、野心、虚荣心，再见吧，爱情和美人"，离开了为他提供"飞黄腾达"的机遇的古丰伯爵。

他过着贫穷的生活，却有自己丰富的精神世界。他很早就对读书"有一种罕有的兴趣"，即使是在当学徒的时候，也甘冒受惩罚的危

---

① 卢梭：《忏悔录》第一部第181页。
② 圣伯夫：《月曜日丛谈》第三卷第80页，Garnier Frères版。

险而坚持读书，甚至为了得到书籍而当掉了自己的衬衫和领带。他博览群书，从古希腊罗马的经典著作一直到当代的启蒙论著，从文学、历史一直到自然科学读物，长期的读书生活唤起了他"更高尚的感情"，形成了他高出于上层阶级的精神境界。

他热爱知识，有着令人敬佩的好学精神；他学习勤奋刻苦，表现出"难以置信的毅力"。在流浪中，他坚持不懈；疾病缠身时，他也没有中断；"死亡的逼近不但没有削弱我研究学问的兴趣，似乎反而更使我兴致勃勃地研究起学问来"。他为获得更多的知识，总是最大限度地利用他的时间，劳动的时候背诵，散步的时候构思。经过长期的努力，他在数学、天文学、历史、地理、哲学和音乐等各个领域积累了广博的学识，为自己创造了作为一个思想家、一个文化巨人所必须具备的条件。他富有进取精神，学会了音乐基本理论，又进一步尝试作曲；读了伏尔泰的作品，又产生了"要学会用优雅的风格写文章的愿望"。他这样艰苦地攀登，终于达到所在时代文化的高峰。

他生活在充满虚荣和奢侈的社会环境中，却保持了清高的态度，把贫富置之度外，"一生中的任何时候，从没有过因为考虑贫富问题而令我心花怒放或忧心忡忡"。他比那些庸人高出许多倍，不爱慕荣华富贵，不追求显赫闻达，"在那一生难忘的坎坷不平和变化无常的遭遇中"，也"始终不变"。巴黎"一切真正富丽堂皇的情景"使他反感，他成名之后，也"不愿意在这个都市长久居住下去"，他之所以在这里居住了一个时期，"只不过是利用我的逗留来寻求怎样能够远离此地而生活下去的手段而已"。他在恶浊的社会环境中，虽不能完全做到出污泥而不染，但在关键的时刻，在重大的问题上，却难能可贵地表现出高尚的节操。他因为自己"人格高尚，绝不想用卑鄙手段去发财"，而抛掉了当讼棍的前程；宫廷演出他的歌舞剧《乡村卜师》时邀他出席，他故意不修边幅以示怠慢，显出"布衣"的本色；国王要接见并赐给他年金，他为了洁身自好，保持人格独立而不去接受。

他处于反动黑暗的封建统治之下,却具有"倔强豪迈以及不肯受束缚受奴役的性格",敢于"在巴黎成为专制君主政体的反对者和坚定的共和派"。他眼见"不幸的人民遭受痛苦","对压迫他们的人"又充满了"不可遏制的痛恨",他鼓吹自由,反对奴役,宣称"无论在什么事情上,约束、屈从都是我不能忍受的"。他虽然反对法国的封建专制,并且在这个国家里受到了"政府、法官、作家联合在一起的疯狂攻击",但他对法兰西的历史文化始终怀着深厚的感情,对法兰西民族寄予了坚强的信念,深信"有一天他们会把我从苦恼的羁绊中解救出来"。

18 世纪的贵族社会是一片淫靡之风,卢梭与那种寡廉鲜耻、耽于肉欲的享乐生活划清了界线。他把妇女当作一种美来加以赞赏,当作一种施以温情的对象,而不是玩弄和占有的对象。他对爱情也表示了全新的理解,他崇尚男女之间真诚深挚的情感,特别重视感情的高尚和纯洁,认为彼此之间的关系应该是这样的,"它不是基于情欲、性别、年龄、容貌,而是基于人之所以为人的那一切,除非死亡,就绝不能丧失的那一切",也就是说,应该包含着人类一切美好高尚的东西。他在生活中追求的是一种深挚、持久、超乎功利和肉欲的柔情,有时甚至近乎天真无邪、纯洁透明。他恋爱的时候,感情丰富而热烈,同时又对对方保持着爱护、尊重和体贴。他与华伦夫人长期过着一种纯净的爱情生活,那种诚挚的性质在 18 世纪的社会生活中是很难见到的。他与葛莱芬丽小姐和加蕾小姐的一段邂逅,是多么充满稚气而又散发出迷人的青春气息!他与巴西勒太太之间的一段感情又是那样温馨而又洁净无瑕!他与年轻姑娘麦尔赛莱一道做了长途旅行,始终"坐怀不乱"。他有时也成为情欲的奴隶而逢场作戏,但不久就出于道德感而抛弃了这种游戏。

他与封建贵族阶级对奢侈豪华、繁文缛节的爱好完全相反,保持着健康的、美好的生活趣味。他热爱音乐,喜欢唱歌,抄乐谱既是他谋生的手段，也是他寄托精神之所在，举办音乐会更是他生活中的乐趣。他对优美的曲调是那么动心，童年时听到的曲调清新的民间歌谣一直使他悠然神往，当他已经是一个"饱受焦虑和苦痛折磨"的老人，有时还"用颤巍巍的破嗓音哼着这些小调"，"怎么也不能一气唱到底而不被自己的眼泪打断"。他对绘画也有热烈的兴趣，"可以在画笔和铅笔之间一连待上几个月不出门"。他还喜欢喂鸽养蜂，和这些有益的动物亲切地相处，喜欢在葡萄熟了的时候到田园里去分享农人收获的愉快。他是法国文学中最早对大自然表示深沉的热爱的作家。他到一处住下，就关心窗外是否有"一片田野的绿色"；逢到景色美丽的黎明，就赶快跑到野外去观看日出。他为了到洛桑去欣赏美丽的湖水，不惜绕道而行，即使旅费短缺。他也是最善于感受大自然之美的鉴赏家，优美的夜景就足以使他忘掉餐风宿露的困苦了。他是文学中徒步旅行的发明者，喜欢"在天朗气清的日子里，不慌不忙地在景色宜人的地方信步而行"，在这种旅行中享受着"田野的风光，接连不断的秀丽景色，清新的空气，由于步行而带来的良好食欲和饱满精神……"。

《忏悔录》就这样呈现出一个淳朴自然、丰富多彩、朝气蓬勃的平民形象。正因为这个平民本身是一个代表人物，构成了18世纪思想文化领域里一个重大的社会现象，所以《忏悔录》无疑是18世纪历史中极为重要的思想材料。它使后人看到了一个思想家的成长、发展和内心世界，看到一个站在正面指导时代潮流的历史人物所具有的强有力的方面和他精神上、道德上所发出的某种诗意的光辉。这种力量和光辉最终当然来自这个形象所代表的下层人民和他所体现的历史前进的方向。总之，是政治上、思想上、道德上的反封建性质决定了《忏悔录》和其中卢梭自我形象的积极意义，决定了它们在思想发展史上、文学史上的重要价值。

假如卢梭对自我形象的描述仅止于以上这些，后人对他也可以满足了，无权提出更多的要求。它们作为18世纪反封建的思想材料不是已经相当足够了吗？不是已经具有社会阶级的意义并足以与蒙田在《随笔集》中对自己的描写具有同等的价值吗？但是，卢梭做得比这更多，走得更远，他远远超过了蒙田，他的《忏悔录》有着更为复杂的内容。

卢梭在《忏悔录》的另一个稿本中，曾经批评了过去写自传的人"总是要把自己乔装打扮一番，名为自述，实为自赞，把自己写成他所希望的那样，而不是他实际上的那样"[①]。16世纪的大散文家蒙田在《随笔集》中不就是这样吗？虽然也讲了自己的缺点，却把它们写得相当可爱。卢梭对蒙田颇不以为然，他针锋相对地提出了一个哲理性的警句："没有可憎的缺点的人是没有的。"[②]这既是他对人的一种看法，也是他对自己的一种认识。认识这一点并不太困难，但要公开承认自己也是"有可憎的缺点"，特别是敢于把这种"可憎的缺点"披露出来，却需要绝大的勇气。人贵有自知之明、严于解剖自己，至今不仍是一种令人敬佩的美德吗？显然，在卢梭之前，文学史上还没有出现过这样一个有勇气的作家，于是，卢梭以藐视前人的自豪，在《忏悔录》的第一段就这样宣布："我现在要做一项既无先例、将来也不会有人仿效的艰巨工作。我要把一个人的真实面目赤裸裸地揭露在世人面前。这个人就是我。"[③]

卢梭实践了他自己的这一诺言，他在《忏悔录》中的确以真诚坦率的态度讲述了他自己的全部生活和思想感情、性格人品的各个方面，"既没有隐瞒丝毫坏事，也没有增添任何好事……当时我是卑鄙龌龊的，就写我的卑鄙龌龊；当时我是善良忠厚、道德高尚的，就写

---

① 1850年10月，《瑞士杂志》发表了《忏悔录》另一段开头，这是卢梭从自己的初稿中删去的。该稿本当时藏于纳夏台尔图书馆。
② 圣伯夫：《月曜日丛谈》第三卷第81页，巴黎Garnier Frères版。
③ 卢梭：《忏悔录》第一部第1页。

我的善良忠厚和道德高尚"①。他大胆地把自己不能见人的隐私公之于众，他承认自己在这种或那种情况下产生过一些卑劣的念头，甚至有过下流的行径。他说过谎，行过骗，调戏过妇女，偷过东西，甚至有偷窃的习惯。他以沉重的心情忏悔自己在一次偷窃后把罪过转嫁到女仆玛丽永的头上，造成了她的不幸；忏悔自己在关键时刻卑劣地抛弃了最需要他的朋友勒·麦特尔；忏悔自己为了混一口饭吃而背叛了自己的新教信仰，改奉了天主教。应该承认，《忏悔录》的坦率和真诚达到了令人想象不到的程度，这使它成了文学史上的一部奇书。在这里，作者的自我形象并不只是发出理想的光辉，也不只是裹在意识形态的诗意里，而是呈现出了惊人的真实。在他身上，既有崇高和优美，也有卑劣和丑恶；既有坚强和力量，也有软弱和怯懦；既有朴实真诚，也有弄虚作假；既有精神和道德的美，也有某种市井无赖的习气。总之，这不是为了要享受历史的光荣而绘制出来的涂满了油彩的画像，而是一个活生生的复杂的个人。这个自我形象的复杂性就是《忏悔录》的复杂性，同时也是《忏悔录》另具一种价值的原因。这种价值不仅在于它写出了惊人的人性的真实，是历史上第一部这样真实的自传，提供了非常宝贵的、用卢梭自己的话来说，"可以作为关于人的研究——这门学问无疑尚有待于创建——的第一份参考材料"②；而且它的价值还在于，作者之所以这样做，是有着深刻的思想动机和哲理作为指导的。

卢梭追求绝对的真实，把自己的缺点和过错完全暴露出来，最直接的动机和意图，显然是要阐述他那著名的哲理：人性本善，但罪恶的社会环境却使人变坏。他现身说法，讲述自己"本性善良"，家庭环境充满柔情，古代历史人物又给了他崇高的思想，"我本来可以

---

① 卢梭：《忏悔录》第一部第2页。
② 同上书，前言。

听从自己的性格,在我的宗教、我的故乡、我的家庭、我的朋友间,在我所喜爱的工作中,在称心如意的交际中,平平静静、安安逸逸地度过自己的一生。我将会成为善良的基督教徒、善良的公民、善良的家长、善良的朋友、善良的劳动者"①。但社会环境的恶浊,人与人之间关系的不平等,却使他也受到了沾染,以致在这写自传的晚年还有那么多揪心的悔恨。他特别指出了社会不平等的危害,在这里,他又一次表现了他在《论人类不平等的起源》中的思想,把社会生活中的不平等视为正常人性的对立面,并力图通过他自己的经历,揭示出这种不平等对人性的摧残和歪曲。他是如何"从崇高的英雄主义堕落为卑鄙的市井无赖"呢?正是他所遇到的不平等、不公正的待遇,正是"强者"的"暴虐专横","摧残了我那温柔多情、天真活泼的性格",并"使我染上自己痛恨的一些恶习,诸如撒谎、怠惰、偷窃等等"。以偷窃而言,它就是社会不平等在卢梭身上造成的恶果。卢梭提出一个问题:如果人是处于一种"平等、无忧无虑的状态"中,"所希望的又可以得到满足的话",那么又怎么会有偷窃呢?既然"作恶的强者逍遥法外,无辜的弱者遭殃,普天下皆是如此",那么怎么能够制止偷窃的罪行呢?对弱者的惩罚不仅无济于事,反而更激起反抗,卢梭在自己小偷小摸被发现后经常挨打,"渐渐对挨打也就不在乎了",甚至"觉得这是抵消偷窃罪行的一种方式,我倒有了继续偷窃的权利……我心里想,既然按小偷来治我,那就等于认可我作小偷"。卢梭在通过自己的经历来分析不平等的弊害时,又用同样的方法来揭示金钱的腐蚀作用,他告诉读者,"我不但从来不像世人那样看重金钱,甚至也从来不曾把金钱看作多么方便的东西",而认定金钱是"烦恼的根源"。然而,金钱的作用却又使他不得不把金钱看作"是保持自由的一种工具",使他"害怕囊空如洗",这就在他身上造成了这样一种矛盾的习性,即"对金钱的极端吝惜与无比鄙视

---

① 卢梭:《忏悔录》第一部第50页。

兼而有之"。因此，他也曾"偷过七个利物尔零十个苏"，并且在钱财方面不时起过一些卑劣的念头，如眼见华伦夫人挥霍浪费、有破产的危险，他就想偷偷摸摸建立起自己的"小金库"，但一看无济于事，就改变了做法，"好像一只从屠宰场出来的狗，既然保不住那块肉，就不如叼走我自己的那一份"。从这些叙述里，除了可以看到典型卢梭式的严酷无情的自我剖析外，就是非常出色的关于社会环境与人性恶的互相关系的辩证法的思想了。在这里，自我批评和忏悔导向了对社会的谴责和控诉，对人性恶的挖掘转化成了严肃的社会批判。正因为这种批判是结合着卢梭自己痛切的经验和体会，所以也就更为深刻有力，它与卢梭在《论人类不平等的起源》中对于财产不平等、社会政治不平等的批判完全一脉相承，这一部论著以其杰出的思想曾被恩格斯誉为"辩证法的杰作"。

卢梭用坦率的风格写自传，不回避他身上的人性恶，更为根本的原因还在于他的思想体系。他显然并不把袒露自己，包括袒露自己的缺点过错视为一种苦刑，倒是为深信这是一个创举而自诩。在他看来，人具有自己的本性，人的本性中包括了人的一切自然的要求，如对自由的向往、对异性的追求、对精美物品的爱好，等等。正如他把初民的原始淳朴的状态当作人类美好的黄金时代一样，他又把人身上一切原始的本能的要求当作了正常的、自然的东西全盘加以肯定。甚至在他眼里，这些自然的要求要比那些经过矫饰的文明化的习性更为正常合理。在卢梭的哲学里，既然人在精美的物品面前不可能无动于衷，不，更应该有一种鉴赏家的热情，那么，出于这种不寻常的热情，要"自由支配那些小东西"，又算得了什么过错呢？因此，他在《忏悔录》中几乎是用与"忏悔"绝缘的平静的、坦然的语调告诉读者，"直到现在，我有时还偷一点我所心爱的小玩意儿"，完全无视从私有制产生以来就成为道德箴言的"勿偷窃"这个原则，这是他思想体系中的一条线索。另一条线索是：他与天主教神学相反，不是把人看作是受神奴役的对象，而是把人看成是自主的个体，人自主行动的动力则是感情，他把感情提到了一个重要的地位，认为"先有感觉，后有思考"是"人类共同的命运"。因此，感情的真挚流露、感情用事和感情放任，在他看来就是人类本性纯朴自然的表现了。请看，他是如何深情地回忆他童年时和父亲一道，那么"兴致勃勃"地阅读小说，通宵达旦，直到第二天清晨听到了燕子的呢喃，他是多么欣赏他父亲这种"孩子气"啊！这一类感情的自然流露和放任不羁，就是卢梭哲学体系中的个性自由和个性解放。卢梭无疑是18世纪中把个性解放的号角吹得最响的一个思想家，他提倡绝对的个性自由，反对宗教信条和封建道德法规的束缚；他傲视一切地宣称，那个时代的习俗、礼教和偏见都不值一顾，并把自己描绘成这样一个典型，宣扬他以个人为中心，以个人的感情、兴趣、意志为出发点，一任兴之所至的人生态度。这些就是他在《忏悔录》中的思想的核心，这也是他在自传中力求忠于自己、不装假、披露一切的根本原因。而由于所有这一切，他的这部自传自然也就成为一部最活生生的个性解放的宣言书了。

卢梭并不是最先提出资产阶级人道主义思想的思想家，在这个思想体系发展的过程中，他只是一个环节。早在文艺复兴时期，处于萌芽阶段的资本主义关系就为这种意识形态的产生提供了土壤，这种思想体系的主要方面和主要原则，从那时起，就逐渐在历史的过程中被一系列思想家、文学家充实完备起来了。虽然卢梭只是其中的一个阶段，却无疑标志着一个新的阶段。他的新贡献在于，他把资产阶级人道主义的基本原则进一步具体化为自由、平等的社会政治要求，为推翻已经过时的封建主义的统治的斗争，提供了最响亮、最打动人心的思想口号。他还较多地反映了平民阶级，也就是第三等级中较为下层的群众的要求，提出了"社会契约"的学说，为资产阶级革命后共和主义的政治蓝图提供了理论基础。这巨大的贡献使他日后在法国大革命中被民主派、激进派等奉为精神导师，他的思想推动了历史的前进。这是他作为思想家的光荣。在文学中,他的影响似乎也并不更小,如果要在他给法国文学所带来的多方面的新意中指出其主要者的话,那就应该说是他的作品中那种充分的"自我"意识和强烈的个性解放的精神了。

"自我"意识和个性解放是资产阶级文学的特有财产,它在封建贵族阶级的文学里是没有的。在封建主义之下,个性往往消融在家族和国家的观念里。资本主义关系产生后,随着自由竞争而来的,是个性自由这一要求的提出,人逐渐从封建束缚中解脱出来,才有可能提出个性解放这一观念和自我意识这种感受。这个新的主题在文学中真正丰富起来,在法国经过了一两百年。16世纪的拉伯雷仅仅通过一个乌托邦式的德廉美修道院,对此提出了一些憧憬和愿望,远远没有和现实结合起来;17世纪的作家高乃依在《勒·熙德》里,给个性和爱情自由的要求留下了一定的地位,但也是在国家的利益、家族的荣誉所允许的范围里;在莫里哀的笔下,那些追求自由生活的年轻人的确带来了个性解放的活力,但与此并存的,也有作家关于中常之道的说教。到了卢梭这里,发生了根本的变化。是他,第一次把个性自由的原则和"自我"提到如此高的地位;是他,以那样充足的感情,表现出了个性解放不可阻挡的力量,表现出"自我"那种根本不把传统观念、道德法规、价值标准放在眼里的勇气;是他,第一个通过一个现实的人,而且就是他自己,表现出一个全面体现了资产阶级人道主义精神的资产阶级个性;是他,第一个以那样惊世骇俗的大胆,如此真实地展示了这个资产阶级个性"我"有时像天空一样纯净高远、有时像阴沟一样肮脏恶浊的全部内心生活;也是他,第一个那么深入地挖掘了这种资产阶级个性与社会现实的矛盾以及他那种敏锐而痛苦的感受。由于所有这些理由,即使我们不说《忏悔录》发动了一场"革命",至少也应该说它带来了一次重大的突破。这种思想内容和风格情调的创新,是资本主义的发展在文学中的必然结果,如果不是由卢梭来完成的话，也一定会有另一个人来完成的。唯其如此，卢梭所创新的这一切，在资产阶级反封建斗争高涨的历史阶段，就成为了一种典型的、具有表征意义的东西而对后来者产生了启迪和引导的作用。它们被效法、被模仿，即使后来者并不想师法卢梭，但也跳不出卢梭所开辟的这一片"个性解放"、"自我意识"、"感情发扬"的新天地了。如果再加上卢梭第一次引入文学的对大自然美的热爱和欣赏，对市民阶级家庭生活亲切而温柔的感受，那么，几乎就可以说，《忏悔录》在某种程度上是19世纪法国文学灵感的一个源泉了。

《忏悔录》前六章第一次公之于世，是1781年，后六章则是在1788年。这时，卢梭已经不在人间。几年以后，在资产阶级革命高潮中，巴黎举行了一次隆重的仪式，把一个遗体移葬在伟人公墓，这就是《忏悔录》中的那个"我"。当年，这个"我"在写这部自传的时候，无论如何也不会想到有一天会获得这样巨大的哀荣。当他把自己一些见不得人的方面也写了出来的时候，似乎留下了一份很不光彩的历史记录，造成了一个相当难看的形象，否定了他作为一个平民思想家的光辉。然而，他这样做本身，他这样做的时候所具有的那种悲愤的力量，那种忠于自己哲学原则的主观真诚和那种个性自由的冲动，却又在更高一级的意义上完成了一次"否定之否定"，即否定了那个难看的形象而显示了一种不同凡响的人格力量。他并不想把自己打扮成历史伟人，但他却成了真正的历史伟人，他的自传也因为他不想打扮自己而成了此后一切自传作品中最有价值的一部。如果说，卢梭的论著是辩证法的杰作，那么，他的事例不是更显示出一种活生生的、强有力的辩证法吗？

3

司汤达论

司汤达的心理情结与文学创作

一、真正"世纪儿"的伤痛

缪塞在他的《一个世纪儿的忏悔》中，用了整整一章充满了历史沧桑感与诗意的语言，对拿破仑时代与19世纪上半期法国"世纪儿"这一代人命运的关系，作了精彩的概括与描述，那是法国不少文学史家、评论家都乐于提及、乐于评说的，值得我们引用：

> 在帝国连绵的战争中，成千上万的孩子，在两次战役的间隙之中怀上，在战鼓声中上学受教育，他们那浑身血迹斑斑的父亲时不时突然而归，把他们高举到自己那穿着金光灿灿的军服的胸前，然后再把他们放了下来，翻身上马而去。那时候，在欧洲，只有一个人真正地活着，而其他的则是尽量地用此人呼出的空气来充填自己的肺部。从未有过比在此人统治下更多的不眠之夜，从未有人见过有那么多绝望的母亲俯身城墙之上，从未见过在谈论死亡的人们周围如此的寂静无声。可是，在所有人的心中，也从未有过那么多的兴奋，那么多的喜悦，那么多鼓舞斗志的军乐声。从未见过比那晒干了遍地鲜血的太阳更加纯净的太阳。人们在说，那是上帝为此人造出的太阳，人们把这些太阳称之为他的奥斯特里茨阳光，但是，此人自己也在用他那些始终轰鸣的大炮

制造着阳光，可在其大战后翌日，他却只留下了一些云雾。当时，孩子们呼吸的就是这万里无云的天空中的空气，那空气中闪耀着无数的荣光，辉映着无数的钢铁。这些孩子们十分清楚，他们注定是要捐躯的，但是，他们相信米拉战无不胜，而且，人们曾经看见皇帝冒着枪林弹雨通过一座桥梁。在当时，死是那么美好，那么伟大，穿着冒烟的红袍，死是多么壮丽！……然而，不朽的皇帝有一天站在一个山丘上。

死神从大路上走过，用翅膀末梢轻轻触了他一下，便把他推到大洋中去了。那些垂死的国家便从自己的病榻上起来了，全都来分食欧洲……

忧愁的一代青年，当时就生活在这个满目疮痍的世界上，所有这些孩子都是那些以自己的热血洒遍大地的人们的骨肉，他们生于战火之中，而且也是为了战争而诞生，15 年中，他们梦想着莫斯科的皑皑白雪和金字塔那儿的阳光，他们头脑中装着整个世界，他们望着大地、天空、街道和大路，但如今全都空空如也，只有他们教区里教堂的钟声在远处回荡。人们在空中看见的只是惨白的百合花徽，当孩子们提到光荣伟大的时候，人们则对他们说："去当神甫。"当孩子说到希望、爱情、权力、生活的时候，人们仍然对他们说："去当神甫吧！"①

这一章可以说是 19 世纪法国前 30 年历史的一个浓缩，从拿破仑帝国雄踞整个欧洲，到滑铁卢战役失败以至于复辟王朝的百合花徽又重新君临法国；这一章也常被文学史家、评论家视为 19 世纪法国"世纪儿"一代人用诗的语言表述出来的"自传"，他们的梦想与追求，他们生不逢时的悲剧与幻灭失落。

---

① 李玉民选编：《缪塞精选集》第 152～156 页（柳鸣九主编：《外国文学名家精选书系》，山东文艺出版社，2000 年版）。

《一个世纪儿的忏悔》一书，采用的是第一人称的自叙方式，而作品中的"我"其实就是作者缪塞的自我投影与化身。因此，这一章在非常概括、非常形象、非常准确地描述出了整整一代人的历史命运与生存状态的同时，也就在文学史上造成了这样一个印象，似乎这小说中的"我"与作者缪塞就是这一代"世纪儿"的典型产物与代表人物。

应该说，这多少是一种假象与错觉，不论是在这部小说的主人公的身上还是在缪塞本人身上，都存在着生不逢时的客观悲剧性与个人主观生存状态以及心态行为之间的脱节，这部小说中的主人公整日沉湎在个人病态的情感泥潭之中，多少有些咎由自取的爱情烦恼、爱情痛苦之中，在他身上看不到与历史社会沧桑有任何关联的慷慨情怀、悲凉失落与激越亢奋，他只是一个视野短浅、精神世界狭小、感情纤细柔弱的奶油小生式的形象。缪塞本人除了具有主人公所不具有的诗才外，也没有任何地方比他的主人公高明了，他自己就是一个情感纤弱、近乎病态的诗人，他与他小说中的"我"，都不像是背负着时代、社会的重压，并为此付出了艰辛努力的真正的"世纪儿"的典型。不过缪塞和他小说的"我"，却通力对19世纪上半期法国历史的变迁与"世纪儿"的历史命运作了非常有概括力的表述，这一表述大概要算是法国文学创作中、历史评论中最为形象、最为出色、最富有诗意的一次表述了。

如果说这一章精彩的概括与表述，与缪塞和他的人物有些对不上号的话，那么用在一个我们所熟悉的文学人物身上，倒是再适合不过，那就是《红与黑》的主人公于连·索黑尔。

从其时代与际遇来说，于连可谓一个典型的"世纪儿"。他生于拿破仑帝国时代，呼吸过那个时代充满了刀光剑影与光荣功勋的空气，经历过英雄主义的时代氛围与大丈夫征战沙场建功立业的时尚，然而，正当他即将进入英姿勃发的年龄，将要按照拿破仑时代的光荣道路力图自我发展的时候，时代风云变化，拿破仑惨败于滑铁卢，被大革命推翻了的波旁王朝又回到了巴黎,平民青年凭借才能与战功而飞黄腾达的道路被堵塞了,对他们来说,时代与社会已是一片空虚,面前只有一条路可走——去当教士。

当然,于连之所以作为一个典型的"世纪儿",最关键的原因还不在他属于哪一个年代,甚至还不在于他属于哪一个阶层,正如哈姆雷特的典型性格根源并不在于他是不是丹麦王子。"世纪儿"不是或不完全是一个际遇经历的概念、社会阶层的概念,而主要是一个精神特征的概念、精神性质的概念。

不少文学史家都把忧郁、寡欢以及与周围环境格格不入视为"世纪儿"重要的性格表征,在法国19世纪上半期的文学中,具有这种精神特征的人物有相当一大批,从夏多布里昂的勒内到塞南古的奥培曼、诺缔埃的萨尔兹堡的画家,都要算这个系列中数得上的人物。同样都闷闷不乐、郁郁寡欢、敏感多疑、愤愤激越,问题在于根由是什么,也许根由会因人而异,有心理上的根由,有爱情上的根由,有生活经历上的根由,等等,但什么根由才具有时代特征,才真正能称得上是"世纪性"的?那就不能不说最带有世纪性特征,最具有19世纪上半期时代色彩的根由就是在生活中找不到自己的地位,甚至于找不到自己求发展的可由之路,当然更谈不上实现自己已经定型的理想与抱负,实现自己所认定的价值标准,而这种情况又只能发生在已经有了根本性的变化,但却又有严重反复的历史时期与社会环境里:一种历史性的变化深刻地改变了社会中人与人的关系,并形成了相当固定的秩序与规则,人们已经适应了这种程序与规则并养成了一种惯性与本能,然而前进着的社会列车却猛烈往后一退,于是,人们就感受到一种难以承受的眩晕,由这种眩晕,就产生了种种异常的,至少是不同寻常的精神反应。

法国19世纪上半期正是这样一个时期,这个时期实际上要从1789年的大革命算起,这次世界史上最为彻底的资产阶级革命,推翻了在法国已有数百年之久的封建贵族专制主义,一个又一个的革命高潮把这场深刻的社会变革进行到了最为彻底的程度,远比英国的资产阶级革命来得彻底,而拿破仑帝国则是这次革命的直接承袭,它全面巩固与强化了其社会、经济的成果并加以制度化,其中最为重要的一个方面,即是在社会成员政治的、经济的、法权的利益分配上,引入了新的价值标准与竞争机制:封建时代以血统与门第取人的制度被摧毁了,而代之以才能、战功、业绩为标准。当然,这样一次翻天覆地的历史社会变革中,必然有激烈的斗争与严重的反复,拿破仑帝国在欧洲君主国"神圣同盟"的干预与进逼下垮台,波旁王朝在法国复辟就是最严重的一次反复了。在此反复中,我们不能说大革命的一切社会成果都被一风吹而荡然无存,但确有一部分是荡然无存了,上述新的价值标准与新一代青年人的发展道路就是如此,这就足以给这一代人造成地震感,造成灾难感与幻灭感。由此,对当前历史反复的失望、反感、怨恨就自然而生,对拿破仑帝国向往、缅怀与理想化反倒格外炽热,这就是19世纪上半期这一代人内心世界中截然对立的两个方面,是他们基本的精神状态。然而,他们还得在历史颠簸之后,在地震之后的环境中生存下去并力图求得发展,这就使得这两个精神倾向产生了更为复杂、更为微妙的矛盾与变化。所有这一切构成了整整一代人的精神世界的活动内容,这种精神特征是历史社会变异的结果,是真正"世纪性"的,是"世纪儿"典型的精神状态、基本的精神本色、关键的精神病根。

在19世纪文学中,这种"世纪病"精神综合征毫无疑问在司汤达《红与黑》的主人公于连·索黑尔的身上表现得最集中、最形象,我们至今还能从这个人物的细枝末节、言行举止中看到历史反复、社会沧桑的全部痕迹,在这里,整整一代"世纪儿"的精神综合征的全部活生生的现实内容,全部尖锐的政治含义都是以再明晰不过,再个性化、再艺术化不过的形式充分地表现了出来。这个人物一出场，就是在偷偷阅读拿破仑的《圣赫勒拿岛回忆录》；他入世的第一步，到德·雷纳尔市长家任家庭教师时，竟偷偷随身藏着拿破仑的头像。仅仅这两个行为就带有极大的叛逆性，在当时复辟王朝的统治下，足以被视为大逆不道、犯上作乱之举而遭到严惩以至于治罪。他不仅怀着如此敌对的政治向往，异端的价值标准，而且事实上在那个压抑他、扼杀他、挤对他的社会里，一直神经紧绷、心理戒备，无时无刻不在准备进行战斗，而在这种战斗的心理准备中，他总是把拿破仑作为激励自己斗志的榜样，以拿破仑的回忆录作为自己吸取精神力量的源泉。在小说中，司汤达多次描写了于连在种种生存奋斗的间隙中，"专心阅读他那位英雄的辉煌战绩"，"浏览那本宝书，以锤炼意志，振作精神"，这种带有明显政治色彩的主观战斗精神甚至还浸入到他作为一个青年人必然具有的荷尔蒙萌动的时间与领域。在夜幕笼罩的花园中，他第一次主动去抓市长夫人的手，从始至终就是在这种主观战斗精神的参与下完成的，如果不是市长夫人被爱意与柔情蒙住了自己的眼睛，他这一战斗性、占有性十分露骨的唐突、生硬、粗暴的"示爱方式"，肯定会把这个温柔的少妇吓得惊慌而逃。同样，在小说的第二部中，当他收到了德·玛蒂尔德侯爵小姐约他幽会的密信后，他内心里并没有产生多少爱的向往与冲动——虽然这个漂亮而有个性的贵族小姐一直使他颇为心仪钦羡，而是紧张地进行分析、戒备、探测、侦查、采取防范措施，甚至做好最坏的应变准备，整个过程就像是策划与进行一次战役，与其说他像一个兴奋的情人，不如说像一个充满警觉与战斗精神的拿破仑战士。只有充分认识了浸透着这个人物内心世界中的对复辟时期社会环境之敌对情绪，以及他高度紧张时刻为战的精神状态，才能理解他为什么一得知有封"揭发信"就火爆而起，毫无理智地向自己的情妇开了一枪；才能理解他最后在法庭上不做任何求得赦免的努力，反倒不顾后果，只求痛快地大发泄一次,作了一篇与复辟社会公然对立的演说。

可以毫不夸张地说,在人类文学中,还没有一部作品像《红与黑》这样将世界性的历史内容、深刻的社会巨变与个人隐秘的心理、个性化的精神状态,如此水乳交融,凝现在十分独特、十分戏剧性的生活过程中与具体事件里。一个历史时代,一次社会变革,在这里得到了形象的、有血有肉的再现,有了一幅真切而丰满的图景,而人物在这里则深刻而完美地体现了时代历史的内容,也成为了结合着社会性、民族性与人性的典型。这是《红与黑》具有永恒魅力的原因,是其中的人物栩栩如生的原因,是整个作品成为欧洲文学史上最深刻、最杰出的一部小说的原因。

二、拿破仑缘分与拿破仑情结

不言而喻,如果对法国的历史与社会没有透彻的认识,对时代的走向与起伏没有准确的把握,对政治的反复与沧桑没有切身的体验,对以拿破仑这个名字为代表与象征的精神价值准则、际遇、经历等一切没有深厚的感情,是写不出《红与黑》这样一部书的。司汤达正是具有这些条件的作家,而这些条件所涉及的一对对关系,如革命法国与君主制欧洲的关系、新时代与旧时代的关系、新价值观与旧价值观的关系、法国各派政治力量的关系,无不以拿破仑问题为核心、为关键。这是法国 19 世纪上半期历史过程中一个最基本的特征,围绕这个问题的矛盾就是这个时期历史过程中的基本矛盾。一个作家对这个问题的理解与认识、与这个问题的关系与"缘分"、参与这个问题的程度以及参与的态度与感情,势必直接影响并决定他对这个时期历史过程认识的深度。如果说在 19 世纪法国文学中有哪一个作家在这个方面格外拥有某些条件、格外拥有某种优势的话,那就是司汤达,而且只有司汤达。因为他是与拿破仑有比较直接关系的一人,他是命运直接与拿破仑的命运相联系的一人。

从其经历与命运来说，司汤达完全属于法国19世纪前期社会政治生活中的先进主流、革命阵营；从其思想倾向、政治归属与具体的社会人事关系而言，他则要算是一个不折不扣的拿破仑嫡系。

他生于法国大革命爆发前六年，也就是说，从他记事与懂事的年龄开始，他就是在相当漫长的法国大革命时期的狂热的气氛与炽烈的日子里，开始了他的少年时代，何况他从小就深受外祖父的影响，而此公则是伏尔泰的一个虔诚的信徒，还到这位"菲尔耐教长"那里去朝过"圣"，因此，司汤达从小热爱18世纪启蒙思想家的作品与论著，也就是"近水楼台先得月"的事了。而上个世纪的这一批思想家正是1789年资产阶级大革命的直接开路者与奠基人，大革命的理论、学说、原则、口号、词句都来源于此。从这个意义上可以说，司汤达从小喝的就是"狮子的奶汁"，这种养料首先就给他提供了充足的钙质，造就出他日后作为大革命原则与拿破仑主义的热烈追随者的坚硬骨骼。而少年时代所感受的炽热时代、革命氛围，从士兵开赴前线、为保卫共和国而战，到路易十六被送上断头台等一系列革命事件，都曾激起过他作为少年人的激越精神，而其在本地雅各宾俱乐部所参与的活动更是直接的熏陶了。当然，对他起了塑造成形作用的，还是他在当地中心学校整整三年所受的教育，这种新型的学校是大革命时期的产物，专为当时新的社会需要培养革新人才，可谓当时新形势下的"革命大学"或"干部培训班"。

1799年，对于拿破仑与司汤达来说，都是关键的一年。这一年，拿破仑结束了大革命后混乱无序且疲软无力的时期，在巴黎攫取了全国政权，作为大革命成果的代表者与大革命法治的巩固者，建立了强有力的铁腕统治，并开始对敌视法国革命的欧洲封建君主国同盟的征战。而这一年,司汤达也从中心学校毕业来到巴黎谋职位、图发展。总之,这一年对两人都是一个"开始",虽然各自在不同的层次上,但却是紧密相连,因为司汤达一到巴黎,就在拿破仑麾下的军事机构里谋到一个职务,而军队则一直是拿破仑政权核心之核心。

1804年到1815年,是拿破仑辉煌的时期,几乎整个欧洲都慑服于他的军旗之下。对他的征战与统治之于当时的欧洲的关系,马克思、恩格斯都曾给予极高的评价,称他是"革命的代表",是"革命原理的传播者",是"旧时封建社会的摧毁人"[①]。在整整这个时期里,司汤达一直是拿破仑事业的追随者、参与者,一直随拿破仑的大军到过几乎整个欧洲。驻扎在意大利期间,他目睹了拿破仑"唤醒了这沉睡的民族";进驻德国后,他看到了拿破仑"清扫了德国的奥吉亚斯的牛圈,修筑了文明的交通大道";他也随军进攻了俄罗斯,见证了拿破仑的灾难性失败。他在拿破仑帝国的多种行政机构与军事机构里任过职,有幸多次亲自见到"各个时期的拿破仑",并且不止一次与他有直接的接触,直到拿破仑彻底垮台前夕,他仍担任后勤军需官员。总之,他入世以后的履历表清楚地表明,他始终置身于拿破仑的营垒中,是拿破仑麾下一个名副其实的"老兵",经历了拿破仑由极盛而失败的整个过程,确实是与拿破仑"同呼吸,共命运"。

不言而喻,在拿破仑成为阶下囚,波旁王朝又在法国复辟之后,一个曾经与拿破仑如此紧捆在一起的人,绝不会"有好果子吃"。用司汤达自己的话来说,"像我这样一个到过莫斯科的人,在波旁王朝的法国除了受屈辱外,不会再有别的"。他"被扫地出门",被革掉了职务,丢掉了饭碗,不得不流落到意大利,其时他才31岁。尽管意大利之于司汤达,并不完全像厄尔巴岛与圣赫勒拿岛之于拿破仑,但在被欧洲君主国神盟同盟控制的那个时期里,司汤达显然是生活得

[①] 恩格斯:《德国状况》,《马克思恩格斯全集》第二卷第636页,人民出版社,1965年版。

很不自在，疑虑重重，紧张戒备，甚至不免有些惶恐。他在意大利生活期间，经常担心自己受到监视，经常使用化名和假名，这就充分反映了他这种精神状态，正是他这种感受，使得他能够把于连对复辟王朝社会环境的那种对立、设防、警觉与备战的心态描写得那么真切、细致、深刻。

流落到意大利后，司汤达才正式开始了写作生涯。在经过历史沧桑与个人磨炼之后，一个写作者、一个作家司汤达终于出现了。如果说，司汤达作为现实的、社会的人，身上是负载着拿破仑朝代的历史，是背负着拿破仑这个历史包袱，是凝现着拿破仑时代的身影的话，那么他作为一个写作者、一个精神产品制作者、一个作家，他内心里、精神中就存在一种占绝对优势的成分，那就是拿破仑情结。这种情结包括了对拿破仑的缅怀、崇拜、痛惜、期望、理想以及十指连心的欢快与荣誉、伤痛与沦落，这种情结构成了他写作的动力、写作的灵感源泉、写作的题材内容、写作的想象意境……

如果再对司汤达的创作活动进行分期的话，从1814年他流落到意大利，至1830年《红与黑》出版，显然要算是第一期，当然也就是他最大的丰收期，而这正是复辟王朝统治法国的时期。也许是因为拿破仑由辉煌而失败这历史变故的一页刚翻去不久，也许是因为在复辟王朝统治的压抑下，他自己的逆反情绪更为强烈，他的拿破仑情结在这一个时期也就展现得更为不可抑止，更为"屡见不鲜"。他的第一部作品《海顿、莫扎特、梅达斯泰斯的生平》并未见此种端倪，他第二部作品《意大利绘画史》同样也是远离法国现实题材的"风雅"之作，但他却极为特殊地在卷首写了一篇献词，公然向拿破仑致敬，称颂他为"伟大的人物"，对他与欧洲君主国的斗争作了高度的评价。紧接着，他就开始写作《拿破仑传》了，虽然这本书"只讲作者所知道的拿破仑战役"，但是他是"怀着一种宗教感情"来写这本书的。这是一部逆复辟时期之潮流而动的作品,旗帜鲜明地反驳种种对拿破仑的攻击与谎言,宣扬他的赫赫战功,表彰他的业绩,赞赏他的"军事天才与强毅个性"、"英明果断",称颂他是"继恺撒之后,世界上最伟大的人物"[①],把他的失败视为历史上最大的悲剧。然而,这种历史的论述、观点的阐明还不足以缓解他浓重的拿破仑情结,还代替不了他对于伟大的历史兴衰及其带给整整一代人命运的个性化的感受,他显然是以一种不可抑止的激情在复辟王朝将要垮台的前一年写作了《红与黑》,这部作品无疑是司汤达的拿破仑情结最强烈、最集中的表现,它塑造出一个拿破仑热烈信徒、忠实子弟、不顾死活的"遗少"的人物形象,在文学中为拿破仑主义留下了一份最典型、最生动的真实记录。作品所反映的历史社会的客观现实、个性化的心理内涵与栩栩如生的艺术图景等多种成分的完满结合,使得《红与黑》成为一个时代、一种主义的文学标本,成为仅此一本就足以使司汤达永垂不朽的杰作,胜过19世纪很多作家全部创作总和的一部奇书。

1830年的七月革命带来了很大的变化,不论对法国还是对司汤达。在法国,银行家的七月王朝取代了封建的复辟王朝,历史翻开了新的一页。新的时期有新的问题,过去时代的社会历史矛盾则有所变化、有所消解,如在政治领域与社会领域里,正统保王主义与拿破仑主义的矛盾斗争就渐次隐退了。司汤达本人的处境也有很大的变化,他不再像在复辟时期那样,是一个在社会中找不到地位的人、一个流落者。七月革命后不久,他就被任命为法国驻意大利的外交官,这时他47岁,他长期担任西维达-维基雅这个滨海城市的法国领事,在这个清闲的职位上长达12年之久,直到1842年逝世。尽管时代变了,一切都事过境迁,然而,固有的思想感情毕竟是难以抹去的陈迹,是

[①] 罗新璋选编:《司汤达精选集》(柳鸣九主编:《外国文学名家精选书系》,山东文艺出版社,1997年版)。

不易割舍的情怀，司汤达的拿破仑情结竟依然如故。这首先突出地表现在，1836年他又写作了《回忆拿破仑》一书，而在他1837年开始写作的自传体作品《亨利·布吕拉尔的一生》中，他以这样一句自白结束了全书："吾生平唯独尊崇一人，即拿破仑也。"①

当然，在文学史上更具重要意义的，是他的另一部长篇巨著《帕尔马修道院》。这是他拿破仑情结的又一次辉煌展现。在这部小说里，有两个与拿破仑直接有关的章节特别引人注意。一是小说开头对1796年拿破仑所指挥的法国革命军进驻意大利时，当地人民热烈欢庆的描写，在伦巴第"幸福欢乐得像汹涌的潮水一般"，在米兰"狂喜、快活、寻欢作乐达到了乐极忘忧的程度"（该书上卷第一章）。二是对主人公亲自见证了滑铁卢战役的描写。这些都是对人类历史上显赫事件的大手笔绘制，具有伦勃朗式的现实主义风格，曾被文学史上不止一个大家所赞赏、所折服。正是在这史诗般、油画式的背景上，司汤达搬演了一个曲折而复杂的意大利青年生不逢时的悲剧故事。法布利斯是自由思想与法国血统的儿子，与于连一样，也是拿破仑热烈的信徒，他正要追随自己的英雄偶像投身于轰轰烈烈的事业，有一番非凡的作为之时，正碰上了让拿破仑彻底完蛋的滑铁卢战役，滑铁卢断送了他的浪漫主义理想，也堵塞了他求作为、求发展的道路，原本可以体现出价值、具有一定意义的人生，成为无价值、无意义的人生，理想与生命力空浪费的人生，近乎荒诞胡闹的人生。这是一代青年的悲剧命运，是时代历史变故的产物，其中蕴含着司汤达对历史沧桑的伤悼，在这个意义上，《帕尔马修道院》与《红与黑》是司汤达的拿破仑情结的并蒂莲，是同一种历史悲怆感的姐妹篇。

当然，到了七月王朝时期，司汤达个人的生活与他眼前的社会现

---

① 《司汤达自述作品集》第二卷第980页，法国伽里玛出版社，"七星丛书"本，1982年版。

实都有了很大的变化，作为法国社会历史的一个冷静的观察者、分析者，作为一贯把小说视为社会生活的镜子并力图为不同形态的社会生活提供一面镜子的作家，司汤达不可能没有新的发展，他的新发展、新努力与新成就即他的另一个长篇巨著《吕西安·娄万》（即《红与白》）。这的确是司汤达一部很有分量的力作，它对七月王朝时期的社会现实、阶级关系、生活形态、人群众生与个体人物，都有深刻独到的观察与生动细致的描绘，并表现出了鲜明的批判倾向与尖锐的针砭力度，至今仍是反映七月王朝时期历史的一部杰作，足以与巴尔扎克为这个时期创作的巨型社会图景媲美。当然，巴尔扎克对这个时期的描绘，其成就要超出司汤达，正如司汤达在对复辟时期社会政治状态的描写要超出巴尔扎克一样。应该看到，《吕西安·娄万》是司汤达长篇小说中好不容易摆脱了拿破仑情结缠绕的唯一作品，他在这里所描绘的七月王朝时期的社会现实毕竟是甚少有拿破仑问题的遗留。然而，正因为不再有此种血肉相连的情结，这部小说与他的另外两部长篇杰作《红与黑》与《帕尔马修道院》相比，在激情的力量、感人的程度、形象的心理深度、历史的悲怆性上，显然就稍逊一筹，因此，不能不承认，作家司汤达从根本上来说是属于历史伟人拿破仑及其时代的，他的感受、他的神经、他的情结、他的笔触来源于那里，适应那里。这是他的优势，他的强项。因而，他把那个时代的英雄主义性质以及有关的个人命运问题，写到极致的程度，而随着那个伟人、那个时代及其历史悲怆性与命运切肤之痛的消隐，司汤达的优势也就过去了。他毕竟不是七月王朝时期的现实条件所塑就的，他不可能在神经末梢上、在精神内核上都切入这个时代、渗透这个时代。总之，他自己的时代已经过去了，在新的七月王朝时期，他相对来说就是一个带有某种程度陌生性的来客，即使他不在1842年中风并死于59岁的中年，他在文学创作上也不可能达到他在《红与黑》与《帕尔马修道院》中所达到的高度了。

三、意大利性格、激情之爱与渴爱情结

在司汤达整个文学创作中,除了占有绝对重要性的法国现实题材的作品系列外,还有一个声势不小、不容忽视的系列,那就是意大利题材的作品系列。如果说拿破仑时代及其历史命运对法国人命运的作用与影响,是司汤达在文学创作中难以割舍、不吐不快的主题的话,那么意大利题材、意大利性格、意大利激情,则是经常使他情动于衷、热烈感应的创作灵感之源泉。

司汤达的文学创作活动是从他流落到意大利之后开始的,也许是为了在困顿与窘迫中寻找寄托,也许是到了这时他才得到了实现自己很久以来就有的文学创作热情的充裕时间,不论是哪一个原因,从意大利开始,这对司汤达都是很有意义的。而且,一开始,意大利题材就在他创作活动中占了明显的优势,几乎与1817年问世的《意大利绘画史》同时,又有他著名的游记散文《罗马·那不勒斯·佛罗伦萨》,不久后则是与意大利甚为有关的《爱情论》(1822)一书以及一部关于意大利音乐家的评传《罗西尼传》(1823)。

对意大利异国题材如此明显的倾斜与这样大的创作出版密度,都充分地表现出了司汤达对意大利的不可抑制的热情,而在他1830年完成了以本国现实为题材的不朽巨著《红与黑》之前,他就已经完成了充满激情的意大利题材的小说《法尼娜·法尼尼》(1829),此作虽然篇幅不长,却早已成为世界小说中任何选家都不能不格外青睐的精品。至于他后期两部意大利题材的作品——《帕尔马修道院》与《意大利遗事》,也都是他倾注了心力与深情并且有不朽价值的力作,即使把它们放在意大利文学中,前者辉煌的艺术成就,后者精细的心理深度,都是2世纪以来意大利本土作家所难以企及超越的,特别是《帕尔马修道院》,更是世界文学史上为数不多的不朽杰作之一。因此,从司汤达本人对意大利的主观倾向,从他创作中意大利题材所占

的重大比重,从他在这一类别作品中所达到的现实描绘规模与性格刻画深度,从他为一个地区、一个民族的精神文化增光添彩的效果等各方面来看,我们很难说,他只是一个法国作家,甚至很难说,在他身上是以法国作家为主,还是以意大利作家为主。君不见,在巴黎马尔特公墓里,司汤达的墓碑上明明用意大利文刻着"米兰人"的字样,这是后人根据他本人的遗嘱才这么刻的。

是什么使得意大利对司汤达具有如此大的吸引力?当然,意大利是欧洲文艺复兴的发源地,艺术与文学均昌盛繁荣于一时,成为整个欧洲仰望钦羡的对象,对于研究过意大利绘画与音乐的司汤达而言,其魅力是可想而知的,即使他这个法国人对意大利文化是五体投地、顶礼膜拜,也早有弗朗索瓦一世的先例在,此公对意大利文艺复兴的追随与模仿,使得他获得了"法国文艺复兴之父"的美名。不过,对于司汤达来说,事情似乎还不这么简单,他对此种文化,对这个民族的全身心的倾爱与向往,绝不仅仅表现于他在绘画史专著与音乐家评传中的赞赏与评判,而是深深渗透在他作品的内核里血肉中,形成一种为其他作家所不具有的成分与素质,这种独特的成分与素质,简而言之,就是意大利性格。这是意大利最吸引他的东西,最使他向往、着迷的东西,最使他多次情不自禁、欣然命笔而去加以描绘与赞美的东西,这构成了作家司汤达的又一大特色,正如拿破仑情结构成他另一个主要特色一样。

什么是意大利性格?当然,这里不可能是指意大利民族精神特质的种种方面、种种成分,不是一种民族性的全面展示,而只是司汤达感受得最深、发掘得最有力、描绘得最动情的一种精神特质。具体来说,就是激情至上主义,就是忠于自己的感情,在任何时候都把感情置于最高地位,为实现自己的感情而不惜摆脱一切束缚,不论是理性的,还是宗教的、道义的;也不惜冲破一切障碍,不论是家族的、还是社会的、国家的；更不顾一切后果，不论是导致自身切身利益、家族亲情利益受到损害，还是导致玉石俱焚、自我毁灭的灾难。这种被置于最高地位的感情，往往都是男女间的爱情与激情，有时，也有更为高层次的热情。所有这些都集中而鲜明地表现在《意大利遗事》《法尼娜·法尼尼》以及《帕尔马修道院》这些杰作里，正是这种意大利性格使得这些作品具有一种激情的张力、一种浪漫主义的浓烈色彩。

《意大利遗事》基本上是对意大利性格的"考古发掘"，是司汤达对在意大利久已流传的一些故事素材的整理、加工与再创作，题材均取自16世纪的历史与生活，或为社会地位悬殊的青年男女的爱情悲剧，或为宫廷贵族之间因为男女私情而引起的争斗，这些故事里的人物一般都被写成具有强烈的感情冲动，压倒一切的欲望和由此产生的不顾任何后果的暴烈行为，其激情的炽热与行动的力度，使得他们在狭隘、阴暗的社会背景上闪耀着狂野的光芒。

《法尼娜·法尼尼》与《帕尔马修道院》则可说是意大利性格的现代版，即它们都是以意大利性格在司汤达本人所处时代的表现、演绎为题材的，在前者中，司汤达填进了意大利19世纪烧炭党人民族解放斗争的内容，其中主人公法尼娜·法尼尼作为"上流社会的皇后"，把自己的社会地位、身份、前途均置之度外，奋不顾身爱上一个出身低微、身负重伤、被官方追捕的"逃犯"，宁可赴汤蹈火，"毁掉自己"，把命运永远正式和他拴在一起，所有这些可谓意大利性格的典型表现。而她为了永远和他结合在一起所使用的手段，又反映了19世纪意大利社会矛盾不可调和的性质与两种阶级力量互相斗争的酷烈程度。小说中男主人公那种为了对祖国意大利的爱而勇于克服儿女私情，做出自我牺牲的殉道者精神，则使得"意大利性格"因具有了民主主义的内容而提升到了新的高度。《帕尔马修道院》则可说是"意大利性格"在19世纪欧洲历史背景上的一次大规模的、辉煌的展现，主人公身处意大利贵族的营垒却热衷于法国革命的思想，并无视自己阶级的规范而与社会下层混在一起,甚至一听到拿破仑东山再起就不顾一切狂热地飞奔到滑铁卢战场投效,这些描写显然就不仅仅是意大利性格了,而是意大利性格与拿破仑情结的结合了。

司汤达从文学创作活动的前期一直到后期,之所以始终对意大利性格的题材如此钟爱和垂青,多次怀着深情加以描写,不能不说他对这种性格与精神表征有着热烈的向往。现在的问题是,这一切是为什么?是什么原因与根由使他具有如此明显的感情倾向与价值取向?

对异己对象的倾慕与向往,往往与自身的某种欠缺与需求有关。意大利性格的形态与表征,主要就是激情、强悍、奔放、有力度、轰轰烈烈,甚至狂野不羁,至少在司汤达的笔下如此,因而也可以说在他心目中是如此的,而这正是法兰西性格中所欠缺和不足的。在高度发达的君主专制政治长达两三个世纪的培植与塑造下,法国精神文化领域中,固然有不少深深值得法国人自豪的优质成分,但也不可否认,其中有着某些令法国人自己也深感不悦,甚至有所腻烦的积淀,如矫饰、雕琢、纤细、软绵、虚荣、苍白、夸张失真、虚假造作等,这些都曾在封建趣味十足的古典主义文学艺术中有过十分鲜明突出的表现。应该看到,自从意大利文艺复兴的暖风吹进法国以来,早从16世纪起,在法兰西精神文化领域,就不断有睿智的思想家、超凡的才人对以上那些文化艺术形态与精神性格表征进行反思与辨析,这已经成为了法兰西人文精神中的一个自我超越、自我净化、富有生机的传统。司汤达无疑要算是这个传统中的一员,他最早的论著《拉辛与莎士比亚》就体现了对法国文化形态的清醒反思与正面批判,他以意大利性格来对照法国上流社会中那种矫揉造作、苍白无力、虚荣失真的趣味与做派,也可以说是他的一种特定的取向。

与这个问题紧密相关,值得我们特别予以注意的是司汤达的《爱情论》一书。在这部专著里,司汤达把爱情划分为四个种类:肉体之爱、趣味之爱、虚荣之爱与激情之爱。第一种以性欲为主要内容与基础;第二种以精神契合为特点,柏拉图式的爱,似属于此;第三种以功利为追求目标与结合条件;第四种则是纯粹以爱情为目的,以对方为唯一的对象,为唯一的内容,带有绝对的为他性与献身性。我们从司汤达在情场上为数并不太少的经历来看,实在不能说他在这四种爱之中,有什么"偏食"的习惯,似乎可以说,只要是桃色机遇,他均来者不拒,但不论在《爱情论》中还是在实际生活中,他所心仪、所倾情、所赞赏的,还是"激情之爱",而他理想中的这种爱,更多地表现在"意大利性格"之中,他笔下的"意大利性格",几乎无一不是"激情之爱"。在司汤达的精神与论著里,意大利性格与激情之爱的同一性是显而易见的。

司汤达对爱情的这种向往、倾慕、赞赏、追求,看来不是从对爱情本质的理解与观念所能完全加以解释的,这显然与他自己深层次的私人原因有关。

在19世纪那些比肩而立的文学名人中,司汤达也许要算是在"爱情捕获"中最少出息、最黯然失色的一人了。他在这方面还不如巴尔扎克得心应手,也不像雨果那样"战绩辉煌"——直到80岁过头仍有接踵而来的艳福,当然更不像大仲马、莫泊桑那样广阅人间春色,享尽了醇酒美妇之乐。在他的记录中,倒是充满了尴尬与失败,虽然,他生活中也有过不少次那种"一百二十八个没有爱情的夜晚"式的官能享受,但每当他倾心恋爱的时候,却往往不是单恋、苦恋,就是反复碰壁,简直惨不忍睹。

如果他像包法利先生那样对爱与不爱的事情感觉迟钝,毫不在意,那事情会是另一个样子。偏偏他生性敏感,满怀热情,心里的爱意如泉涌不竭,对谈情说爱兴趣很浓,很是在意用心。自我脾性与客观现实如此矛盾,这就形成了他一生对爱的欠缺感、饥渴感。就像渴望当明星而始终没有当上明星的人,总有一种"明星情结"、一种追星狂热一样,司汤达也有一个总是想求疏解的爱情情结,实际上,他也成为一个"追星族",这"星"不是别的,就是"爱情"。他自己说过:"我爱上了爱情。"

这情结非同小可,从这里生发出来的缕缕情丝,延伸、舒张到了他的一生,到了他生活的好些方面,在他的内心生活、精神倾向与文学创作以及哲理议论中,都留下明显的印痕。

心羡激情之爱,在司汤达身上,主要的原因,简而言之,就是他那带欠缺性的生存状态与由此而来的爱情情结。首先,他缺漂亮的外貌,缺男人的性感——他身材不高,大腹便便,红脸膛,络腮胡,狮子鼻,薄嘴唇,看起来像个其貌不扬的胖店主,加以热恋情急,反倒难免有笨拙之举,于是,也就经常成为情场上的败兵。至于有的传记说他患有性功能不全症也是一个原因,那恐怕只是臆想妄说而已。其次,他身上也缺虚荣之爱的支撑点,他不是腰缠万贯的富翁,只不过靠父亲应允给他的遗产过着小康的日子而已,一旦他对女演员梅拉妮发痴、需要大把大把用钱时,他就大做起发财梦来,居然还把它写进日记里;他也不是权势炙手可热的人物,在达鲁夫人面前,他只不过是仰仗其夫鼻息的一个下级;即使在他也沾上了帝国荣光的年月里,在异国女性面前,他终究只是拿破仑军旅中一个忙碌奔波、风尘仆仆的干员;到了复辟时期,他的处境更糟,在他心羡的意大利妇女眼里,他是一个身份可疑的外国旅居者,身上甚至颇有那么一点危险的气味。他剩下来的只有娓娓动听的谈吐与令人钦佩的学识,但这只能保证他在沙龙生活中成为一个受欢迎的交谈者,一旦他伸手去抓对方的手时,这种优势就不起作用了。于是,他只能期望用自己的满腔激情打动对方,也只能期望对方出于单纯的激情积极回应、接受自己,就像身无分文、身陷绝境的穷人，只能期望有钱人大发善心，慷慨施舍一样。然而，要碰上这种女性谈何容易？可怜的司汤达！这样，他就只能用笔来寄托他对这种激情之爱的艳羡与向往，这就是他在从《意大利遗事》《法尼娜·法尼尼》等一系列短篇小说到他的长篇小说《帕尔马修道院》里，所反复描写的意大利式的激情之爱。这种爱不讲功利，不计得失，不忌任何规范，不顾一切后果，用今天时髦青年的话来说，真个是爱得"天昏地暗"、"死去活来"。司汤达更多把这种激情之爱定格为意大利式的，这固然是以意大利热情浪漫的性格与有刺激性和冒险成分的爱情方式为基础的，但也与他对这种性格与这种方式的美化和理想化有关，事实上，这些写意大利性格与意大利激情的故事，都带有一定程度的传奇色彩，而在任何传奇中，都少不了有理想化在起催化作用。

渴爱情结，不仅决定了司汤达作品里的爱情的理想模式、情爱"幻境"，而且也带来了爱情描写中的自我补偿心理。意大利题材，特别是中世纪意大利传奇性的题材，留下了足够的空间，允许他的自我情结酣畅地化为激情之爱的理想情境，但身边的现实题材则限制颇多，只能允许这种情结有限地化为某种补偿了，他的《红与黑》就是如此。这部杰作是司汤达的时代与他那一代人的经历际遇、思想状态的真实、深刻的写照，他把自己从思想情感到言行习性方面的很多东西都赋予了主人公于连，在爱情方面也不例外，他自己追求妇女时经常制订军事性"进攻计划"与向自己发布强制性"命令"的特点，他一激动就去抓对方的手的习性，他曾经爬梯子去幽会以及为躲避对方的丈夫而在地窖里藏身的经历，等等，都几乎原封不动地移植到了于连的身上，成为《红与黑》中令人激动的爱情情节。最大的区别是，他的化身于连远比他自己漂亮，他把英俊的外貌与挺拔的身材赋予于连，让他在妇女面前人见人爱，在情场上无往不胜，不论是贤淑的夫人，还是高贵的小姐，跟他都相随不渝、至死不悔，几乎有了点意大利的激情之爱的味道。这不能不说是司汤达本人最好的一种自我补偿之道了。

由历史沧桑、际遇变幻、命运坎坷而生拿破仑情结，由自身缺憾、情场失意、生涯缺爱而生意大利情结，这就是法国人亨利·贝尔，再加上他的非凡的艺术才能，这就是我们所看到的文学史上的司汤达。

一个作家总有自己最内在、最深层次的感受点，最缠绕不解的情结，只有当他以完美的艺术形式表现出他这种情结与感受时，他才能给人以最深切的感动、最深刻的启迪，才能进入人类至高无上的精神王国而与历代读者沟通交流。与此同时，正如任何一个人的生命内容与存在形态都很有限一样，一个作家最深刻的情结与感受点，必然也是寥寥无几的，他不可能在所有的作品中，在所有的题材上都能感人至深，而当他脱离自己的深刻感受点与情结的磁场及辐射范围而进入到其他领域时，他甚至还会黯然失色，这也许是司汤达所昭示的艺术常理。

2003 年春

《红与黑》：一个生不逢时的悲剧

《红与黑》这本书，在新中国成立后的头30年中，"倒霉"的时候似乎居多，它虽然出自一个法国人的手笔，而且这个法国人早在130多年前就已经中风死去，但它却不断被卷进中国的历次运动，而且经常扮演"运动对象"的角色，好像是一个"黑五类"，几乎每次运动都有它的份。中国出了右派，它就和右派挂在一起。有些右派为什么"反党反社会主义"，据说是受了《红与黑》的影响；某处发生了一桩流氓刑事案件，它又被指责为"教唆犯"，据称，有的犯罪分子就是因为中了《红与黑》的毒才走上犯罪道路的；中国搞"文革"了，它自然是最触目的"封资修破烂货"之一，头一批就被"扫进了历史的垃圾堆"。

如果和其他一些外国文学作品比起来，譬如说，和欧里庇得斯的悲剧、但丁的《神曲》、莎士比亚的《哈姆雷特》、塞万提斯的《堂·吉诃德》、巴尔扎克的《欧也妮·葛朗台》、托尔斯泰的《战争与和平》比起来，《红与黑》显然更为"刺眼"。当然，所有的优秀外国古典文学作品，包括以上的这些杰作，都曾受到暴风骤雨的冲击，但外国文学中也有"毒素最重"、"危害性最大"的"毒草"。《红与黑》就经常被视为这样一株"毒草"，它在历次运动中的命运正说明了这点。

"毒"究竟在哪里？为什么《红与黑》的"毒"更为刺眼，以致那么容易屡招批判的火力？除了指责《红与黑》是"黄色小说"外，最经常被数落的罪名，莫过于"美化了野心家的向上爬"、"美化了两面派的不择手段"了。于是，必须以"社会主义道德"的名义、以"无产阶级革命利益"的名义，对《红与黑》加以判决，必须一批再批、批深批透，告诫人们，特别是告诫青年：这是一本坏书，这是一个"坏蛋"，切勿上当，切勿中毒。姚文元就是如此地"代表无产阶级"扮演过这种法官的角色，其任务就在于把这本书搞臭。

这种"批判"无疑不是真正马克思主义社会主义的文学批评，而是一种封建道德化的批评，它不是以历史唯物主义的精神，从《红与黑》产生的社会历史条件出发对作品作出科学的解释，而是因作品不符合某种主观模式和"道德标准"而加以谴责和讨伐；它不是从社会主义现阶段社会发展的需要，从中吸取有用的东西，而是从某种落后的封建主义残余的狭隘意识出发去加以拒绝和否定。

《红与黑》究竟是一本什么样的书？它的历史内容、社会内容是什么？它赞扬的是什么，反对的是什么？在当时是反动的还是进步的？在今天是有害的还是有用的？这些年来，每当运动过去，《红与黑》似乎也可以享受到贝多芬第六交响乐第四乐章式的轻松和宁静，得到一些宽厚的待遇和评价，不外是反映了现实生活，揭露了贵族、资产阶级的丑恶本质等等，其实这些评语用在任何一部外国19世纪文学作品的身上也未尝不可。总之，《红与黑》的要不得，显然是批得过头，而它的可取处却远远说得不透。但是，某一部作品的意义能否说透，是要取决于一定的历史社会条件的，要充分阐明《红与黑》的意义，只有在极"左"思潮那一条反马克思主义的路线受到彻底清算的日子，才有可能。

《红与黑》虽然正式出版在1830年法国七月革命胜利之后，资本主义秩序在法国最终得到完全胜利的时候，但它却是写于1828~1829年，这正是法国历史上一个特别的时期，即资产阶级与封建贵族阶级进行最后一次严重较量的时期。这时的法国发生过一些什么事情，处于一种什么状态呢？

在这之前40年左右，发生了1789年资产阶级革命，这是世界史上最彻底的一次资产阶级革命，它推翻了封建主义的君主专制政体，摧毁了封建贵族土地所有制。此后，就是被打倒的封建贵族阶级与新获得统治权的资产阶级之间反复的、激烈的搏斗，这种搏斗经过大革命高潮中的国内战争，经过拿破仑时期一直到1830年的七月革命，持续了将近40年之久。斗争的实质，从政治上来说，是哪一个阶级掌握统治权的问题；从经济关系上来说，则是哪一种所有制取得统治地位的问题。这一场大搏斗的酷烈和范围的巨大，都是历史上少见的。整个欧洲都卷入了这场搏斗：早在大革命高潮中法国封建贵族阶级被推翻的时候，欧洲的君主国就支持法国被打倒的阶级，对法国革命进行了干涉，于是，法国的国内战争一开始就带有国际的背景和性质；当拿破仑在法国建立了强有力的军事专政、为资本主义的巩固和发展继续开辟道路的时期，斗争就进一步在全欧范围里进行，拿破仑与欧洲君主国多次反法联盟的战争，实际上是一场关系到"欧洲是共和制的欧洲还是哥萨克式的欧洲"的斗争。拿破仑1814年的失败，使历史发展出现了大的曲折，在大革命中被推翻的波旁王朝又在哥萨克的刺刀保护下回到了巴黎。尽管封建贵族阶级又恢复了政治统治权，但是他们面对着的却是一个"今非昔比"的法国，一个被大革命的风暴把全部封建主义的根基都彻底铲除了的法国。君主专制没有了，贵族教会过去占有的土地早在大革命中都被没收、分成小块卖给成百万自由农民了。从前是整个法国主人的波旁王朝，如今在君主立宪制的约束下会感到满意吗？过去享受种种特权的贵族阶级的残余，丧失了自己的天堂和所有制，不梦想再获得那一切吗？于是在1814~1830年这一个时期里，恢复君主专制和封建大土地所有制，就成为王室——极端保王党、反动贵族的理想和纲领。既然封建阶级这一方要在法国完全恢复过去时代的政治秩序和所有制秩序，而资产阶级这一方则要夺回政治统治权并要在法国建立资产阶级的秩序，这样，政权形式问题、所有制问题，就成为了这个时期阶级矛盾和阶级斗争的焦点，成为历史是倒退还是绕过曲折继续前进的关键。

司汤达就是在这种历史条件下写出《红与黑》的。对于一个作家来说，要从纷纭复杂、普通平凡的日常生活现象中，理出历史发展的头绪，对几十年来阶级关系和社会历史的动向、趋势、变化、规律、实质，有一个明确的符合实际的认识和理解，已经是很不容易的了，特别是在还没有历史唯物主义世界观这一种远望镜的时代，何况要把这种认识和理解用艺术形象来加以表现呢？令人惊异的是，司汤达就是这样理解和认识当时的历史发展和阶级关系的，还极为出色地把这种深刻的认识表现在《红与黑》中。他的认识也并不是图解式地表现出来，而是渗透在整个的形象描绘之中。这只需要看一看第二卷中整整四章关于那个黑会的描写就够了。在这里，司汤达直接触及了最上层的政治活动，把复辟时期最高统治集团形形色色的人物展示在读者的面前，揭露了他们的大阴谋，这一阴谋虽然包括了种种计划和细节，但最核心的纲领只有两条：一条是取消君主立宪的宪章，"把法国的君主专制重建起来"；再一条就是恢复过去的所有制，把土地归还给被剥夺的封建主。这一击中要害的揭露性的描写，几乎可以说就是对实际生活中波旁王室和极端保王党反动政治活动的直接写照和影射了，一部作品能够这样揭示重大的政治斗争课题，而且揭示得如此合乎客观历史的实际，在19世纪文学中是少见的，这需要多么高明的政治见识、多么敏锐的政治嗅觉和多么准确的政治洞察力！当然，在《红与黑》中，有价值的远远不止这几章。第一卷中所有关于外省社会政治生活、关于保王党与自由党的斗争以及这一斗争带来的紧张气氛的描写，第二卷中关于巴黎权贵大臣客厅中各种贵族人物以及他们的活动、爱憎、希望、忧虑、恐惧的描写，与这几章上下呼应，有机结合，浑然一体，从各个角度栩栩如生地呈现出复辟时期政治社会生活的整体与细节，它在反映这个历史时期某些"本质方面"所达到的高度，并不低于今人以历史唯物主义的观点对那个时期的阶级关系、阶级矛盾及其发展趋势、变化规律的认识，这是足以使我们吃惊的。

如果《红与黑》只是对当时的政治斗争做了直接的影射、对社会政治生活做了真实的写照，那它也许会成为另一种类型的杰作，而不会成其为《红与黑》。《红与黑》之所以成为一部对当时的人来说具有某种典型意义、对后来时代的人来说也保持着强烈的吸引力、往往能引起人们共鸣的文学作品，原因还在于写出了于连这一个典型人物，并通过他的遭遇和命运，提出了在一定历史阶段都具有现实意义的问题：个人的发展与社会制度、社会环境的关系。实事求是地说，对于《红与黑》在反映时代社会的矛盾和斗争方面所取得的成就，过去的评论还是作过一些肯定，虽然肯定得并不够，但对于小说主人公于连，对于于连的憧憬、追求和奋斗以及对于司汤达本人对于连这个人物的感情和态度，评论者就苛刻严厉了，也正是于连问题使得《红与黑》在历次运动中总要受些冲击，使得人们总是对它侧目而视。但是，这个问题恰恰是《红与黑》全部形象描绘的集中点，在这个问题上否定了《红与黑》、对《红与黑》予以不公正的对待，这部小说的主要价值不就大成问题了吗？这就是《红与黑》总是被视为"毒草"的关键。

于连是一个野心家、两面派、伪君子吗？在决定是否应该对他进行谴责之前，首先应该对他进行科学的、历史的解释。于连的幼年是在拿破仑时代度过的，而他成年入世则是在复辟时期。这两个对立的时代在他身上造成了尖锐的矛盾。在拿破仑时代，他看到的是法兰西在欧洲的光荣，是银盔银甲的将士凯旋的场面，于是，拿破仑成为了他心目中至高无上的神圣的偶像，拿破仑时代成为了他心目中最美好的时代，特别使他感到亲切、受到鼓舞的是，在那个时代，不讲门第，不讲血统，不讲资历，文职人员以其干练可以擢升为高级官吏，普通士兵以其战功可以成为将军元帅。作为一个只有才能和勇气而无任何别的本钱的小资产阶级青年，怎么可能对这种前景不悠然神往？于连正是在拿破仑这种政策的基础上建立起他的理想，他的理想既不是以吸他人的血来肥自己为内容，也不是以通过卑鄙的手段、龌龊的勾当来谋求私利为目的，而是要以自己的才能和勇敢立功战场而获得光荣和地位。这里，除了他所追求的东西中也有"财富"和"美女的青睐"而还达不到共产主义的道德标准外，他为达到目的所准备通过的途径却是无可厚非的，还不失为一种正派的严肃的志向，而且，于连还能追求什么别的更高尚、更伟大的东西呢？他毕竟是一个生在《共产党宣言》发表之前的小资产阶级者。根据于连理想的生活道路，完全可以设想，如果没有出现1814年以后这一段历史弯路的话，像他这样一个精力充沛、坚毅勇敢、才能出众的青年，未尝不会成为拿破仑手下缪拉式的英雄。然而，他生不逢时，他刚成年的时候，正碰上了波旁王朝复辟。光荣的时代过去了，眼前是一个倒退、猥琐、卑劣的时期，再也没有过去那些轰轰烈烈的举动了，人们再也不可能得到拿破仑时期那种以自己的能力而获得光荣的机遇了，门第、血统、资历又成为了取得地位和荣誉的必备条件，甚至成为了衡量人的价值的首要标准，于是，在现实生活里，显赫闻达、高官厚禄的是一批早已丧失了生命力的社会渣滓——流亡贵族和一批卑鄙无耻、善于钻营的小人。面对这种现实，于连内心里并没有放弃他的信仰，他仍然热爱卢梭，崇拜拿破仑，强烈惋惜那个时代的一去不复返，他并无意于成为一个卑劣无耻之徒，也不愿意在权贵者、贵族上流社会的面前摇尾乞怜，他面对他们一直保持着敌对的情绪和难得的骄傲，因此，根本不存在于连成为了一个坏蛋的问题。

然而，问题在于他在复辟时期那个对他这种出身的青年冷酷无情、充满敌意的社会环境里，不仅要保护自己、要活下去，而且还要尽可能求得个人的发展。因此，他就不得不掩饰他对拿破仑的崇拜，因为这种崇拜当时被认为是大逆不道；他就不得不违反自己的感情走教会的道路，因为只有教会可以给他一个饭碗，还有可能给他提供一个进入上层的机会；他就不得不勉强装出一副虔诚的姿态，因为这已经成为了那个社会共同的精神道德准则和规范，至少表面如此；他就不得不在维护自己平民尊严并对保王党的阴谋有反感的同时，又为拉摩尔侯爵卖力效劳，因为拉摩尔侯爵毕竟给他提供了一个好的前程。总之，活下去的需要，求个人发展的需要，使他不得不藏起他内心深处的思想感情。这种主客观不统一的矛盾、自己不得不从事的事情和自己内心真实愿望明显相违、尖锐对立的矛盾，其实是一种具有普遍意义的社会矛盾，并不是于连所特有的矛盾。在我国极"左"思潮猖獗的时期，人们不是也经常陷入了这种矛盾吗？因而，以这种矛盾责备于连是"表里不一"的"两面派"、"野心家"，显然是不公正的。难道可以因为20世纪一个雇员不得不为企业主效劳，而谴责他们是"表里不一"的"两面派"吗？虽然他们也有向上爬的打算。这是一种社会悲剧，而不是道德谴责的问题。当然，这里并不是要对于连在复辟时期的行为加以称赞，当于连在德·拉摩尔侯爵手下一帆风顺，因而由苟安一时而到几乎飞黄腾达的时候，实际上他是陷入了他作为小生产者家庭出身的青年人的盲目中，他并没有理解也没有认识到他为之服务的那个保王党的阴谋正是以牺牲他所属于的小生产者阶层的利益为内容的，既然大革命造成了大量的小生产者，那么取消大革命的成果、恢复大革命前的秩序，首先受害的就是这个小生产者阶层。于连在顺利的时候的确存在着一种幻想，自以为可以和自己那个阶层的命运脱离开来而在上流社会里获得自己个人的更好的命运，然而，最后教会的告密和他的下狱使他清醒了过来，原来，那个封建贵族的上流社会并没有忘记他是一个平民，并不认为他以自己的才能就配享有与平民有所不同的更好的命运，而且对于他居然想获得这种命运，并取得了一定的成功而特别感到愤怒，必欲严惩才肯罢休。当于连在监狱里终于认识了这一点并在法庭上公开道破了这一点的时候，当然时间已经迟了，他必须为他的清醒过来付出生命的代价。因此，于连在复辟时期的所作所为，并不是道德上、品质上的败坏和卑劣所促成的，而是一个社会悲剧，一个小生产者、一个小资产阶级个人主义者极为深刻的悲剧，一种社会的阶级的局限性所造成的悲剧，对此，应该根据历史条件做出科学的分析和解释，道德化的谴责在这里是没有说服力，也是无济于事的。

其实，于连对拿破仑时代那样羡慕、对拿破仑以才取人的政策那么梦寐以求，就是在人的价值问题上向往资本主义价值规律的兑现。而他与上流社会的对立、对封建贵族的傲慢，正表现了他对复辟时期以门第、血统作为人的价值标准的反感和鄙视。在这个问题上，拿破仑代表了资产阶级原则，他以才取人的政策正符合了自由资本主义时期社会发展的需要，也投合了封建关系、封建束缚被打破后中小资产阶级，特别是小资产阶级以至更底层的人们寻求自由发展的要求，因此，在他的军队和帝国政府里，人才辈出，较之于封建时期的上层建筑，他的行政机构和军事机构才得以充满了活力，具有较高的效率。封建贵族阶级则与此相反，他们顽固地以门第、血统、资格作为人的价值标准，这是他们已经丧失了生命力的表现，他们正是用门第、血统来掩盖他们的腐朽无能，维持他们反动的统治。总之，于连所感受到的生不逢时的矛盾，就是两个阶级的两种价值原则、两种制度的不同标准的矛盾。在复辟时期，面临着、感受着这一矛盾的，何止一个于连？而是整整一代小资产阶级青年。这一代人，正如缪塞在著名的小说《一个世纪儿的忏悔》中所描述的，他们生在拿破仑的战鼓声中，呼吸的是晴朗天空下充满了光荣、响彻了刀兵声的空气，鞋匠出身的元帅缪拉是他们的理想，他们期望着以自己的聪明才智崭露头角，但拿破仑的消失、波旁王朝的重来，使这一切都成了泡影，在他们面前的是一片空虚，英雄主义的出路没有了，只剩下了教会这一卑鄙的行业。于是，就产生了整个一代人想走缪拉的道路而不可得的绝大的苦闷。于连就是这一代小资产阶级青年中的一个，他是他们的代表人物和典型。

不言而喻，司汤达是满怀着同情来写这个人物的，或者更确切地说，在这个人物身上注入了他自己深切的感受，在某种意义上，司汤达本人就是一代于连中的一个，只不过他的年岁稍长。他也属于18世纪末、19世纪初法国社会大变动中经济地位不稳的中小资产阶级，当然容易接受卢梭的影响，拥护大革命，拥护代表着法国革命最后阶段的拿破仑，特别是他作为这一个阶层一个谋出路、希望改善自己地位的知识分子，拿破仑时期的价值标准也更投合他的需要。实际上，他从中学毕业后才17岁就在拿破仑军队中得到了一个职务，从此整整15年跟随拿破仑转战欧洲，虽然没有因军事才能卓绝而成为达乌、缪拉式的人物，但也分享了拿破仑帝国的光荣，个人的才能也得到了相当的施展。1814年波旁王朝复辟后，他失掉自己的光荣、地位甚至饭碗，不得不离开法国。他所经历的这一沧桑，当然使他尖锐地感受到了两种价值标准的差异和冷暖，也有助于他体察比他更年轻、还没有来得及分享拿破仑时期的光荣就被复辟扼杀了全部希望的一代人的愤慨和苦闷。因此，当他在法院公报上看到关于一件情杀案的报道后，他就对这个素材作了根本的加工改造，赋予其深广丰富的社会内容，通过于连的故事写出一代青年的命运，提出了一个重大的社会矛盾问题。他以鲜明的态度站在上升的资本主义的价值标准一边，反对封建主义贵族阶级落后腐朽的价值标准，以明显的赞赏塑造出于连这样一个出身寒微但生气勃勃、毅力坚强、才能出众的青年，肯定他谋求个人发展的合理性，怀着深深的同情描写他对拿破仑时期的原则和标准的追求，以及他在现实生活中所遇到的矛盾。正因为司汤达自己从来就是18世纪启蒙思想家的信徒，也正因为他在18世纪末以来两种制度、两个阶级的大搏斗中，始终置身于资产阶级的营垒，对几十年来历史发展的内容有着深刻的理解，所以，整部《红与黑》充满了强烈的反封建的精神和对于毫无生命力、腐朽垂死的贵族阶级不肯退出法兰西现实生活并倒行逆施、肆虐逞凶的极大愤慨。

显而易见，于连所追求的原则和标准以及司汤达在《红与黑》中所表现的思想感情，在当时的历史条件下，具有明显的进步性。从发展的观点来看，资本主义的东西总要比封建主义的东西进步一些、优越一些，这是历史唯物主义的基本道理，何况，当时无产阶级还没有登上历史舞台，根本不存在用无产阶级的原则和标准来加以衡量的问题。但是，为什么于连的追求却使《红与黑》在过去总成为外国文学作品中被批判的重点？

一本书在一个时代的命运总是要打上这个时代的烙印。在"兴无灭资"这样一个口号被神圣化、绝对化的时期，人们对资产阶级的东西自然都有格外高的警惕，只看到它的阶级局限性和它与社会主义的矛盾，而不看到它与封建主义东西相比的进步性和优越性，至于封建主义东西本身的腐朽落后，对不起，倒似乎被忘得一干二净了。于是，于连所追求的资产阶级原则和价值标准，就被剥去了它原来所具有的黑暗的封建主义背景的反衬，而被放在一个真空中，甚至被放在社会主义共产主义的标准之下，那它怎么不显得"卑鄙"、"龌龊"呢？怎么会不受到谴责呢？然而，这种谴责却正是反历史主义的，是一种道德化的批评。

这种情况的出现，当然有着更为根本的原因：封建主义在中国历史中根深蒂固，中国并没有经历过法国大革命那样彻底的资产阶级革命，资本主义在中国的发展很不充分，社会主义中国是从半封建半殖民地而来的，在这种历史条件下，中国出现封建法西斯主义的东西，是不足为怪的。这种政治路线必然给文学批评打下封建道德化的烙印，在外国古典文学中，还有什么比拿破仑以才取人的价值标准、比于连的追求，更与封建法西斯主义的"龙生龙，凤生凤，老鼠生儿打地洞"这类血统论、门第论针锋相对呢？还有什么比于连那种要靠自己的才能和奋斗来取得荣誉和成功的志向更和那种饱食终日、无所作为、怠惰寄生的贵族老爷式的人生态度格格不入呢？于是，《红与黑》必须被一种一尘不染、高得脱离了任何现实条件的道德标准加以判决！这就是对《红与黑》的封建性道德化批评的根子。

在现阶段的社会主义中国，既要反对资产阶级的腐朽思想，同时，还存在着反封建主义残余的历史任务，而某些资本主义性质的东西，如资产阶级法权、资本主义价值法则、竞争和择优的原则、价值观念，与那些封建主义的残余相比，又仍然有有利于现阶段社会发展的一面，并没有完全丧失其历史作用。当经过了"十年浩劫"，人们开始认识到这一点的时候，当反封建残余的问题已被提了出来的时候，对《红与黑》的意义就可能予以比较充分的阐明了。我们并不要向于连学习，于连是个有阶级局限性的悲剧人物，社会主义时代的人是在从事伟大的事业，应该比于连站得高得多，但是《红与黑》中强烈的反封建的精神，对于彻底清算封建法西斯主义，清除社会生活中某些封建性的残余，显然不是完全没有借鉴意义的。

如果要讲"洋为中用"，这也许是《红与黑》的一个用处。

4

论巴尔扎克和他的《人间喜剧》

1850年8月20日，在巴黎拉雪兹神甫公墓的一个小山坡上，在落辉的雾霭之中，一副包铅皮的橡木棺材缓缓放进了墓穴，这时，升起了一个声音，一个从19世纪30年代到后来80年代经常作为法兰西民族的代表的声音："在最伟大的人物中间，巴尔扎克是第一等的一个，在最优秀的人物中间，巴尔扎克是最高的一个"，"从今以后，他和祖国的星星在一起，熠耀在我们上空的云层之上"[①]。

　　一个人物的历史地位，绝不是一时的颂词所能缔建起来的，哪怕是众口一致的颂词，而必须经过至少一两个历史时期的考验与鉴定。上述出自雨果之口的颂词已经过去将近一个半世纪了，它承受了历史岁月的推敲。时至今日，巴尔扎克不仅仅是法兰西上空的一颗星星，他已经成为人类文化星空中一个巨大的星座。当我们要在迄今为止的全部人类文学历史中，举出这样一个作家，其劳动量最为惊人，其创作的规模最为宏大，众多的作品通过有机联系浑然一体，其创造精神最为浩博，思想内容丰富而厚实，而其整个创作既具有深广的历史内容，构成了整个一个社会、整个一个时代的活的历史，又凝聚着丰富的艺术经验，具有强旺的艺术生命力，以永不磨灭的艺术灵光，吸引着不同时代、不同民族的读者——当我们要举出这样一个作家的时候，往往最先就想起了巴尔扎克这个名字。

---

① 雨果：《巴尔扎克葬词》。

一、岁月难，作品比岁月多

巴尔扎克几乎是与19世纪同时诞生，而且与这个世纪上半叶的50年始终相随。1799年，他来到世界上的时候，法国已经在10年前爆发了资产阶级革命，封建贵族阶级的政治统治权被彻底推翻，封建土地制度被连根铲除。暴风骤雨的革命高潮已经过去，革命的进程还没有告终。这一年，拿破仑取得了政权，开始了"法国革命最后阶段"的拿破仑时期。在这个时期里，资产阶级革命的成果得到了巩固，资本主义关系在社会生活的各个方面都取代了封建关系，拿破仑资产阶级帝国的版图几乎扩张到整个欧洲，拿破仑军队带到欧洲各国的资本主义关系对这些国家的历史发展起了至关重要的作用。虽然1814年波旁王朝又得以复辟，但并未能阻止资本主义关系在法国的继续发展，而封建贵族阶级在复辟时期也未能免于"在庸俗的、满身铜臭的暴发户的逼攻之下逐渐灭亡"[①]的命运。不久，1830年的七月革命，就最终结束了法国近代史上资产阶级与封建阶级争夺政治统治权的斗争，自此以后，被打倒的封建阶级再也无法站立起来，资本主义秩序在法国树立了自己绝对的统治。

巴尔扎克所生活的这51年，正是法国资本主义的上升时期，在这个资产阶级发展了社会化的大生产，"创造了完全不同于埃及金字塔、罗马水道和哥特式教堂的奇迹"[②]的时期里，社会生活的各个方面都发生了急骤的变化。个人在社会中的地位也不像在封建时代那样，带有某种命定性，取决于血统与门第，而是在自由竞争中起伏沉浮，"杂货商肯定可以成为法国元老，贵族有时会沦落到社会的最底层"[③]，资产阶级价值标准成为个人登龙发迹的保证，个人以自己的雄

---

① 恩格斯1888年4月给玛·哈克奈斯的信。
② 马克思、恩格斯：《共产党宣言》。
③ 巴尔扎克：《〈人间喜剧〉前言》。

心与才能，就可以开拓自己的天地与领域。最高的典范是这个时代的代表拿破仑，他从一个炮兵中尉成为庞大帝国的统治者，并且对有才能者加以破格提拔，他的先例与他所充分兑现的资产阶级价值标准，成为19世纪上半期法兰西整整一代人的理想，于是，在社会生活的领域里，怀着各种野心与各种才能的人，都进行着紧张的奋斗。也许只有考虑到这种时代的氛围与风尚，才能理解巴尔扎克身上那种要创建一个文学帝国的雄心与动力，才能理解一个庸俗的资产者的儿子何以成为《人间喜剧》的作者。

其实，这种性质的雄心与动力在他父亲身上已经有了，只不过是在很低的水平上、在相当渺小的领域里。他的父亲出身于农村一个贫穷的雇农家庭，但他精力充沛、雄心勃勃，为了向上爬，他把自己原来的姓氏巴尔萨加以修改，冒充17世纪书信散文家巴尔扎克的本家。经过多年的奋斗，他在19世纪初法国社会生活的沧海桑田中，如鱼得水，不断升迁，成为了一个富有的商人。在巴黎，他是资产阶级上流社会中一名体面的绅士；在外省，他是当地政治社会生活中一个颇有地位的头面人物，虽然早年只受过一点初级的教育，但他附庸风雅，还写过两本书与一本回忆录。如果说，巴尔扎克从他父亲那里所继承的强壮的体质，过人的精力和顽强奋斗的犟劲，对于他日后的惊人的雄心与劳作是不可忽视的天赋条件，那么，也许同样不可忽视的，是他那家庭变迁发展的历史所给予他的启示。

巴尔扎克是家中的长子，从小寄养在都尔市郊的农村，缺乏家庭温暖的生活，既给他的童年带来了痛苦，无疑也养成了他独立奋斗的精神。他先后在都尔与巴黎念完中学，1816年进入巴黎大学法科，此后，又在律师事务所当练习生、书记，他的父母希望他沿着这条路在法律界飞黄腾达，他肯定也被令人眼花缭乱的巴黎生活燃起过各种各样的野心：法兰西学院院士、参议院议员、部长、富翁。但他终于选定了文学创作作为自己的道路，这时，他正20岁。

他在文学创作上的雄心也许一开始就是惊人的,正像他后来在自己房间里一座拿破仑塑像的底座上所写的誓言那样:"彼以剑未竟之业,吾将以笔完成之。"他具备实现这一誓言的条件吗?可以肯定的是,他绝不是生来的文学天才,虽然,在小学与中学,他是一个博览群书的学生;在大学,他是文科的旁听生,对文学创作早已有了浓厚的兴趣;在学法律期间,律师事务所的经历又增进了他对人生的了解和对充满各种利害冲突的资产阶级社会的认识,但他真正要取得文学的成就,竟还要花费10年的时光。起初,他在巴黎贫民区的一个阁楼上写他的诗体悲剧《克伦威尔》,结果,作品惨遭失败。为了经济独立,赚取稿费糊口,他与末流文人合作,写一些离奇怪诞、情调浪漫的无聊小说,这些无聊的小说有十几部之多。所幸他并没有把这些低劣之作当作自己真正的文学事业,皆署以笔名,并且在他成名之后,干脆就不承认出自他的手笔。炮制劣等小说并没有使他摆脱穷困,于是,他又梦想以各种办法发财致富,先是办出版事业,出版了莫里哀全集与拉封丹寓言集,结果大亏其本;接着,他又去经营印刷厂与铸字厂,同样以倒闭告终,留给他的是高达6万法郎的债务。这时,他已经快30岁了。

困顿出天才,这虽不是一个绝对的规律,但对巴尔扎克来说,倒确乎如此。

在这10年的艰难生涯中,他进行了大量的文学技巧的练习——"我曾写了七部小说,作为初步的创作锻炼,一本练习对话,一本练习描写,一本练习如何组织人物,一本练习如何安排结构",这显然磨炼出他小说家高超的艺术技巧。

在梦想发财进行商业活动而又连遭失败的过程里,他亲身深入现代社会那充满财产纠纷、买卖风险、竞争倾轧、投机倒把、阴谋陷害的经济生活里,精通了期票、契约、证券、汇单的学问以及种种繁复的法律程序与手续,洞悉了那人欲横流中的每一个波澜,并且从自己失败与被迫逼的经验中，深切体会到金钱对现代生活、对人的命运的作用，这一切将构成他宏伟小说作品中丰富深刻的社会生活内容。

他在贫民区的生活，又使他认识了现代社会另一个巨大的群体——劳苦工人大众。"听着工人的谈话，我就能深深体会他们的生活，仿佛自己身上就穿着他们那身破旧不堪的衣服，脚上就穿着他们那满是窟窿的鞋子；他们的欲望、他们的需求，这一切都深入了我的心灵，我的心灵和他们的心灵已经融为一体了……从那时起，我已经把那称作'人民'的五光十色的东西加以分解，进行了全面的剖析，以便能识别他们好坏不同的各种品性，我那时已经明白这个郊区、这个革命策源地可能有些什么用处。"[①]这扩大了他小说家的社会视野，加深了他对同时包括了资产阶级与劳苦大众两个对立面的现代社会的认识与理解，而他在贫民区经常对周围环境与人物内心生活的体验感受、分析揣度，则又养成了他作为深刻的现实主义作家所不可或缺的观察的习惯。

总之，这是巴尔扎克积累生活的 10 年，是他对现实的认识不断深化的 10 年，也是他在艺术上进行磨炼的 10 年，在这 10 年中，一位伟大的小说家逐渐孕育成形了。

因此，他 1828 年搬进卡西尼街一号后，在自己的书桌上安置了一座拿破仑的小塑像，并且在上面题写了他那豪言壮语的时候，他已经具备了在文学领域里创造出拿破仑式的奇迹的条件。

要完成伟大的文学奇迹，剩下来的事情似乎主要就是勤奋、艰苦的创作劳动了，如果说巴尔扎克 10 年积累时期之漫长在文学史上是不多见的，那么，他成熟阶段里巨大的创作量所显示出来的劳动强度，几乎可说是举世无双。1829 年，他的第一部成功的小说《朱安党人》问世，到 1848 年，他完成了两个剧本《后娘》与《生意人》而最后停笔，在不到 20 年的时间里，除了杂文、政论与剧本外，仅仅

---

① 巴尔扎克：《法西诺·加奈》。

小说作品,他就创作了九十一部,平均每年写出小说四五种。

一开始,他那积蓄已久的创作力,就像火山喷发一样,造成了一种耀目的奇景:1829年《朱安党人》问世以后到1832年,他写作和发表了中短篇小说30多篇,其中有《苏城舞会》(1829)、《猫球商店》(1829)、《高利贷者》(1830)、《家族复仇》(1830)、《卅岁的女人》(1830)、《沙漠里的爱情》(1830)、《红色旅馆》(1831)、《夏倍上校》(1832)、《都尔的本堂神甫》(1832)、《玄妙的杰作》(1832)等,这些是思想内容高度浓缩、艺术技巧圆熟的现实主义名篇。同时,还有别具浪漫主义风格的长篇小说《驴皮记》(1831)与对于了解巴尔扎克的思想发展有重要意义的自传性小说《路易·朗贝尔》(1832)。

然后,就是整整10年的丰收,一系列在文学史上辉煌灿烂的鸿篇巨制,以极大的密度相继问世:《乡村医生》(1833)、《欧也妮·葛朗台》(1833)、《高老头》(1834)、《绝对之探求》(1834)、《改邪归正的梅莫特》(1835)、《幽谷百合》(1835)、《无神论者做弥撒》(1836)、《禁治产》(1836)、《法西诺·加奈》(1836)、《老姑娘》(1836)、《赛查·皮罗多盛衰记》(1837)、《纽沁根银行》(1837)、《古物陈列室》(1838)、《比哀兰特》(1839)、《卡迪央王妃的秘恋》(1839)、《乡村本堂神父》(1841)、《于絮尔·弥罗埃》(1841)、《搅水女人》(1842),等等。

最后,他那宏伟的文学大厦落成了。1842年,他确定了《人间喜剧》的总体规划,把他数量庞大的作品连成了一个完整的有机体,并且在最后几年里,又完成了几部文学巨著:《幻灭》三部曲(1837~1843)、《贝姨》(1846)、《邦斯舅舅》(1847)、《交际花盛衰记》(1838~1847)与《农民》(未完成),更进一步充实了他的文学大厦的内容。

上述这个清单虽然简略而不完全,但已经表现出了一个奇迹般的事实：人的智力劳动竟然可以生产这样大的出息。如果考虑到巴尔扎克几乎每一部作品都要经过反复的修改和增删，每排一次版，校样要换十几次，那么，一部作品也就意味着成倍或数倍的工作量。他那紧张的一天，往往是这样度过的：半夜起床，喝一点咖啡，便开始写作，一口气工作12个小时，然后，再赶到印刷厂，审阅校样，同时又开始构思新的作品。或者，他把自己关在家里一两个月，集中精力进行写作，有时一天要工作18个小时。正是以这种真正意义上的拼命的劳动，他10天写出了著名的小说《都尔的本堂神甫》，三天三夜写出了不朽的杰作《高老头》，而《闻人高迪萨》与《卢琪利一家的自白》则都是一夜之间急就而成的……

还应该看到，巴尔扎克既不像蒙田那样有自己恬静的田庄，更不像伏尔泰那样有万贯家财，福楼拜那种优裕的日子他也未能享受，他一生始终是在经济的压力下进行写作。早年的穷困自不待言，后来他做生意亏本而欠下的债务，又成为了他沉重的包袱。是的，他成名以后丰厚的稿费收入使他还清了1829年以前所欠的6万法郎，但他奢侈的生活、阔绰的排场、放手的挥霍又使他不断欠下新债，到1836年的时候，债务总额又达到了10万法郎。旧的债务去，新的债务来，他的生活形成了这样一种捉襟见肘的尴尬局面：他所享用的一切物质条件都是在债券与期票紧张的川流不息之中维持着的，因此，不得不同时为了精神作品的生产与物质生活的保障而进行奋斗，正像他自己所说的，"依然要不停地工作，没有尽头地奔忙，为的是设法支付票据"①。如何致富以彻底摆脱债务，始终是烦扰着他的一大问题。为此，他创办过两种杂志，其中之一几乎由他一人独力执笔；他制订过十几种企业计划，1838年还亲自跑到科西嘉岛与撒丁岛，想找到可以开发的被废置的银矿；他还进行过许多试验，异想天开地想发明一种新的物质。而在碰壁之后，他则又幻想有爱好艺术的大富翁给他无

---

① 巴尔扎克1835年8月1日致韩斯迦夫人的信。

穷无尽的施舍，帮他还清债务，或者谋求娶一个有钱的妻子，来改善自己的经济状况。当他从所有的幻想中清醒过来的时候，他仍然只能以他坚韧不拔的毅力、靠他强健的体格与创作才能去进行极度辛苦的创作劳动，在劳动中用浓烈的黑咖啡刺激疲惫的身心。

日积月累，他消耗了成吨的咖啡，在为自己与富孀韩斯迦夫人的婚事奔忙了一阵之后，他结婚不到半年，终于倒了下来，死于51岁。一生如此短促，岁月如此困顿，而作品却比岁月还多。这是巴尔扎克作为一个人所创造的奇迹，也是巴尔扎克作为文学家之所以伟大的第一层含义。

二、前所未有的文学大厦

对于文学家来说，多产不一定就是伟大的标志。在人类文学发展的过程中，多产作家并不乏其人，然而，能称得上伟大、能与巴尔扎克并肩而立的却几乎没有。巴尔扎克超越一般意义上的多产作家不知多少倍的是，他数量庞大的作品并不是零乱的堆积，而是构成了一个统一的、有机的整体《人间喜剧》。

这是一个怎样的整体呢？它由那么多单个的艺术杰作组成，即使只是其中的一部或少数的几部，就足以使作者在文学史上占有一席地位，何况是那么庞大的数目。这些单个的艺术品所呈现的形象图景，互相关联、互相渗透，形成了一个统一的世界、一部完整的历史，还不仅是一个世界、一部历史呢，它提供了分析与哲理，在某种意义上又构成了一个思维的体系。把这样一个整体比喻作什么呢？说它像一座宏伟的大厦、辉煌的宫殿，但砌成大厦或宫殿的每一块砖石，哪里有构成它的每一部作品那样富有艺术的生命？说它像一部丰富的交响乐，但哪一阕交响乐包含有它那么丰富的主题旋律与变奏？我们很难用人类劳动的任何其他产物，哪怕是奇妙的产物来比喻它，它就是它自己，它就是伟大的《人间喜剧》，它的名字本身，就包含了一个几乎是无法比喻的博大、浩瀚的内容：人的戏。

我们无意于神化巴尔扎克，他是人。他那宏伟得令人目眩的《人间喜剧》的整体，并不是一下就构思出来，不是像仙杖一点，平地就出现了宫殿那样，它是以经年累月的劳动逐步酝酿筹建而成的。

早在1829年，他出版了《婚姻生理学》。"生理学"这一题名最初就体现出作者对人类生活采取一种研究的态度与立场，这正导致日后《人间喜剧》的产生，而且，这一部作品后来也构成了《人间喜剧》三大组成部分之一，即《分析研究》的内容。同年，他与出版商签订了出版《私人生活场景》的合同。次年，即1830年，几乎是他在创作上刚进入成熟阶段的时候，他就以《私人生活场景》为总的标题，出版了《近亲复仇》《品行恶劣的危险》《苏城舞会》《猫球商店》《慈善的女人》等作品的结集。1831年，他又以《哲理小说与故事》为总的标题，出版了《驴皮记》《该死的儿子》《刽子手》《长寿药水》《玄妙的杰作》《一个女人的侧影》等作品的结集，他这两个作品集的标题，实际上在写其中的作品之前就已经产生了，或者是同时产生的。因而，它们的出版不同于一般的将一些单篇独立的作品收集成册，而是明显表现出了巴尔扎克有心使他那些各自独立的作品服从某个统一的目的、形成某种整体结构的意图，而这两个结集，事实上也就是《人间喜剧》其他两部分，即《风俗研究》与《哲理研究》的雏形。

1832年，他开始运用让同一个人物在不同的作品中再现的手法，找到了把他的作品联成一个整体的具体途径。

1833年，他与出版商签订了《十九世纪风俗研究》出版合同。1834年，他开始同时以《十九世纪风俗研究》与《哲理研究》出版他的作品，同年年底，他授意菲力克斯·达文为《哲学研究》撰写了著名的序言，第一次正式宣告了他庞大的创作计划以及他正在从事创建"一个统一、独立、新鲜的整体"的意图,他这个"整体"包括了三大部分,即《风俗研究》《哲学研究》与《分析研究》。而在1835年,他授意菲力克斯·达文为《风俗研究》所写的序言中,他又正式宣告了《风俗研究》包括六个方面,即《私人生活场景》《外省生活场景》《巴黎生活场景》《政治生活场景》《军旅生活场景》《乡村生活场景》,至此,他那宏伟的整体结构的基本面貌已完全呈现了出来。

经过长期的酝酿之后,他于1841年最后决定给他的这个"整体结构"命名为《人间喜剧》。这个标题的原意是"人的戏",与但丁的《神曲》之原意"神的戏"相对,显然是受了那位意大利诗人的杰作的启发而来。1842年,巴尔扎克写出了著名的《〈人间喜剧〉前言》,阐述了他这宏伟结构的宗旨和他创作的意图以及他在创作中所奉行的原则。1845年,他亲自编定了《人间喜剧》的总目,分为三大"研究"。总目中已完成的作品数,再加上1845年以后增写的小说数,具体情况如下:第一部分《风俗研究》分为六个"场景",《私人生活场景》中最后完成的小说共二十八部,另外四部已有提纲,尚未起草;《外省生活场景》中完成的小说十一部,另有六部未完成;《巴黎生活场景》中完成的小说十六部,另有六部未产生;《政治生活场景》中完成的小说四部,另有四部未完成;《军旅生活场景》中完成的小说两部,其他还有三十部仅有写作计划;《乡村生活场景》中已出版的为两部,基本上完成的为一部,另外还有两部在计划中。第二部分《哲理研究》计划有二十七部小说,写成了二十二部,另有五部未完成。第三部分《分析研究》计划包括五部作品,完成的为两部。以上总共已完成的作品计八十八部,是为《人间喜剧》的作品总数。

这一巨大的建筑工程,最初在巴尔扎克的思想里,"像一个美梦","又像一个幻想",是那么难以实现,然而,他以令人崇敬的毅力,一部分一部分地实现了它,正像他所描述的,时而建起"庞大的结构",时而完成"建筑物的某一富丽的突出部分",时而选出"穹窿的拱顶"，时而又安装"哥特式的十字窗"，时而"把建筑物上的空白处用壁画填补起来"，时而"在这里加上一套组画，在那里雕塑一个重要的形象"，与此同时，又"以老螺钿工匠的那种耐心和手艺把它们组合起来"①。到这位勤劳的工匠逝世的时候，人们肯定可以看到还有些扫尾的工作没有完成；或者是几个脚手架还没有来得及拆除，或者是有几个窟窿需要填补，然而，千真万确的是，巴尔扎克那个美梦与幻想毕竟成为了现实，一座宏伟无比、光辉灿烂、结构纷繁复杂的大厦耸立在人类的面前。

从人类整个文学的发展过程来看，《人间喜剧》无疑是前所未有的创举，是"一个个人所敢于设想的最庞大的作品"②。在巴尔扎克以前，作为中世纪最后一位诗人、新时代最初一位诗人的意大利作家但丁，创作了气势浩大的长篇史诗《神曲》，共三部作品一百章，但显然不及《人间喜剧》宏大；16世纪法国伟大人文主义作家拉伯雷，曾写过大型的长篇小说《巨人传》，但也只有五部；西班牙文学巨匠塞万提斯的不朽杰作《堂·吉诃德》堪称巨著，但篇幅大体仅等于巴尔扎克的两部长篇《贝姨》与《邦斯舅舅》；17世纪无与伦比的喜剧大师莫里哀在创作上硕果累累，但他的全集不过33个剧本；德国伟大诗人歌德的创作量相当惊人，但与《人间喜剧》也远远不能相比；英国著名的浪漫主义小说家司各特，以十几部长篇小说来描写中世纪的故事，规模可谓庞大，巴尔扎克对他也甚为重视，但正有心要超越他，巴尔扎克在《人间喜剧》的前言中指出，虽然司各特的创作量惊人，作品的内容丰富多彩，同时又具有独特的新意，把小说提到了历史哲学的地位，但司各特的创作却有一个明显的缺陷，那就是作品与作品之间缺乏联系，而在巴尔扎克看来，缺乏这种联系，也就不能构成一个统一的整体，"一篇完整的历史"，因此，他决心吸取司各特的

---

① 菲力克斯·达文：《〈哲学研究〉导言》。
② 同上。

教训，避免他的缺点，要在前人失败的地方取得成功，创建起"一个巍然壮观的整体"。这就是巴尔扎克在这篇前言中所说明的《人间喜剧》整体结构的由来。

巴尔扎克如何把他90多部小说构成一个整体呢？一般论者认为，是由于他创造并运用了著名的"人物再现"的手法。人物再现手法的开始运用，如我们已指出的，是在1832年，这年，巴尔扎克先在《都尔的本堂神甫》中写了两个次要的人物波莉勒·德·魏尔勒瓦与路易·朗贝尔，稍后，又把这两个人物作为他另一部小说《路易·朗贝尔的传略》中的主要形象。从此以后，他不断地运用这个方法，让同一个人物在不同的作品中反复出现，如《高老头》中到巴黎来谋出路的外省青年拉斯蒂涅，后来又多次在其他作品中出现；在《纽沁根银行》与《小资产者》里，他替纽沁根当帮手，从事投机活动，大发了横财；在《夏娃的女儿》中，他爬上了副国务秘书的坐椅；在《莫名其妙的戏子》中，他当上了贵族议员；在《阿尔西的议员》中，他娶了自己情妇纽沁根夫人的女儿；在《贝姨》中，他被封为伯爵。又如，伏脱冷这个人物，最初出现在《高老头》中的时候，是一个在逃的黑帮头子，社会法律的对立面，他一再出现在《幻灭》与《交际花盛衰记》等小说里，最后，他却成为了警察的密探，统治阶级的鹰犬。其他人物如金融家纽沁根，投机家杜蒂埃，不学无术、凭生意经当上报纸总编辑的斐诺，贫苦知识分子出身而著名的皮安训，刁钻的商人玛古斯，军人勃里杜，进步的青年政治活动家克里斯蒂安……都曾在不止一部作品里再现。据统计，反复在不同作品里再现过的人物有400多个，有人物再现的作品共七十部，其中以《交际花盛衰记》的人物再现最多，达155个。

过去从来没有一个作家采取这种手法，它完全是巴尔扎克的独创，巴尔扎克用它有效地把数量庞大的作品联结、组合了起来，人物的不断再现，一方面使各个不同作品所表现的生活场景与故事情节，构成了同一个环境中不同的社会生活面和事件发展的不同阶段，或者是同一个时期里同一社会生活的面面观，不论是从社会生活的横断面还是纵深发展过程，都展示出了前所未有的丰富的、有机的内容；另一方面，这种方法既使得人物具有广泛的活动面，枝条蔓延，互相组成了一个庞大的活动着、变化着的群体，又使其中某些重要人物在不同阶段的发展变化历历在目，大大丰富了重要人物形象的社会内容。总之，巴尔扎克的人物再现的方法，使得《人间喜剧》成为了内容丰富、浑然一体的社会生活的再现，它在文学史上无疑具有重要的意义。

但是，如果仅仅把《人间喜剧》的整体性归之于人物再现，那显然是不够的，《人间喜剧》作为一个庞大的整体的主要基础，还是它所表现的现实生活的统一性，或者说是巴尔扎克所表现的具有统一性的现实，他自己说得好："《人间喜剧》的统一性就是世界本身。"① 而关于《人间喜剧》的这种统一性的思想，在巴尔扎克那里又是极其丰富的。

巴尔扎克十分明确地认识到，他所要表现的并不是一个纯物质的静寂的世界，而是一个活动着的人的世界。因此，他在《人间喜剧》里，致力于描写出"自然加社会"的人的世界，他以统一观的思想，不仅把一定的自然条件、客观环境中的人所扮演的一出出戏剧和这种条件与环境作为一个整体来加以表现，而且，把人的自然属性与社会属性结合了起来加以描绘。特别是后者，更是他致力的重点。在他看来，"每只动物的习惯在任何时代都经常是相同的，可是国王、银行家、艺术家、资产阶级、教士和穷人的习惯、服装、言语、住宅是完全不同的，并且随着文明程度的高下而起变化"②，他根据这种"自然加社会"的思想去分析和表现人，给他那为数2400多个的人物形象所组成的世界，提供了最内在的统一性。因此，他明确指出，"作

---

① 菲力克斯·达文：《〈十九世纪风俗研究〉导言》。
② 巴尔扎克：《〈人间喜剧〉前言》。

者首先致力于解剖人,可以说,这便是作品的统一性之所在"①。

为了在《人间喜剧》中追求他对于统一世界的理想,巴尔扎克在表现社会生活时,力图不遗漏任何一个方面,或者说,他正是要以对社会生活各个方面的描写,来构成一个艺术中的统一的世界,他的《风俗研究》中的六个场景:私人生活、外省生活、巴黎生活、政治生活、军旅生活、乡村生活,几乎包罗了人类社会的各个领域,事实上,没有标出为场景的,如文学艺术、新闻出版、法律诉讼、商业金融等等,亦无所不包。而它们在《人间喜剧》中之所以构成一个整体,也在于社会生活各个领域不可分割的内在联系。

同样,为了实现他对于统一世界的理想,巴尔扎克在表现人生的时候,又力图不遗漏任何一个阶段,或者说,他正是要以对人生各个阶段的描写,来构成一个完整的人生的图景。他在《私人生活场景》的作品里,主要"描写童年、少年以及他们的过失"②;在《外省生活场景》的作品里,主要"表现热情、盘算、利欲和野心的时期"③,也就是成年时期;在《巴黎生活场景》的作品里,主要表现腐朽的、衰老的时期。

此外,他为了表现"我们美丽的国家"的完整的形象,他又描写了不同的地域,描写了每个地域里不同的地理、家族、谱系、场所、物产、盾徽以及各阶层的人物:市民与贵族、手艺者与农民、政治家与花花公子……

总之,在《人间喜剧》里,有一个整个的世界、整个的社会、整个的历史,巴尔扎克在这里所运用的方法,正如他自己所说,是"把社会的成分一一重建,以获得社会的整体"④,或者像他所形容的那样,把"如此不同、如此富有诗意、如此真实的各个独立的单篇"

---

① 菲力克斯·达文:《〈哲学研究〉导言》。
② 巴尔扎克:《〈人间喜剧〉前言》。
③ 同上。
④ 菲力克斯·达文:《〈十九世纪风俗研究〉导言》。

连在一起，以构成一面"世界的镜子"，这就是《人间喜剧》包括了九十多部作品而同时构成了一个整体的基础，就是巴尔扎克创造了史无前例的宏伟整体的奥秘！

这样的宏图大业，固然与个人的天才、顽强的毅力、充沛的精力不可分，但与时代社会的条件更有关。巴尔扎克的《人间喜剧》的整体结构，应该说是现实主义创作方法在19世纪高度发展的标志之一，它所包含的表现世界一体的思想，是19世纪人类对现实世界认识的扩大与深化在文艺创作问题上必然的结果。如果没有19世纪历史学中社会阶级论的出现，如果没有19世纪自然科学中的重大发现，如果没有自然科学与社会科学中各个分支学科之间的联系空前增多，不论自然科学还是社会科学都成为了"一个伟大的整体"，一种"有联系的科学"，那么，作为19世纪法国现实主义最伟大代表的巴尔扎克，也许根本不可能具有《人间喜剧》这样大规模的工程所必然要求的广阔的、宏观的视野与世界统一性的思想。我们知道，巴尔扎克在大学期间，曾接触过唯物主义哲学与历史学中的社会阶级论，而在《人间喜剧》的前言中，他又明确说明了他从当时生物学、博物学研究的最新成果中受到的影响，特别是从博物学家若夫华·圣伊莱尔的"统一图案"学说中得到的启发，他从自然环境造成了千殊万类的动物这一学说，认识到自然环境与社会环境造就了无数不同的人这样一个真理，从布封写出以全部动物为对象的《自然史》的先例，决心写出以全体人类为对象的巨著，这才产生了他关于《人间喜剧》整体结构的主意。是的，巴尔扎克的旷世奇才在文学史上的确少有，如果我们不能说他的天才盖过了他那些同样伟大、杰出的先行者的话，那么，我们却完全可以说，他所遇上的时代社会条件，他所可以利用的人类科学发展的新成就，则正是那些先行者所完全未能见识的，因此，他也就有可能创造出史无前例的文学结构，从这个意义上来说，他的巨制鸿篇又有着它历史社会的必然。

三、历史的百科全书

只从作品比岁月多、作品构成了巨大的整体这两方面来看巴尔扎克的伟大,当然还是不够,巴尔扎克的伟大有更深一层的、更重要的含义:他是法国19世纪历史的书记,他的《人间喜剧》是19世纪上半叶法国社会的形象的历史。

巴尔扎克是如何创作出这样一部卓越的历史呢?他在《人间喜剧》的前言中这样宣称:"法国社会将要写写它的历史,我只能当它的书记,编制恶习与德行的清册,搜集情欲的主要事实,刻画性格,选择社会上的主要事件,结合几个性质相同的性格的特点揉成典型人物,这样我也许能写出一部描写19世纪法国的作品。"巴尔扎克这一段言简意赅的话,包括了一个完整的现实主义文学的创作纲领,与其说它是1842年时巴尔扎克对自己10多年来文学创作的总结,不如说是他从1830年以来在文学创作活动中实际上已经实践了的原则,他的《人间喜剧》就是在这个原则的指导下写出来的。

应该说,巴尔扎克创作《人间喜剧》所根据的他的现实主义思想,在文艺思想发展史上并不是创见,它属于亚里士多德最早所提出的"按照事物的本来样子去模仿"这一现实主义创作思想的传统,而在他之前,至少有两个和他同样伟大的作家表述过同样的思想。莎士比亚这样说过:"自有戏剧以来,它的目的始终是反映自然,给它的时代看一看自己的演变发展的模型。"[①]塞万提斯也指出:"戏剧应该是人生的镜子。"[②]这两位伟大的作家也是带着这种现实主义的思想,去描绘自己的时代社会的。

巴尔扎克的伟大在于,他继承了历史上现实主义的传统,并且在19世纪的历史条件下,把它发展到新的高峰,那么,巴尔扎克有别于

[①] 莎士比亚:《哈姆雷特》。
[②] 塞万提斯:《堂·吉诃德》。

历史上其他伟大作家的新贡献与新特点是什么呢?

首先,巴尔扎克把模仿自然的思想,更进一步明确化、具体化,凝聚为描写历史时代、社会现实的创作纲领,从来没有一个作家有巴尔扎克这样自觉地把自己视为历史学家的鲜明意识,而且,还要"比历史学家做得更好些"[①]。巴尔扎克深知,历史的规律与小说的规律不同,历史记载的是"过去发生的事",小说写的是"庄严的谎话",他之把小说创作比之于记录自己的时代,把自己比之于历史的书记,仅仅是在他所理解的这样的意义上而言的:他的小说要以细节上完全真实的描绘,去表现人类的各种典型,讲述私生活的戏剧,考查社会的设备,编纂职业名册,登记善恶的事实,而构成一部虽然并未发生过的,但其形象图景与客观现实同样可信可靠的历史,而且,其包罗万象、其完整的程度完全可与实际历史比美。从司各特的前车之鉴中,他吸取了经验教训,立意在一部作品里通过一个人物形象来表现一个时代,又在众多的作品里通过一系列人物,把作品联系起来以表现历史的发展过程,其中每一部作品就是一章,每一章都描写一个时代。但当他看到不同的人物不仅表现不同的时代,而且表现不同的类别,而一个社会正是由不同类别的人所组成的,于是,他就从表现纵的历史发展而变为表现一个历史的横断面或断层。他第一部成功的小说《朱安党人》,以法国大革命时期的斗争为内容,似乎可以说是他力图开始表现历史发展过程的一个尝试。而后,他就放弃了这一个表现人类发展史的计划,而集中表现他所熟悉的当代社会,为自己的社会和时代作一位忠实的书记。

当然,在巴尔扎克以前的文学史上,但丁的《神曲》、拉伯雷的《巨人传》、塞万提斯的《堂·吉诃德》、莎士比亚的戏剧作品、莫里哀的喜剧、18世纪启蒙作家伏尔泰及狄德罗的某些作品,都是表现了自己时代社会的杰作。巴尔扎克的《人间喜剧》与这些杰作不同的

---

① 巴尔扎克:《〈人间喜剧〉前言》。

是，它在全面呈现当代生活的形象图景上达到了更全面、更详尽、更深入的程度。从来没有一个作家，像他这样把对自己时代社会的文学描绘，提高到历史学考察某个时代社会时所具有的那种分门别类、齐全得不容许有任何疏漏的程度。他规模巨大的《十九世纪风俗研究》分为六个场景，首先就表明了他描写19世纪法国社会全景的意图。这六个场景的确像历史的百科全书，19世纪法国社会历史的基本内容，在这里几乎都得到了反映：大革命时期的军事行动与战争，革命后直到七月王朝时期政治风云的变幻与人物命运的沉浮，贵族资产阶级上流社会的骄奢淫逸，依附于这个社会的娼妓生涯，外省青年的奋斗与悲剧，宗教领域里的虚伪与奸诈，经济生活中自由竞争以及发迹与破产，金钱的魔力与人心的败坏，法律上的诉讼与纷争，文坛上的恶浊，新闻出版中的阴谋伎俩，流氓、犯罪分子的黑社会的内幕，农村中紧张的阶级关系，农民、资产者与地主之间复杂的矛盾，下层劳动人民艰难的生活……因为《人间喜剧》具有宏大的规模，所以，它就得以将巨大的篇幅献给社会生活的每一个方面，从而使社会生活各个领域的风貌、状态、内情以及在其中发生的事件与在其中活动着的人物，都是以显微镜才有的放大比例和油画所特具的精细入微的笔法表现出来的。这是巴尔扎克的先行者与同时代人都没有做到的。以他的同时代人而言，在描绘现实的深刻性上唯一能与巴尔扎克比较的是司汤达，但司汤达在《红与黑》里用少数几章所表现的宗教界的勾心斗角、鬼蜮伎俩，巴尔扎克则以《都尔的本堂神甫》这样整整一部作品来加以表现，当然更为淋漓尽致。司汤达在《红与黑》里以概括的手法来烘托的铜臭财利的氛围，巴尔扎克则在《高老头》《欧也妮·葛朗台》等一系列作品里极其细致深刻地加以描写，包括揭示出人物大脑皮层的皱褶里和内心深处所渗透的这种铜臭的毒素，显然更为深刻。至于新闻出版行业中的卑鄙龌龊，19世纪其他的作家几乎没有触及，而巴尔扎克则用了长篇小说《幻灭》的大部分篇幅来加以揭露。

固然，以史无前例的巨大规模和深入细致的程度来详尽地描写自己时代的各个方面，是一个作家的卓越之处，然而，如果站在我们面前的是一位真正伟大的作家，那么，他就不仅要在自己的作品里描绘出自己时代社会的生活现象，即风俗画，而且还要通过这种画面表现出自己时代社会某些本质的方面。巴尔扎克生活在从拿破仑帝国经波旁王朝复辟到七月王朝的这一历史时期，这是法国大革命资产阶级与封建贵族反复争夺政治统治权、资产阶级以不可阻挡之势在经济领域里继续扩大自己的势力，最后又在政治领域里结束了与贵族争夺政治统治权的斗争，从而在法国全面巩固了资本主义制度统治的时代，巴尔扎克是在充满了惊心动魄的军事征战的拿破仑时代成长起来的，在历史发展出现了反复的复辟王朝时期积累生活与写作经验，而在金融家、银行家建立起自己稳固统治的七月王朝时期写作他的《人间喜剧》，他的作品在全面反映了这一整个历史过程的基础上，又特别集中描写了 1815 年至 1830 年的复辟王朝时期，这个时期的矛盾虽然更为错综复杂，然而，巴尔扎克在对这个时期进行描绘的时候，已经亲身见证了它发展的结果，因而也就具有一定的条件，得以表现出这一时期矛盾斗争的某些本质的方面。

复辟王朝时期是法国 19 世纪上半叶历史发展中的一个特殊阶段，在某种意义上，是历史发展的一个曲折。1815 年拿破仑在滑铁卢战役中遭到失败后，被大革命推翻的波旁王朝又在欧洲各君主国的刺刀保护下，回到巴黎，重掌政权，不过，由于大革命早已将法国封建贵族政治统治的经济基础摧毁殆尽，而资本主义关系经过拿破仑的资产阶级帝国又大大得到了加强与巩固，复辟王朝再也不可能在法国恢复革命前的旧秩序，即君主专制的政治制度与封建贵族的大土地所有制，而不得不接受 1789 年以来的现实，在政治上通过君主立宪制分给资产阶级一部分权力。如果说，复辟王朝所代表的封建贵族势力在政治上还作为统治阶级，保持着至尊的地位的话，那么，在经济生活中，贵族阶级并没有因为波旁王朝复辟而梢减其衰颓败落之势。在这个时期，资本主义关系在法国以不可挡拒之势继续发展，资产阶级在经济生活、社会生活中继续咄咄进逼，日益成为社会的主宰。这就是复辟时期基本的阶级关系，是巴尔扎克所面对的基本形势，巴尔扎克作为自己时代历史的书记的第一个意义，就在于深刻地认识并表现了这一基本的形势与阶级关系，他的《人间喜剧》就是这一形势与关系的形象再现。

经济生活的进程是社会现实中最根本的东西，而善于从经济关系来认识与表现社会生活的本质，正是巴尔扎克令所有19世纪作家们都望尘莫及的特长。他在《人间喜剧》里，虽然使读者看到贵族人物在社会上层熙熙攘攘、抛头露面、气派十足，俨然是世界的精华、社会的中坚、国家的主人，他们豪华的客厅是资产阶级时髦妇女所钦羡的所在，这里所发生的一切构成了引人注目的社会新闻，但巴尔扎克却又透过这社会生活的表层现象，揭示了社会生活的内在状态，让读者看出在那个时代社会中起决定性作用的，已经不是这些漂浮在社会表层的贵族人物，而是那些掌握着社会经济命脉的暴发户资产者。在《人间喜剧》里，粗俗的银行家纽沁根尽管被妻子与拉斯蒂涅骑士戴上了绿头巾，但他的票据却"闻名全欧"，他具有那样大的神通，可以"将议员出卖给政府"[①]，而且，好些贵族家庭的经济命运也都捏在他的手心，他在金融市场上兴风作浪，就使得漂浮在社会表层的那些贵族时髦人物，有的覆没沉底，有的逐浪高升。《人间喜剧》中另一个著名的人物高利贷者高布赛克，在社会中也是举足轻重，他"有的是钱"，王公伯爵要向他借钱就不得不受他摆布，正是他，以债务逼迫复辟王朝政府中的要员，在人事任免上完全听命于他。巴尔扎克在充分表现出资产阶级在现实生活中的力量与作用的时候，还把这种力量与作用在社会上造成迷信与崇拜的心理揭示得很深刻，纽沁根明明

---

① 巴尔扎克：《纽沁根银行》。

像一条巨蟒或一头老虎那样嗜血贪婪，吞并了好些家庭的财产，却偏偏被人视为"第一等正直的银行家"，同样，葛朗台老头虽然出身低贱，然而，他以其商业上的精明与经济实力，而在当地成为了"没有一个人看见了不觉得又钦佩、又敬重、又害怕"的人物，他的"一举一动都像是钦定的，到处行得通，他的说话、衣着、姿势、瞪眼睛，都是地方上的金科玉律"，甚至在人们的眼里，"他最琐屑的动作也有深邃而不可言传的智慧"[①]。

对于巴尔扎克这样一个以历史的书记自命的作家，复辟时期资产阶级与封建贵族阶级之间的矛盾与斗争，是不可能被置于他的创作视野之外的，他在《人间喜剧》里多次表现了这一个主题，而它恰巧是不那么容易表现的。众所周知，在复辟时期没有发生过两个阶级冲突的富有戏剧性的重大事件，作家只能从日常生活中去挖掘不同的价值标准、不同的意志愿望、不同的倾向、不同的行事方式、不同的利益以及不同的策略手段的对立，从这些对立中概括出两个阶级互相矛盾斗争的实质以及斗争结果所具有的意味，这是作为文学中的"历史学家"与历史学意义上的历史学家的不同之处。巴尔扎克这位"历史学家"，正是通过平凡的生活现象，表现出了资产阶级与封建贵族阶级的阶级矛盾与阶级斗争，描写出高贵、骄傲的贵族是如何败给了资产阶级。在《老姑娘》中，阿朗域中富有的老处女违反先辈都是与贵族联姻的先例，在资产者与旧贵族之间选择了前者；在《古物陈列室》里，一个封建贵族的沙龙与一个新兴资产阶级的沙龙互相对立，像古董一样的旧贵族代表人物总想恢复过去的生活方式，更不愿意放下贵族的架子与资产者联姻，还期望后代光耀门庭，然而，"可怕的命运"却狠狠地嘲弄了这种矜持与梦想，最后的结局恰巧与这种贵族古董的愿望完全相反；在《苏城舞会》中，德·封丹纳伯爵就不得不采取识时务者为俊杰的态度，让自己的女儿与资产阶级家庭结亲，而

---

① 巴尔扎克：《欧也妮·葛朗台》。

这只不过是顺应了当时"法国的贵族议员都在为儿子找一个有钱的媳妇"的社会风气。这些作品里婚姻问题上的悲喜剧,说明了资产阶级已在社会生活中日益占上风,封建贵族不得不放弃了他们最珍视的门第与血统的观念,解除了过去对资产者的优越感,而屈就在他们的金钱面前,这是旧阶级在道德与尊严上的一种失败与投降。这种贵族的失败与被战胜的主题,在另一些作品里更有所展开与深化,在《朗热公爵夫人》里,作者指出了复辟时期的贵族虽然是过去时代"最有诗意的残余",但已经衰老而"容易被战胜";在《蓓阿特丽斯》中,他又指出贵族社会"在复辟时期15年这一段意外胜利的时间,并未能重建,倒被资产阶级用羊角槌撞击得分崩离析";在《比哀兰特》中,他描写了地方上资产者与贵族的党派斗争,结果以资产者的完全胜利而告终。至于贵族男女如何在资产阶级的金钱的腐蚀下而衰颓败坏,《人间喜剧》中则有更多的描写。

  这就是巴尔扎克为自己时代的阶级关系与基本形势书写下来的历史,如果说,贵族阶级走向灭亡的基本形势在复辟时期已经很明朗的话,那么,到了1830年以后的七月王朝时期,则完全是既有的历史结局,随着在七月王朝时期生活经验的日益积累与对这一时期社会现实的认识日益深化,巴尔扎克在自己创作的后期,逐渐把他描写的范围扩大到他眼前的七月王朝时期,这样,他的《人间喜剧》也就更完整呈现出他所见证的阶级形势与历史发展,更全面地表现了整个这一过程中的阶级关系的变化,这种变化是两个社会交替时期的一个重大的主题,它在文学史上无疑具有重大的意义。对此,恩格斯曾经做了崇高的评价:"他用编年史的方式几乎逐年地把上升的资产阶级在1816年到1848年这一时期对贵族社会日甚一日的冲击描写出来,这一贵族社会在1815年以后又重整旗鼓,尽力重新恢复旧日法国生活方式的标准……在这幅中心图画的四周,他汇集了法国社会的全部历史,我从这里,甚至在经济细节方面(如革命以后动产和不动产的重新分配）所学到的东西，也要比从当时所有职业的历史学家、经济学家和统计学家那里学到的全部东西还要多。"①

巴尔扎克作为历史的书记的另一个重要意义还在于，他深刻地揭示了自己时代社会的本质。在他的时代，法国资本主义社会正在定型，资本主义关系与资本主义秩序在法国全面奠定和巩固了下来，应该说，这是资本主义社会充满了活力的上升阶段，然而，巴尔扎克并不是资本主义时代清晨的讴歌者，他透过这个时期的繁荣与活力，敏锐地看到了这个新型的社会的根本特性，并把它深刻地表现在自己的《人间喜剧》里，成为了资本主义社会罪恶本质的揭露者，而作为一个揭露者，他又比任何一个19世纪作家都更为准确，更为淋漓尽致，更为强而有力。

马克思、恩格斯在《共产党宣言》中，曾经这样指出："资产阶级在它已经取得了统治的地方，把一切封建的、宗法的和田园诗般的关系都破坏了。它无情地斩断了把人们束缚于天然尊长的形形色色的封建羁绊。它使人和人之间除了赤裸裸的利害关系，除了冷酷无情的现金交易，就再没有任何的别的联系了。它把宗教的虔诚、骑士的热忱、小市民的伤感这些情感的神圣激发，淹没在利己主义打算的冰水之中。它把人的尊严变成了交换价值，用一种没有良心的贸易自由代替了无数特许的和自力挣得的自由……资产阶级抹去了一切向来受人尊崇和令人敬畏的职业的灵光。它把医生、律师、教士、诗人和学者变成了它出钱招雇的雇佣劳动者。资产阶级撕下了罩在家庭关系上温情脉脉的面纱，把这种关系变成了纯粹的金钱关系。"马克思、恩格斯所揭示的资本主义社会这种金钱决定一切、金钱万能的本质，在《人间喜剧》里有着形象而深刻的表现。

巴尔扎克显然是站在一个高处，从1789年以后的历史进程来俯视自己时代社会的本质，从而使他《人间喜剧》中的形象表现具有了

---

① 恩格斯1888年4月给玛·哈克奈斯的信。

高度的社会概括性与历史论断式的科学性。他表现出，在资产阶级革命的基础上建立起来的这个新型的社会里，并没有实现18世纪启蒙思想家所提出的自由、平等、博爱的理想，而是实现了金钱的统治，"金钱是这个新社会的轴心"[①]，"黄金是世人膜拜的唯一力量"[②]。他还具体通过一系列资产者的形象，揭露出这些拥有大量钱财的暴发户是"无人知晓的国王，命运的主宰"，是这个社会实际上的统治者，他们"利用金钱控制法律，控制政治，控制风俗，到了前所未有的程度"[③]，而法律"替有钱人辩护，把有心肝的人送上断头台"[④]，是资产者手中的工具。至于政府机构，"也不过是富人之间制定的对付穷人的保险契约"而已。巴尔扎克这些形象描写揭示了他所生活的那个社会的本质与国家政府的阶级性质，其广泛深刻的程度，在资产阶级时代的文学中是少见的。

巴尔扎克不愧是一位自命为风俗史历史学家的文学大师，他不仅以高度的概括性道出了自己时代社会的本质，而且善于描绘出这种本质所派生的种种社会风习与时代气氛，他表现出金钱的力量已经渗透到社会生活的各个领域，腐蚀了一切，使整个社会都变成为"一部由金钱开动的机器"[⑤]，使社会生活的每个角落都发散腐败的铜臭气息。在上流社会，贵族妇女为了金钱而自寻失身之道，资产阶级妇女为了金钱与衣着而玩弄种种不忠于丈夫的手段，"隐藏在金银珠宝下的丑恶"是没有一个讽刺作家所能写得尽的；在政界，"每个人不是行贿，就是受贿"[⑥]，金钱"可以收买官员们的良心"[⑦]；在宗教界，虔

[①] 巴尔扎克：《于絮尔·弥罗埃》。
[②] 巴尔扎克：《幻灭》。
[③] 巴尔扎克：《欧也妮·葛朗台》。
[④] 巴尔扎克：《高老头》。
[⑤] 巴尔扎克：《高利贷者》。
[⑥] 巴尔扎克：《幻灭》。
[⑦] 同上。

诚神圣的宗教感情早已被金钱与现实利害的考虑涤荡无存；在文化领域，"文学有一副恶俗的生意面孔"[①]，真正的诗歌创作不能见容于生意经，"一切都由金钱决定"，"样样好卖钱，样样能创造，连名气在内"，"书不过是低价收进，高价出售的商品"[②]；在新闻出版界，各种舆论、各种伎俩的背后，都有金钱与现实利害在操纵，写的文章是捧是骂，全听作为承包商的报纸老板的指挥，任何人只要肯出二三十法郎，就可以买一篇吹捧的稿子……

既然社会的本质如此腐朽，一切都可以金钱为转移，人与人之间的正常关系必然被扭曲、被败坏，在整个社会生活中，都充满了为了金钱与利益的冲突。巴尔扎克作为历史书记的一大贡献，就在于他把资本主义社会中这种不正常的人与人之间的关系、人与人之间的战争描绘得异常真切生动，他深刻地看出了这种社会关系的实质，以尖锐的形象与语言，把它表现得淋漓尽致、触目惊心。在他的笔下，这种纷争无处不在，"作品跟作品的斗争，人跟人的斗争，党派跟党派的斗争"；这种斗争任何人都"不能不卷入"，任何人都"必须有计划地厮杀"[③]；在这种纷争混战之中，道德沦丧，尊严丢尽，可以不择手段，可以不计凶狠厉毒，"在这个人堆里，不像炮弹一般轰进去，就得像瘟疫一般钻进去"，"你越没有心肝，越高升得快，你得不留情地打击别人……只能把男男女女当做驿马，把它们骑得筋疲力尽，到了站上丢下来，这样你就能达到欲望的最高峰"[④]，社会本来是人的世界，但是，在残酷的社会法则下，却变成了如此可怕的情景——"你吞我，我吞你，像一个瓶里的许多蜘蛛。"[⑤]

在巴尔扎克对资本主义社会恶的本质的描写中，更引人注意的

---

① 巴尔扎克：《职员》。
② 巴尔扎克：《幻灭》。
③ 同上。
④ 巴尔扎克：《高老头》。
⑤ 同上。

还是他通过家庭悲剧来揭示这个社会拜金主义的本质以及金钱腐蚀一切、败坏人心的程度。他经常描写因为金钱与现实的利害而在一个个家庭中发生的矛盾、纠葛、争夺以至谋害，形式各异，格局不一，但动因与实质相同，这种悲剧是《人间喜剧》中最多见的题材。可以看到，在《欧也妮·葛朗台》中，金钱拜物教如何在葛朗台身上把对亲人的感情都剥得一干二净，导致了他女儿终身不幸；在《高老头》中，女儿为了钱财与享乐，像挤柠檬一样把父亲挤干之后，就扔弃不顾。金钱利害的打算如此侵蚀社会生活中最天然的范畴——亲近的血缘关系，使这种关系变得如此冷酷，这已经足以使人惊异了，但巴尔扎克还不满足于此，他更进一步把金钱的这种腐蚀力表现到极度，描述出资产阶级家庭悲剧中虽然没有出现毒药、匕首与流血，但其惨厉酷烈的程度却绝不稍减。在《搅水女人》中，家庭里围绕着一笔遗产展开了残酷的争夺；在《于絮尔·弥罗埃》里，有钱的医生被亲戚们所包围，开始了一场无情无义的纷争；在《比哀兰特》里，一个天真的小姑娘因为是遗产的合法继承人，所以被觊觎财产的亲戚蒙骗、残害致死；在《禁治产》里，由于财产的争执，妻子宣布丈夫是白痴，并进行控告；在《夏倍上校》里，妻子为了吞没和霸占丈夫的财产，竟要置他于绝境。巴尔扎克善于把这类家庭悲剧描写得令人心肠断裂，惊诧骇然，善于表现出利欲心理，谋取财利的鬼蜮手段违背人的正常感情到了何等触目惊心的程度，大大深化了他对产生这种悲剧的社会的本质的揭露，使他为自己时代社会所绘制的风俗画面，既有历史的价值，也富有伦理的意义。

巴尔扎克作为历史的书记，不仅以艺术形象再现了一定历史阶段里的阶级形势，揭示了新兴资本主义社会的本质，而且，还以冷静的科学态度，思考与探讨了这个刚刚建立的社会形态中的一系列重大的社会问题，把它们表现在《人间喜剧》的艺术图景中，显示出他深刻的观察与敏锐的远见。

在巴尔扎克的时代，资产阶级关于人的价值标准全面代替了贵族阶级的价值标准，人的价值不再以其血统与门第来衡量，而是以其才干与能力来衡量。拿破仑就是树立与实现这种价值标准的一个典范，不论从他本人的发展还是从他掌权后的用人政策来说，都是如此。因此，大革命后整整一代求发展的青年都以他为最高理想，他们对这种资产阶级价值标准的向往与因为这种价值标准在复辟时期不能实现而产生的苦闷和愤慨，曾是19世纪上半叶不止一个法国作家在自己的作品里津津乐道的主题。巴尔扎克与众不同的是，他固然看到了资本主义社会的自由竞争与资产阶级的价值标准，使得好些在社会底层的人物升到了社会的上层，并通过《人间喜剧》中一些人物的发迹表现了这一社会法则，但他却又同时看到了资本主义自由竞争对于人才的阻碍与摧残，以及资产阶级价值标准中丑恶的阶级内容，并且以他作品中典型的青年形象生动地表现了这一深刻的认识。在《幻灭》中，大卫·赛夏虽然是一个有为的发明家，但在险恶的社会环境中不得不放弃发明的专利和从事科学研究的理想；这部小说的主人公吕西安，在诗歌创作上确有才能，但"聪明才智要靠金钱做支点"，他的成果不止一次遭到了冷遇与嘲笑，在巴黎恶浊的氛围中，他离开了严肃的文学道路，被毒害成一个无耻的文痞，然后又被无情的社会现实压得粉碎，像他这种命运的青年显然不止一个，正如小说中一个人物所说："这批小青虫没有变成蝴蝶就被踩死了。"①在《人间喜剧》里，倒也有一个青年向上爬获得了成功，那就是拉斯蒂涅，但他恰巧并不具有特别的正当的才能，他不是通过读书上进、奋发有为的道路进入社会上层的，而正是"抹煞良心，走邪路，装了伪君子而达到目的"。通过这个人物，巴尔扎克打破了资产阶级关于人的价值标准的浪漫主义的理想，从另一个角度揭示了当代社会生活的法则，他还指出了这样的社会现象——"拿破仑的榜样，使多少平凡的人狂妄自大，成为

---

① 巴尔扎克：《幻灭》。

19世纪的致命伤",显示出一种冷静的客观的态度,避免陷入19世纪作家在表现青年人求发展而不可得的题材中经常有的那种感伤主义。

新闻报刊问题是19世纪上半期资本主义社会中另一个新的社会问题,巴尔扎克把它作为一个重大的社会现象表现在《人间喜剧》里。在封建时代,法国只有一些文艺、科学的杂志,没有政治性、社会性的日报,这种报纸是资产阶级大革命的产物,它们在革命斗争高潮的年代里,是各党派的喉舌与斗争工具,随着大革命的完成与资本主义社会生活的进程,新闻报刊的作用与地位也有了变化。巴尔扎克敏锐地捕捉了这一变化的社会现象,他在《人间喜剧》里,充分写出了新闻报刊作为社会舆论的相对独立性与它受制于金钱而作为金钱魔力的一种延伸,作为意识形态的商品化而起的恶的作用。它可以根据某种意图,无中生有,制造和散布流言,影响人们的思想,左右他们的观点,从而形成一种物质的力量;它可以颠倒黑白,混淆是非,歪曲事物的本来面目;它可以进行吹捧,为人制造名声,又可以施以攻击,败坏声誉。虽然报纸新闻事业在巴尔扎克时代规模并不巨大,仅仅是一种新兴的行业,但巴尔扎克却预见了这种行业在当代社会生活中的地位,他通过一个人物这样指出:"报纸的影响和势力,现在不过刚刚开始,新闻还没有脱离童年时代,慢慢会长的,10年之内样样都要受广告的统治。"①更为深刻的是,巴尔扎克清醒地看到这种看起来独立的力量,在那个社会条件下,不可避免要受金钱的控制,他的杰作《幻灭》的主要篇幅,充分地揭示了这一社会现实,虽然他因此遭到了攻击,但他仍坚持他的揭露,他这样宣称:"新闻事业在当代风俗史中所起的作用如此大,以至一个作家如果在扮演的剧目中取消了这一场景,将来就会被视为懦夫"②,显示出他作为历史的书记决心写出一部时代的信史的勇气。

---

① 巴尔扎克:《幻灭》。
② 巴尔扎克:《〈幻灭〉第二部初版序》。

巴尔扎克的时代属于自由资本主义历史发展阶段，这时，还不具有资本主义最高阶段的一系列的特点。这些特点，如生产的集中与垄断、银行的新作用、金融寡头的出现、资本输出与资本家同盟分割世界等，要到19世纪下半叶以后，特别是19世纪末才逐渐出现。不过，巴尔扎克进行写作的时期，正是银行家、交易所大王和铁路大王、煤铁矿和森林所有者以及与他们有联系的那部分土地所有者，即所谓金融贵族统治的七月王朝，巴尔扎克像有预见的历史学家一样，从当前的经济生活中洞察了日后将充分发展扩大的某些萌芽，并且用艺术的形象来加以表现。在他的《人间喜剧》里，我们已经可以从纽沁根这个人物身上看到金融寡头的雏形，他集中了社会上各种有产者的货币资本，深入工业，掌握股票，进行操纵，国家经济命脉已经开始逐渐落在他手里，他还控制政府的人事任命，他活动的范围已经扩张到整个欧洲，而成为了"欧洲最伟大的金融家"。巴尔扎克还详尽而精确地描写了这个人物由"中介人"向"垄断者"发展的趋势，他在金融市场上买空卖空的投机活动，他在股票生意上所使用的手段，他在发行有价证券以及在支付、清理上所施展的魔术，所有这些经济活动，已经开始带有资本主义最高阶段金融资本活动的性质，而这个人物的得心顺手、飞黄腾达则又预示着金融寡头、垄断资本的进一步发展。《人间喜剧》中这些充分而细致的形象描写，说明了巴尔扎克对当代经济生活中的新动向有着深刻的认识，说明了他要为自己时代的"财政金融"留下一份透彻的历史记录的用心。

还值得特别注意的是，巴尔扎克在《人间喜剧》里提出了资本主义社会一开始就存在着的一个严重的社会问题，即贫富对立与劳动人民的悲惨的处境问题。大革命的社会现实清楚地表明，18世纪启蒙思想家所预言的理性王国与平等的理想已经完全破灭，而在革命高潮中作为革命力量的"第三等级"也早已分化，资产阶级再也不以全民利益的代表出现，成了为追求与维护自己的私利、为巩固资本主义秩序而压迫其他阶级，特别是劳动人民的统治阶级。因此，在这个新的社会里，富有与贫穷的对立不仅没有消灭，反而更加尖锐化，劳动群众的贫困已经成为资本主义社会存在的条件。面对这种现实，19世纪上半叶不止一个作家在自己的作品里反映了这个社会中的阶级矛盾与贫富对立，但都不及巴尔扎克反映得那样突出与鲜明。巴尔扎克的《人间喜剧》中不止一部作品触及了这个主题，他在《金眼女郎》《法西诺·加奈》《交际花盛衰记》以及《海滨惨剧》里，都描写了工人、劳动人民的悲惨生活：他们每天像动物一样从事繁重的劳动，其负荷大大超出体力所能负担的程度，女工与童工更是悲惨，而他们所得到的，只是衣不蔽体、食不果腹的生活。巴尔扎克一方面把这种生活与富人的穷奢极欲加以对比，另一方面又用劳动人民优秀的精神品质去对照资产阶级的腐朽丑恶，他在《无神论者做弥撒》中所描写的劳动者崇高的无私的人格，在那个卑污的社会里发出格外动人的光辉。巴尔扎克还直接面对现代社会两大阶级的矛盾，以忠实的史学家的态度，道出了事实。他在《纽沁根银行》里，指出1831年里昂工人起义的真实原因是"七月革命以后，工人困苦到了极点"，"工人整天劳动，赚的钱不够活命，比一个苦工囚犯还不如"。他在《搅水女人》中还指出，1830年以后伊苏登种葡萄的农民起来暴动，是因为"日益受到种植费用与捐税的重压"。

对于18世纪的启蒙作家来说，深刻地揭露封建专制社会的本质，提出一些带根本性的社会现实问题，相对来说，也许还比较容易，因为法国封建专制主义已经有了几百年的历史，在这几百年中，它的本质、矛盾、问题、弊病，都早已逐渐地暴露了出来。但对于巴尔扎克来说，他所生活的那个社会却刚出现在地平线上不久，正在他的眼前以复杂的形式逐渐明朗、定型，要在变幻之中把握住这个新的社会形态的本质，发现它刚产生的问题并预见其发展的趋势，显然就不那么容易。巴尔扎克做到了这点，在规模宏大的作品中，以大量具有历史意义的形象场景和无数精确、真实的生活细节做到了这点,达到了历史学的广度与高度,而又比历史学更丰富、更深入、更生动。因此,虽然巴尔扎克的创作并非每个方面都受到他身后所有才智之士的称道,但他作为自己时代社会的历史学家的崇高地位与权威性,却从来没有遭到任何质疑,从雨果、乔治·桑到福楼拜、左拉、法朗士,无人不对巴尔扎克在真实描写历史这方面所取得的伟大成就赞颂备至。

四、丰富而深刻的思想

巴尔扎克不仅真实描绘自己的时代社会,是文学中的"历史学家",而且表现了丰富而深刻的思想,是文学中的"哲学家"、"思想家",这是他之伟大的另一个方面。

文学作品是现实生活在作家头脑中加工的产物,思想性是作品的灵魂,作品的价值在于它的精神品格。对于一个哲学家、思想家,他不必是文学家,但文学家在某种意义上却必须具有思想家、哲学家的特点,"谁要是谈到'诗人',他也就是在谈论历史学家与哲学家"[①],甚至有的批评家这样强调:"不发表哲学议论的作家,只不过是艺术工匠而已。"[②]虽然问题的关键并不在于发不发表哲学议论,但文学创作的根本性质决定,是否具有思想家、哲学家的特点,是否在自己的作品里表现出了丰富的思想、高超的见解、敏锐的感受、隽永的哲理、对事物高屋建瓴的总体观,总之,是否表现了作家本人的精神才智与风采,毕竟是衡量一个作家是否杰出、是否伟大的一个重要尺度。一个作家只有在自己的生动鲜明的形象描绘中表现出了思想的丰富与深刻,才能以其艺术力量与思想力量而不朽,文学史上的大量事

---

① 雨果:《莎士比亚论》。
② 拉法格:《左拉的〈金钱〉》。

实说明，这远远不是每一个作家都能做到的，这是少数杰出的、伟大的作家特有的标志，巴尔扎克就正是具有这种标志的少数杰出者、伟大者中的一个。

我们注意到，巴尔扎克笔下有一个重要的人物——大尼埃·大丹士，他称这个人物为"当代最杰出的作家之一"，对他在成名之前的状态作了这样的描写："大丹士认为不精通形而上学，一个人不可能出类拔萃。那时，他正在挖掘古往今来的哲学宝藏，预备吸收融化，他要像莫里哀那样，先成为深刻的哲学家，再写喜剧，思想和事实，书本上的世界和活生生的世界，他都研究。"① 是否可以说，这段描写就是巴尔扎克自身某些经验的写照？看来是可以的。事实上，巴尔扎克本人确是一个几乎在所有的知识领域里都有所涉及的研究家，他研读过哲学、社会科学与自然科学的各种理论与学说，具有广博的学识与修养，对于抽象的理论与形而上学还有着浓厚的兴趣，在长期的观察与研究的基础上，又对生活有透辟的理解，堪称为一个他自己所称颂的"深刻的哲学家"。早在1834年，他就通过达文的笔，说明了自己创作的这一特点："他那些作品都体现了早期的研究和他那形而上学精神的倾向，他的知识领域既多样又宽广。"② 他对大丹士的描写，正反映了他主观上对于思想与研究的高度重视，反映了他把思想与研究当作作家的先决条件的那种卓见。正是在他这种对作家的高标准的要求下，在他自觉地要当"深刻哲学家"的努力下，《人间喜剧》得以成为一部富有才智的书，成为了一个尽管纷纭复杂但却充实丰富的思想"宝库"。

从《人间喜剧》的总体结构来看，巴尔扎克显然不愿意自己的作品只成为以情节取胜、供人消遣的故事，也不愿意自己的作品成为现实生活单纯的复写、缺乏思想意义的场景与画面，而是把《人间喜

---

① 巴尔扎克：《幻灭》。
② 菲力克斯·达文：《〈哲学研究〉导言》。

剧》的三大部分总称为三大"研究",在"研究"之下,再分为若干"场景",这就表明了,巴尔扎克是自觉地要通过现实生活的场景来表述一定的思想和哲理。关于这三大部分各自的性质与关系,他还作了这样的说明:"《风俗研究》是描写社会所有的现象,《哲学研究》是阐明这些现象的原因,而《分析研究》则是探讨其原则。"[1]就表述思想与哲理而言,巴尔扎克心目中的重点当然还是《哲学研究》与《分析研究》。用他的话来说,在《哲学研究》里,"一步深于一步的思想层层演绎";在《分析研究》里,"有利于社会前途的新方案,诗意盎然地展开"。尽管在我们看来,《人间喜剧》中的主体部分《风俗研究》中的思想性,事实上要比后两大部分来得丰富、深刻,尽管巴尔扎克阐明其原则与方案的主要作品如《乡村教士》《乡村医生》,并不属于《哲学研究》与《分析研究》,而恰巧是在《风俗研究》中,尽管在巴尔扎克心目中,自己的形而上学精神的最高层《分析研究》并没有完成,也没有什么出色的作品,尽管巴尔扎克所要阐述的原则与方案正好表现出他的阶级局限性,反映了他自己的弱点与缺陷,但这整体的构思清楚地表明了,巴尔扎克力求使他的《人间喜剧》服从某一个思想目的,具有一种鲜明的形而上学的特点,成为一种社会的研究,一种哲理的形象思维。

"他丰富、有力、繁茂,是丰满的乳房,泡沫满溢的酒杯,盛满了的酒桶,充沛的汁液,汹涌的岩浆,成簇的嫩芽,如滂沱大雨一般浩大的生命力。"[2]这是雨果形容莎士比亚的一段话,用这段话来形容巴尔扎克丰富强旺的思想力量,似乎也很恰当。我们读《人间喜剧》,既像进入到一个遍地都是思想之花、到处结着观念之果的园地,又像遇到了一个洞悉世情、视野广阔、见解精辟、谈吐隽永的维吉尔,他引导我们游历过去的那个时代社会,向我们形容,述说,分

---

[1] 菲力克斯·达文:《〈哲学研究〉导言》。
[2] 雨果:《莎士比亚论》。

析，议论，评点……

议论本是文学的大敌，它可以破坏文学作品的形象性，甚至可以使作品不成其为文学的作品，然而，在《人间喜剧》里，议论却居然与形象描写相得益彰，互为补充，别有兴味，增加了阅读的兴趣。考其原因，是这些议论凝聚着作者深刻的观察、精细的世故、具有思想的闪光与耐人寻味的哲理，而其语言，请允许我们借用他自己的佳句来比喻，"像箭一般轻灵，不仅脱口而出，而且一针见血"。这些议论有时是作者站出来发表的，更多的情况则是被作者放在不同人物的口里，虽然在后一种情况，巴尔扎克要照顾到人物的身份、性格与习惯，但这些议论也都代表了巴尔扎克的真知灼见。

这里，有几个脍炙人口的范例，它们是巴尔扎克高超才智的标志。

请看鲍赛昂子爵夫人在自己寓所里对拉斯蒂涅的那一番议论，除去这个贵妇人由于已被情人公开抛弃而特有的那种愤世嫉俗的语调，那一段话把"社会是一个泥坑"、"社会又卑鄙又残忍"的道理讲得多么透彻，把资本主义社会中人与人之间关系的冰冷与残酷指点得多么清楚，其中所抨击的一些世故，特别是人把人当作驿马来骑的比喻，包含了作者对资本主义社会那种处世哲学多么深刻的剖析。

请看伏脱冷在伏盖公寓的院子里对拉斯蒂涅的那一大段高谈阔论，把一通议论写得那么洒脱豪放、淋漓尽致，难道这是一个思想贫乏、见解平庸的作家所能想象的吗？在这里，警句层出不穷，铿锵作响，显示出写作者思想的分量质地，叫你非得一口气读完。"巴黎仿佛新大陆上的森林，有无数野蛮民族在活动"那段精辟的话，是对资本主义社会中"丛林法则"、弱肉强食的深刻认识；"人生就是这么回事，跟厨房一样脏臭"，是对资本主义社会腐朽生活的言简意赅的概括，是难得的警句；"巴黎的人是怎么打天下的？……清白老实一无用处"那一通冷嘲热讽，是对不择手段的自由竞争所作的批判；"在巴黎，正人君子是不声不响、不愿分赃的人"的一番议论，是对资产阶级道德沦丧的抨击。巴尔扎克在把自己对社会现实的深刻认识,用伏脱冷的"恶"的角度与"恶"的语言来加以表述的时候,又让奉行资本主义社会中"不分青红皂白乱杀一阵"的"天意"与"把所有的人一齐打倒"的"美学原则"的伏脱冷,自称为"诗人"与"艺术家",他这绝妙的讽刺又显示出这样一种卓越高超的思想:资产阶级社会原是以"恶"为"善"、以"恶"为"美"的。

请看大丹士在卢森堡公园里与吕西安那一次关于文艺的谈话,你把它看作一篇精彩的论创作的文章也未尝不可,其中充满了精辟的文艺见解,大丹士头两句话就提出两个重要的思想:"所谓天才,就是耐性"与"什么艺术,还不是经过凝炼的自然",这与其说是大丹士出口不凡,还不如说是巴尔扎克本人见解卓越,如果巴尔扎克没有把他深刻的现实主义文艺思想锤炼成如此精辟的警句,他如何能使大丹士讲出这句打着自己独特印记的话来?接着,就是一段谈创作的宏论,在那里,丰富的思想观点叫人应接不暇,对司各特作品的优劣得失分析得那么精到,对如何走超越前人的新路指点得那么明确具体,对如何去"写出一部生动的法国史"、"刻画出时代的精神"以及如何描绘历史人物的形象论说得那么具有独创性,使人一看就知道是巴尔扎克本人丰富的创作思想的部分展示。

请看罗斯多在饭铺里对吕西安的一席忠告,那里有对法国文艺状况的出色的综述,有对文坛派系斗争的透辟的分析,有对文学商品化的揭示,有对资本主义与诗歌创作的敌对的论说。"诗神身上盖满了灰土,溅着街车的泥浆",这诗一般的语句,表述了作者多么沉痛的思想!

这仅仅是取著名的几段而已,其他闪烁出现的思想火花,在《人间喜剧》里就像浩瀚无垠的宇宙里无以计数的繁星:

"一切都是运动,思想是运动,自然界建立在运动之上"[①],这是

[①] 巴尔扎克:《驴皮记》。

多么明确的辩证法的观点。

"思想与观念是人的内部机体的运动","理智完全是物质的产物"[①],这是多么杰出的唯物主义思想。

"如果工业产品的价值不高出成本一倍,工商业活动就不可能存在"[②],作者对资本主义经济没有精深的研究,怎么能讲出这样一句得到马克思肯定的很在行的话来?

"我见过旧时代,我现在又见了新时代,招牌换了,不错,可是酒没变,今天就是昨天的老弟"[③],这是作者对从18世纪到复辟时期法国农村中剥削关系并没有消灭这一现实所作的概括,表现了多么明确的历史批判精神!

"一切涉及私有财产的法律都有一个作用,就是鼓励人勾心斗角,尽量出坏主意"[④],这是多么一针见血的思想,一语就道破了资产阶级社会中维护私有财产的法律的特点。

"赛巴斯蒂安虽是懒散的天才,但在为数有限而相传稿本出于米开朗基罗手笔的画上,的确把佛尼市派的色彩,翡冷翠派的布局,与拉斐尔的风格熔于一炉"[⑤],这是多么精湛的艺术评论,对艺术史没有深厚的修养,如何能够作出?

"持续不断的工作是人生的铁律,也就是艺术的铁律,因为艺术是最精醇的创造"[⑥],这格言式的语句,浓缩着作者的长期生活经验与艺术经验,包含着一个有普遍意义的真理。

这类思想的火花,在《人间喜剧》里究竟有多少?我们实在难以做出统计。使人感到惊异的是,它们在政治、历史、社会、经济、

---

① 巴尔扎克:《路易·朗贝尔》。
② 巴尔扎克:《乡村教士》。
③ 巴尔扎克:《农民》。
④ 巴尔扎克:《赛查·皮罗多盛衰记》。
⑤ 巴尔扎克:《邦斯舅舅》。
⑥ 巴尔扎克:《贝姨》。

工商、法律、道德、心理、风俗、爱情、教育、文艺等各个方面都不断闪现。正像他有超乎常人的健壮体格与充沛的精力一样，巴尔扎克又是一个真正意义上的思想的壮汉，他头脑里装满了思想，就像春天里成簇地向外茁生着的嫩芽一般，成千上万，多得不可计数，它们大量衍生，层出不穷，源源不断，以至巴尔扎克非得写《乡村教士》这样的作品，来倾泻他脑海里那思想之流，我们当然可以而且也应该责怪这作品中长篇累牍的议论流于说教，枯燥沉闷，不是文学杰作所应有，但我们又不能不承认，从那些议论中可以看出，巴尔扎克毕竟对那样多的问题作了认真的思考，并得出了那样多的见解、观点、分析、方案等意识形态。

文学的思想应该寓于文学的形象，文学的形象应该具有思想性。在文学史上我们经常看到有两种失于偏颇的作家：一种作家把自己的思想加以扩张、膨胀，因而缩小了形象在自己作品中的作用与地位，或者使形象简单地成为自己思想的传声筒；一种作家则是在自己的作品中堆砌了大量的生活形象，对现实作了繁琐的描绘、复写，而这些形象与复写中却缺少作家本人的思想与灵智。

巴尔扎克虽然在《乡村教士》这样的作品中多少陷于前一类偏颇，但总的来说，他是一个善于把自己丰富深刻的思想寓于生动鲜明的艺术形象之中、善于把思想性与形象性结合得水乳交融的巨匠。如果说，像我们以上所指出的那样，巴尔扎克在作品的议论中，常常显示出了自己思想的才华，那么，他更多的是在艺术形象中表现出他的灵智。当然，《人间喜剧》的各种场景、各部作品以及作品中的故事情节和人物，就都从整体上体现了作者对社会生活、历史发展、人类状况的认识以及与此有关的思想见解。其次，表现出作家的思想丰富性的，还不仅仅是作品与艺术形象的整体。读者不难发现，即使是在局部的描写与叙述中，也渗透着巴尔扎克那强旺的喷溢而出的思想之流，或者可以这样说，这个思想丰富的作家，在选取每一个场景，捕捉每一个生活形象，采用每一个角度，渲染每一种底色，勾画出每一笔的时候，总是出于某种考虑，带着某种见解，怀着某种情绪，力图赋予某种意味，以唤起读者的某种联想或某种观念。他不像左拉那样，只怀着一个实录的目的，把那些生活形象堆砌在自己的作品里，他要使每一个形象都表达他的思想倾向与感情色彩，因而，他也就获得了他的优越性，使他作品中的形象描绘充满了一种思想的生命力，一种感情的色彩，一种意趣的魅力，这恰巧是左拉的形象描绘所少有的，这也就构成了巴尔扎克比左拉更伟大的一个原因。

请看他在《驴皮记》中对于赌场的描写，从那描写中，我们可以看到赌场那简陋陈设的每一个细节，阴暗角落里腐朽的气氛，赌客们狂热的投机心理，冰冷的面孔，狠狠的眼光。在对环境与氛围，对"物"的描写上，巴尔扎克细致与准确的程度并不下于左拉描写万象剧场（《娜娜》），不下于阿兰·罗伯-葛利叶描写咖啡馆（《橡皮》），但是，他的描写却并不是冷漠的、简单录像式的！而是采取了一个哲理的角度，带有哲理色彩与哲理意味，仅仅是主人公进入赌馆把帽子交给守门人这一个细节，就被作者赋予了一种象征的意义，在这段描述里，作者竟注入了那么多思想内容：对法律保护赌博的讽刺，对赌馆吃人的本质与它作为刑场的认识，关于人性的弱点与贪婪的思想以及对人生的感慨与见解。以至你可以说，这里对客观环境与事物的每一笔描述，都浸透了哲理的汁液。

请看《比哀兰特》开篇对那个外省小城市之晨的描写。作者始终在描写中出现，他的思想情感伴随着在这清晨之中一一出现的人与事，就像在古代悲剧中的合唱队构成了那些在舞台上一一搬演的事件的背景与底色，不过比合唱队更不着痕迹，更与形象、事件水乳交融，他对广场周围房屋的描写，使你感到他对小商人的"俗气与得意"的反感，他对少年人布里谷唱的那首民歌的复述，结合着他精辟的文艺见解，流露出他自己的情趣。他如何描写那个海格龙老姑娘的露面的？他通过这个人物的形貌、表情、举止，一下就表现出这个老姑娘的变态心理，显示出他自己深刻的心理学的见识，而他对比哀兰特的形象和对她始而乐继而惊恐的描写，又明白地表露出他认为日常的家务纠纷中也常有惊心动魄的惨剧这种认识。

请看《高老头》中伏脱冷这个人物是如何退场的。那是他遭到暗探逮捕的一场，就其客观的形象描绘而言，这既是一个不寻常的场景，也是一个紧张的情节。在这场景、这情节中，巴尔扎克贯入了极为复杂、极为深刻的思想。你看，他写出"那双勾魂摄魄的眼睛"如何"好似一道阳光"；和善的脸是如何变得"狰狞可怕"；好比火山一样快要爆发的满腔愤怒，在一种"人的最高的精神力量"的控制下，如何突然"化得无影无踪"；还有他那"狮子般的动作"、"犷野的力"、"强悍与狡猾"如何与"温柔的笑"形成对照；他在危难时"亲狎，下流，令人触目惊心的气概，忽而滑稽忽而可怕的谈吐"如何与"温柔又凄凉"的声音形成对照；他整个形体如何"仿佛被地狱的火焰照亮"。特别是，巴尔扎克还把这个气概非凡的人物与告发了他的米旭诺小姐"像木乃伊一样干瘪"的形象，她"毒蛇似的"眼光加以对比。通过这些描写，巴尔扎克表现了对这个人物形象的一种极为深刻的理解："这个人不仅是一个人，而且是一个典型，代表整个堕落的民族，野蛮而又合理，粗暴而又能屈能伸的民族。"而且，把他提高到美学的范畴来加以理解：这个人物成了"一首恶魔的诗"，"把他画下来倒是挺美的"。在所有这些形象描写里，蕴藏着巴尔扎克多么丰富而复杂、多么值得深入挖掘的善恶观与美丑观！

请看《贝姨》中对于文赛斯拉发展变化的复述。这个雕刻家在贫穷与平凡的命运的鞭策下，总算跨过了艺术领域中的鸿沟，在创作上显示了一些才能，然而，与贵族小姐结婚后，舒适的生活却使他陷于懒散、怠惰，耽于幻想。巴尔扎克不满足于简单的复述，而是使自己的复述中不断地冒出清洌的思想的泉水，凝结为经验谈的结晶，使读者在关于人类的精神劳动、关于文学艺术创作的条件与规律、关于雕塑艺术的特点以及关于天才获得成功的道路等这些问题上,领受到作者那高超的智慧。

以《人间喜剧》中所表述或所流露的多方面的丰富思想而言,我们仅把巴尔扎克视为一个有思想素质的文学家,也许还是不够的。可以说,他就是19世纪上半叶法国自由资本主义时期的一个值得注意的思想家,他的《人间喜剧》中的大量思想见解与他相当数量的杂文、评论文章中的观点主张,实际上已构成了一个相当完备的思想系统,尽管作为思想系统,其中是充满了矛盾的。

在哲学思想上,他基本上是一个唯物主义者,他承认物质的第一性,精神的第二性;承认物质决定精神,精神从属于物质,人是环境的产物,并被不同的环境塑造为千殊万类。他还具有一些辩证法的观点,把自然界视为一个统一的整体,认为其中的万物都不是孤立的,而是互相关联,互为因果。他还认为,运动是一切物质的特性。他在自传体小说《路易·朗贝尔》中比较集中地表述这一系列观点。然而,巴尔扎克并不是一个完全的唯物主义者,他有时热衷于唯心主义的唯灵论,把唯灵论与唯物论相提并论,因此,就不免陷入神秘主义,相信手相学、骨相学、占卜学等迷信谬说,而在他的思想中,宗教的概念与词汇也占有一定的地位。

在政治思想上,巴尔扎克实际上怀有与他保王党的政治态度相矛盾的一系列政治观点。1831年转向正统主义并参加保王党的政治活动、在《人间喜剧》的前言中明确宣布自己是"在两种永恒真理的照耀下写作,那就是宗教与君主政体",所有这些都是人们把巴尔扎克视为保王党人的根据。然而,巴尔扎克实际上并不是一个真正的保王党人,他怀着"会使我遭到自己的党的忌恨"的"政治思想的秘密"①,主张法国采取君主立宪制的政体,建立一个强有力的政府,

---

① 巴尔扎克1832年9月23日致居勒玛·加洛夫人的信。

保证私有财产,给中产阶级以最大的自由,对下层人民的生活加以改善。他这种主张反映了中小资产阶级的阶级利益,与主张在法国恢复君主专制制度与封建贵族大土地所有制的正统保王主义有根本的不同,而且,他的政治思想也具有远比保王主义深得多的内容。他接受了资产阶级历史学派阶级论的影响,以阶级斗争的观点来看待法国的历史与现实,他看到了穷人与富人的矛盾,压迫者与被压迫者的斗争,不同阶级之间的冲突;他有意识地在自己的作品中表现了资产阶级与封建贵族阶级的搏斗,并且指出了后者必然灭亡的命运,然而,他又出于人性论与人道主义思想,出于他自己对资产阶级暴发户的反感,而流露了对没落的贵族人物的同情;他站在中小资产阶级立场上,并作为一个梦想在经济上发迹,但在社会现实面前不断碰壁的个人奋斗者,自然反对七月王朝时期独占统治权的金融资产阶级,这是他在《人间喜剧》里对七月王朝时期的社会现实、对资产阶级暴发户与人欲横流的社会风俗持揭露批判态度的政治思想基础;同样,他作为一个中小资产阶级的思想家,又表现出严重的阶级局限,对下层人民的政治权利,采取否定的态度,不赞成人民参加政治,并主张防范社会下层所制造的动乱。然而,他作为一个资产阶级民主主义者,对劳动人民艰苦悲惨的生活又表示了深切的同情,在作品中对劳动人民身上优秀的品质,也作过由衷的赞美,并且,"以毫不掩饰的赞赏去述说他的政治上的死敌,圣玛利修道院街的共和主义的英雄们"[①]。

在经济思想上,巴尔扎克,从某种程度来说,是一个经济决定论者,他对人类经济生活从来十分重视,强调它的重要性。在他看来,不同的经济状况决定不同的思想精神状况,不同的阶级经济利益造成不同的阶级愿望、阶级要求与阶级主张。他在自己的作品里,正是从资产阶级与贵族阶级在经济上的得势与衰落,来描写这两个阶级的生活状况与心理状态的。对于法国的经济现状,他极力主张对内保

[①] 恩格斯1888年4月给玛·哈克奈斯的信。

证自由竞争，减低税收，发展农业中的资本主义，对外大力进行自由贸易，多方面开辟出口，鼓励参加贸易竞争，以促进本国工商业的发展。他的这些主张，又一次证明了他是中小资产阶级利益的代表者。

在宗教思想上，巴尔扎克表现了中小资产阶级立场所决定的局限性，尽管巴尔扎克基本上是一个无神论者，他本人并不具有宗教的虔诚，然而，他却大肆宣扬并主张天主教。作为求发展的中小资产阶级的思想家，巴尔扎克希望社会安定，政局平稳，不同阶级在现存私有制的基础上保持协调与平衡。然而，在他看来，所有这些，遭到了野心、贪婪、叛逆、人欲横流的冲击，也受到下层人民抗争的挑战，而宗教则是能制驭这些破坏性的因素，减少社会罪恶，平息下层人民的愤怒与不稳的有利手段。因此，他不仅主张要用天主教作为稳定社会的工具，而且，把它作为指导自己写作的一个原则。

在文艺思想上，巴尔扎克具有完整的现实主义文艺观。一方面，他认为文艺作品应该是对自然、对现实的再现，这种再现不是简单的临摹，而是对自然、对现实的凝练与概括，文学家应该以表现现实生活为己任。真实地描写现实，为自己的时代社会担任书记，揭示生活的创伤，是文学家的职责。他反对文学描写中的不真实与违反常情，要求人物形象与故事情节都符合自然、合情合理，为此，他主张文学家必须观察与研究生活，必须进行孜孜不倦的辛勤劳动，并且要塑造出既有人性的真实，又打着社会阶级生活烙印、代表着不同社会阶层的典型形象；另一方面，在巴尔扎克的文艺观中，与其现实主义文艺思想并存的，也有浪漫主义的因素，他认为艺术创作中有某种神秘奥妙的东西，他强调天才的预见在创作中的作用，他还特别推崇激情。比较起来，在巴尔扎克身上占主要的统治地位的，还是他那与时代社会生活紧密相连的真实描写现实，揭示现实的批判现实主义的标准与要求，这实际上是他自己在创作中所遵奉的首要的原则，既超过他的某些非现实主义的文艺观点，也超过了他本人所宣告的另外两个更高的原则,即宗教与君主政体,这就足以使他在《人间喜剧》里是按照现实社会的真实去进行描写,而不是按照他的主观企图,也不是根据他一时的政治态度去进行创作,使他在一定程度上克服了自己世界观中某些消极的思想,摆脱了这些思想对创作的影响与制约,而获得了他的现实主义文艺思想、现实主义创作方法所决定和所带来的现实主义的胜利。

这些就是巴尔扎克充满着矛盾的复杂的世界观的主要方面和主要组成部分,这一个庞大整体与它所包括的无数的思想、观点、见解、论述,都竞相在《人间喜剧》中表现自己、争获自己的地位,渗入一定的篇章,因此,巴尔扎克世界观的矛盾,也就决定了他创作的矛盾,他在思想上的进步性与阶级局限性,也就构成了他创作中强有力的方面与弱点。

巴尔扎克出身于祖上是农村小私有者,而父亲则上升成中产者的家庭,他虽然也过过阔绰的生活并向往贵族的虚荣,但他本人的经济地位一直是不稳定的,从其社会地位与经济状况来说,他是典型的中小资产阶级成员。作为中小资产阶级的一分子,巴尔扎克所倾慕的是自由资本主义时期的和平与安定,他所要求的是自由资本主义时期的自由竞争与自由发展,然而,他生活与创作的七月王朝时期,却已经是金融资产阶级独占统治权,社会经济生活已开始逐渐向垄断资本主义过渡的时代,他本身的阶级利益、阶级要求与眼前社会现实之间的矛盾,就决定了他对这种现实持批判的立场。从历史发展的进程来看,巴尔扎克是法国大革命后产生的第一代人,他像自己的同时代人一样,在精神上是由18世纪启蒙思想家的理想和大革命中自由、平等、博爱的原则所哺育长大的。他的思想从根本上来说,属于资产阶级人道主义的思想体系,这种思想原则,成为他对社会现实进行批判的武器与尺度,也成为他在回顾历史时对法国大革命高潮中的暴力进行非难的口实,而他对社会下层劳动人民的矛盾的态度,也是根源于这种思想体系的。因此，巴尔扎克作为一个思想者，他的力量从根本上是由他作为中小资产者与资本主义社会现实矛盾的阶级地位，以及他所掌握的资产阶级人道主义思想原则来决定的，而他这种力量的水平也只可能达到这种阶级地位与这种思想体系所容许的程度，这种力量的极限也就是这种地位与这种思想体系所可能具有的极限。虽然巴尔扎克的思想在根本上不可能不带有时代、社会、阶级的局限性，但他在那么庞大的作品结构中，在那么千变万化、层出不穷的形象图景中，表现了那么多富有社会阶级内容、与现实生活同样复杂、同样丰富的思想，毕竟是令人惊叹的一件事。如果说，巴尔扎克在真实描写现实生活方面，堪称为时代历史的书记，那么，他在表述丰富的思想上，则可说是——请允许我们再一次借用雨果论莎士比亚时用过的一个比喻——他那个时代社会的思想的"贮存器"。

五、辉煌的艺术

虽然在历史发展过程中曾出现过的有艺术价值的文学作品，不一定毫无例外都能流传下来（我们知道，历史过程中足以使文化泯灭的因素是多方面的），但是，得以在文学史上留存的作品，总有一定的艺术性。艺术性是维持作品的生命力的保证。巴尔扎克的文学大厦，得以屹立在人类文化史上，经受了时间的考验，不仅不像土质的建筑那样在时代风雨的侵蚀下土崩瓦解，而且愈到后来，愈见其巍峨壮观，这不能不在相当的程度上归功于他的艺术性。一个作家能够以艺术的手法建成如此庞大的文学大厦，这又不能不说是文学史上的一个奇迹。巴尔扎克是这种奇迹的创造者，这是他作为文学家之所以伟大的又一层含义。

不同作家所运用的艺术手段总有不同，他们获取艺术魅力的途径也各不一致，文学园地里总是呈现出因人而异的种种不同的艺术风格。那么，巴尔扎克是以什么手段、通过什么途径来获得他的艺术魅力的？他的艺术王国是如何构成的？他在艺术上呈现出哪种风格？他的艺术性属于哪种性质？

他肯定不是以精美的词章取胜，像梅里美、福楼拜那样，远远没有做到既核字省句又剖析毫厘；他显然不追求典雅的趣味、端庄的仪态、整齐匀称的结构，在这方面，他与古典主义的大师高乃依、拉辛相距万里；他的所长也不是优美的笔调、华丽的辞采，不如夏多布里昂那样具有"文字的魔力"；他也不像雨果那样堪称语言大师，以其高超完美的语言技巧与充满感情色彩的文笔给人以强烈的感染。

究竟他的艺术性何在？

让我们从第一个印象出发。任何文学作品第一个印象总是通过语言，语言是最初的媒介。我们一打开巴尔扎克的作品，第一个印象似乎并不太妙，好像是面对着一个不修边幅的人。不修边幅，总不能算美，不论其内在的价值有多少。巴尔扎克的不修边幅是属于这样一种情况，他身上的衣物与装饰品显然太多、太杂，而没有整齐地、协调地穿戴得当。在这里，经常可见纷繁的辞藻、夸张的语汇、粗俗的语言以及科学的术语、哲理的空话，所有这些，使人感到"巴尔扎克的词汇，像一部手工艺词典、一部哲学教科书、一部自然科学百科全书"[①]，而且问题还在于，这些庞杂的词汇有时运用得并不精当，而在更多的时候，它们都蜂拥而上，作者把它们召唤来，有时是为了表述高深的哲理，有时是为了表现复杂的生活内容，它们拥挤在文句的狭小容积里，难免不协调、生涩、碰撞，而作者有时又陷于自己丰富的思想所构成的迷宫里而不能自拔。于是，文句有时候就必然像一团没有完全理清的线团，加以，巴尔扎克写得太快，他缺乏福楼拜那种对语言的锤炼、推敲，这就出现了有名的巴尔扎克语言的粗疏。对此，巴尔扎克亦不无自知之明，他在《邦斯舅舅》里，就曾请读者原谅他

---

① 泰纳：《巴尔扎克论》。

作品中"誊写的错误",只不过态度有点文过饰非,语调有点玩世不恭而已。

然而,巴尔扎克的语言同时又给你另外一种深刻的印象与感觉,它带给你缤纷的色彩、丰富的音响、层出不穷的形象、意味深长的涵义,它的跳跃与飞动可以使你"在短短十行里面,跑遍了思想和世界的全境"①。在这里,你像走进了茂密而广袤的森林,或者面临着辽阔无垠的地平线,你的注意力不断被新鲜的东西所吸引、所刺激。如何解释巴尔扎克语言的丰富与庞杂?只能说这是19世纪社会生活的地平线极大的开阔的结果,是19世纪迅速变化、纷纭复杂的现实的一种反映。一个作家,当他要表现这个时代如此丰富、如此复杂的内容,他能不追求同样丰富、同样复杂的语言?巴尔扎克比以往的法国作家更面临这个课题,因为他是生活在19世纪;他也比同时代的作家更面临这个课题,因为他所描写的本时代的现实生活比谁都要更广泛。他解决了这个课题,成为了那个世纪最庞大的语言宝库的掌握者,这是他作为语言大师的标志。

巴尔扎克在文学语言上的成就,不仅在于掌握了丰富复杂的语言,而且在于他善于运用这种语言来表现现实生活中事物之间复杂微妙的关系。19世纪的生产力、科学以及人类思维的发展,使得人们发现了无数不同事物之间过去未被认识的关系,世界与现实生活作为其中存在着无穷无尽的关系的整体,更生动、更活跃地呈现在人的面前,事物不再是孤立的、隔离的,而是互相牵制、互相关联、互相沟通、互为因果。巴尔扎克的语言适应了那个时代人类思维的发展,他善于在各个不同的事物、相距甚远的领域、截然相反的范畴之间,建立起对比、借喻、比拟与通感——"化学能说明爱情,烹饪和政治有关,音乐或油盐店是哲学的近亲"②,在这里,读者的智力被引导从

---

① 泰纳:《巴尔扎克论》。
② 同上。

一个领域跳到另一个领域，从一个事物联想到另一个事物，不断得到开拓的感受，还由于发现了事物之间好些前所未闻的关系而得到一种难得的满足，从而对物的关系，事物的本质和世界与现实生活的一体性，达到更深的认识。既然巴尔扎克的语言所表现的是如此复杂的生活内容与如此精细的思维，而在精细的事物上稍有疏忽，就更容易造成明显触目的粗痕，因而，巴尔扎克有时在语言上不精当、不准确，难道不又是值得谅解吗？

透过语言，我们很快就接触到巴尔扎克的描绘。在《人间喜剧》的很多作品里，我们都可以读到对各种环境、景物与场面的描绘，这里有巴黎贵妇人陈设精美的沙龙，大银行家奢华的府第，拉丁区充满酸腐气味的公寓，嘈杂的剧场，乌烟瘴气的赌馆，巴黎形形色色的街道，琳琅满目的古董店，阴暗悲惨的工人区，贫民的寒冷的阁楼，廉价的小饭馆，塞纳河畔的书店，凌乱无章的报社，集中了各种利害冲突的律师事务所，大地主的景色优美的庄园，农民寒碜的茅舍，外省小城偏僻的风光，沙希地区优美的风景，资产者像修道院一样的住宅，陈旧简陋的印刷厂，官吏的办公室以至社会各阶层人物不同的房屋建筑、居住条件、室内陈设、家具什物，等等。我们可以说，当时社会生活的各种各样的场景，几乎都被巴尔扎克描写尽了，这些描绘都是典型的现实主义的笔法，它们详尽、细微、生动、具体，呈现出一幅幅真切的图景！是对现实生活场景最忠实、最严格的临摹，足以使读者身临其境。

对于巴尔扎克的描绘，同样也并非没有微词。有的批评家，特别是现代的作家、批评家，曾经非议巴尔扎克的描绘过于繁琐、详尽。然而，我们应该看到，巴尔扎克是在没有电影与电视的时代进行写作，那时的小说，还负担着现代生活中电影与电视的一部分作用。小说的作者必须作详尽细致的描绘，才能使读者跨过时间与空间的距离，置身于小说故事所发生的环境与场面。巴尔扎克的描绘无疑满足了自己时代社会的这种要求，即使在今天，我们要对19世纪法国社会现实生活的种种情景有一些感性的认识，不正要通过巴尔扎克的描绘？巴尔扎克的描绘把那个时代、那个社会一去不复返的情景真实地记录了下来，构成了有生命力的形象图景，而以其意义来说，则具有永久的认识价值。

在描绘的艺术性上，巴尔扎克是人类文学史上少数几个第一流的大师之一。仅以他的风景描写而言，其成就就是令人赞叹的。他向我们展现了那么多不同的景色，每一景都使人流连忘返。请看，《朱安党人》中布列塔尼的山林，《塞拉菲达》中的挪威风光，《乡村医生》中的多菲奈山谷，《驴皮记》中的奥维安角隅，《三十岁的女人》中的海景与巴黎掠影，《农民》中的艾格乡……所有这些，无疑都是文学史上散文描绘中的出色的篇章。

他的描绘，就局部而言，精细入微、准确逼真；就全面而言，则有条不紊、从容展开，既使读者感受到微妙的细部，又获得全貌的鸟瞰。在描绘的技巧与章法上，他无疑是后来现实主义作家的先导，并且在他们之中，至今仍保持着典范的地位，即使后来在描写上刻意求工、力图有所作为的左拉，也并没有能够"后来居上"。不仅如此，巴尔扎克超乎一般写实主义作家的是，他的描绘远远不是"就事论事"的，他不仅把眼前情景的格局、距离、色彩、光度、声响表现出来，而且，他还在描绘中给读者以更为开阔的时空感，他的描绘也使人联想到其他更广泛的空间与更多的社会内容，还给人提供并启示眼前的情景与其他领域的通感。请读读《农民》中对于艾格庄的描写，他把那辽阔庄园的妩媚风光写得多么出色。通过对眼前景致的描绘，巴尔扎克还让你知道了这个庄园的过去，又使你脑海里呈现出巴黎50里以外的这片广阔的天地，还引起你对荣军院的联想以及关于社会人间荣辱兴衰的感慨，又在如此迷人的景色与历史上那些艺术杰作之间建立起通感，于是，他的描绘就不仅限于眼前的事物，而且还具有多重的层次、更为深广的内容,这只可能出自大师的手笔,而非仅有临摹技巧的小匠所能为。此外,如果还有什么东西是平庸的描绘所不能企及的,那就是在巴尔扎克描绘中搏动着的生命力,这种生命力首先来自作者本人的心灵。巴尔扎克总是带着感情去进行描绘的,因而也就使他的描绘带着浓厚的感情色彩。他写山水美景的时候,字里行间充满了自己的怡然自得;他写充满浓烈花香的森林的时候,自己就有些陶醉;他写室内精美的陈设的时候,多少也有些羡慕;他写塞纳河畔的书店的时候,又带着对那种文化生意经的嘲讽……总之,巴尔扎克的描绘往往表现出他自己的思想感情,甚至他自己的七情六欲。其次,巴尔扎克的描绘中具有活跃的生命力,是因为这些描绘往往都是为表现人物的性格服务,它们往往就是人物性格的一种外延。关于这一点,我们在后面还要加以评论。

再继续下去,我们就接触到巴尔扎克的叙述。巴尔扎克具有非凡的复述故事的才能,无疑是这种技艺的一位大师。当我们接触到他的描绘时,有时还会因为它多少有点累赘而稍感不满足,但是,当我们进入到他叙述的境界时,却甚感酣畅,就像乘舟顺流而下,坦坦荡荡,眼前的风光景致层出不穷,引人入胜。巴尔扎克显然不是那种具有散文风格的小说家,那些作家不追求故事性与戏剧性,他们的结构比较松散、灵活、自由。巴尔扎克不然,他以自己的创作,似乎立下了这样一条不成文的法规:如果没有故事情节,就不成其为小说;如果没有复述的才能,就不是一个够格的小说家。这一条法规至今无疑仍为一些批评家所尊奉。不论这是否算得上文艺创作中一条绝对的标准,但至少可以说,巴尔扎克在这方面树立了一个最高的典范。他的《人间喜剧》所包括的近百部作品,几乎都具有生动的、吸引人的故事情节,他的叙述方式千变万化,每部作品都各不雷同。有时,他以人物特写开始,通过对人物生活的描述,引出各种矛盾,如《邦斯舅舅》;有时,他从环境描写着笔,先把一个环境写活,而后叙述在这个坏境里——搬演的事件，如《农民》；有时，他从一个戏剧性的场面开始，让各种矛盾或至少是那些主要的矛盾在这个场面露头，而后引申开去，如《贝姨》；有时，他采取编年史的手法，顺时序而下，如《欧也妮·葛朗台》；有时，他又颠倒时序，从后果往前回溯，如《无神论者做弥撒》；有时，他平铺直叙，如《苏城舞会》；有时，他还在人物的对话中进行复述，如《纽沁根银行》。不论他采用什么复述方式，他都善于生发展开，又善于层层深入；不论矛盾多么复杂，头绪多么纷繁，他都有条不紊，精简得当，照顾全面，叫人难以找到疏漏。他还善于引人入胜，他所叙述的事情往往不流于公式，更不是出于概念，而像生活一样真实，但又比生活更有戏剧性，起伏跌宕，曲折幽深，其发展变化往往难以预测，其结果又常出人意料。在《高老头》里，你开始一定对高老头的生活习惯、行为举止感到蹊跷，而后，蛛丝马迹露出了事情的端倪，最后，原来是一场惨绝人寰的悲剧；在《贝姨》里，矛盾纠缠在一起，越来越复杂，你看到了那个社会里触目惊心的丑恶生活，但你却没有想到，最后是那么可怕的糜烂与腐朽……就这样，你在读巴尔扎克的小说时，你在倾听他的叙述时，也就阅尽了各种各样的人生，知晓了千奇百怪的社会生活。

是的，巴尔扎克的叙述充满了戏剧性，但它并不是"传奇性的"，他不像司各特叙写中世纪的历史或像欧仁·苏叙写现代生活那样，安排了好些现实生活中难得见到的传奇的事件、人为的巧合与臆造的偶然性。在他的小说里，事件都是由平淡无奇的生活细节所组成，情节变化的契机也都合情合理，一旦发生转折，事情又急转直下，波澜起伏，最后达到了令人拍案惊奇的结局。读者也许会觉得巴尔扎克在作品里所叙说的这一切，真叫人惊心动魄、勾魂断肠，在现实生活里也颇不寻常，但是，细想之下，这一切不又是由一个个日常生活的场景所组成？这一切不都是像平静的河水一样自然而然地淌过来的？这一切在现实生活中哪样不带有自己的必然性？这就是巴尔扎克高超的现实主义的叙述,这种叙述的基础,就在于作者对现实生活作了大量的观察,对生活素材进行了广泛的积累,作了严格的选择与反复的提炼,才能叫读者对他所叙述的一切感到难以置信而又不能不信。当然,他所叙述的故事也有荒诞不经的,一看就是出于作者的主观幻想,如《驴皮记》《长寿药水》,但在这里,巴尔扎克又显示出他另一种才能,即浪漫主义的才能,他以奇特的想象、深邃的哲理、神秘的气氛吸引着读者,在《人间喜剧》里别开生面,而且是怎样的一种浪漫主义才能啊!他所叙述的是非现实的事件,而这非现实的事件又具有深刻的现实生活的根由,并且,它还是由一些现实生活的细节与场景所构成的,它所体现的艺术经验,理应得到后人的重视。

叙述艺术的魅力不仅来自叙述的技巧,更重要的是来自作为叙述者的作家本人的"声调"与风度。试想,同一件事由两个截然不同的人来叙述,一个智慧高超、视野开阔、富有情趣,另一个思想平庸、见识浅薄、心胸褊狭,其结果将会有何等的天壤之别。巴尔扎克是怎样的叙述者呢?他的语调是那么调侃,眼光是那么明察秋毫,见解是那么深刻,态度是那么练达,感情是那么炽热,性格又是那么活跃,所有这些使得他充满形象的叙述里,又带有了隽永的哲理、感人的激情与盎然的风趣,这是巴尔扎克叙述的魅力的主要源泉,也是巴尔扎克超越于一般的"讲故事的人"的所在。

巴尔扎克的辉煌艺术的最高顶点,是他的人物塑造。与世界上任何一个伟大的作家相比,巴尔扎克的人物画廊显然具有更大的规模与更充实的内容。首先,当然是这个画廊中的人数。《人间喜剧》的2400多个人物中,描写得生动活现而又具有一定社会典型意义的,就有将近100个之多。法国19世纪社会生活中各阶级、各阶层、各类型的人物,在这里几乎都应有尽有:资产者、贵族、官吏、大学生、小商人、狱卒、教士、银行家、显贵、新闻记者、医生、军人、出版家、书商、戏子、雕刻家、律师、小地产所有者、大庄园主、农民、管家、仆役、城市贫民、妓女、强盗……而且,每一个阶级、每一种类型的人物还不止一个模特儿。以资产者而言,这里有金融资产阶级、大银行家纽沁根,有城市高利贷者高布赛克,有农村高利贷者里谷,有大资产阶级兼地主葛朗台,有小资本家赛查·皮罗多……以军人而言,竟有这样多生动的人物形象:夏倍上校、于洛将军、勃里杜、艾格尔蒙、刚得兰、墨勒、狄亚德以及"心锁"与"美脚"……这一人物形象之流所组成的画廊,就是当代社会生活形形色色的众生相的一个缩影。这个异常丰富的肖像博物馆不仅使不同时代、不同国度的读者感到惊异,即使是巴尔扎克同时代的人,也不能不佩服他笔触之广泛,竟能描写出当代人也难以遇到的那些特殊的人物:"人们不能了解他怎么会知道杰尼斯塔斯所拜访过的那个被一群孩子拖累着的贫妇的一家,他在什么奇怪的地方遇见过布蒂费那个在乡下反抗法律的牧人,还有伏脱冷那个嘲笑整个文明、在巴黎的中心塑造文明、又在监狱深处统治文明的人。"[①]

在人物塑造上,真正显示出巴尔扎克高度思想水平与艺术水平的,是他的好些人物不仅具有一定的社会代表性,而且都是特定的阶级的典型。巴尔扎克并不是一个彻底的阶级论者,但他却在一定的程度上自觉地以阶级论来观察社会与人,他把人视为社会环境与阶级生活的产物,不同类型的人是不同的环境与生活造就出来的,他以这种观点去认识与分析社会现实生活中的人,就能够看到"国王、银行家、艺术家、资产者、教士和穷人的习惯、服装、言语、住宅,是完全不同的,并且随着文明程度的高低而起变化"[②],并且用艺术的方法,描绘出具有各种不同社会阶级生活标志的不同的人。更重要的是,他对现实的人做了大量的观察,选举了一些同类人的本质特征,集中表现在他某个人物身上,要使"这个人物身上包括着所有那些

---

① 菲力克斯·达文:《〈十九世纪风俗研究〉导言》。
② 巴尔扎克:《〈人间喜剧〉前言》。

在某种程度上跟它相似的人们的最鲜明的性格特征",成为"类的样本"[1],还通过这种人物"以绘写出时代的广阔面貌"[2]。

这种塑造典型的方法,巴尔扎克几乎是寸步不离,紧紧掌握,即使是对次要的人物,他也力图运用这个方法,目的在于要在人物身上表现出更多一些社会阶级内容。达文就曾告诉我们,巴尔扎克在《苏城舞会》中,描写了封丹纳小姐因为发现自己所爱的人不能带来她梦想的同贵族结亲的荣耀时就压制自己内心的爱情,仅仅这个细节,就是为了表现复辟时期最典型的一种社会现象,即贵族沦于没落而又不甘心没落的阶级心理。由于巴尔扎克十分自觉在创作中坚持运用这种艺术方法,《人间喜剧》中堪称为"类的标本"的典型人物也就远远不止一个两个,而且,每一个典型人物鲜明突出的程度,在世界文学中也是第一流的。在葛朗台身上,几乎他的每一句话、每一个动作以及作者对他的介绍,都使人们看到资产者的贪婪、吝啬、虚伪、狡黠,人们不能不佩服巴尔扎克塑造这个阶级典型的高超技巧,他所选择的每一个细节是那么微不足道,但却又强烈集中地表现出葛朗台的阶级属性,如,当他听到查理因为丧父而哭泣的时候,他讲了这样一句话:"这孩子没有出息,把死人看得比钱还重。"仅仅这一句话,就足以使人看到葛朗台灵魂的深处,还有什么比这更能表现拜金主义在资产阶级中是如何完全窒息了自然人性?而这个人物在商业活动中的种种欺骗手法,包括他如何假装口吃耳聋,则又使人明白无误地看到商业资产阶级的活动特征。在另一个著名人物形象纽沁根身上,他的无耻、腐朽、贪婪、狠毒以及他十足的气派与他大规模吞并的本领,都充分表现出大金融资产阶级的本质,并预示着自由资本主义逐渐向垄断资本主义过渡的阶级特征。在封丹纳伯爵身上,他那种想要维持世家的尊严而又不得不与资产阶级攀亲的故事,非常典型地反映了复

---

[1] 巴尔扎克:《〈一桩无头公案〉初版序言》。
[2] 巴尔扎克:《〈夏娃的女儿〉与〈玛茜米拉·多尼〉初版序言》。

辟时期贵族阶级尴尬的处境与心理。拉斯蒂涅也是《人间喜剧》中一个著名的典型，他那种不择手段向上爬的经历，是19世纪法国社会中大批野心家的集中写照，而他从外省来到巴黎这个染缸中，逐渐抛弃了自己仅有的一点纯朴气，直到埋葬了自己年轻人最后一滴眼泪，则又十分典型地反映了成千个青年人在腐朽的社会环境里被污染、被腐蚀的悲剧……《人间喜剧》中的各种人物，无一不体现着一定的社会阶级内容，他们是巴尔扎克用来表现自己时代社会的"工具"，对于后世读者来说，都有着可贵的认识价值。

  典型形象要不流于概念化、脸谱化，最重要的条件是个性化。巴尔扎克在这方面取得了典范性的成就。他的人物写得有血有肉，生动真实，栩栩如生。他对人物的外貌的描写，首先就给读者强烈、深刻的印象，你一看高布赛克那张没有血色的、灰白的脸，就知道这是一个冷酷到了极点的冷血动物；你一看福尔松老头的外貌，马上就认出了这是一个农村艰苦生活中的一个懒汉，米旭诺的神情使人立刻看出她卑劣、贪心、凶狠的性格；伏脱冷的形体、相貌，给你一个混世魔王的印象。正像在现实生活中观察敏锐、理解深刻的人一眼就能把一个对象看透一样，巴尔扎克一笔就透进了人物的性格核心，并且把这种洞察感传达给了读者。

  当然，巴尔扎克是绝不会停留在人物的外表形貌上，他更大的兴趣还是直接揭示人物的内心状态、感情活动，进行心理刻画。他既善于表现感情的形而上学，更善于表现感情的戏剧冲突。他在表现感情的形而上学，对人物的内心状态进行概括、综述与分析的时候，显示了他对普遍的世情人心以及其中哲理的广泛认识；他在表现感情的戏剧冲突时，则又显示了他对处于特定环境、特定情势下的某一个个人内心变化的深刻理解。从这两方面去表现人物，巴尔扎克就得以把他的人物整个地加以透视，而将影像全部呈现在读者的面前。

  巴尔扎克塑造典型人物的另一个同样重要，也许还更为重要的手段,是人物的行动。他总是把自己的人物放在一定的社会关系中、一定的现实条件下,让他们不断地活动,不断地"表演",以他们的存在、他们的行为来展示他们的性格、本质,这样塑造出来的人物也就不平面化了,而是立体的,就像是一尊尊逼真的塑像。巴尔扎克的这种技艺,在《人间喜剧》里俯拾即是,不用举那些著名的典型为例,只需一提《幻灭》中对出版商道格罗的一段描写就够了。道格罗原来决心花 1000 法郎买下吕西安一部书稿的版权,他一进吕西安所住的那个寒碜的旅馆,就只准备出 800 法郎了,当他一听说吕西安是住在旅馆的阁楼上,又降低 200 法郎,而他进到吕西安的房间,看到他那等着米下锅的贫困的情景,就以大发慈悲的神情和特别甜的声调,向吕西安宣布要用 400 法郎收下他的书稿。道格罗是一个很次要的人物,他的性格与为人,读者本来并不了解,但随着他走进旅馆,登上阁楼,在短短的片刻之间,就对他很有认识了。

  巴尔扎克在塑造人物时,一方面将社会阶级性与个性结合起来,另一方面又将某种意义上的普遍人性与个性结合起来。不可否认,巴尔扎克有人性论的一方面,他往往也从抽象人性来观察人与描写人。在他看来,人身上总有这种或那种带有普遍性的感情与欲望,也就是作为七情六欲的"情感"。他既关注于人的社会阶级性,但对这种抽象的、普遍的情欲也蛮有兴趣,甚至是兴趣盎然。他喜欢去描写这种东西,有时还倾注很大的力量,把某种情欲加以强化、加以凝聚,集中放在某个人物身上,让这种情感或欲望君临一切,控制一切,排除其他的感情,不受理性的束缚,置社会生活的规范、道德标准以及其他的生活要求于不顾,狂放冲击,放肆为虐,最后,在人物身上造成耸人听闻的结果。这种手法,就像是用某种彩色的聚光灯照射在一个塑像的身上,使它透亮着这种彩色,这就是巴尔扎克笔下著名的"偏执狂",如葛朗台老头的贪财悭吝,于洛将军的嗜色如命,高老头的盲目的父爱,贝姨的顽强的报复心,勃里杜的冷酷粗暴,其他如邦斯舅舅的贪食,又何尝不带有这种性质。如果这种手法运用不当,如果一个作家只是单一地运用这种手法,那么,他的人物肯定会成为抽象化、概念化的感情的符号,并且其形象也会由于这单一的"情欲"而扭曲、变形,不像人间的真人。然而,巴尔扎克是一个大师,他深得艺术的真谛,他善于将各种手法结合在一起,成为达到奇妙境界的艺术。他在运用这种把感情表现为偏执的时候,又紧紧抓住个性化这一条艺术生命线。他还具有那样高的洞察能力,可以把同一类型、同一偏执的不同人物区别开来,而使他的人物各异其面、各具特点。在《人间喜剧》里仅悭吝人的形象就有好些:《欧也妮·葛朗台》中的葛朗台、《高利贷者》中的高布赛克、《农民》中的里谷、《朱安党人》中的奥日芒、《幻灭》中的赛夏、《搅水女人》中的奥松……他们哪一个不具有自己独特的形貌、习气与特点?谁会将他们混淆?而且,我们不要忘记,巴尔扎克这种表现人性的手法与他的阶级社会的眼光又是同时并存的,相得益彰、相互结合的,这就使巴尔扎克塑造出来的人物形象都打着时代社会的烙印,又在一定的意义上具有超越于时代社会的普遍意义。

  在巴尔扎克具有典范意义的人物塑造艺术中,还值得一提的是,他总是把环境描写与人物描写结合起来,把人物放在一定的社会关系和一定的生活环境中去展开自己的性格,而又在环境的描写中注意烘托与表现人物的性格。这两种描写在他的作品里有机地结合在一起,达到一种统一的艺术效果。他对伏盖公寓的描写,是文学史上著名的篇章,这个寒碜、俗气、酸腐、发出霉烂味道的公寓,不仅是它的主人伏盖太太的特点与格调的象征,而且也最能表现出栖身在这里的其他人物,如往上爬的穷大学生、被遗弃的小姐、在逃的苦役犯、过清贫日子的商人、低贱的小职员与老姑娘,在巴黎这卑污的泥沼中所进行的种种活动的肮脏与卑劣。其他如《幽谷百合》中幽静恬美的自然景色衬托出女主人公性格的淑静,《欧也妮·葛朗台》中对葛朗台的住宅以及家具陈设的描写表现出主人公的性格,《都尔的本堂神甫》中对迦玛小姐出租的房间的描写使读者深深感到两个教会人物勾心斗角的那种鸡零狗碎的性质,等等,都是巴尔扎克通过典型环境来表现典型人物的现实主义艺术的著名范例。

法国的小说,如果从中世纪的市民故事算起,到19世纪已有六七个世纪的历史,但法国小说艺术发展上的最大一次飞跃,显然要算巴尔扎克,特别对现实主义传统的小说艺术来说更是如此。现实主义小说艺术,就是真实地描写社会现实生活的艺术;现实主义小说艺术水平的高低,就是描写现实生活究竟出色到什么程度。巴尔扎克在这方面远远超越了所有那些杰出的先行者,他不仅超越了具有夸张荒诞风格的拉伯雷,超越了从事心理描写的先驱拉法耶特夫人,超越了18世纪的哲理小说家,也超越了现实主义小说艺术的伟大先驱狄德罗。巴尔扎克带给了小说艺术一系列新的东西:他完成了对社会生活全面的无所不有的描绘,很大程度上实现了小说艺术对真实的追求,使文学描绘从来没有像他这样酷似现实,栩栩如生,堪称现实生活准确的再现;他通过私人生活、日常琐事而不是传奇去表现戏剧性,使私人生活的细节成为了小说表现的对象,成为了作家表现重大社会主题的手段;他大大开拓并丰富了塑造人物形象的方法,提供了从肖像描写到内心刻画、从描写人物的环境到展示人物的言行的全面的艺术经验,使得在小说中塑造出典型环境中的典型性格成为可能。正是以这些贡献,巴尔扎克把现实主义小说艺术推进到全面成熟的高度。他的这些贡献,不论在法国文学史上还是在世界文学史上,都具有划时代的意义。巴尔扎克所开辟的现实主义艺术的新途径,成为了后代现实主义真实地描写现实生活的传统道路,直至今天,这一条传统的道路仍保持着"前者呼、后者应",行者往来而不绝的兴旺景象。

六、巴尔扎克与我们

不言而喻，作为人类文学史上一个伟大的现实主义作家，巴尔扎克的文学遗产，理应得到我们格外的重视。

巴尔扎克的全部文学遗产，是一个极为丰富的宝藏，它对我们具有多方面的意义。

它向我们提供了19世纪法国社会生活无与伦比的图画，是帮助我们认识那个时代、那个国度、那个社会发展阶段的最宝贵的文献，它的全部形象图景与细节都具有政治、历史、经济的认识价值。

它所蕴藏的艺术经验值得我们珍视，它对我们繁荣社会主义文学创作仍有积极的借鉴意义，特别是他真实描写现实、塑造典型环境中典型性格的方法，至今仍不失为一种典范。

它作为历史上极为重大的文学现象，包含着丰富的内容，对我们有着深刻的启示。对于研究世界观与创作的关系以及世界观与创作方法的关系，它是一个典型的例证，说明了两者的矛盾统一；在传统与创新的问题上，它清楚地表明，从来没有抽象的、绝对的、一成不变的传统，巴尔扎克在自己的时代就是一个创新者，而后才又发展了传统；在创作方法上，它给我们提供了开阔的视野，巴尔扎克所运用的创作方法就不是单一的；某种创作方法并不一定就决定作品的成败，起决定作用的还是作家的精神境界、思想水平与艺术修养。

当然，巴尔扎克的文学遗产作为过去特定时代的意识形态，也反映了资产阶级文学的状况与性质，使我们看到这个阶级的杰出人物所创造的精神产品的优点与弱点、强有力的方面与局限性的所在，使我们在这里，也像在其他资产阶级时代伟大的作家那里一样，看到"你又贫穷，又富足，你又强壮，又孱弱"这样一种矛盾，从而激励我们站在新世纪的高度，去创造更为光辉灿烂的精神文明！

5

雨果论

雨果总论

——《雨果文集》（二十卷本）总序

一

1885年5月17日，83岁高龄的雨果患重病的消息，在巴黎传开了。从这天起，每天的报纸都有他的病情通报。他的寓所前，总聚集着一批又一批关切探询的人群，不断有社会名流在门前下车献上自己的名片。

5月22日，雨果逝世，上议院与众议院获悉，立即休会，宣布全国性的哀悼。两院一致通过政府的提案，决定为雨果举行隆重的国葬。

5月30日，雨果的遗体停放在凯旋门下，四周呈星形放射的大道上，路灯与火炬日夜照射，不尽的人流从凯旋门下通过，瞻仰雨果的遗容。

6月1日，葬礼举行，鸣礼炮21响，仪仗队由12名法国青年诗人组成，200万人群跟随在灵车的后面。

这是法国以至欧洲最大规模的一次葬礼，是精神文化领域里最崇高的一次哀荣，正如著名作家、历史学家、雨果学权威安德烈·莫洛亚所指出的："一个国家把过去只保留给帝王与统帅的荣誉，给予一位诗人，这在人类历史上还是第一次。"

雨果出生于拿破仑时代开始后的第三年，其父布鲁特斯·雨果出身平民，大革命时期参加革命军；拿破仑时期，转战南欧，获将军衔。雨果幼年时曾随军到过意大利、西班牙。雨果 12 岁时，拿破仑失败，波旁王朝复辟。由于其父又宣誓效忠新统治者，而其母本来就出身于"路易十六的忠臣之家"，是一个"激烈的旺岱分子"，少年雨果有过一个为时约 10 来年的保王主义时期。

雨果从少年时代就开始写作，很早成名。1819 年，与两个哥哥创办《文学保守者》周刊；1822 年出版第一个诗集，后又将它增补为《歌吟集》；接着又相继发表了小说作品《冰岛凶汉》（1823）与《布格-雅加尔》（1826）。

查理十世上台后变本加厉的反动使革命逐渐酝酿成熟，在自由主义思潮日趋高涨的背景下，雨果的政治态度开始有了转变。1826 年，因缺乏明确纲领，成立于 1823 年的浪漫派第一文社解散，雨果与维尼、缪塞、大仲马、诺地埃另组第二文社，开始明确反对伪古典主义。1827 年，他在《铜柱颂》一诗中缅怀了拿破仑时代对欧洲封建君主国家的武功。同年，他又发表了著名的战斗性的宣言《〈克伦威尔〉序》，成为浪漫主义文学运动的领袖。从这一年起一直到 1840 年，他以丰富的戏剧、诗歌以及小说创作显示出新文学的实绩。1829 年，浪漫主义戏剧《玛丽蓉·德·洛尔墨》由于批判了专制王权，遭到禁演。同年，他同情和歌颂希腊解放斗争的诗集《东方集》问世，并出版了批判统治阶级以法律压迫劳动者的小说《死囚末日记》。1830 年，他写作了具有鲜明的反封建倾向和新颖的浪漫主义艺术手法的《欧那尼》，这个剧本在七月革命前夕初次演出时，浪漫主义与伪古典主义两派的拥护者，在剧场进行了激烈的斗争。演出最后得到极大的成功，标志着浪漫主义戏剧对伪古典主义戏剧的胜利，成为法国文学史上的重要事件。

1830 年七月革命爆发后，雨果以欢迎的态度写作了热烈的颂诗《致年轻的法兰西》。1831 年，他完成了著名的长篇小说《巴黎圣母院》，上演了剧本《玛丽蓉·德·洛尔墨》，发表了抒情诗《秋叶集》。1832年以后，他相继发表的作品有剧本《国王寻乐》《留克莱斯·波日雅》（1832）、《玛丽·都铎》（1833）、《安日洛》（1835）、《吕伊·布拉斯》（1838）；诗集《暮歌集》（1835）、《心声集》（1837）、《光与影集》（1840）；小说《克洛德·格》（1834）以及杂文《文学与哲学杂论》。七月革命以后这一时期雨果的戏剧与小说作品，充满着强烈的反封建反教会的精神，对这时的社会制度和阶级力量的激愤的控诉是这些作品的基调。

金融家王朝的建立与巩固，使雨果逐渐在政治上采取了和现实妥协的态度。1841年，他被选为法兰西学士院院士。1845年后，雨果在文学创作方面比较沉寂，在政治舞台上却很活跃。1848年以前，他一直在君主立宪制与共和政体之间摇摆，巴黎的无产阶级在二月革命中提出"推翻七月王朝、建立共和国"的口号后，他才坚决站在共和的立场上。这时他被选为制宪会议的成员，对巴黎无产阶级的六月起义抱同情的态度。1848年年底的总统选举中，他投票支持路易·拿破仑·波拿巴，不久又成为这个野心家的反对派。他是1849年至1851年间国民议会中社会民主左派的领袖。1851年，路易·波拿巴发动反革命政变，宣布帝制，大肆进行镇压，雨果和他的政派发表宣言试图反抗，但遭到失败。政变后的12月11日，他被迫流亡国外。

19年流亡期间，雨果先后居住在比利时的布鲁塞尔和大西洋中的英属莫泽西岛和盖纳西岛，始终对拿破仑三世的独裁政权进行坚决的斗争。1852年，他出版了对拿破仑三世作辛辣嘲骂的政论小册子《小拿破仑》，并写了揭露政变过程的《一桩罪行的始末》（后于1877年发表）。1853年，他"充满革命气势"的政治讽刺诗集《惩罚集》出版。1859年，他拒绝拿破仑三世的"大赦"。在流亡时期，他的其他文学创作有诗集《静观集》（1856）、《历代传说》（1859）、《街道与园林之歌》（1865），长篇小说《悲惨世界》（1862）、《海上劳工》（1866）、《笑面人》（1869），以及文艺批评专著《莎士比亚论》（1864）。

1870年，拿破仑三世垮台，雨果结束了长期的流亡生活，凯旋式地回到巴黎，受到巴黎人民的热烈欢迎。普法战争爆发后，他持反战的态度，但普鲁士军队侵入法国围困巴黎时，他以激昂的爱国主义热情投入了斗争。他发表演说鼓舞人民的斗志，他报名参加国民自卫军，他捐款铸造抗战的大炮，其中的一尊就以"雨果"命名。1871年2月，他被选为国民议会议员。巴黎公社时期，他在布鲁塞尔，他既同情公社又对公社不理解，但公社失败后反革命刽子手大肆进行屠杀时，他挺身而出，保护被迫害的公社社员，宣布开放他在布鲁塞尔的住宅作为他们的避难所，并积极为被判罪的公社社员辩护，争取对他们的赦免。1872年，他刊行了在1870～1871年法国人民艰难时日中写的诗体日记《凶年集》。1877年以后，他完成了四部诗集：《祖孙乐》（1882），《历代传说》第二、第三集（1877、1883），《灵台集》（1882）；两部政论：反对天主教的《教皇》（1878）和批判封建君主权力的《至高的怜悯》（1879）；以及一部戏剧《笃尔克玛》（1882）。

二

　　在人类精神文化领域里，有一些杰出的人物，他们本身就构成了一些传奇，构成了一些重大的文化奇观，或以其劳作工程的巨大宏伟，或以其艺术创造的无比精美，或以其内容的广博，或以其思辨的深邃，或以其气势的磅礴，或以其意境的高超，或以其精神影响的深远，或以其艺术感染的强烈。雨果就在这样一个层次上，他是人类文化史上一个辉煌的传奇，一个令人赞叹、令人眩晕的奇观。

　　作为精神文化奇观，雨果是一个大写的诗人，一个亚里士多德的诗学意义上的诗人；他不仅是诗人，也是戏剧家、小说家、批评家、散文家。而且，最难得的是，他在所有这些领域，都有丰硕厚实的功绩，都达到了登峰造极的顶点，高踞于金字塔的尖端，仅仅某一单方面的成就已经足以构成一块不朽的丰碑。

在诗歌中,他上升到了辉煌的民族诗人高度。他长达近70年的整个诗歌创作道路,都紧密地结合着法兰西民族19世纪发展的历史进程,水乳交融,浑然一体。他是民族心声的号角,民族叹息的回音,是民族光荣业绩的赞颂者,民族艰辛磨难的申诉人。他的诗律为这个民族的每一个脚步打下了永恒的节拍。他也是文学史上最伟大的抒情诗人,人类一切最正常、最美好的思想与情感,从政治领域里的民主与自由,社会领域里的平等与博爱,精神领域里的信仰与虔诚,到个人生活中的爱情、人际交往中的友情、家庭关系中的亲情等等,在他的诗里,全部得到了酣畅而完美的抒发。雨果还是文学界罕见的气势宏大的史诗诗人,他以无比广阔的胸怀拥抱人类的整体存在,以高远的历史视野瞭望与审视人类全部的历史过程,献出了诗歌史上绝无仅有的人类史诗的鸿篇巨制。他是诗艺之王,其语言的丰富,色彩的灿烂,韵律的多变,格律的严整,至今仍无人出其右。

在小说中,雨果也获得了惊人的成就。他是唯一能把历史题材与现实题材都处理得有声有色、震撼人心的小说家。他小说中丰富的想象、浓烈的色彩、宏大的画面、雄浑的气势显示出了某种空前绝后的独创性与首屈一指的浪漫才华,他无疑是世界上怀着最澎湃的激情、最炽热的理想、最充沛的人道主义精神去写小说的小说家,因而使他的小说具有了灿烂的光辉与巨大的感染力。而在他显示出了这种雄伟绚烂的浪漫风格的同时,他又最注意,也最善于把它与社会历史的必然性及人类现实的课题紧密结合起来,使他的小说永远具有现实的社会的意义。尽管在小说领域里,取得最高地位的伟大小说家往往都不是属于雨果这种类型的,但雨果却靠他雄健无比的才力也达到了小说创作的顶峰,足以与世界上专攻小说创作并取得最高成就的最伟大的小说家媲美。

在戏剧上,雨果是一个缺了他欧洲戏剧史就没法写的重要人物。

他结束了一个时代也开创了一个时代,是他完成了浪漫主义戏剧对古典主义戏剧的取代。他亲自策划、组织、统率了使这一历史性变革得以完成的战斗,他提出了理论纲领,树起了宣战的大旗,创作了一大批浪漫剧,显示了新戏剧流派的丰厚实绩。他虽然不及莎士比亚那么深刻,但他是善于在舞台上制造轰动效应的大师,他的剧作以奇巧的构思,引人入胜的情节,不平凡的场景,浓烈的色彩,强烈对照的人物,富丽华美的诗歌外衣,征服了观众,几乎独占了法兰西舞台长达十几年之久,这种成功对任何一个杰出的戏剧家来说,都是不容易得到的。

如果仅把雨果放在文学的范围里,即使是在广阔无垠的文学的空间里,如果只把他评判为文学事业的伟大成功者,评判为精通各种文学种类的技艺的超级大师,那还是很不够的,那势必会大大贬低他。雨果走出了文学,进入了社会,虽然文学本身就是社会的一部分,虽然雨果的文学与社会更是紧密结合。雨果不仅是伟大的文学家,而且是伟大的社会斗士,像他这样作家兼斗士的伟大人物,在世界文学史上寥若晨星,屈指可数。他是法国文学中自始至终关注着国家民族事务与历史社会现实并尽力参与其中的唯一的人,他在具体的历史条件下经历过从保王主义、波拿巴主义到自由主义、民族共和主义的过程,实际上是紧随着法兰西民族在 19 世纪的前进步伐。他是 19 世纪四五十年代民主共和左派的领袖人物,在法国政治生活中有过举足轻重的影响,他在长期反拿破仑三世专制独裁的斗争中,更成为了一面旗帜、一种精神、一个主义,其个人勇气与人格力量已经永垂史册。这种高度是世界上一些在文学领域中取得了最高成就的作家都难以企及的。作为一个伟大的社会斗士,雨果上升到的最高点,是他成为了人民的代言人,成为了穷人、弱者、妇女、儿童、悲惨受难者的维护者,是他对人类献出了崇高的、赤诚的博爱之心。他这种博爱,正如有的批评家所指出的那样:"像从天堂纷纷飘落的细细的露珠,是货真价实的基督教的慈悲。"

三

雨果奇观既是一个社会历史的现象,也是一个人的存在现象。

雨果在19世纪生活了80多年,几乎与这个世纪同存亡。他所生活的时代,对法国来说是一个极其深刻、极其辉煌的时代:惊天动地的资产阶级大革命刚刚过去,新的秩序有待巩固,新的社会形态有待定型,新的价值体系有待创建。在这个时代,法兰西冲出了封建君主国神圣同盟的包围,雄武地屹立于欧洲乃至更广大的地理空间。在全民的实际生活中结束了长达半个世纪的关于政权形式的以血与火为内容的"争论",逐步奠定了民主共和的新秩序,全面建立了法制社会的机制与规范。在这个时代,法兰西也创造了社会生产领域里的奇迹与象征,使这片国土与社会生活都彻底改变了容貌:铁路遍布全国,钢笔取代了鹅毛笔,巴黎有了协和广场、凯旋门与埃菲尔铁塔。这是一个充满了伟大变革、伟大事业的时代。历史的进程不能自身完成,它要由巨人来搬演,由巨人来呼出它的心声,来赋予它辉煌的色彩,来对它做深刻的解析,来给它当书记做记录,它召唤、孕育、培植、助产自己需要的巨人,从叱咤风云、扬威世界的伟大统帅,高瞻远瞩、影响深远的伟大思想家到创造工技奇迹的伟大工匠,泼洒浓墨重彩的伟大画师。文学领域,本是法兰西的传统胜地,在这个世纪,更是人才辈出,奇观迭现,正是在这种历史条件与时代召唤下,雨果充分昂扬他的主体意识,适应发展潮流,脱颖而出,成为文学领域里的巨人,造就光辉灿烂的雨果奇观。

27岁的时候,雨果曾在一篇文章中这样写道:"既然我们从古老的社会形式中解放出来了,那么我们为什么不从古老的诗歌形式中解放出来?新的人民应该有新的艺术。现代的法兰西,19世纪的法兰西，米拉波为它缔造过自由、拿破仑为它创造过强权的法兰西，在赞赏着路易十四时代的文学和当时专制主义如此合拍的时候，一定会有自己的个人的民族的文学。"这是对历史召唤的深刻领悟，也是对历史机遇与历史条件的自觉认知。

无疑，雨果所得到的历史机遇与历史条件是空前优越的。构成这种优越性的，正是大革命后日趋形成、日趋成熟的自由民主的社会现实。在这种社会现实氛围里，不仅作家有选择题材、选定倾向、选用艺术方法的更大自由，而且，更为重要的是，作家的命运与发展，已不再取决于狭小的宫廷的趣味、有偏见的政府的政治目的与专横的长官的行政命令，而是取决于更广大的社会层面。继大革命中广大民众发挥了举足轻重的作用之后，随着社会的进步，精神文化领域里，也逐渐形成"民众"这个群体并日益扩大，成为了这个领域里观赏、阅读、议论、评判、顶礼膜拜的主要族群，一个作家、一部作品投合它的需要与爱好，就足以取得轰动性的成功，1802年夏多布里昂的《阿达拉》就是一个证明。此书一出版，读者欢欣鼓舞，"好比庆祝一位公主的诞生"，几个月里竟再版了六次，还出现了两本效颦的小说之作，六种模仿的传奇唱本。夏多布里昂这一"洛阳纸贵"的成功，曾使得青少年时期的雨果不胜羡慕、神往，并由此立下了"成为夏多布里昂"的誓言。

如果说夏多布里昂的《阿达拉》仅仅因为提供了传奇的故事、华丽的语言、旖旎的异国风光、浪漫的意境，正投合文化消费族群喜爱浓烈风格的口味而轰动一时的话，那么，雨果日后所提供的东西，要无可比拟地丰富得多，深刻得多。他以一个个惊心动魄的历史故事与历史场面，提供了法兰西民众在铲除封建专制主义最后遗毒的斗争中所需要对封建时代全面的清算；他以高亢雄健的声音歌唱了经历过拿破仑帝国的法国人所缅怀的民族的光荣与自豪；他以慷慨陈词，为在新社会秩序下渴望法律公正与平等的普通人群伸张了正义；他通过感人至深的人物命运,雪中送炭式地给予了悲惨世界里的劳苦人群所渴求的温爱与同情;他以体现了宁死不屈精神的诗集,为法国人民反专制政治的斗争提供了一个真正英雄主义的范例;他以抒情的竖琴弹奏出真挚的心声,从对祖国的爱到对妻子儿女的爱,使法国人丰富的感情在他这里都一一找到了最合拍的共鸣渠道、最完善的表述方式、最优美动听的曲调;他以瑰丽的想象、绚烂的色彩、五光十色的场景、磅礴的气势、华美的词章、丰富的诗律与法国有史以来最炉火纯青的语言艺术,给法国人众口难调的美学趣味提供了全面的、充分的满足。因为他所提供的这些,正是他的时代、社会、民众所需要的,所期待的,所渴望的,他自然也就得到了他的时代、社会、民众的回报。

正如我们所看到的,《欧那尼》上演的剧场里,狂热观众不断高呼支持的口号;《悲惨世界》的问世,在巴黎立即形成了人人都在如饥似渴阅读此书的热潮,在布鲁塞尔还举行了庆祝集会;《海上劳工》所引起的轰动甚至超过了《悲惨世界》,服饰商人还曾利用它的描写来大做广告;《历代传说》的成功,使对雨果最有敌意的人也表示折服;《静观集》的出版,使雨果获得了丰厚的报酬——一幢著名的别墅"高城公馆";《惩罚集》在国外发表更成为了法国国内一个重大的政治事件,人们冒着巨大的危险把它偷运进来,以传单的形式在国内广为传播……我们几乎可以说,雨果的文学创作史,就是一连串的轰动性的成功史。这是自由民主的19世纪自发的、合情合理的回报,它无须取得任何一个君主或政府机构的批准,它是作为一种滋润、一种灌溉、一种扶植、一种支撑提供给一个天才人物的,这个天才的奉献与这个时代社会的回报,互为因果,形成了良性的循环,使这个天才的身影在时代社会的历史舞台上越来越高大,以至它几乎笼罩了整个的这一世纪。

四

历史上的精神文化奇观,固然是时代社会条件的产物,同时,也是天才人物存在状态的结果。时代的召唤,历史潮流的引发,民族的需要,现实社会与环境氛围的条件孕育了、助产了天才人物,而天才人物的素质、潜能、主体意识、自觉精神的充分发挥与高度昂扬,则直接造成了精神文化的奇观。在这个意义上,雨果如果不是唯一的、绝无仅有的一个奇观,也要算是最典型、最圆满地说明了这个道理的一大奇观了。

在文学艺术的发展史上,人们固然见过不少早慧早逝但都留名史册的卓越才人,固然应该承认天才人物光环的大小往往并不取决于生涯的长短,但不可否认,原始生命力的强盛与生存能力的持久,对天才人物来说则如虎添翼。雨果正是这样。他活了80多岁,按保守的计算,以他诗集中最初标明了日期的诗歌为据,他的创作生涯可以从1816年算起,他生前最后一个诗集出版于1883年,而他诗集中最迟的一首诗标明的日期,则是1884年5月19日,可见仅其创作生涯就长达68年,这在文学艺术史上是很罕见的。它大大长于巴尔扎克有生之年的51岁,狄更斯的58岁,福楼拜的59岁,左拉的62岁,更不用说拜伦的36岁,雪莱的30岁了。

雨果在他的批评专著《莎士比亚论》中,曾经把他所崇拜的莎士比亚比喻为"一匹嚣张的公马",不论莎士比亚在体能上能否称得起这一个比喻,但这个比喻在雨果的心目里无疑是强壮的象征,而他自己显然是当之无愧的。如果说,在罗丹的雕刻中,壮年的巴尔扎克是粗壮雄健的话,老年雨果则是遒劲有力。不止一个为雨果写传记的作者告诉我们,雨果步入老年后,还健壮得可以追赶公共马车,可以爬上马车的顶层;上了80岁,他仍然声如洪钟;冬天下雪的时候,在巴黎街头行走,也只穿一件礼服,不着大衣,他自豪地说:"我的青春就是大衣。"即使在他最后一年的岁月里，附在他身上的农牧神还有找仙女寻欢的需要，而且精力充沛，强烈炽热，难以满足。只要我们透过他头上的光环与周身的异彩，就不难发现他首先是一个生机旺盛、体能雄健、存活力甚为罕见的自然人，他像一棵坚实健壮的大树，根深叶繁，挺立在法兰西的大地上，持久地不向岁月的冲击低头，"不断地繁殖，开花，结蕾，分娩"。

作为创造了文学艺术奇观的超人，雨果最显著的标志，是他的罕见的才能。如果说，持久的存活力与强盛的生命力是这个奇观的生命基础的话，那么，超常的智能与精神创造力则是这个奇观裂变呈现的真正能量。这能量，无疑是文学史上最深厚、最高效、最具爆发力的一种能量。仅看这几个例子就足够了：15岁时，3个星期就完成了中篇小说《布格－雅加尔》，此作后来被评为"在好些地方堪与梅里美的优秀短篇媲美"（安德烈·莫洛亚语）；17岁时办刊物，任主编，一年多时间里写了120篇文学评论与22首诗，这些文章"旁征博引，表现出真才实学"，其中不少篇章至今仍熠熠生辉；举世公认的杰作《巴黎圣母院》只用了6个月时间就写完；去世前不久，他仍表现出"惊人的口才"，甚至在临终弥留之际，他也吟出了一句警句式的诗，几乎所有的传记都不能不加引用……漫长的一生，充满了这样多精神能量的爆发，其造成的壮观可想而知。

毫无疑问，造成了这种奇观的精神能量，在文学史上只有少数旷世难逢的最杰出的人物才会具有。如果说，文学史上那些名垂千古的人物都有使得自己卓尔不群的天才力量、天才基因的话，那么，应该说，雨果身上的天才力量、天才基因要算是更为全面、更为多元的了。

他具有极为活跃的易感性与极为敏锐的感受力，任何平凡细小的事物，都足以引发出他丰富的体验，他善于从任何进入他感受范围里的事物中，发掘出意蕴与诗意，抽引出思绪与见解，或者赋予它以意趣与象征。他具有极强的好奇心与关注力，不论是对社会事件，还是对现实事物，并且能极为迅速地转化为思想上的热情与行动上的参与，还爆发为巨大的思想闪光，体现出典范的人格力量。他具有极强的获知力，博览群书，通古晓今，他很大的一个本事是触类旁通、举一反三的知识裂变力，因此，他有时竟然像无所不知的饱学之士。

这些高度的禀能，使他像一块容量无限大的海绵，不断地从现实、社会、历史、书本中吸取大量的养分，构成了他那像永不枯竭之泉的心，由此，无穷无尽的创意、诗情、思绪、灵感、见解、观点源源不断涌出，有如喷泉一样旺盛有力。

他具有极富创造性的丰富想象力。他的想象如天马行空，豪放不羁，宏伟辉煌，活脱鲜亮，既不流于诡谲怪异，更不陷于神秘虚缈。他善于构思出极不平凡的人间故事，扣人心弦，令人扼腕惊叹；他善于调遣不寻常的偶然性，想象出高度巧合、有如神使天成的戏剧性场面；他还善于借助惊人的悟性与知识，任想象驰骋在时间与空间广大无垠的王国里，启用一切可能的材料、手段与细节并加以组合，虚构出过去时代栩栩如生的历史景观与生活境况，营造出他从未亲身见识过的五光十色的异国风光与特殊情调。

他具有极高明的叙述才能，善于编织不同凡响的故事，起伏跌宕，柳暗花明，在每一个情节上都引人入胜。他的故事虽然都是现实生活中不可能有的，或很少可能有的，但他很有本领在叙述中贯注一种雄辩的力量，使人并没有假伪之感而只觉得非常浪漫；他还很有本领在叙述中贯注自己的激情，非常有意识将叙述导向一个道义精神的目的，使人乐于随同他到达彼岸并深为感动。

他是抒发胸臆、倾诉情怀、宣扬思想的天才。既然思与情并茂，有如泉涌，他也就有了随时任意倾洒的豪气，像挥金如土的富翁。他善于铺陈、渲染思想与情感，其喜怒哀乐、思绪见地皆成诗文。他如何才得以使自我的倾诉、主观的抒发，甚至忘乎所以的议论，叫人乐于倾听、易于认同以至被吸引、受感染？他靠的是巨大的思想热情与真挚的感情力量，他这种最自然不过的能力，胜过了任何方法技巧，带来了强烈的感染力与雄辩的说服力。

他是令人惊叹的描绘巨匠，其天才之辉煌，在文学史上很少有人能够媲美。他的才能丰富多样，拥有好多套笔墨，表现出好多种风貌：笔触有时细致，有时奔放；色调有时柔和，有时浓烈；构图有时繁详，有时简约；形象有时真实，有时奇特。不论是任何事物、任何场景、任何人物形象，他描绘起来都无不从容自如、潇洒流畅、笔墨饱酣。他更善于作强烈的明暗对照，构制宏伟的场面，泼洒鲜明的色彩，绘出辉煌的画面，营造出博大雄伟的气势。他这些才能可以说是首屈一指的，我们不能说他像一个画家，而只能说，绘画史上只有像德拉克洛瓦这样辉煌的人物，才具有雨果这样的描绘风格。

雨果在语言能力、语言艺术上的天赋更是无与伦比的。他是法国文学史上公认的语言艺术大师，语言在他手里已经无所不能，他能把语言运用到出神入化的地步。他用语言作材料，同时完成画家、雕刻家、音乐家的职能，创造出了一个又一个令人浮想联翩、洋溢着激情、充满了绚烂色彩与丰富音响的形象世界。他高超的散文语言艺术令人心羡，他超凡的诗歌语言天才更是令人惊叹，他对诗韵与格律有天生的本能，只要一进入吟哦领域，他就如鱼得水，由此，诗韵灿烂生辉，格律丰富多姿。雨果在语言艺术上的全面优势，是很多以语言艺术为业的人都望尘莫及的。

这就是雨果多元的才能与能量，仅其中的一项，就足以造就一个出色的才人学者了，而雨果却得天独厚，竟拥有如此多项。这些多元的天才基因、天才能量，在不同的题材对象面前，在不同的文学形式的要求面前，按不同的比例、不同的方式组合起来进行艺术运作，也就产生了不朽的诗篇、伟大的小说、轰动的剧作，以及有重大影响的散文与评论，使雨果在文学的各个领域里都取得了登峰造极的地位，使法国文学中出现了一个旷世难逢的拥有全面优势、俯视大地的雄才。

五

在人的存在状态中，如果只有超常的自我潜能、超常的自我能量，而缺乏自觉的、积极的存在意识的激发，这种潜能的发挥是会受到很大的局限的，甚至会被窒息，会被虚掷。历史上与现实生活中，都有不少此类情形，象征派诗歌天才兰波就是一个突出的例证。雨果奇观的典型意义在于，他辉煌的存在状态，正是他超常的能量在自觉的、积极的存在意识激励、冲撞、支撑下的结果，在这个意义上，雨果奇观不仅是文学的奇观，而且也是人生的奇观。

1816年7月10日，雨果14岁时，在自己的日记里写下了这样一句誓言："要成为夏多布里昂，否则别无他志。"当时，夏多布里昂的声望正隆，如日中天，他既是曾使千万读者崇拜的文坛泰斗，法兰西学院40位"不朽者之一"，又是复辟王朝的内政部长、贵族院议员，欧洲政治中风头十足的人物。对于一个14岁的少年来说，"要成为夏多布里昂"，此志可谓不小。不论夏多布里昂实际上具有多大的价值，不论这个志向带有多少的政治观念上的局限性，但无疑要算是雨果最早定型的一种自我存在意识，一种强烈的自主精神，它显然成为了雨果青少年时期存在状态中的一股激发力。今天，我们不必过于夸大这一股激发力所起的神奇的作用，它至少使得少年雨果进取的起点与行程来得比别人早：17岁时，当上刊物的主编；25岁时，成为了振臂一呼应者云集、反对伪古典主义文学的旗手。

研究文学史的人都曾注意到，在19世纪文学中，像雨果这样早有奋斗目标的人为数甚少。与他同时代的大诗人，不论是比他稍长的拉马丁与维尼，还是稍微年轻的缪塞与戈蒂耶，都可以说是"少无大志"，而且，从来也没有表现出有雨果那样强烈、执着的进取精神，只有巴尔扎克在将近30岁的时候，有过这样的豪言壮语："我要用笔完成拿破仑用剑未完成的事业。"不止一个文学史家与传记作者，都把雨果的上述誓言，视为"野心"与"虚荣心"的表现，而且，雨果崇拜的偶像夏多布里昂本人就是"虚荣的化身"。不过，人们不要忘记，很多伟大的壮举与功业，其最初的动机往往并不是伟大高尚的，甚至还可以说，有时还不免是卑俗平庸的。雨果的伟大之处，就在于他并没有止于取法夏多布里昂，而是不断提高对自我的要求与激励。

事实上，雨果从19世纪20年代后期摆脱保王主义的政治倾向之后，他就有了新的理想与奋斗目标，在1831年的《玛丽蓉·德·洛尔墨》的序言中，他已经开始有新的标杆，要成为文学领域中的查理大帝、拿破仑式的人物，莎士比亚式的诗人了。他以新时代文学缔造者自命，赋予自己"神圣的使命"，越来越明确地把自己定位在民主主义、爱国主义、人道主义的高度上，把自己定格为"芸芸众生的保护者"、"劳苦大众的辩护人"、"社会问题的作家"、"法兰西民族的良心"，并且朝着这种理想与奋斗目标，以勤奋的创作劳动，一砖一瓦地为自己建筑起了树立这些丰碑的圣殿。他毕生的这种攀登不止、奋进不已的精神是如此高昂，即使是在他流亡国外、幽居于盖纳西岛、年已60多岁的时候，他仍在自己"高城公馆"的套间门上，刻上了"继续"与"攀登"两行大字以自勉。雨果的漫长生活道路，所体现出来的不仅是一种力求有所作为的自我存在意识，而且是一种力争高标高质的存在意识，如此自觉、如此强烈、如此执着的存在意识，在与他比肩而立的那些为数不多的世界文化巨人的身上也是不多见的，它是文学上雨果奇观的内动力。凯旋门前那隆重的国葬，即是它所得到的回应。

如果说，一个作家深厚的存在能量要得到充分的发挥，存在意识的激发是至关重要的话，那么他的存在人格体系的支撑与保证，也不可忽视。曾经有不止一个传记作家、批评家对雨果的人格进行过吹毛求疵、偏激过分的责难与非议，如责备他爱财，讽刺他善于理财，等等。拉法格对雨果的"彻底批判"，就是最为典型的。然而，对于一个在商品经济社会里，背负着一个9口之家，仅靠自己的笔来维持生计的个体脑力劳动者来说，赚钱与理财恰巧是最自然不过、最正常不过的了。重要的是任何批评家都应该把作家当作作家来加以评判，而不应把作家当作天使来要求。如果从这个角度来看待雨果，他的人格体系中有一些成分是值得特别注意的，如勤奋、有毅力、谦虚、好学、乐于借鉴等等，所有这些在一定程度上都有助于雨果创造出文学史上的奇迹。

在大多数有成就的作家身上，雨果人格体系中某些成分也并不少见，然而，雨果有一个方面却是相当多有才能、有名望、有地位的文人学士所绝对欠缺的，那便是雨果在精神文化领域里，对待同行同道的雅量与气度、善意与诚挚。我们知道，他对莎士比亚、拜伦、司各特这些异国的先行者几乎是怀着顶礼膜拜的态度，尽管他自己的成就在某些方面有所超越；他对巴尔扎克与乔治·桑作过热情洋溢的高度评价，虽然，巴尔扎克与乔治·桑都曾对雨果的戏剧与诗歌作过尖刻的、酸溜溜的批评，而且，戏剧与诗歌正好分别是他们两人的弱项甚至空白；雨果对圣佩韦态度更是难能可贵，圣佩韦是雨果夫妇关系公开的损害者与侮辱者，而且还出于卑劣的心理留下了一些肮脏的诗文，雨果却没有用他那支无所不能的笔进行一个字的报复。他像一个巨人，心胸宽广，视野开阔，大步前进。在前进的过程中，他乐于与自己周围的同行者为伴，他善于发现他们一切有价值的东西，并给予最热情的礼赞；他不至于迟钝到发现不了别人毛病的程度，他也许是因为心地善良而不屑于进行非议与批贬，也许是因为只来得及自己向前进而没有时间与精力去针对他人。在精神文化领域，只有靠不断壮大自己，建树自己，而不是靠针对他人，才能创造出奇观奇迹，忌刻不能容物只会有损自己的胸襟，朝别人扔鸡蛋、西红柿，只能脏了自己的双手，这是常理铁律。雨果的人格体系正顺乎这一规律，他把全部精力与时间，都专注于借鉴他人，建树自己，阔步前进。他达到了他预期的顶峰，早已跨出了他的国界，随着时间的推移与他的作品遍播全世界，雨果奇观也越来越光辉灿烂。

在首都文化界纪念雨果诞生200周年大会上的开幕词

1881年,法国人开了为作家提前做寿的先例。这年的2月,巴黎公众以纪念雨果华诞80周年为名,举行了盛大的庆典,政府首脑、内阁总理前往雨果寓所表示敬意,全市的中小学生取消了任何处罚,60多万人从雨果寓所前游行通过,敬献的鲜花在马路上堆成了一座小山……这庆典再一次表明,在一个人文精神高扬的国度里,拥有声望的作家,其地位可以高到什么程度。

2002年2月26日是雨果诞生200周年,我们眼前的纪念大会提前了一些时日,在不少人有感人文精神失落的今天,这种超前的行动不能不说是表现了中国文化界与人文学者对雨果的特别关注与格外尊崇。

雨果是人类精神文化领域里真正的伟人,文学上雄踞时空的王者。在世界诗歌中,他构成了五彩缤纷的奇观。他上升到了法兰西民族诗人的辉煌高度,他长达几十年的整个诗歌创作道路都紧密地结合着法兰西民族19世纪发展的历史过程,他的诗律为这个民族的每一个脚步打下了永恒的节拍。他也是文学史上最伟大的抒情诗人,人类一切最正常、最自然、最美好的思想与情感,在他的诗里无不得到了酣畅而动人的抒发。他还是文学中罕见的气势宏大的史诗诗人,他以无比广阔的胸怀,拥抱人类的整体存在,以高远的历史视野瞭望与审视人类全部历史过程,献出了诗歌史上绝无仅有的人类史诗鸿篇巨制。他是诗艺之王,其语言的丰富,色彩的灿烂,韵律的多变,格律的严整，至今仍无人出其右。

在小说中，他是唯一能把历史题材与现实题材都处理得有声有色、震撼人心的作家。他小说中丰富的想象、浓烈的色彩、宏大的画面、雄浑的气势，显示出了某种空前的独创性与首屈一指的浪漫才华。他无疑是世界上怀着最澎湃的激情、最炽热的理想、最充沛的人道主义精神去写小说的小说家，这使他的小说具有了灿烂的光辉与巨大的感染力，而在显示出了这种雄伟绚烂的浪漫风格的同时，他又最注意也最善于把它与社会历史的必然性及人类现实的课题紧密结合起来，使他的小说永远具有现实社会的意义。尽管在小说领域里，取得最高地位的伟大小说家往往都不是属于雨果这种类型的，但雨果却靠他雄健无比的才力也达到了小说创作的顶峰，足以与世界上专攻小说创作而取得最高成就的最伟大小说家媲美。

在戏剧上，雨果是一个缺了他欧洲戏剧史就没法写的重要人物。他结束了一个时代也开创了一个时代，是他完成了从古典主义戏剧到浪漫主义戏剧的发展。他亲自策划、组织、统率了使这一历史性变革得以完成的战斗，他提出了理论纲领，树起了宣战的大旗，创作了一大批浪漫剧，显示了新戏剧流派的丰厚实绩，征服了观众，几乎独占法兰西舞台长达十几年之久。

如果仅把雨果放在文学范围里，即使是在广大无垠的文学空间里，如果只把他评判为文学事业的伟大成功者，评判为精通各种文学技艺的超级大师，那还是很不够的，那势必会大大贬低他。雨果走出了文学。他不仅是伟大的文学家，而且是伟大的社会斗士，像他这种作家兼斗士的伟大人物，在世界文学史上寥若晨星，屈指可数。他是法国文学中自始至终关注着国家民族事务与历史社会现实并尽力参与其中的唯一的人，实际上是紧随着法兰西民族在19世纪的前进步伐。他是19世纪四五十年代民主共和左派的领袖人物，在法国政治生活中有过举足轻重的影响，在长期反拿破仑三世专制独裁的斗争中,更成为了一面旗帜、一种精神、一个主义,其个人勇气与人格力量已经永垂史册。这种高度是世界上一些在文学领域中取得了最高成就的作家都难以企及的。作为一个伟大的社会斗士,雨果上升到的最高点,是他成为了人民的代言人,成为了穷人、弱者、妇女、儿童、悲惨受难者的维护者,他对人类献出了崇高的、赤诚的博爱之心。他这种博爱,用法国一个著名作家的话来说:"像从天堂纷纷飘落的细细的露珠,是货真价实的基督教的慈悲。"

从他生前到20世纪,雨果经历了各种新思潮的冲击,但这样一个文学存在的内容实在太丰富坚实了,分量实在太庞大厚重了,任何曾强劲一时的思潮与流派均未能动摇雨果屹然不动的地位,一个多世纪漫长的时间也未能削弱雨果的辉煌、磨损雨果的光泽,雨果至今仍是历史长河中一块有千千万万人不断造访的胜地。

从林琴南以来,中国人结识雨果已经有了100多年,雨果的《巴黎圣母院》与《悲惨世界》等经典名著早已成为中国人的精神食粮。中国人是从祥子、春桃、月牙儿、三毛等这些同胞的经历,来理解与同情《悲惨世界》中那些人物的,因而对雨果也倍感亲切。当然,百年来中国的历史状况——民族灾难、战祸、贫困,都大大妨碍了中国人对雨果的译介、出版、研究、感应的规模与深度;雨果那种应该被视为人类精神瑰宝的人道主义精神还曾在"横扫"、"清污"之中遇到过麻烦。

随着社会的进步与开放,时至今日,在中国,对雨果进行系统的、文化积累式的译介已经蔚然成风,大厅里所展示的图片,就说明了近些年中国文化学术界、出版界在这个方面卓有成效的努力。我们这个一改过去简单形式的纪念活动,也凝聚了中国学术文化界对雨果不可抑止的热情,反映了当代中国作为有悠久历史文化的世界大国,熟悉世界文化并持有成熟见解的文明化程度。

人文文化的领域,从来都不是一个取代的领域(莎士比亚并不取代但了），而是一个积累的领域。文学纪念总蕴含着人文价值的再现与再用。我们对雨果的纪念不仅仅是缅怀，也是一种向往与召唤。在现实生活中，我们还需卞福汝主教这样具有崇高的人道主义精神与人格力量的教化者，需要马德兰市长这样大公无私、舍己为人、广施仁义的为政者，需要《九三年》中那种对社会革命进程与人文精神结合的严肃深沉的思考，需要《笑面人》中面对特权与腐败的勇敢精神与慷慨激昂。

我们今天的社会进程与发展阶段还需要雨果，需要他的人道精神与人文激情，因为雨果的《悲惨世界》所针对的他那个时代的问题，如穷困、腐败、堕落、黑暗，至今并未在世界上完全消灭。作为一个发展中国家，我们还有很多很多的事要做。

2001 年 1 月 5 日
北京国际饭店

6

重新评价左拉的几个问题

——在中国法国文学研究会主办的
左拉学术讨论会上的主旨学术报告

我们这次会议是要筹备一个关于左拉的论文集，以迎接左拉诞生150周年纪念。这个计划始于几年前，当时，我个人在撰写《法国文学史》下卷的左拉一章中，就深感在中国存在着一个应对左拉予以公正评价的问题，此后，《法国自然主义作品选》的编选与《西方文艺思潮论丛》第二辑《自然主义》的编撰，都是致力于对左拉以及对自然主义的科学评价，现在，能更进一步与法国文学界的全体同志一道来做这项工作，可以期望这项工作将做得更加深入。

长期以来，在国内一般人的印象里，在那些普及性、通俗性的文学评介与文学知识的读物里，自然主义就是黄色描写，而左拉则是一个"热衷于描写病态与人的生理性"、"消极颓废"的作家。近两三年来，弥漫了录像带放映厅与小黑摊的"黄潮"，似乎一举就把这种责难与鄙视深深地埋葬掉了，以至学者们为自然主义、为左拉一辩似乎已属多余。这是一种糊里糊涂的解决，其中隐藏着更大的批评危机，更需要在文艺批评中彻底地加以澄清，因为它不仅没有把左拉与人们强加在他头上的"黄帽子"分开，反而会把他与一个显而易见的浊流混为一谈，说不定有朝一日会使他遭到更重的鞭挞。

把左拉的自然主义与黄色描写等同起来，这是中国文艺批评的"土特产"，是封建禁欲主义的残余在普及性的文学评论中的反映，也是一种对左拉的文学创作缺乏必要的了解、更谈不上由深入研究而来的主观臆断。这并不是一个复杂的、需要在学术上大加论证方可明白的理论问题,只要把左拉的作品拿来一读,看一看那些被指责的描写与"色情"、"黄色"是否一回事就行了。

值得我们深入分析的倒是严肃学术著作与批评论著中的偏颇与偏见,正是这些偏颇影响了普及读物中那些更为粗糙的臆断。这里只需举出一个例子即可见一斑。某一部在全国高等学院被作为重要教科书的《欧洲文学史》,对左拉就作了这样一连串否定的论断:"用自然规律来代替社会规律,抹杀人的阶级性","实际上取消了艺术的存在","缺乏具有社会意义的概括,歪曲事物的真相,模糊事物的本质,把读者引向悲观消极,丧失对社会前进的信心","左拉这种伪科学的理论显然是极端错误的","严重歪曲与丑化了工人群众"[①],等等。在这部文学史中,拥有仅次于巴尔扎克的巨大创作量、代表了19世纪下半期法国文学主潮并在全欧洲以至全世界都产生了广泛而深刻影响的左拉及其自然主义,竟在章节纲目中不见踪影,其地位甚至不如同一个世纪的密茨凯维奇、维尔特、果戈理、裴多菲、罗曼·罗兰、尼克索,更不用说不如歌德、席勒、雨果、巴尔扎克、海涅、易卜生、托尔斯泰了。至于他与自然主义所占的篇幅,只相当于托尔斯泰的四分之一,高尔基的四分之一,罗曼·罗兰的约二分之一!这样一个与欧洲文学发展实际极不相称的文学秩序图、文学等级谱所表现出来的对左拉的偏见与蔑视,确乎是令人很感惊奇的。

这种偏颇是新中国成立以来外国文学评论中"左"的倾向的反映,特别是在19世纪下半期以后的文学的问题上"左"倾评论的具体表现。如果说,新中国成立以后对20世纪西方文学的摒拒与批判是来源于日丹诺夫的错误论断的话,那么,我们过去在19世纪下半期文学上的偏颇则实与恩格斯1888年4月给哈克奈斯那封著名信件的影响有关。

---

① 杨周翰:《欧洲文学史》下卷第243、261页,人民文学出版社,1979年。

恩格斯的这封信有三个主要内容：一是对现实主义下了一个非常著名的定义；二是对巴尔扎克作了具体的评论；三是把左拉与巴尔扎克作了一个比较。半个多世纪以来，恩格斯的这封信一直被中国文学理论界视为"革命导师最重要的文学遗训之一"，被奉为指导文学理论研究与外国文学研究的经典文献，其影响是极为巨大的，它定下了评论从巴尔扎克到左拉这个历史时期的文学的基调，可以说，我们这些年来关于现实主义、关于巴尔扎克与左拉的议论，都是以这封信的论断为准绳的，都不过是对这封信的"学习体会"与阐释而已，我们这一代人的欧洲文学史观，几乎无一不打着这封信的烙印。

恩格斯关于现实主义的定义是这样的："现实主义的意思是，除细节的真实外，还要真实地再现典型环境中的典型人物。"[①]恩格斯这个定义在艺术地认识世界与艺术地再现世界的问题上，首先就提高了对现实主义的要求，如果这种高要求只是止于认识论上的意义与创作论上的意义的话，那还是一个值得考虑的问题，是古往今来以写实为其主要标志的现实主义文学可能承受的一种要求，虽然要确定何种环境才算典型环境，何种人物才算典型人物，还会因社会历史观的不同而相当困难。但是，恩格斯的这个定义恰巧远不止纯粹的认识论与创作论上的意义。他这条定义是与他对哈克奈斯的小说《城市姑娘》的分析评论结合在一起的，他这样说："您的人物就他们本身而言是够典型的。但是环绕着这些人物并促使他们行动的环境，也许就不是那样典型了。在《城市姑娘》里，工人阶级是以消极群众的形象出现的，他们不能自助，甚至没有表现出（做出）任何企图自助的努力……如果这是对1800年或1810年，即圣西门和罗伯特·欧文的时代的正确描写，这就不可能是正确的了。工人阶级对他们四周的压迫环境所作的叛逆的反抗，他们为恢复自己做人的地位所作的剧烈的努力……都属于历史，因而也应当在现实主义领域里占有自己的地

---

① 恩格斯1888年4月致哈克奈斯的信。见《马克思恩格斯选集》第四卷第462页。

位。"总而言之，恩格斯所要求于1887年的现实主义的，就是要表现出工人阶级的觉醒与斗争，正因为在他看来，《城市姑娘》没有表现出这一历史内容，所以他认为这部作品"还不是充分现实主义的"。现在看来，恩格斯的这个定义一出，现实主义问题就大为复杂起来，至少是从工人阶级登上了历史舞台、进行了革命斗争之后的现实主义问题大为复杂起来。如果这一斗争是以1848年《共产党宣言》的发表或者以1864年国际工人协会的成立为标志的话，那么，也就是说，从19世纪下半期开始，现实主义问题就大为复杂起来，因为，根据这个定义的必然逻辑，只有表现了工人阶级斗争的作品才算是现实主义的，而没有表现出这种内容的则"不是充分现实主义的"，这样，势必有很大一部分文学作品，甚至绝大部分文学作品都会因为够不上标杆而被逐出现实主义的王国，或者被关在门外作为等外品。正是由于这种必然的逻辑，左拉以工人的生活为题材、高度写实的两部杰作《小酒店》与《萌芽》，在上述的教科书里遭到了种种非难与责备。如果那些以再现现实生活为目的、表现了这种或那种社会现实生活、唯独没有表现工人阶级自觉斗争的文学作品不能算是现实主义的话，那么它们究竟又算是什么？如果某些写了工人的生活，甚至也写了工人的斗争，唯独没有写出解放道路与光辉远景的作品也不能算是现实主义的话，那么它们究竟又算是什么？本来还比较简单的现实主义问题不是大为复杂了吗？由此，我们这一代文学研究者不是盲目地信从这一定义，对大量非社会主义倾向的文学进行砍伐，就是竭其心智，力求在这个定义与文学史的客观实际之间保持某种平衡。显然，恩格斯的这个定义是19世纪下半期以后的文学实际所承受不了的，它不可能，也不应该成为普遍的现实主义文学的标准与要求，它只是一个党派性的文学要求与文学标准，只是无产阶级文学的要求与标准，只是社会主义现实主义最初的一次表述。

然而，恩格斯却是把它作为一切现实主义的标准，至少是作为

19世纪下半期以后的现实主义标准提出来的，这样，他也就把党派性的政治要求加在文学的头上，而我们在新中国成立后又把这个定义加以绝对化，当作至高无上的准则，这就形成了一连串的偏颇。在文学理论中，它导致了在文学中的写真实、真实性与现实主义等一系列重大理论问题上僵硬偏狭的观点；在文学创作中，它导致了对单一的革命题材、对高大全人物的追求；在文学史的研究中，它一方面导致把文学史上一切与社会主义思潮有关的作家作品大大地加以拔高，以至他们所荣获的崇高文学地位与其有限的文学成就并不相称，另一方面，它又导致把与社会主义思潮无关或关系较少但却有较高文学成就的作家作品大大加以贬低。虽然在19世纪下半期，现实主义的发展并未中断，又有了新的特色，出现了自己的新阶段、新形式——自然主义，但用恩格斯的这个要求去衡量，在19世纪下半期的文学中却再也难以找出"充分的现实主义"的作家了，于是，就出现了这样的文学史观：现实主义发展的顶峰是在19世纪上半期，此后就走下坡路；19世纪下半期即使有现实主义，也只是末流，即使有与现实主义传统一脉相承的自然主义，也只是现实主义的"堕落"与"逆流"而已。这就是我们的文学史论著、文学史教材中那种文学秩序图、文学等级谱的由来，在这样一个现实主义理论体系中，左拉的历史地位必然遭到最大的贬损。

对我们的左拉研究有直接的巨大影响的，还有恩格斯在他的信中对巴尔扎克与左拉的评比，他说："巴尔扎克，我认为他是比过去、现在和未来的一切左拉都要伟大得多的现实主义大师。"正是这一评比与关于现实主义的定义，使得左拉在文学史中沦于三流或四流作家的地位。

如果对法国19世纪文学的历史发展作一番实事求是的考察，对巴尔扎克与左拉作一番实事求是的研究，那么就不难发现，恩格斯的"伟大得多"之说有失公允，不符合客观实际。在这里，左拉的一些强有力的方面显然是完全被忽略、被无视、被抹杀了，正因为如此，在很多方面与巴尔扎克媲美的左拉，从整体上也就被贬到了一个显然不合理的地位上。今天，当左拉诞生150周年纪念将要来到的时候，在中国很有必要对恩格斯的定义与评论进行反思，很有必要强调左拉的一些强有力的方面，恢复他在文学史中应得的历史地位。在这里，我们可以着重指出的，至少有这样几个方面：在思想倾向上，左拉是一个伟大的激进民主主义者；在现实主义思潮的发展中，左拉是新阶段的承上启下的伟大代表人物；在艺术再现现实的成就上，左拉是自己时代社会的书记；在作品的认识价值上，左拉至今仍有巨大的、深刻的现实意义。

恩格斯在评论巴尔扎克的时候，对巴尔扎克的政治思想与阶级同情作了一些分析，显示了他对作家政治思想倾向的重视。长期以来，在我们的文学评论中，政治思想倾向是否进步、是否革命，一直是首要的一条标准。这条标准应该在文艺评论中处于什么地位，不是我们在这里所要讨论的问题，但有趣的是，如果用这条标准去衡量左拉，人们倒很容易就会看到左拉伟大的一个方面，就会发现不是巴尔扎克比左拉"伟大得多"，而倒是左拉似乎比巴尔扎克"伟大得多"。众所周知，19世纪90年代，在法国发生了一件重大的历史事件——德莱斐斯冤案，这个案件集中暴露了资产阶级国家机器的反动、暴虐与腐朽，并成为了国内进步与保守两种势力冲突的焦点。持续了5年之久，左拉自始至终是这个事件中激进民主主义的领袖人物，他站在斗争的最前列，经常是一个人承受着整个资产阶级国家机器与反动保守势力的压力，他发表著名政论《我控诉》的大无畏的行为、他被判刑后坚持斗争的勇气以及最后他所赢得的彻底胜利，都已载入了那个时期的史册。在法国作家中，像他这样在社会政治斗争中发挥了重要历史作用的，在他之前只有伏尔泰和雨果，左拉与他们构成了法国文学史上作家兼斗士的光荣传统。仅仅从这一个事件里就足以认识左拉思想倾向激进的程度。而在这之后,也就是在他晚期,左拉还从事一系列空想社会主义小说的写作,揭露资本主义社会的深刻矛盾,构设人类理想社会的蓝图。当然,所有这些都是发生在恩格斯1888年对左拉作出论断之后,不过,左拉后期的激进民主主义的政治立场与态度,并非转向的结果,而只是他前期进步思想倾向的继续。早从他青年时期在阿晒特书店工作时起,他就是一个民主主义者、共和派,他在自己的创作中同情下层人民,反对社会不平,歌颂以劳动保持身心健康的生活,他的中篇《穷人的妹妹》就是因为这些内容"富有革命性"而被书店拒绝采用。与此同时,他还是共和派小报的撰稿人,与反对拿破仑第三帝国政府的革命青年经常有来往,他这种进步倾向显然与恩格斯所指出的"圣玛丽修道院的共和党英雄们"是其"政治上的死对头"的巴尔扎克形成了鲜明的对照。至于早年就已公开发表并于1866年结集出版的文艺评论《我的恨》,则是他早期敌视统治阶级、官方批评、保守派、资产阶级庸人的战斗精神的集中体现,其中愤世嫉俗的态度足以说明当时左拉思想激进的程度。

在现实主义思潮的发展中,左拉是一个划时代的推动者与立新者。以真实地描写现实为基本特征的现实主义,是一个随着历史的发展而不断发展、不断深化、不断充实的思潮与方法。影响与决定它的发展的,不仅有一定的社会历史的境况与情势,而且有人类对于社会、对于自然以及对于人本身的认识。自从19世纪上半期资产阶级历史学派最先以阶级论观点来考察人类的历史与社会之后,文学中的现实主义也几乎同时发展到以阶级论来观察与描写现实社会的新水平,司汤达与巴尔扎克就是两个辉煌的代表。19世纪中叶以后一直到20世纪初,现实主义面临着一个新的时代,这个时代的重要标志之一就是科学与技术的迅猛发展。特别是科学的发展,从细胞学说、达尔文主义到博物学、生物学、生理学、实验医学、解剖学以及心理学等方面的新发展，不断地冲击着人对现实的态度与思维方式以及人对自身的认识。现实主义面对着科学精神在社会生活各个方面的抬头与实证主义哲学盛行的挑战，必须选择自己深入发展的道路。其实这种现实主义与自然科学进一步结合的必要性，巴尔扎克早在19世纪40年代就已经认识到了，他在自己著名的创作纲领《人间喜剧》序言里，就曾详细地谈到了他所受的自然科学的影响以及他要把自然科学的理解贯注在《人间喜剧》里的企图。由于巴尔扎克所受时代的限制，他未能真正解决现实主义进一步与自然科学的结合。这个历史性的任务是由左拉来完成的。

左拉本来就是巴尔扎克现实主义传统的忠实后继者，虽然他早期的文学创作有一定的浪漫主义的色彩，但他的文艺思想、创作主张却完全是现实主义的。他的文艺思想、创作主张大体可分为两个阶段：第一阶段的思想基本上体现在一系列的画评与重要的文论《论小说》中，其中两个最集中、最突出的内容就是大力强调真实性、真实感与大力提倡作家的独创性、个性表现；第二阶段始于1868年，左拉自觉地、有意识地从他第一阶段的现实主义文艺思想出发，进一步致力于将自然科学的精神与方法跟文学的写实结合起来，在一系列的文艺论著中提出了他的自然主义实验小说创作论的理论体系。在这个理论体系中，他把文学与自然科学结合的重要性强调到一个前所未有的高度，大力主张在文学创作中运用自然科学的实验方法，要求加强观察、实地调查、详尽地占有资料、对事物严格保持客观冷静的态度、对事物加以精确的解剖与分析，等等。他还主张把自然科学的成果引入对人的认识与对人的描写，主张从生理学与遗传学的角度扩大与深化对人的认识的描写。在左拉的思想中，所有这一切只不过是他原来属于巴尔扎克传统的写真实的文艺思想的一种延伸与发展，因而，他很自然地用自己理论体系中的术语"自然主义者"来称呼司汤达、巴尔扎克这些现实主义作家，也很自然地把前期强调写真实的重要文论

《论小说》收入后来新理论体系问世后的《实验小说论》这一论文集,与他的自然主义的理论宣言《实验小说论》一文共同组成了他文艺思想的基础。因而,我们没有任何理由把左拉的自然主义与传统的现实主义对立起来,而应该把它视为传统现实主义的深入发展,视为传统现实主义的新形式、新阶段。

这一发展无疑是划时代的,尽管它有这种那种缺点与局限性,但它至少在深化了对人的描写与开拓了现实主义更广阔的道路这两个方面做出了重大的贡献。在对人的描写上,以往的文学总限于表现人的"情"与"灵",即使是在对人的描写上取得杰出成就的巴尔扎克,他笔下的"情"也只是一种纯粹精神领域里的东西,他笔下的"欲",至多也只是与气质有关而已。左拉第一次把人的生理机制、把人的"血"与"肉"带进了文学,使文学中的人不再仅仅是思想情感的体现者,而且也是具有自然机能、由生理机制运转的血肉之躯,这就从整体上扩大了对人描写的范围,并且使得文学中人的心理活动与精神活动有了实实在在的物质根由,从而充实了文学中的心理描写。在对现实的描写上,左拉自然主义的重要贡献也是显而易见的。从宏观上,它扩大了文学的题材面,使得社会生活的任何一个方面都能进入文学,使得过去不能进入艺术庙堂的社会下层的生活、病态与丑的事物也能成为文学描写的对象。而从微观上说,它又使得对现实、对事物的描写朝精细入微的方向深化。更为重要的是,它的写实精神、对严格真实性的追求以及繁详的描写方法,还为20世纪的纪实文学、实录文学、报告文学提供了先导,开辟了道路,大大丰富了现实主义文学的式样。左拉的自然主义所有这些贡献对19世纪末以至整个20世纪的文学都有巨大而深刻的影响,而且,范围远远不止于法国,而几乎是遍及全球,以至我们很难想象如果没有左拉的自然主义,20世纪的现实主义会是什么样子,因此,应该承认,在文艺思潮发展史上,左拉是现实主义的又一个伟大的开拓者。其实,我们今天在好些方面都走在左拉开辟的这条道路上，我们不能朝他再吐唾沫。

左拉作为一个伟大作家最强有力的标志，是以他规模宏大、堪称纪念碑式的巨著《卢贡-马卡尔家族》为19世纪下半期的法国现实提供了宏伟而又真实入微的图景，成为了自己时代社会的巴尔扎克式的伟大书记。左拉效仿巴尔扎克把自己九十多部作品联成《人间喜剧》的先例，也把他二十部长篇联成一个整体《卢贡-马卡尔家族》，左拉称这一巨著为"第二帝国时期一个家族的自然史与社会史"。其自然史的一面，是通过一个家族的血缘关系与遗传关系说明"它在一个社会里是如何安身立命的"。这一自然史方面的成分，特别是它的缺陷、它所构设的那些不科学的遗传因果关系，往往被人们看得过于严重、过于夸大。其实，遗传因果关系与其说是左拉的家族史小说所描写的一个重要的生活内容，不如说是作者用来把二十部小说联成一体的纽带与手段，而家族史小说中所描写的不科学的遗传病态病征，与其说是由于左拉的谬误，不如说是由于左拉所根据的当时遗传学的幼稚与谬误。更需要指出的是，作为自然史只是家族小说的很次要的方面，与家族小说作为社会史的占压倒优势的一面，是不可同日而语的。

恩格斯在给巴尔扎克崇高评价的时候，主要是根据巴尔扎克"以编年史的方式几乎逐年地"描写了自己的时代。恩格斯对这种方式做了热烈的赞赏。如果从"编年史"一词严格的意义来看，巴尔扎克的《人间喜剧》还不能说是"编年史式"的，因为巴尔扎克是在已经写出了相当数量的单个作品之后才把它们联结为一个整体的，事先并无周密的"编年史"的规划。倒是左拉的家族史小说与编年史的方式较为接近，因为左拉一开始就有一个明确而周全的计划，要通过一个家族几代人的不同经历，"释放出第二帝国从政变阴谋到色当投降的全部历史"，使自己的家族史小说"成为对一个已经终结了的朝代的写照"①。他严格按这一既定的计划行事,经过20多年的艰苦劳动,他终于写成了包括二十部长篇小说的这样一部巨大的"史书"。其第一部《卢贡家的发迹》是以拿破仑三世1851年12月政变为内容,其末尾的第十九部小说《溃败》则描写了1871年的普法战争、色当投降以及巴黎公社等一系列历史事件,家族史小说首尾两部作品正好是第二帝国的开端与终结,其间的十几部作品"按编年史的方式"表现出了第二帝国整整20年充满矛盾的历史过程。在这个过程里,拿破仑三世在欧洲与拉丁美洲的政治赌博与冒险,如1863年去墨西哥的远征、在苏伊士运河工程上与美国的矛盾、干预意大利战争、与中东复杂局势的纠葛、1859年对奥作战、1863年的丹麦事件、1868年插手普奥战争等,还有其他一系列重大的历史事件与社会变迁,如1864年国际工人协会的成立及其在法国的活动、1867年巴黎的世界博览会、19世纪五六十年代巴黎市的扩充与改建等等,都在《卢贡大人》《萌芽》《金钱》《欲的角逐》与《小酒店》等作品中有所反映。

虽然《卢贡-马卡尔家族》的故事情节与人物活动限于1851年至1871年第二帝国时期的20年里,但这一巨著写于1871年至1893年第三共和国期间,这一时期的历史现实与社会风貌也不可避免地进入了作品,因此,整个家族史小说实际上也就反映了从19世纪50年代初到90年代初的法国现实。为了使自己的家族史小说真正达到社会史所应具有的全面、完备的程度,左拉力求写出自己时代社会里各个领域、各种性质、各种情势、各种层次的生活场景。在这里,19世纪后期法国社会生活的种种方面,几乎应有尽有:巴黎的官场、外省的政界、王公贵族的府第、资产阶级的公寓、破落贵族的寒舍、巴黎的上流社会、工人区、交易所、繁华的百货公司、熙攘的菜市场、悲惨的贫民窟、娼妓社会、外省的工厂、矿山、农村、铁路、军旅生活、艺术家的工作间、科学家的实验室、地主的庄园、工人群众罢工

---

① 左拉:《卢贡-马卡尔家族》总序,柳鸣九选编:《法国自然主义作品选》第737页。

的怒潮、法律事务所、银行巨头会议，等等，所有这些构成了那个时期的百科全书式的图案，其方面之齐全比巴尔扎克的《人间喜剧》实有过之而无不及。如果不考虑由于时代的发展而增添的新生活内容、新生活场景的话，至少在对政界官场、对下层人民生活，特别是对工人与农民生活的描写，其细致详尽的程度是超过《人间喜剧》的。

为了完成一部真正完备的"社会史"，左拉在致力于写各个社会生活领域的同时，还致力于写社会生活中各个阶层、各种类型的人物，他有计划地将一个家族的众多成员分布到各个社会阶层，又在其周围安排为数更多的形形色色的人物，这样，他就组成了自己时代的千殊万类的人群，并表现出这个时代人与人之间关系的复杂状况。整个家族史小说的人物总数有1200个之多，显然又是为了达到历史科学资料式的完备，左拉不仅写全了整个社会中各阶级各阶层的人物：资产者、王公贵族、工人、农民、自由职业者、神职人员、政务人员、军人、娼妓、流氓等等，而且每个阶级、每个阶层中各种不同类型的人物也都一一写到。在资产者中，有工业资本家、商业资本家、老式的银行大王、新式的金融投机家、靠利息过日子的食利者等等；在商人中，有大公司的经理、大商店的店主、小杂货铺的老板、小酒店的掌柜和零售商贩等等；在工人中，有各种个体劳动者，如泥水匠、锌铁匠、洗衣女工、铁匠、木匠，有产业工人，如机械工、洗煤工、运输工；在工运队伍里，有空想社会主义者、无政府主义者、经济主义者，也有受科学社会主义影响的工人活动家。虽然左拉的家族史小说中人物的总数不如巴尔扎克的《人间喜剧》多，但其人物种类如此周全，却又是《人间喜剧》所不及的。

《卢贡－马卡尔家族》作为社会史，以其广阔丰富的形象描绘具有巨型风俗画卷的价值，而且，由于作者对自己的时代社会有严肃的思考与认真的研究，这部巨著还在全面反映时代风貌的基础上，突出地表现了时代社会最本质的特征,提出了一些巨大的社会问题,具有真正历史学的意义。

首先,《卢贡-马卡尔家族》全面而深刻地揭示了第二帝国的本质特征,这是它具有真正历史学意义的第一个标志。在法国资本主义发展史上,第二帝国是一个重要的阶段,拿破仑的帝国政权竭力追求海外殖民与欧洲霸权,统治阶级"沉醉在拥有无穷无尽的财产与统治一切的梦想中",社会生活中充满了冒险、狂热与疯狂,随之而来的是罪恶与社会矛盾,最后是帝国可耻的崩溃,这就是左拉所表现出来的第二帝国的最基本的历史实际。他揭示出在1851年政变中起家的卑劣之徒,成为了帝国时期获得财富的社会上层,正是帝国所养育培植起来的一丛毒菌。他以对这个时期统治阶级的社会政治生活状况与道德状况的描写,来进行对第二帝国的本质作有深度的暴露。他有的作品直接以上层政界为描写对象,尖锐揭露了高级统治阶层的内幕,如《卢贡大人》;有的作品则表现了官场里营私舞弊,对金钱与肉欲的追逐,如《欲的角逐》;有的作品剥掉了一些显赫的权势人物的外皮,露出他们腐化堕落、丑恶不堪、犹如禽兽的原形,如《娜娜》;有的作品则抨击帝国的愚妄与冒险、在战争中的怯懦无能以及对整个法兰西民族所犯下的罪责,如《溃败》。左拉的家族史小说无疑是法国文学史上暴露性最强、最惊世骇俗的作品之一,他大胆的揭露与无情的鞭挞,足以与巴尔扎克的尖锐性媲美。

左拉的家族史小说作为社会史的第二个重要意义,在于它真实地反映了法国19世纪后期社会发展的新特征,表现了这个新的历史阶段的社会现实。

19世纪下半期法国社会生活中最明显的一个事实,是资本主义生产的巨大发展,左拉注意到了这个事实,力求把它表现在自己的"社会史"里。在文学史上,从来没有一个作家像左拉这样对社会生产力表示如此大的关注,并使它成为文学表现的一个重要内容;在法国写实主义的文学里，也从来没有任何作品像《卢贡－马卡尔家族》这样，把社会生产力作为其形象描绘的内容之一。其中不止一部作品，从某种意义上来说，本身就是以工业生产问题、农业生产问题为题材的。在这里，生产条件、生产技术、生产水平都得到了具体的表现，如《萌芽》中对矿区生产的描写；社会生产中的重大问题、重大矛盾以及重大发展，也被作者引人注意地提了出来，如《土地》中工业、外贸与农业危机的矛盾，小农经济与资本主义农场的对立，新技术的推广与习惯势力的冲突，等等。这些作品在表现了这个历史阶段新的生产水平、巨大的生产规模、不断发展的生产技术以及空前未有的社会物质力量的时候，又表现了这种蓬勃发展着的资本主义生产所具有的更大规模的压迫人、榨取人、吞食人的性质，而所有这些描绘又是与故事的进展、人物的命运水乳交融地结合在一起，成为作品形象内容的有机组成部分，使作品具有生动而又充实深刻的社会写实性。

19世纪下半期法国资本主义发展的一个新的特点，是生产的集中与垄断组织的出现，对这一重大的社会经济生活有直接描写和全面反映的，在当时的法国文学中唯有《卢贡－马卡尔家族》，其中的《巴黎之腹》与《妇女乐园》就是以这种经济现象为题材的，其描写的专门化与集中的程度，清楚地表明作者是自觉地要表现出这一经济生活进程的全部复杂内容与各个方面。在左拉的笔下，这种垄断组织出现的过程也就是兼并的过程，左拉描写了代表着小资本与老式宗法制商业的个体小店主、个体户对大商业资本徒劳无益的抗争，最后他们都不以人的意志为转移而被吞并。左拉以一个社会史家的冷静态度，在写出这种由于资本主义的必然规律而发生的资本集中过程里的种种悲剧的同时，又以丰富充实的形象描绘表现出了大资本与垄断性大企业的新特点与经营方式以及它所拥有的雄厚的物质力量。《妇女乐园》中的大百货公司与《巴黎之腹》中的大菜市场，就是大资本、大企业的代表与象征。在这里，商业经营的规模空前巨大，过去商业的单一经营变成了今日多项的、综合性的经营，商品从来没有这样丰富过，商品的吞吐量与流通速度更是令人惊奇，企业的资金来源已经不再是少量金币的积攒，而是银行大量的投资，企业的产品也不再来自小手工业的作坊，而是来自进行大规模生产的工厂。而这里的企业主，他们身上既有资产者的掠夺性与冷酷性，也有事业家的实干精神与革新精神，他们要扩充自己的财富固然仍要通过剥削与欺骗手段，同时又必须凭借高度的效率、出色的经营方式与先进的发明创造。这就是左拉作为冷静的史家笔下的现代资本主义工商业的矛盾与巨大的生命力、局限性与蓬勃向上的发展趋势的统一图景。

19世纪下半期法国资本主义发展中的另一个重要的新特征，是资本的新活动方式与银行的新作用，而这也正是左拉在《卢贡-马卡尔家族》中专门有所描写的经济现象。从家族史小说最出色的长篇之一《金钱》中，读者可以看到当时的一种新的资本形式，即股份银行、股份公司的出现。这种资本完全不像过去的大资本那样是通过积累与扩充而形成的，而是通过社会集资的途径；在其构成与成分上，它也具有过去的大资本所不具有的特点；并且，它一旦形成出现，也就与传统的老式资本处于一种对立与抗争的状态。虽然左拉的家族小说对这两种资本的矛盾斗争并没有做出深刻的说明，但它的确成功地表现出了这两种资本惊心动魄的冲突。更为有意义的是，左拉以他对新型金融家与世界银行的形象描写，展示出从资本积攒到推动社会生产迅猛发展这一完整的经济过程，与此同时，他还把当时资本输出与它在开发性事业上的巨大规模、金融资本的业务与活动规律、金融寡头对金融市场的控制以及交易所里的投机等这些重大而典型的经济现象，都形象地表现在家族史小说里，提供了一幅现代资本主义金融资本活动的百科全书式的图景。

对于19世纪现代资本主义初期严重的贫富悬殊、下层人民生活极为悲惨的社会问题，《卢贡-马卡尔家族》也有较充分的反映。自从资本主义秩序在法国建立以后，贫富对立与社会下层的苦难一直存在，并且是不少作家所描写的一个重要内容。由于左拉本人对这个问题比以往的作家有更多的关注，对表现这一现实有更多的自觉意识，这一严重的社会问题在《卢贡－马卡尔家族》中也就比在以往任何其他文学作品中有着更普遍、更详尽、更尖锐的形象表现。虽然《卢贡－马卡尔家族》众多部小说的题材各不一样，但其中很多部都描写了生活悲惨的下层人民形象：伯鲁、拉丽和她的弟妹、马赫一家、绮尔维丝、福洛朗、维克多，等等。这些人物的经历与故事全面揭示了现代资本主义初期下层人民所承受的苦难。特别是《金钱》《小酒店》中对贫民窟的描写，《萌芽》中对矿工村的描写，更是令人触目惊心，其尖锐可怕的程度是在法国同时期文学的任何其他作品中难以见到的，给当时社会现实的阴暗面留下了真实的写照与史料。

《卢贡－马卡尔家族》作为"社会史"的第三个重要意义，在于它真实地、形象地反映了从19世纪下半期起在法国社会现实生活中越来越引人注目的无产阶级对资产阶级的反抗斗争。家族史小说中的《萌芽》就是这样一部表现了这一历史课题的杰作。由于巴黎公社的失败，法国社会主义力量严重受挫，无产阶级的无权状况、思想感情、愿望意志以及"叛逆的反抗"、"剧烈的努力"，在巴黎公社文学以后，未能由无产阶级自己的作家来加以描写，文学中这个重大的历史任务落在了以完成"社会史"为己任的左拉的身上。尽管左拉本人并非社会主义者，尽管他的经历与无产阶级的斗争完全无缘，但他进步的社会思想、他对劳动人民的同情、他主持正义的政治立场、他调查研究的科学态度以及他写实主义的精神与方法，却使他得以客观地、真实地表现出与现代生产力直接联系的真正无产阶级的历史命运、苦难生活、无法忍受的劳动条件与生活条件以及由此而产生的寻求出路、谋求解放的愿望与意志，表现出了无产阶级在反抗资产阶级的历史过程里所必然经历的由自发到自觉的漫长而曲折的道路以及工人运动中形形色色思潮的影响与作用。特别值得注意的是,他把工人运动接受科学社会主义的影响这一历史转折载入了他的家族史小说,不带任何偏见地表现了早期工人运动与马克思主义的初步结合,描写出无产阶级反抗斗争的艰难与悲壮,并且力求把这种描写保持在一种史诗的高度上。左拉的家族史小说中这一重要的形象内容也是法国19世纪70年代以后的文学中绝无仅有的,可以说,这是无产阶级的斗争在法国文学中唯一的反映,在这个意义上,左拉的小说具有宝贵的历史文献的价值,在一个社会主义国家里,理应得到崇高的评价。

毫无疑问,拥有这样一部"社会史"的左拉,对我们是颇有教益的,特别是因为左拉的时代与我们的时代的距离相对说来比较近,他那个时代是现代资本主义的开端,而当今的世界仍没有走出这样一个历史阶段。因此,左拉以科学的态度所描绘出来的现实图景、社会状态、活动方式与发展趋势在今天并没有完全过时,对我们仍具有很高的认识价值,我们可以从中认识、了解与学习到很多东西。恩格斯在上述的那封信里说过,他从巴尔扎克的作品里,"甚至在经济细节方面所学到的东西,也要比从当时所有职业的历史学家、经济学家和统计学家那里学到的东西还要多"。其实,左拉也有资格得到恩格斯这样的盛赞,他的作品也具有巴尔扎克作品的这种认识价值,甚至比巴尔扎克的作品更为突出。家族史小说中大量有价值的政治经济生活的细节几乎俯拾皆是。如在《土地》中,他通过一个农场主的巡视,把现代资本主义农场的规模、生产方式、机械化程度、房舍设备、劳动力的数量与组合形式、农畜产品的种类、供销情况与市场价格等等,都表现无遗。在《萌芽》中,我们可以看到当时矿区的生产水平、设备条件与机械化程度的种种细节。在《金钱》中,则可了解到金融市场的种种奥秘以及交易所里经济手续的种种详情。左拉的小说对我们不仅是研究现代资本主义初级阶段的可贵历史文献,它们还以冷静的科学的态度与客观的、不掺杂主观臆想的形象描绘为我们如实地认识现代资本主义这个历史阶段提供可贵的启迪。仅以《金钱》这部小说而言，它打破了从莎士比亚到巴尔扎克的传统文学中对货币、金钱、资本的道德化的谴责与批判，形象地描绘出人类社会这一伟大发明在经济生活中不可或缺的媒介作用，特别是它在现代资本主义阶段所具有的开山辟路、化沙漠为良田、变远洋为咫尺的神奇力量，在认识上别开生面。这种科学的、如实的形象描绘，对我们今天的认识显然仍具有十分现实的意义。

在指出了左拉这些强有力的方面以后，我们不难深切地感到恩格斯对左拉的评判是不符合客观实际的。任何一个伟人都受自己的历史条件的限制。恩格斯在1888年对左拉作评论的时候，左拉还没有走完他激进的行程，他的两部重要的小说《萌芽》与《金钱》尚未问世，而现代资本主义还没有充分显示自己巨大的生命力与相当完备的自我调节的功能。他的评价是一种深受历史条件限制的评价，是可以理解的。但是，现在的问题在于，我们已经看到了左拉的整个行程与整个创作，而且是处于20世纪的历史条件下，那么，我们就应该根据我们所具有的条件对左拉进行实事求是的科学评价，纠正那种无视客观事实而囿于前人只言片语的偏颇，纠正那些派生于盲从前人，并以东方亚细亚方式加以引申附会、加以膨胀强化的对左拉的奇特非难。文学领域是一个万类竞自由、争奇斗艳、各有所长的领域，每个作家都有自己强有力的方面，为其他作家所没有或者所不及的方面。左拉与巴尔扎克之间也是如此。巴尔扎克所具有的强有力的方面，也有一些是左拉所不具有的，最明显的如巴尔扎克作品中那样多光彩照人的思想火花，就是左拉可望而不可即的。我们今天指出左拉的一些强有力的方面，不是要证明，也不应该证明左拉比巴尔扎克更伟大，只是为了强调对左拉进行公正的、实事求是的评论的必要性，只是为了说明过去我国文学批评中的一些偏颇与客观实际相距何其远矣！只是为了恢复左拉作为伟大的巴尔扎克老人的伟大后继者的历史地位。

左拉是文学史上拥有最大创作量的少数几个巨人之一，他本身就是一个广阔、丰富、复杂的世界，亦可谓"说不尽的左拉"。今天，在中国，我们对左拉的译介还远远不够，还有很多作品没有翻译出版，对左拉的研究只是刚刚开始，既不深入，也不全面。在这种状况下，为了使我们更加努力地在一些方面多做一些工作，我们不妨提出这样一个共勉性的问题：

我认识左拉吗？

7

不朽的《约翰·克利斯朵夫》

在中国，罗曼·罗兰曾受到格外推崇，但同时又被厚厚地笼罩着意识形态的迷雾。在迷雾中，他的代表作异乎寻常地被亏待了，甚至受到了虐待。

现在，事关他作为一个诺贝尔文学奖获得者，而他获奖一事就被人为地罩上了一层迷雾。

1916年11月，瑞典皇家学院正式通过罗曼·罗兰为1915年诺贝尔文学奖的获得者。对于这位作家来说，这是一份姗姗来迟的荣耀，本应在1915年度之内获得。其原因大致是这样的：

第一次世界大战爆发后不久，罗曼·罗兰于1914年9月发表了一篇反对战争的政论《超乎混战之上》，此文大大触犯了法国的民族主义情绪，招致了不少敌人与批评者，报刊舆论纷纷对他加以谴责，因此，当1915年瑞典皇家学院准备将该年度的诺贝尔文学奖颁发给罗曼·罗兰的时候，就遭到了法国政府的强烈反对。于是，此事搁置了下来，到1916年将近年终的时候，瑞典皇家学院才最后正式通过并予公布。

罗曼·罗兰是以什么文学成就而获此殊荣的？因为当时正值战争时期，也因为法国政府与一些舆论对罗曼·罗兰获奖持反对态度，加之正式宣布已经推迟到第二年的11月，所以，授奖仪式并未举行，当然也不存在对罗曼·罗兰的文学成就作出评价的授奖词。瑞典皇家学院授奖的理由与根据，仅仅在迟至1917年6月才发给罗曼·罗兰的获奖证书中有这样的表述："他文学创作中高度的理想主义以及他在描写各种不同人物典型时所表现出来的同情心与真实性。"①

为了对上述问题有准确的回答，首先有必要回顾一下，时至获诺贝尔文学奖之时，罗曼·罗兰在文学上走过什么历程？做出了哪些劳绩？

罗曼·罗兰生于1866年，20岁时进入巴黎高等师范学校。从这个著名的最高学府毕业后，他又进一步深造，完成了博士论文，还当过中学教师，终于得以进入高等师范学校与巴黎大学讲授艺术史。这一段学术道路尽管相当漫长，走下来颇为不易，但他却很早就同时开始了文学创作。从大学时期起，经过了20多年的笔耕，到获奖之时为止，他已在三个方面取得了令人瞩目的成就。

他是从戏剧创作开始的，在19世纪末、20世纪初，陆续写出了以"信仰悲剧"为总题的三个剧本：《圣路易》（1897）、《艾尔特》（1898）、《理性的胜利》（1899）；以大革命为题材的"革命剧"多种：《群狼》（1898）、《丹东》（1900）、《七月十四日》（1902）。其次是在名人传记写作方面的成就，他于1903年发表了著名的《贝多芬传》，随后相继问世的又有《米开朗基罗传》（1906）、《亨德尔传》（1910）、《弥莱传》与《托尔斯泰传》（1911）。最后，就是他的小说巨著《约翰·克利斯朵夫》了，这部小说开始创作于1902年，完成于1912年，在此期间，全文就已经陆续发表。至1912年，这部小说的巨大的成功已使罗曼·罗兰在文坛上名重一时。以上三个方面的这份"清单"，展示了罗曼·罗兰获诺贝尔文学奖之前的精神创作劳绩，这就是他问鼎此一荣耀的坚实基础与充足实力。

人们往往把罗曼·罗兰从开始从事创作到第一次世界大战概括为他的前期，1915年的诺贝尔文学奖实际上就是对他前期创作成就

---

① 罗曼·罗兰1917年6月7日前后的日记《战争年代日记》第1224页，巴黎，Albin Michel版，1952年。

的总结与表彰。而在前期三个方面的创作中，戏剧成就相对较低，这些剧本颇受戏剧界的冷落，很少上演。名人传记的成就则比较显著，特别是《贝多芬传》在发表的当时就曾产生广泛的影响，是最早使罗曼·罗兰一举成名的力作。不过，这些传记在很大程度上属于学术文化、艺术评论的范畴，与纯粹意义上形象思维的文学创作还不尽相同。在罗曼·罗兰前期的文学活动中，小说巨著《约翰·克利斯朵夫》无疑要算是他最为杰出的成就，不论是从它沉甸的分量、丰厚的现实内容、高远脱俗的灵性、高昂的人道主义精神力量，还是从它巨大的艺术规模、广阔生动的图景、鲜明的人物形象、动人的艺术魅力，都堪称文学史中的巨制鸿篇。它在罗曼·罗兰的前期创作中像奇峰拔地而起，气象万千。显而易见，主要就是这部小说构成了1915年前罗曼·罗兰文学创作的最高成就，也正是这一成就，使罗曼·罗兰赢得了1915年度的诺贝尔文学奖，就像马丁·杜·伽尔是以《蒂波一家》、肖洛霍夫是以《静静的顿河》、帕斯捷尔纳克是以《日瓦戈医生》成为诺贝尔文学奖的获得者一样。

本来，对这个明显的事实无须多加论证，但是，却偏偏有一种相当权威的论调，认为罗曼·罗兰获诺贝尔文学奖"并非像一般人所设想的是因为他写了小说《约翰·克利斯朵夫》，而实际上更重要的是由于他是《超乎混战之上》的作者"，因此，我们不得不回顾罗曼·罗兰前期的历程与成就，也不得不再就这个问题稍微多加说明。《超乎混战之上》发表于1914年9月15日，这一篇政论对当时欧战双方死于战场上的青年表示了哀悼，对他们在大战中混战一团、互相残杀深感痛惜，并向西方各国进言，不要以战争的方式去解决他们在分配世界财富上的分歧，而主张成立国际仲裁机构来解决西方国家之间的矛盾以避免战祸。不可否认，罗曼·罗兰这种态度与主张当然会得到在当时欧洲战争中采取中立立场的瑞典官方的欣赏，也自然会遭到已经参加了战争的法国政府的反对，在罗曼·罗兰获诺贝尔奖一事上，瑞、法双方的分歧与矛盾即由此而来。这样一篇政论固然有助于罗曼·罗兰被瑞典皇家学院提名为候选人，但它显然不足以成为一个作家获此世界性荣耀的主要成就与主要根据，这不是什么深奥的问题，只不过是一种常识。把一篇内容不过如此、篇幅毕竟有限的政论竟然抬高到获世界文学大奖的主要成就的地位，不能不说是有违常理和常情的，这在严肃的文学评论中极为罕见。这就在罗曼·罗兰获奖一事上制造了一层迷雾。这迷雾是意识形态的，其作用不外是掩盖《约翰·克利斯朵夫》这部杰作与获诺贝尔文学奖之间的当然联系，不外是贬低《约翰·克利斯朵夫》一书的价值与地位。当我们在这里把罗曼·罗兰作为一个诺贝尔奖的获得者来加以评说，把《约翰·克利斯朵夫》作为他获奖的主要成就与主要根据的时候，就不得不先把这一层迷雾拨开。

理论迷雾还不止上述一层。另外还有一种论调，也竭力贬低《约翰·克利斯朵夫》在罗曼·罗兰整个创作中的地位，而把罗曼·罗兰后期的《欣悦的灵魂》抬高到至尊的位置，把它评为罗曼·罗兰全部文学创作的代表作和最高成就。

这里，首先就涉及对罗曼·罗兰前期与后期的比较与评价问题。

所谓罗曼·罗兰的后期，是指从1914年第一次世界大战到他1944年逝世。后期的起始是以他发表《超乎混战之上》为标志的。也有研究者还将后期再分为两个阶段，即1914年至1931年与1931年至1944年，而把《向过去告别》一文的发表视为这两个阶段分界线的标志。如果这两个阶段的划分是必要的话，那么，从1914年至1931年，这个阶段的大致情况是，罗曼·罗兰在思想上、政治上开始明显"左"倾，并积极从事社会政治活动，主要表现在同情、支持苏联与反对法西斯主义在欧洲的兴起。而从1931年到他逝世的这个阶段，他在政治上则更进一步"左"倾，成为了苏联的忠实朋友，共产党的同路人，在思想上也更为激进，对自己过去的思想进行了反思与清算，主要表现在他的论文《向过去告别》、访问苏联以及与高尔基的关系，等等。总而言之，从1914年以后，不论是否再从1931年为界分为两个阶段，明显的事实是，罗曼·罗兰日渐从文学转向政治与社会活动，把1914年以后统称为他的后期，即是着眼于整个这一时期的共性。

如果说罗曼·罗兰后期的社会政治活动比前期大有增加，他作为一个向往社会主义的思想家、社会斗士的倾向明显形成，他与此相关的政治与杂文比前期多产的话，那么，他文学创作的势头却比前期较为减弱，创作量比前期有所减少。在戏剧创作方面，他现存的十二个剧本中，有七个写于前期，后期增加的仅五个，即"革命剧"中的《爱与死的搏斗》(1924)、《鲜花盛开的复活节》(1925)、《流星》(1927)、《罗伯斯庇尔》(1939)，以及《里吕里》(1919)，而在他全部的戏剧作品中，前期的《丹东》《七月十四日》与"信仰悲剧"，也相对比后期的剧作重要。在名人传记方面，他的十多部传记中，前期的作品占一大半，而且最重要的几部代表作《贝多芬传》《米开朗基罗传》《亨德尔传》与《托尔斯泰传》，都是出自前期。在小说创作方面，前期除有《约翰·克利斯朵夫》外，还有一部重要的作品生气勃勃，充满了拉伯雷式乐观主义的《哥拉·布勒尼翁》，而后期，则除了《欣悦的灵魂》外，还有长篇《克莱朗博》与中篇《比哀吕丝》，这两篇小说虽然都有鲜明的反战内容，但却流于政论化与概念化。因此，如果不是着眼于罗曼·罗兰思想激进的程度，不是着眼于罗曼·罗兰在创作倾向上与已经成为现实的社会主义合拍的程度，而是着眼于创作本身的分量与水平；如果不是把罗曼·罗兰当作一个思想家、社会活动家、政论家，而是把他当作一个文学家、艺术家；如果不是从社会主义政治与思想影响的角度来看罗曼·罗兰，而是从文学史的角度来看罗曼·罗兰，那么，应该客观地承认，罗曼·罗兰前期的文学成就要比他后期的为高。

同样，对《欣悦的灵魂》也应作如此观。《欣悦的灵魂》写于1922年至1932年，正是罗曼·罗兰日益"左"倾、日益靠拢社会主义苏联的时期。小说以19世纪末到20世纪30年代的欧洲为历史背景，以安乃德·玛克母子为主人公，写他们如何从个人主义发展到集体主义，如何从自由民主主义投向社会主义浪潮，参加了革命，成为国际工运中的活动家。小说具有鲜明的社会主义倾向，因此被有的研究者认为是"社会主义现实主义的第一部杰作，是法国当代文学的里程碑"，"其重要性超过了《约翰·克利斯朵夫》，超过同时期一般的资产阶级小说"，等等。这种论断其实是一种"唯政治思想内容"主义的评论，而不是文学的、艺术的评论，因为，从文学艺术的标准来看，《欣悦的灵魂》正是一部缺乏艺术魅力、缺乏丰满的现实生活形象而流于概念化的作品，其中的一些人物只不过是作者主观构想的产物，苍白无力，远远不能构成一部杰作，更谈不上是法国当代文学的里程碑，其根本原因就在于罗曼·罗兰缺乏社会政治活动方面丰富的感性经验，他更多的只是根据他"左"倾的思想观念在进行创作。把这样一部作品抬高到《约翰·克利斯朵夫》之上，尊奉为罗曼·罗兰的代表作，显然是一种无实事求是之意的偏颇。

这就是多年来弥漫在罗曼·罗兰研究与评论上的两层意识形态迷雾。于是，我们就看到了一种畸形的罗曼·罗兰评价，一方面竭力强调作为其后期起点标志的《超乎混战之上》的重要性，大力宣扬罗曼·罗兰后期思想"左"倾的重大意义，将《欣悦的灵魂》奉为里程碑式的杰作，从而尊罗曼·罗兰为20世纪法国甚至整个西方的文学发展中超乎"一般资产阶级作家"之上的第一流大师，大大抬高了、夸大了罗曼·罗兰在当代文学中的实际地位；另一方面则竭力贬低罗曼·罗兰真正的代表作《约翰·克利斯朵夫》的成就，无视它作为一部杰作的重要意义。在这种畸形的评价中，罗曼·罗兰就处于一种双向的失衡状态：一是在整个世界文学中的失衡，他仅仅以其后期的"左"倾就远远超越那些因未与当代社会主义思潮合拍、未与苏联同路而被称为"资产阶级作家"，但实际文学成就确属世界第一流的作家之上；二是在他自己全部创作中的失衡，以《欣悦的灵魂》为其代表作！而这种畸形评价的主要根由，就在于把作家思想"左"倾的程度、与社会主义合拍的程度、与苏联一致的程度，作为衡量作家成就高低的首要依据，在于首先以政治思想的标准作为文学评论的标准，在于首先不是把作家作为艺术家来要求，而是首先把作家当作政治社会活动家来要求。

当然，对《约翰·克利斯朵夫》，远远不止是贬低而已。它是新中国成立以后外国文学中不仅最不被善待，反而最受虐待的一部名著，对它的"严正批判"、"肃清流毒"、"清除污染"，几乎从未中断。从1957年的"反右"开始，历经各次政治运动，它受到了一次又一次冲击。在它的头上，积淀下这样一些"政治定性"式的判调："是资产阶级右派反动思想的根源"，"是一部宣扬个人主义的小说"，"在我国读者之间，引起了思想混乱，产生了不良效果"，"一股歪风邪气随着这部小说渐渐扩散，污染我们社会的健康气氛"，等等。这些判词如果只是出自无知而狂想的"红卫兵"之口，那就不值得一提了，但它们偏偏出自研究者、评论者的手笔，因而不容人们无视其存在。这种情况正充分地说明了，《约翰·克利斯朵夫》在"左"的年代遭到的否定是多么彻底。严肃的学术研究与文学评论中竟出现这样粗暴的判决，既是"左"的政治路线、"左"的意识形态政策导致的结果，也是缺钙型文学研究乘风使势而自我膨胀、强梁肆虐的表现。而《约翰·克利斯朵夫》之所以屡次成为整肃清除的对象、批判分析的靶子，不过是因为它在中国读者，特别是在青年读者中有巨大的、广泛的影响，要知道，在中国，凡是有文化教养的人中，对《约翰·克利斯朵夫》这部作品，几乎无人不晓，其中相当大一部分人还是这部作品热烈的赞美者、崇拜者。

《约翰·克利斯朵夫》的译本新中国成立后第一次出版是在1953年，仅仅三四年以后，它就遭到了难以摆脱的厄运，直到改革开放，情况才有好转。但是，由于意识形态领域中"左"的积淀没有彻底铲除，对这部作品的重新评价仍然是很不充分的。现在，当人们可以回顾根深蒂固的"左"曾带给我们国家、我们民族惨重危害的时候，颇有必要拨开弥漫在《约翰·克利斯朵夫》上一层层"左"的意识形态迷雾。现在该对《约翰·克利斯朵夫》这部杰作的精神风采，有足够的认识，有由衷的赞赏了。

在这里，我想提到傅雷先生，他以卷帙浩繁、技艺精湛的译品而在中国堪称一两个世纪也难得出现一两位的翻译巨匠，他译的《约翰·克利斯朵夫》是他译述劳绩中的力作之一。仍值得我们注意的是，该书于1937年初版时，傅雷先生曾写过一篇《译者献辞》，1952年重译本问世时，他又写过一篇介绍文字。此两文都是对罗曼·罗兰原著的评价与赞赏，篇幅虽然很短小，但比起那些长篇大论、令人不堪卒读的"批判分析文章"，要切实、中肯、精辟、富有启发作用得多，也正因为它们与后来"左"的高调诸多不合，故在译本再版时曾被删去。傅雷先生不仅政治上受到了极不公正的待遇，含屈而死，而且在翻译劳绩方面，也受到过恶意的攻击。为了表示对他的尊敬，也为了恢复对《约翰·克利斯朵夫》的真谛精华的评价，兹将两文引述如下。

这是1937年的《译者献辞》：

> 真正的光明绝不是永没有黑暗的时间，只是永不被黑暗所掩蔽罢了。真正的英雄绝不是永没有卑下的情操，只是永不被卑下的情操所屈服罢了。

所以在你要战胜外来的敌人之前,先得战胜你内在的敌人;你不必害怕沉沦堕落,只消你能不断地自拔与更新。

《约翰·克利斯朵夫》不是一部小说——应当说,不只是一部小说,而是人类一部伟大的史诗。它所描绘歌咏的不是人类在物质方面而是在精神方面所经历的艰险,不是征服外界而是征服内界的战绩。它是千万生灵的一面镜子,是古今中外英雄圣哲的一部历险记,是贝多芬式的一阕大交响乐。愿读者以虔敬的心情来打开这部宝典罢!

这是1952年译者所作的简介:

《约翰·克利斯朵夫》的艺术形式,据作者自称,不是小说,不是诗,而有如一条河。以广博浩瀚的境界,兼收并蓄的内容而论,它的确像长江大河,而且在象征近代的西方文化的意味上,尤其像那条横贯欧洲的莱茵。

本书一方面描写一个强毅的性格怎样克服内心的敌人,反抗虚伪的社会,排斥病态的艺术;它不但成为主人翁克利斯朵夫的历险记,并且是一部音乐的史诗。另一方面,它反映20世纪初期那一代的斗争与热情,融合德、法、意三大民族精神的理想,用罗曼·罗兰自己的话说,仿佛是一个时代的"精神的遗嘱"。

在法国文学中,"长河小说"并非一个赞语,仅指篇幅浩大的长篇小说,但以《约翰·克利斯朵夫》巨大的规模与恢宏的气势而言,它倒的确像一条浩荡的长江大河。面对着名山大川之类的宏伟自然景观,人们总会有千般万种不同的感受。谁能对无数世人种种不同的丰富感受一言以蔽之?谁能断言自己的感受、自己的所知足以概全?谁能说长江只是"晴川历历汉阳树,芳草萋萋鹦鹉洲",而不是"两岸猿声啼不住，轻舟已过万重山"；只有"潮平两岸阔，风正一帆悬"，或者"山花如绣颊，江火似流萤"的画面，而无"猛风吹倒天门山，白浪高于瓦官阁"的声势？也何尝不会有新安江上"野旷天低树，江清月近人"的美景，黄河道上"欲穷千里目，更上一层楼"的常情？文学阅读、文学评论亦复如此。每部作品都是一个世界，一角天地，不论这天地是多么狭小，也容纳得下读者种种不同的审美发现与艺术感受，何况是如名山大川般宏伟壮观的巨著？文学欣赏、文学评价只不过是从各种各样立点出发在审美上的各取所需、各取所好而已。

什么是《约翰·克利斯朵夫》？人们定会有种种不同的感受与回答。

我所见的《约翰·克利斯朵夫》，是一部散发出艺术圣殿气息的书。它的主人公就是一个音乐家，而且是以几个德国古典音乐家，特别是以伟大的贝多芬为蓝本塑造出来的音乐家形象。这里有着贝多芬式的眼睛与对现实的观察，有着音乐大师的体验与灵感，有着他们内心中那可以包容宇宙万物的奇妙的和声。这部书以语言文字的艺术，传达出音乐天地中的艺术，广泛涉及艺术史领域中一些重大的现象与重大的问题，它本身就构成一个音乐艺术的世界。读这本书，可以得到艺术对心灵的熏陶与洗礼。

我所见的《约翰·克利斯朵夫》，是一部有深广文化内涵的书。书中的主人公不仅是音乐家，也是思想探索者、文化研究者，他既上升到当代思想的顶峰作过巡礼，又在巴黎的文化集市上作过考察，他的经历本身就像一条思想文化的长廊，包容了当代的哲学、历史、社会学、文学艺术等各个领域的现状与课题以及对它们的见解与思考，这使小说居于高品位的层次，具有严肃深邃的风貌。读这本书，可以增添学识，有益心智。

这是一部昂扬着个人强奋精神、人格力量的书。主人公是一个反抗、进取、超越的形象，他通过顽强的奋斗，冲出了贫穷的市民阶层的局狭，突破了德国小市民庸俗、虚荣、麻木、鄙陋氛围的窒息，排除了上流社会冷酷现实与金钱关系的束缚,超越了当代欧洲文化的传统与现状,而成为了世界的艺术大师。他是一切偶像、一切权威的挑战者,他是一切虚伪、低级、庸俗、保守、腐败、消极的社会现象与文化现象的不妥协的否定者。他不迎合时尚,他敢抗拒潮流,他具有强悍的个性、铮铮的铁骨。他集英雄精神、行动意志与道德理想于一身,他提供了一个强人的范例,展示出一个超人的意境。读这本书,可以振奋精神,坚挺人格。

这是一部洋溢着人道主义精神的作品。作者让奥里维、安多纳德以及约翰·克利斯朵夫等好几个人物,从不同的角度、以不同的程度体现这种精神:对博爱人生观的宣扬、对结合着基督精神与一切正直思想的宽容的向往、对诚挚友爱的追求、对劳苦大众的同情、对济世方案的探讨、对缔造全新社会与全新文化的憧憬、对个性发展与社会义务相结合的重视,等等。正是这种人道主义精神,使作品中出现了不少温馨动人的篇章,也使整个作品具有一种高尚博大的风格。读这部作品,可以涤荡偏狭与狂热,可以开拓心胸。

这并不是一部充满抽象观念与枯燥内容的作品,它的艺术气息、思想文化内涵、人格精神、人道主义热情,都表现在十分丰满的生活形象与人物形象之中。它的生活图景,从德国到瑞士到意大利到法国,具有罕见的巨大规模;它的人物来自各个不同阶层,都有真实的性格,特别是主人公约翰·克利斯朵夫,既是一个超人,也是一个凡人,他有自己的情欲,有自己的过错,有内心中的矛盾、软弱与痛苦。由此,我们可以说,《约翰·克利斯朵夫》既是一部发散出浓烈的文化艺术气息、闪耀着智慧灵光的书,同时又是一幅生活的画卷,一组人物的雕塑。我个人更看重作品的前一种特质,因为凡有描写才能的一般作家,都可以使自己的作品具有一定程度的画卷与雕塑的性质,而只有像罗曼·罗兰这样学者型的作家、思想家型的作家,而且是像他这样对艺术史、文化史、思想史有广博学识与精深研究的作家,才能写出《约翰·克利斯朵夫》这样的巨著。

  毫无疑问,《约翰·克利斯朵夫》中的思想文化内涵、艺术气息、人格力量、人道主义,是历史长河中至今最良性的一部分积淀,是人类精神发展中最优秀的一部分积累。它们以自己的光辉对照出无知、愚昧、狭隘、偏激、狂热、暴虐、猥琐、自私的阴暗性。它们的价值是永恒的,不会随制度、路线、政权、帝国、联盟的嬗变而转移。从这个意义上来说,《约翰·克利斯朵夫》这样一部作品,是世世代代的读者所需要的,它永远不会"破产",破产的倒正是那种乘风借势对《约翰·克利斯朵夫》的讨伐与批判。

8

萨 特 论

作家兼斗士的萨特

让-保罗·萨特于 1980 年 4 月 15 日在巴黎逝世。不论是什么国度，不论是什么党派，不论是政治界、哲学思想界、文学艺术界，人们都不能不关注这一悲讯，都不能不感到若有所失。当这个人不再进行思想的时候，当他不再发出他那经常是不同凡响的声音的时候，人们也许更深切地感到了他的丢失了的分量。他在西方思想界所空下来的位置，显然不是短时间里就有人能填补的。不同观点的人，对他肯定会有这种或那种评价，但随着时间的推移，在将来，当人们回顾人类 20 世纪思想发展道路的时候，将不得不承认，萨特毕竟是这道路上的一个显著的里程碑。

萨特的经历纯粹是一个知识分子的经历，也可以说相当单纯，即始终是作为一个从事精神生产的智力劳动者。他生于一个海军军官的家庭，两岁丧父，母亲改嫁，从小跟随外祖父外祖母生活。外祖父是一个学识渊博的语言学教授，萨特在他这里，得到了良好的文化熏陶。中学期间，萨特成绩优异，爱好文学，进行了广泛的阅读，曾产生过拯救人类于痛苦的浪漫理想。1924 年，他进入以培养了不少杰出人物著称的法国著名学府巴黎高等师范学校，攻读哲学。1929 年，他在大中学教师学衔会考中名列前茅，取得哲学教师的资格，并认识了他后来的终身伴侣女作家西蒙娜·德·波伏瓦。短期服役后，从 1931

年到 1933 年，他在外省担任中学教帅。1933 年，他作为官费生赴柏林的法兰西学院研究德国哲学家海德格尔与胡塞尔的学说，开始形成了他的存在主义的哲学思想体系。1934 年以后，他继续从事教学并开始写作。第二次世界大战爆发后，他应召入伍，1940 年在前线被俘，1941 年获释后继续任教。1945 年，他创办《现代》杂志，此后，他成为职业作家，一直到他逝世。

　　萨特的一生是在精神文化领域里不断开拓、不断劳作的一生。对于一个身体并不好、从三岁起就瞎了一只眼睛的人来说，要完成深造的学业并留下五十卷左右浩瀚汪洋的论著，那是多么不简单的事！他是哲学家，师承了海德格尔的学说，但成就与影响远远超过了那位德国的先行者，而成为存在主义哲学首屈一指的代表。他的主要哲学著作《想象》《存在与虚无》《存在主义是一种人道主义》《辩证理性批判》《方法论若干问题》，已成为 20 世纪资产阶级哲学思想发展变化的重要思想材料。他是文学家，他把深刻的哲理带进了小说和戏剧，他的中篇《恶心》、短篇集《墙》和长篇《自由之路》早已被承认为法国当代文学名著。他得心应手的体裁是戏剧，在这方面，他的成就显然高于他的小说，他一生九个剧本并不为多，但如《苍蝇》《间隔》等，在法国戏剧中都占有重要的地位。他也是一个文艺批评家，著有《什么是文学》和三部著名的文学评传：《波德莱尔》《圣日内》和《福楼拜传》。他又是一个政论家，他的文集《境况种种》有十卷之多，其中除了关于法国文学、欧美文学的评论和文艺理论著作外，还有对于第二次世界大战期间斗争的回顾，对殖民主义的抨击，对世界和平的呼吁，对阿尔及利亚战争、越南战争以及一系列世界政治事件所发表的意见。几乎可以说，萨特在精神文化、社会科学领域的多数部门中，都留下了丰硕的成果，仅仅只在其中一个部门里取得这样的成就已经是不容易了，何况是在这样多方面的领域里呢。无疑，这是一个文化巨人的标志。因此，萨特的影响不仅遍及法国和整个西方世界，而且还达到了亚洲、非洲的一些地区。现在，当我们来估量萨特的历史地位时，已经很难想象一部没有萨特的当代思想史、一部没有萨特的当代文学史，会是什么样子。

要对萨特作出评价，首先就要遇到他的存在主义哲学思想这个艰深而玄妙的难题，而在这个问题上，人们的意见是相当纷纭的。事实上，萨特也受过不少责备和挑剔。萨特的存在主义哲学的核心，不外是"存在先于本质"论、"自由选择"论以及关于世界是荒诞的思想，即认为，人生是荒诞的，现实是令人恶心的，人的存在在先，本质在后，人存在着，进行自由选择，进行自由创造，而后获得自己的本质，人在选择、创造自我本质的过程中，享有充分的自由，然而，这种本质的获得和确定，却是在整个过程的终结才最后完成，等等。对此，人们当然可以提出种种批评：把存在与本质割裂开来，这岂不是形而上学？强调个体的自由选择，岂不是主观唯心论、唯意志论，甚至是为一切罪恶的行为提供理论根据？既然在萨特的哲学里，生活是荒诞的，人是自由的，不仅对法律道德是自由的，而且对宗教信仰、理想也是自由的，那岂不是为那些颓废、消极、放纵的垮掉的一代提供了哲学基础？如果要着意从立论上、概念上、逻辑上去指摘萨特哲学思想的错误和矛盾，也许还不止这些。到目前为止，除了马克思主义的辩证唯物主义、历史唯物主义，还有什么"完美无缺"的思想体系呢？狄德罗的唯物论被认为是机械的、形而上学的，归根到底仍是唯心主义的，黑格尔也被称为客观唯心主义者。然而，这两个远非"完美无缺"的哲学家，却得到马列主义经典作家多么崇高的评价啊！我们对待萨特，难道不应该这样吗？如果有人力图把萨特贬成一个哲学上的侏儒，去寻章摘句对萨特进行"彻底批判"、"彻底扬弃"，那就随他们去吧，我们的任务却是，指出萨特哲学思想中可取的部分和合理的内核。这样做肯定要比把萨特批得体无完肤费力且不讨好，但却甚为值得，这倒不是为了死者个人，而是作为一个社会主义大国的研究界所应尽的责任。

如果撩开萨特那些抽象、艰深的概念在他哲学体系上所织成的厚厚的、难以透视的帷幕，也许不妨可以说，萨特哲学的精神是对于"行动"的强调。萨特把上帝、神、命定从他哲学中彻底驱逐了出去，他规定人的本质、人的意义、人的价值要由人自己的行动来证明、来决定，因而，重要的是人自己的行动，"人是自由的，懦夫使自己懦弱，英雄把自己变成英雄"。这种哲学思想强调了个体的自由创造性、主观能动性，显然大大优越于命定论、宿命论，它把人的存在归结为这种自主的选择和创造，这就充实了人类的存在的积极内容，大大优越于那种消极被动、怠惰等待的处世哲学，它把自主的选择和创造作为决定人的本质的条件，也有助于人为获得有价值的本质而作出主观的努力，不失为人生道路上一种可取的动力，至于萨特所认为的世界是荒诞的，人是孤独的、痛苦的，人生是悲剧性的，这种观点的确表现了一种苦闷失望、悲观消极的思想情绪，但这不正反映了哲学家对资本主义现实的不满？萨特曾经把自己的存在主义哲学称为"一种人道主义"，他无疑是资产阶级人道主义思想传统在20世纪最有创造性的一个继承者，他在20世纪资本主义社会现实荒诞的条件下，发扬了资产阶级人道主义的积极精神，追求人的真正的价值，提倡人面对着荒诞的现实争取积极的存在的意义。特别难能可贵的是，萨特作为一个资产阶级思想家，对于马克思主义又始终抱着一种善意的、亲近的态度，与某些资产阶级思想家本能的敌对和随意的谩骂是完全不同的。他承认马克思主义的价值，虽然他并不完全了解马克思主义，甚至还有误解；他试图把存在主义和马克思主义结合起来，虽然他把自己的哲学视为对马克思主义的"补充"，看来似乎有些狂妄。总的说来，他对马克思主义的态度还是赞赏和向往的，这就显示了他作为一个超脱了狭隘阶级局限性的思想家的风度。

对于一个哲学体系的评价，从理论上、方法上作出"定性分析"固然重要，但更重要的是看这种哲学的实践，看它在现实生活中的作用。正是在这个意义上，对哲学家萨特的估价，必须和作为文学家、社会活动家的萨特联系在一起。

萨特第一部哲学著作《想象》发表于1936年，而他的存在主义哲学代表作《存在与虚无》发表于1943年，这正是法西斯势力这一种"恶"在欧洲日益猖獗并正在造成巨大灾难的时期。萨特在发表哲学著作的同时，又以文学创作宣传他的哲学思想，公正地说，他这些论著和作品，在当时的条件下，是带着与这种"恶"相对抗的性质的。他的第一部小说，也是他自己最重视的小说《恶心》，纯粹是哲理性的，它通过一个知识分子单身汉安东纳·洛根丁的日常生活，表现了萨特本人对资本主义社会现实的感受和思考。其中主人公那种对现实的恶心感，对客观世界的不可知感，对环境的无以名状的恐惧感、迷惘感，对生活的陌生感以及在人与人关系中的孤独感，显然是作为人对当时阴云密布、灾难即将临头的欧洲现实一种自然而然的反应被作者加以细致描写的，也可以说是在那种历史条件和形势下，萨特对人的状况和人与社会关系的状况的一种批判性的认识，其中当然包含着对那个时代社会现实的一种否定。如果说《恶心》带有某种抽象的性质，那么，小说《墙》则具有鲜明的政治色彩。作者在这篇小说里描写了西班牙战争期间反革命的白色恐怖，揭露了法西斯军队如何像"疯子"一样"逮捕所有和他们想法不同的人"，特别揭露了他们对政治犯那种惨无人道的精神折磨和肉体迫害，表现了他对那正在欧洲肆虐逞凶的反动势力的憎恶。他同一时期的另一篇小说《艾罗斯特拉特》则是他"自由选择"的哲学思想的一种文艺图解，写的是一种恶人的"自我选择"，主人公对人类极端蔑视、疯狂仇恨，宣称自己是"一个不爱人类的人"，并要上街用他手枪中仅有的6颗子弹去杀"半打人"。艾罗斯特拉特本是古希腊的一个无赖，为了要使自己的名字留传后世得以不朽,放火焚烧了狄安娜神殿,由此,他的名字就成了"以无赖的行为使自己出名"的同义语。萨特以这个名字称呼他小说中的主人公,正表现了他对那种以反人道来标榜自己的恶棍的否定,表现了他对恶的"自由选择"的否定,可见,在萨特的哲学里,自由选择是包含着善恶是非的标准的。而且,萨特也没有停留在抽象的善恶上,他总是力图联系现实的斗争来表示自己的态度。当整个欧洲几乎都笼罩在希特勒的阴影之下,法国处于屈辱的被占领状态的时候,萨特又写作了著名的剧本《苍蝇》,剧本根据埃斯库罗斯的悲剧《俄瑞斯忒斯》三部曲改编,写阿伽门农的儿子为父报仇的故事。他在古代悲剧的题材中,注入了他存在主义的哲理,俄瑞斯忒斯就是一个作了英雄的自我选择而成为英雄的人物,他为了给父亲报仇,敢于承担责任,采取行动,杀死母亲,因而获得了自身的意义和价值。萨特在剧本中清楚地表现这样的寓意:只要是为自己的自由而采取行动,就能获得肯定的意义。这在当时无异于向法兰西同胞发出了进行反抗的暗示,因而剧本遭到了德国占领当局的禁演。

第二次世界大战结束后,欧洲满目疮痍,希特勒的浩劫所造成的严重后果还没有消失,原子弹和冷战又在人们的心里投射了新的阴影,道德标准、价值标准完全动摇,理想破灭。萨特的论著和作品所宣传的世界是荒诞的、人生是没有意义的思想,正投合了人们对现实生活怀疑、悲观的认识和他们苦闷、消极的情绪。但是,如果一种哲学只使人陷于痛苦的绝境不能自拔的话,那它是不会有生命力的。萨特的存在主义哲学的力量在于,它一方面指出了现实的荒诞,另一方面又给在荒诞之中挣扎的人们指出了一条出路——自我选择。因而,在他们看来,这种哲学似乎替自己找到了一个在不合理的现实中的比较合理的支撑点,给了他们一种用来摆脱苦闷和失望的精神力量。这就是萨特的思想在战后整个西欧风靡一时的社会心理基础。值得注意的是,这种社会心理并不是来自生活中那种营私牟利、飞扬跋扈、制造灾难的反动腐朽的阶级力量，而恰巧是，或者主要是来自现实生活中在一定程度上受损害、受宰割、被欺骗、牺牲了的人们，也就是中小资产阶级。因而，萨特的存在主义就不是反动资产阶级的意识形态，而是中小资产阶级知识分子阶层的思想的哲学形式，它具有某种合理的因素和积极的意义，而萨特在战后所发表的一些作品里，也正力图给他抽象的哲学命题填进具体的、积极的社会内容。

先是他的长篇三部曲《自由之路》。三部曲的第一部、第二部《懂事的年龄》与《延缓》于1945年问世，第三部《心灵之死》发表在1949年。萨特在三部曲里，通过一个知识分子主人公的生活道路，再一次给他所主张的"自我选择"提供了一个具体范例，说明了他这一哲学概念中正面的、积极的含义。小说以第二次世界大战前夕和战争初期的年月为背景，主人公玛第厄像萨特本人一样，也是一个出身于资产阶级家庭的哲学教师，他完全陷在现实的荒诞、个人的苦恼中，他自己也不满意并力图摆脱，他曾经想到西班牙去参加斗争，但犹疑、矛盾，没有采取行动的决心，他虽然在意识形态上愿意参加共产党，但又怕妨碍自己的自由。战争的风暴、民族的危难逐渐把他拔出个人的狭隘的天地，使他感到自己所追求的个人自由是那么空虚，他投入了斗争，在一次抵抗德国侵略者的狙击战中，作出了自己的"自由选择"，以英勇的行动成了英雄。在他死后，他的朋友、共产党人布吕内继续进行斗争。同时还有他著名的哲理剧《间隔》。这个剧本同样也阐释了"自由选择"的主题，只不过是从另一个角度进行。它通过表现三个生前有恶德、有污点或有罪过的男女，在地狱里互相纠缠、互相矛盾冲突、互相折磨的卑劣而痛苦的景象，实际上提出了一种道德上的告诫。在萨特看来，这一男二女正因为是作出了卑劣的自我选择，他们的本质是低劣的，所以他们现在才那样难堪，以至在他们之间，别人像地狱一样使自己难以忍受。正像他把那个仇恨人类、具有恶的本质的无赖蔑称为"艾罗斯特拉特"一样，萨特又把那种卑劣的人与人的关系概括为"他人，就是地狱"这一在当代文学史上也许是最为著名的哲理警句，这一警句，既是萨特对资本主义现实中丑恶的人与人的关系的深刻揭示，同时也包含着对那种推托自己的责任、把命运归咎于别人、怨天尤人、消极等待、不进行积极的自我选择的人的嘲笑和讽刺。这个剧本上演后，以其深刻的哲理和巧妙的戏剧性而受到了热烈的欢迎，成为萨特剧中经常上演的保留剧目，并被批评家誉为法国当代戏剧的经典作品。除了这两部作品以外，萨特从战后的40年代直到他晚年所写的文学作品，绝大部分都有积极的思想内容和进步的社会意义：剧本《死无葬身之地》（1946）表现被德国占领当局逮捕的游击队员威武不屈的英雄主义；《毕恭毕敬的妓女》（1947）尖锐地揭露了美国的种族歧视和上层统治阶级的卑劣；《涅克拉索夫》（1956）对法国反动势力进行了讽刺；《阿尔托纳的隐藏者》（1960）抨击了法西斯的残余势力；根据欧里庇得斯的悲剧改编的《特洛亚妇女》（1966）影射了殖民战争的不正义。

萨特另一个极为重要的方面，是作为一个思想家投入了当代政治社会的斗争。在这方面，他是资本主义社会现实的批判者，是反动资产阶级的非正义和罪行的抗议者，是被压迫者和被迫害者的朋友，是社会主义、共产主义的同路人。20世纪40年代，他参加过反法西斯斗争，从俘虏营出来后，他组织过"社会主义与自由"的抗敌组织，参加过全国阵线领导下的作家委员会，为法共领导下的地下刊物撰稿。50年代，他谴责美帝的侵略战争，"为了抗议法国政府对这种帝国主义行为的屈从"，他与法共接近，关系密切，成为法共的同路人；虽然他对50年代中期共产主义运动中的一些事件不理解，但也曾为无产阶级专政的必要性进行过辩护。60年代，他冒着被捕的危险，反对法国对阿尔及利亚的殖民战争，并不止一次揭露法国殖民者在那里的暴行。1964年，瑞典皇家学院决定授予他诺贝尔奖金，他坚决拒绝，表示"谢绝一切来自官方的荣誉"。60年代后期，萨特曾公开谴责苏联出兵侵略捷克斯洛伐克。70年代，他积极支持工人罢工和学生运动，当法国左派的《人民事业报》受到政府的压制时，他挺身而出，保护这个刊物，并亲自走上街头叫卖。在苏联入侵阿富汗时，他还表示了强烈的反对。萨特用自己的行动写下的这份"政治履历表"，充分显示出一种不畏强暴、不谋私利、忘我地主持正义的精神和任自己的感情真挚地流露而不加矫饰和伪装的襟怀坦白的政治风格。他以这种精神来指导他的文学活动，主张"倾向性的文学"，要求作家用文学来为战斗行动服务。这就使萨特成为法国历史上那种作家兼斗士的光荣传统的当之无愧的继承者。如果说，属于这个传统的，18世纪有为最大的冤案卡拉事件的昭雪而向封建统治、反动教会作了勇敢斗争的伏尔泰，19世纪有与拿破仑三世的独裁政权进行了长期不妥协斗争的雨果和为德莱斐斯冤案而与整个资产阶级国家机器对抗的左拉，20世纪有把自己的斗争汇入了社会主义时代潮流的罗曼·罗兰与法朗士，那么，在20世纪中叶，则有让-保罗·萨特补充了他们的行列。

萨特曾被称为"20世纪人类的良心"，但对此，资产阶级批评家曾进行了奚落：他的错误太多了，成不了良心。类似的批评也曾来自社会主义国家：他在政治上太"反复无常"了，不可取。萨特作为一个资产阶级思想家，的确有根本的局限，他在政治上、思想上也有过不止一次错误，但是，在近半个世纪以来当代极为复杂、变化多端的政治环境中，试问能保持一贯正确、绝对正确的究竟有多少？只不过萨特比较表里如一、不隐蔽自己的观点、不掩盖自己的矛盾、不文过饰非而已，"万能的上帝啊，请您把那无数的众生叫到我跟前来！让他们听听我的忏悔……然后，让他们每一个在您的宝座前面，同样真诚地暴露自己的心灵，看看有谁敢于对您说：'我比这个人好！'"

萨特在生前不为资产阶级所喜欢，他们认为他是资本主义世界里一个"骂娘的人"。但他作为思想家,在我们社会主义国家里也受到过不公正的对待,批评者认为,他"为资本帝国主义制度作辩护",他发出了"反动资产阶级临死前的悲鸣",他企图把马克思主义与存在主义调和起来,更是包藏着"极大的祸心"。这对于主观上对中国的社会主义抱着善意、对马克思主义也严肃认真的萨特来说,也许是最大的不幸。这一个精神上叛逆了资产阶级因而被资产阶级视为异己者的哲人,能在什么地方找到自己的支撑点?萨特应该得到现代无产阶级的接待,我们不能拒绝萨特所留下来的这份精神遗产,这一份遗产应该为无产阶级所继承,也只能由无产阶级来继承,由无产阶级来科学地加以分析,取其精华,去其糟粕。

萨特的逝世,给一个社会主义大国的理论界提出了一个艰巨的研究课题。我们相信,通过对萨特的研究,人们将不难发现,萨特是属于世界进步人类的,正如托尔斯泰属于俄国革命一样。

世事沧桑话萨特

1980年4月15日,萨特逝世于巴黎鲁塞医院,终年75岁。法国在职总统德斯坦对此发表谈话称:"我们这个时代陨落了一颗明亮的智慧之星。"法国各地的唁电像雪片一样飞来,世界各国的舆论也纷纷表示哀悼。4月19日,萨特遗体下葬蒙帕那斯公墓,数万群众自发跟随枢车,哀荣之盛况宏伟之至,无疑要算法国20世纪最隆重、最触动公众感情的一次葬礼。

作为精神文化领域里的一位巨人,萨特留下了丰硕的业绩,其论著、作品有五十卷左右之多。在哲学上,他是20世纪存在主义首屈一指的代表,其专著《想象》《存在与虚无》《存在主义是一种人道主义》《辩证理性批判》与《方法论若干问题》等,已成为20世纪西方哲学思想发展史中的经典。哲学家萨特的强有力的方面在于,他不仅是体系与思辨的大师,而且善于把他的哲学带进人的生活,与人的生存状态活生生地结合起来,他哲学思想的核心"自我选择"已发展成为一种生活哲理,影响着第二次世界大战之后一代又一代人,在法兰西、在全球范围,其生命力都是强旺不衰。

在文学上,萨特的建树是多方面的,他是20世纪世界文学中一位哲理文学巨匠,他把自己的"存在主义哲理"与现实生活形象水乳交融地结合在一起,以清晰鲜明的古典文学形式诠释崭新的现代思维内容,创造一系列既有形象感染力,又具有深邃意蕴的杰作,其境遇剧《苍蝇》《间隔》《死无葬身之地》都曾是脍炙人口的作品，或在舞台上、或在现实生活里都不同程度地产生过轰动效应。他的小说巨著《自由之路》，可视为法国知识分子的心路史诗，他的短篇小说也隽永而充满魅力。他的自传《文字生涯》篇幅不大，价值很高，可与卢梭的《忏悔录》比美，其严酷的自我剖析精神堪称典范，显示出了作者独特的人格力量。他的多种文艺理论与多部文学传记，都以特具深度、分量厚实而著称。他的大量政论杂文则充满了激昂的战斗力，在现实社会中产生过巨大影响。

萨特是法国文学中作家兼斗士这一特定传统中重要的一人，这个传统可以上溯到18世纪的启蒙作家伏尔泰，后又被雨果、左拉与法朗士这些伟大的作家所继承，萨特像这个传统中的先行者一样，十分自觉地、积极地介入自己时代的社会政治斗争。在第二次世界大战期间，他参加过抵抗运动的实际斗争，还用自己的笔作为武器，他号召抗暴复仇精神的剧作《苍蝇》就是抵抗文学的名著。从20世纪50年代到七八十年代，他一直是西方社会现实的批判者，是国际暴力的抗议者，在朝鲜战争、阿尔及利亚战争问题上都发表过高亢激进的声音。在国际上两大阵营对峙的那一个历史时期里，萨特显而易见地站在社会主义阵营一边，因此，他一直被视为共产党、社会主义的同路人，直到60年代后期，在"布拉格之春"与阿富汗战争之后，他才改变了对苏联的态度，但这并不意味着他在思想上"左"倾的结束，事实上，他在后期已经成了法国极左派的精神支柱。

萨特可谓是轰轰烈烈地度过了一生，在20世纪的思想史、文学史上，没有一个人像他这样能在生前不断地享受着巨大的社会轰动效应，也没有人像他这样善于制造社会轰动效应。如在战后相当长的一个时期里，他的哲学思想与文学作品大为流行，风靡欧美以及日本等，狂热信奉的青年甚至在服饰上与语言上都力求标榜出对萨特的信仰。此时，萨特俨然如一代宗师、一朝教主接受着青年一代的膜拜，虽然不久前他在 1945 年的一次会上还这样宣称过:"存在主义,我不知此乃何物。"又如 1964 年,瑞典皇家学院决定授予他诺贝尔奖,他坚决予以拒绝,表示"谢绝一切来自官方的荣誉",诺贝尔奖的授奖台这个高不可攀的地方有史以来竟头一次受到了轻视与冷落,"此时无声胜有声",萨特的缺席比他的出席更引起全世界的惊愕与震动。再如,到了 20 世纪 60 年代后期,他又在"自我选择"哲理的善恶标准中注入了新的内容,即实践介入的内容、与群体结合的内容,再加上他频繁的激进社会政治活动,他进一步成为法国极"左"青年的精神领袖,他走上街头叫卖极"左"派的报纸,就引起了全球的关注。所有这些都显示出了萨特生前在精神文化领域中那种挥斥方遒、闲庭阔步的王者之风,而他的逝世与葬礼则最后给他戴上了耀眼夺目的光圈。

20 年过去了,世界发生了沧海桑田式的变化,万事如此多变,萨特头上的光圈是否依然辉煌?月尚有阴晴圆缺,盈满到了顶点,也就是缺损的开始,萨特亦在所难免。萨特逝世后的 20 年,正是他的光圈有所暗淡、声誉有所下降的 20 年,他原来如日中天般的声望受到多方面的无可置疑的挑战与冲击。

有来自意识形态方面的冲击。萨特自诩为一个思想独立的自由知识分子,我行我素,天马行空。他继承了西方文化中人道主义、自由主义与个性主义的原则,并有创造性的发展,但他同时又是当代西方社会、西方政治、西方规范最激烈的批评者,因此,他被传统力量贬称为"骂娘的人";他对马克思主义表示了由衷的赞赏,对当代社会主义潮流表示了友善与亲近,但他同时又采取独立的立场,他的思想更是明显地与严格的社会主义思想规范诸多不合,因此又被社会主义方面视为异己者。他逝世后不久,就在中国被当做"精神污染"加以批判,其规模之大,是出人意料的,特别是他"自我选择"的哲理更成为了批判的重点。

对他光圈的冲击也有来自道德方面的。众所周知,萨特虽然是一个有人格力量的人,但却并不是传统意义上的有德之士。在私人生活上，他公然无视传统的观念与规范，他与西蒙娜·德·波伏瓦结成终身伴侣，但未结婚，而且双方都充分保持各自的性自由。这一状况仅仅像表露在海面上的冰山尖端，在水下还有着冰山隐而未露的巨大体积，它难免不由于复杂的人事原因而时有暴露，1993年比安卡·朗布兰在法国的《被勾引的姑娘的回忆》就是一个突出的事件。现已被世人所知，萨特、波伏瓦与另外的女性第三者结成异性恋与同性恋混杂的"三重奏"性伙伴关系远不止上两桩，比安卡就是其中的一桩。她在这本回忆录里追述了她在17岁时被萨特与波伏瓦"始乱之，终弃之"的受伤害的经历，此书出版后甚为轰动，很快就被译成其他文字在世界流传，报纸杂志也格外热衷，大加报导与评论……这无疑对萨特头上的光圈、对他与波伏瓦关系的佳话均造成了很大的冲击。此外，还有不止一部萨特传记也都披露了萨特这一类令人尴尬的老底。

  对缩小萨特的光圈起了特别重大作用的，还是社会历史进程本身。任何人、任何事都要接受时间的检验，只有通过了时间考验的，才具有持久的价值、永恒的价值。20世纪充满了各种社会政治思潮、各种意识形态体系、各种国家民族、各种势力集团的复杂矛盾与激烈冲突，这个世纪的历史进程是反复多变、曲折复杂的，在这样的环境与条件下，习惯于对各种问题表述观点与意见的思想界人士，"一贯正确"只可能是一种可望而不可即的理想境界。如果慎之再三，如履薄冰，步入历史误区的可能性相对会少一点，但萨特作为一个作家、哲学家，不仅非常社会化、政治化，热衷于卷入各种思想文化争端与社会政治斗争，而且凭借他的声望与才华、信仰与自信，他在具体的政治社会事件与极左思潮中，投入得太执着、太淋漓尽致了，丝毫没有给自己留下一个作家最好应该保持的适当距离，没有采取一个思想家最好应该具有的高瞻远瞩的超然态度，倒把自己的阵营性、党派性（虽然他并未正式参加法共）表现到了最鲜明不过的极致程度，因此，当他所立足的阵营与政派在历史发展中露出了严重历史局限性而黯然失色，甚至成为历史陈迹的时候，人们就看到了萨特振振有词、激昂慷慨所立足的基石、所倚撑的支点悲剧性地坍塌下去了，看到他在那个地方所投入的激情、岁月、精力、思考、文笔几乎大部分付诸东流，萨特的十卷文集《境况种种》中相当一部分内容就是如此。虽然萨特与西蒙娜·德·波伏瓦生前都十分重视这一套文集，把它们视为萨特留给后代的一份主要精神遗产，但时至今天，世界文化领域里一茬又一茬的新读者群，已经很少有人对其中的政治与社会评论感兴趣了。

虽然20年来，萨特的声望受到了一些冲击，但他在思想史上、文化史上的精神业绩仍是不可磨灭的，他巨人般的历史地位仍是不可动摇的。他过去是，现在是，将来仍然是欧洲哲学史的一代宗师，其论著将在人类思想文库中占重要的一席地位，特别是他那与生活、与"存在"紧密结合的"自我选择"哲理更有很强大的生命力。

同样，萨特留下来的文学遗产仍具有能经受长久时间考验的强大思想力量与艺术生命力。他表现了"存在"哲理的寓言性戏剧与同时具有丰满生活形象的小说作品，不仅其深刻隽永的内涵足以令人反复思考，回味无穷，而且其纯净的经典式的艺术形式足以给不同时代的人提供巨大的美感享受。即使是他的一部分时事针对性特别强烈的"境遇剧"，也并非一概"过时"，倒由于历史社会事态的发展而焕发出新的生命力，如他揭露法西斯残余势力的《阿尔托纳的隐藏者》，在当今欧洲又出现纳粹幽灵的时候，就仍有其现实意义。萨特在文学理论方面的建树是很卓越的，对我们有很高的研究借鉴价值。至于他多种具有深刻哲理的传记作品，则像藏量丰厚，但至今仍未被开采挖掘的巨大矿山。

在萨特逝世20周年的时候，法国的报刊发表了《萨特又回来了》的专题报导与评述。其实，世界性的文化人物既不存在消失而去，也不存在重新而来的问题。他们和他们的精神业绩都是客观存在，他们一直在那里，并没有离开，在那里任人论说、评判，只不过在历史发展、沧桑世事中，对这些杰出人物的评价，往往如潮汐一般，时有涨落。

y
马尔罗及其文学创作

马尔罗是当代法兰西文化生活中一个重要的名字，同时也是当代法国政治舞台上一个重要的名字。这个名字曾经发出一些巨大的声响，它意味着一些"轰轰烈烈"的举动，它在这两个领域里的重要性构成了马尔罗的历史地位。这种重要性，对于中国读者来说，又更多一层意义，因为，长期以来，马尔罗被认为是中国1927年革命的参加者，他文学创作中最主要的两部是以中国革命为题材的，而在中法建交后，他1965年以戴高乐将军特使的身份访问了中国，会见了毛泽东、刘少奇、周恩来等我国领导人，此后，他又在促使中美建交的过程中，起过良好的作用。

由于以上双重的原因，研究马尔罗的这一课题，早就该提上我们的日程了。

一、他的生平就是他的代表作

著名传记作家安德烈·莫洛亚曾经说过这样一句精辟的话："马尔罗的生平就是他的代表作。"[①]这句话不仅指出了作家的生平与他创作的关系，而且把一个作家的生平在文学上的重要性提到了一个从未有

[①] 安德烈·莫洛亚：《论马尔罗》，《从普鲁斯特到加缪》第298页，巴黎Académique Perrin版，1964年。

过的高度。因此，要认识马尔罗，也许先有必要细读他的"代表作"。

马尔罗传奇性的历史主要是由三个部分组成的：一、他早期在印度支那富有东方色彩的冒险活动，他在这块法属殖民地对殖民当局的反抗；二、他中期维护正义、反对法西斯主义的斗争，他在西班牙革命战争中和在法国抵抗运动中所建立的英雄业绩；三、他后期作为戴高乐将军的重要支持者和助手，在法国政治舞台上所起的显著作用。

他的"传奇"是从浪迹江湖开始的。1923年，这个22岁尚未成材的文学青年，想象力十足地制订了一个大胆的计划：远涉重洋，到当时作为法属殖民地的柬埔寨的丛林中，去找一座荒芜的古庙，从那里搞几个雕像，贩运到美国去出售。他要这样做，看来主要是因为在经济上遭到了破产，"我没剩几个钱了，人一穷，就顾不得选择走什么路"[①]，虽然，他后来曾解释说此举是"出于对其他民族文化的强烈爱好"[②]。他周密地准备了这一行动，以顽强的毅力，和他的妻子克拉拉一道，率领一支小小的队伍，长途跋涉，通过丛林，终于在荒山中找到了那座古庙，凿下了"由七块巨石拼成的四个非常漂亮的浮雕"[③]。正当这些浮雕水运出境时，马尔罗遭到了殖民当局的扣留并被起诉，他先是被软禁在金边达6个月之久，而后被判处3年徒刑。他妻子在巴黎进行了营救活动，争取到文艺界名流对马尔罗"发掘文化艺术财富"的行为表示公开的同情与支援，他自己也在金边法庭上进行了斗争，好容易判决才改为一年徒刑，缓期执行。又经过马尔罗继续上诉，最后判决才被否定。

如果说马尔罗在柬埔寨丛林中的活动是不值得称道的话（当然，也有不少人认为此举带有考古探险与古艺术品发掘的性质，并对抢救即将泯灭失散的文物客观上有所贡献），那么，殖民当局对马尔罗

---

① 若望·拉古杜尔：《马尔罗，本世纪的一个人》第42页，Seuil版，1973年。
② 若望·雷马利：《马尔罗与艺术创造》，《马尔罗的存在与言论》第237页，Plon版，1976年。
③ 若望·拉古杜尔：《马尔罗，本世纪的一个人》第50页，Seuil版，1973年。

的追究和加害则是极不公正,甚至是相当卑劣的。他们使用了种种手段,包括炮制"20年代法国殖民当局为加害一个被告者所惯用的捉风捕影、罗织罪状的材料"①,而这,恰巧成为这个尚未成材的青年人后来成为真正的马尔罗的第一个契机。如果他贩运古物的活动得到成功,他将成为一个幸运的个人冒险家、艺术文物的倒卖者,但身陷囹圄的经历却使他亲身体验了殖民当局的蛮横、暴虐与阴险,并亲眼看到了殖民制度的弊端与腐败。对他也许更为重要的是,这个经历激起了他强烈的反抗情绪和誓与这种制度为敌的决心,还使他在遭到官方社会审判与唾弃的过程中,与印度支那民族解放运动的一些人物建立了关系,所有这些促使他了却了公案,于1924年11月回到了法国之后,又于1925年2月重返印度支那,不是为了贩运艺术品,不是为了生活出路,而是为了向殖民当局进行斗争,为"安南人"办一份争取自由的报纸。

马尔罗重返印度支那之后的历史,无疑给他的生平第一次带来了真正正义的性质和英雄主义的格调:资产阶级民主主义正义的性质,个人反抗式的英雄的格调。他先与一个热情的、有献身精神的民主主义者保尔·莫南办起了《印度支那报》,报纸于1925年6月份创刊。这是一份尖锐、辛辣、富有战斗性的报纸,它一开始就把矛头指向法国在印度支那殖民政府中全部的统治者。马尔罗"几乎每天都为报纸的头版写一篇攻击殖民当局某位要人的社论"②,揭露他们的"残暴"、"虚伪"与"狗腿子勾当",指责殖民当局的特务恐怖统治、苛刻的捐税、黑暗的司法制度和种种营私舞弊、贪污腐化的伎俩。可以想见,这样一份报纸会激起殖民统治者多么深的仇恨。马尔罗和他的报纸遭到了各种卑鄙无耻的中伤、污蔑和迫害,同时也受到过恫吓和拉拢,而对这一切,他又进行了激烈的抗争与反击。不过,他毕竟不

---

① 若望·拉古杜尔:《马尔罗,本世纪的一个人》第54页。
② 同上书,第76页。

可能跳出殖民主义卑污的池沼，注定失败的还是他这种孤军奋战的勇士，在殖民当局所施加的各种压力和所设置的种种障碍下，《印度支那报》被迫停刊。然而，具有桀骜顽强性格的马尔罗又绕过了困难，办起了第二份报纸《锁链中的印度支那》，最后，当第二份报纸实在办不下去的时候，马尔罗才于1926年1月离开西贡回国。

人，总是通过实践才确定自己的。马尔罗的妻子克拉拉这样回忆他们的印度支那之行："我们与人与事进行了真正的交锋，我们自己招惹出来而后又自己承受的那些风险，把我们塑造成形。"①从《印度支那报》与《锁链中的印度支那》中脱颖而出的，是一个热情、勇敢、有社会正义感、有顽强战斗精神的马尔罗。虽然这个马尔罗并不是革命家，他并不企图推翻整个殖民制度，而只是主张在维持法国殖民统治的前提下，进行开明的改革，但他短短不到一年的西贡新闻生涯，却定下了他前大半生相当激进的基调，展现了他以后作为社会活动家那种独创的实践精神，凝练了他日后作为法国重要资产阶级政治家所具有的不同凡俗的眼光和见识。

特别值得注意的是马尔罗活动的时代和地区的背景。这时的亚洲，在中国，是第一次国内革命战争期间，马克思主义已经广泛传播，中国共产党的革命力量已经成长壮大，在它的领导下，工农革命运动正在兴起，在这种条件下，国民党与共产党正进行合作，以广州为根据地，聚集革命力量，准备北伐。中国大好的革命形势对东南亚也产生了深远的影响。在印度支那，民族解放的思潮正在上升，革命组织正在酝酿形成；越南的阮爱国1920年参加第三国际后，为开展民族解放运动，在广州组织了"越南青年革命同志会"。马尔罗在西贡办报期间，与越南的民族民主主义革命力量以及受中国革命形势影响、与广州革命政府有千丝万缕联系的"左"倾华侨，都发生了关系，在经济上得到他们的支持，并和他们结成了某种同盟。此外，马

---

① 若望·拉古杜尔：《马尔罗，本世纪的一个人》第101页。

尔罗的报纸还得到过当地工人劳动者的支援与帮助。这些是马尔罗的亚洲经验的重要组成部分，它使这位敏感、聪明、热情的青年人把握到了亚洲脉搏的跳动，使他深入真正的亚洲的社会关系中，了解到其中的人与事，这就构成了他日后亚洲题材，特别是中国革命题材文学创作的一个重要的源泉。

马尔罗回国后，继续保持并发扬其进步的倾向，整个三四十年代，他作为左翼作家，作为社会活动家、斗士和英雄，在法国历史舞台上颇为有声有色，并且在反对法西斯主义的斗争中、在谋求祖国解放的事业中，建立了任何当代法国作家都可望而不可即的业绩。从20年代后期起到30年代初期，他参加了"争取真理同盟"的进步活动。在文化领域里，他站在维护苏联的立场上，抗议禁演苏联影片和对马雅可夫斯基的攻击，公开呼吁警惕德国法西斯势力，谴责与法西斯势力联合对付苏联的阴谋，发起成立"台尔曼委员会"，争取释放反法西斯的政治犯，为季米特洛夫的释放而奔走，担任"全世界作家反战反法西斯主义委员会"的领导工作以及访问苏联，等等，以这些活动，马尔罗不无理由地自称为"一个革命作家"。事实上，马尔罗也确"曾一度被共产党和反法西斯运动视为他们出色的战友"[①]、"第一流的同路人"[②]，而他这种进步性到了西班牙内战时又发挥出更大的光与热，使他成为一个"闪光的英雄"。

1936年8月，德、意法西斯对西班牙共和国进行武装干涉，支援西班牙法西斯势力的叛乱，而进步欧洲则站在西班牙人民阵线政府的一边。西班牙内战远非西班牙内部的斗争，而是整个欧洲进步力量与法西斯势力的一次严重的较量。既然在那些年代里，欧洲范围内哪里出现了作为斗争焦点的社会政治问题，马尔罗就出现在哪里，西班牙自然就成为他投入斗争的场地。他又要施展他斗士的本领了，在这

---

① 胡格·托马斯：《充满激情的幻想》，《马尔罗的存在与言论》第57页。
② 同上书，第58页。

里，他的确也演出了一番英勇搏击的壮举。他不仅是一个战士，而且是革命战争中的军事组织者、指挥员，他从法国征集了20来架飞机，组成一个飞行中队，他担任飞行中队的领导，也参加战斗飞行。虽然这个飞行中队的条件相当差，"随时可以起飞的只有6架，能上天的也不过9架"[①]，但它一直活跃在西班牙前线，参加了不少战斗，以英勇善战闻名，并建立了卓著的战功。

同样，在第二次世界大战期间法国人民反抗德国法西斯占领的民族解放斗争里，马尔罗再一次扮演了英雄的角色。大战开始时，他参军卫国，是装甲部队中一名普通的战士，受伤被俘而又得以逃脱后，他一直伺机投效戴高乐将军以参加他所领导的抵抗运动。最后，他投向了游击区，参加游击队的战斗，在解放法国的战役中，他是阿尔萨斯－洛林旅的指挥官，他的部队担负了解放阿尔萨斯的任务，并且在1945年斯特拉斯堡的保卫战中胜利地击退了德国法西斯军队的反攻，当地至今仍竖有铜牌，纪念阿尔萨斯－洛林旅出色的战绩。战争胜利结束后，马尔罗得到了法国军队首脑拉特尔·德·达西尼元帅的正式授勋。

这就是马尔罗像一只鹰在欧洲风云中飞翔的经历。当我们看到西班牙战争中战斗机旁马尔罗身着飞行衣的清瘦的身影时，当我们看到两次飞行任务之间紧张的空隙中马尔罗就地而寝的情景时，当我们看到化名为"贝尔瑞上校"的马尔罗在阿尔萨斯－洛林旅里全副戎装、风尘满面的形象时，当我们看到他在周围人群的鼓掌声中站在军队前列接受勋章的军人姿态时，我们很难想象这是一个文学家、文化人、艺术鉴赏家，而会把他当作一个实践的战士，职业的军人。

战后，马尔罗的地位、作用和形象，都有很大的改变，从某种意义上来说，发生了一个"转折"。他已经不仅仅是一个在群众中享有盛誉的社会活动家，拥有广泛读者的名作家，而且更主要的是一个

---

① 胡格·托马斯：《充满激情的幻想》，《马尔罗的存在与言论》第58页。

在历史舞台上活动着的政治家,一个影响着法兰西政治生活和权力结构的人物。而在政治上,他又已经不再像战前那样带有鲜明的左倾色彩、是苏联与法共公开的盟友,而成了一个保守色彩很浓的戴高乐资产阶级民族主义政派的中坚人物,成了苏联的批评者、法共在政治社会活动中的对手,他为抵制苏联与法共在法国的影响、为戴高乐在法国的掌权而竭尽全力。一开始,他就"像皈依宗教似的投身于戴高乐将军的事业"①,他最初的支持被戴高乐派认为是"非常及时……加强了我们的行动力量"②。1945年11月,他被任命为戴高乐内阁中的新闻部长,更成为戴高乐得力的助手。1946年1月,他又追随下台的戴高乐辞去内阁职务。此后,一直到1958年戴高乐重新上台,他都作为戴高乐的忠实支持者参加戴派"法兰西人民联盟"的政治活动,为戴高乐的重新执政而作持续的努力。在此期间,他更进一步转向,和他过去作为法共的同路人的历史彻底决裂,并对法共持激烈的反对立场。1958年戴高乐第二次组阁,他被任命为文化部长,后又为国务部长,此后,一直到1968年戴高乐下台,他始终像影子一样追随这位将军,对他的内政外交政策,包括戴高乐的对华友好政策,毫无保留地、坚决地予以支持,而完全消融了他作为一个独来独往的文学家所具有的独特的个性,以至戴高乐讲过这样的名言:"在我的右边身旁,有着而且将永远有着马尔罗。"③

至于他在文化部长职位上的政绩,则可说是相当突出,他以一个行家的见识、魄力和效率,在法兰西文化生活中留下了一系列不可磨灭的建树。他大规模地推动考古发掘工作,使古代文物得以重见天日;他大力开展对外文化交流,常举办大型的艺术展览会,使卢浮宫珍贵的收藏品在一些其他国家得到赞赏;他收购了不少流失在国外的

---

① 加斯东·帕莱夫斯基:《马尔罗与戴高乐》,《马尔罗的存在与言论》第93页。
② 同上书,第96页。
③ 戴高乐:《希望的回忆》,《马尔罗的存在与言论》第224页,附4。

绘画珍品，又扩大了国家博物馆的收藏；他将巴黎的古代建筑全面加以维修，使它们重整容颜；他清点了收藏在法国各地的文物，编制了全国的"文物总目"，建立了完整的文物资料系统；他在一些城市建立了"文化之家"，进一步改善了外地法国人民的文化生活，"正是由于有了文化之家，巴黎人才愿意在这些城市定居，外国人才不再把巴黎置于法国之上"[①]；他还在很多公园增添了雕塑群像，例如卢浮宫前的杜伊勒里花园就因他增添了马约[②]的12座雕塑而更为妩媚动人……

马尔罗的一生，是一个资产阶级出色的活动家、思想家的一生。虽然马尔罗曾不止一次给人以在革命风暴中飞翔的雄鹰的印象，然而，他从来都不是一位真正的革命家，他在与印度支那殖民当局的战斗中，并不以推翻整个殖民主义制度为目标，他并不否定法国对殖民地的统治，只不过主张做些民主主义的改良而已，至于他那激昂的战斗姿态，也只具有强烈的个人反抗、孤军奋斗的性质；他在反法西斯的斗争中的所作所为当然是英雄主义式的，而且，他在这斗争中还曾经是苏联和共产党最好的同路人，很靠近20世纪社会主义的历史潮流，然而，他的思想从来没有超出资产阶级民主主义的范围；在国际和国内政治社会问题上，他归根结底又是一个资产阶级民族主义者，这种思想立场使他在二三十年代对法国在印度支那的殖民统治持赞同的态度，也是这种思想立场使他在战后成为戴高乐派与法共以及左派政治力量进行较量的一个主力。不论对马尔罗一生的经历作怎样的评价，谁也不会否认这是一个卓越的个人，他的经历与所作所为，在资本主义条件下和在资产阶级思想体系范围里，无疑具有一种不平凡的甚至浪漫的色彩，他每进入一个领域，每到一处，每涉及一个方面或一个问题，都表现得颇为不同凡俗，都大大突破了自己原有条件的限

---

① 安德烈·奥罗：《部长》，《马尔罗的存在与言论》第124页。
② 马约（1861~1944），法国雕塑家、画家。

制而做出一般人所做不到的事来，都达到了一般人所达不到的高度。这就是马尔罗的阶级局限性与他个人的卓越素质的对立统一。

这个出身于社会地位低下的小资产阶级家庭的青年，其父不过是一个平庸的生意人，不论在政治生活和文化生活方面，他能得到什么样的熏陶和培育？他有过并不怎么天真美好的童年，在塞纳河的旧书摊上进行过倒卖书籍的活动，他入世后第一步显然又带有几分江湖气，在一两家不合法的色情书刊出版商那里当助手，而他最初的印度支那之行无疑又具有个人冒险家的性质，而后，他却迅速成长、发展起来，进入了社会政治、文学艺术的领域，并达到了这两个领域的上层，成为一个举世瞩目的人物，置身于那些为数不多的搬演人类历史场面的人们的行列。他之所以成为资产阶级世界中的一个杰出的人物，除了要归功于马尔罗从书籍阅读、传统教育中所形成的资产阶级民主主义的思想外，他那种进取的精神、倔强的性格、对于有意义事物的敏感以及不满足于自己而不断开拓、不断突破的奋斗精神，就要算主要的原因了，而其中特别是后者，即那种力求不同凡俗，要做出一番事来，因而走南闯北，看起来甚至有些胆大妄为的奋斗精神，也许更为重要。马尔罗以这种精神取得了成功，他这种在资本主义条件下形成的特定的精神特征，又正是那种社会条件下自由竞争着的人们最企望具有而又不容易具有的，因为，成功的冒险毕竟只属于少数幸运者。于是，马尔罗就成了20世纪法兰西生活中具有传奇性的人物，也正因为他把这种精神特点、这种人生哲学带进了法国文学，所以他成为这个领域里独树一帜、带有传奇色彩的作家。从这个意义上来说，不了解马尔罗其人，就不了解作家马尔罗。这就是为什么安德烈·莫洛亚要说"马尔罗的生平，就是他的代表作"的原因。

二、他的创作历程

当然，作家的条件不是冒险经历所能提供的，光凭冒险精神显然不可能成为一个作家，更不用说一个杰出的作家了。马尔罗作为一个作家的素养与才能，是他长期"文化积累"的结果。

如果在杜尔果中学时期马尔罗就如他的教师后来所回忆的那样："那时他已经有很强的独立性，并且还有一点领袖欲"[1]的话，那么，他14岁以前在邦迪小学期间也许早就定下了要在文学领域有所作为的大志。那时，他以广泛的兴趣和热情阅读欧洲文学史上各种风格、各种流派的作品，从莎士比亚到司各特，从巴尔扎克到福楼拜，"表现出气吞云梦的魄力"[2]，塞纳河岸的旧书摊是他消磨时间的好去处，在这里，他热衷于搜集秘本与善本书；他还对造型艺术有强烈的爱好，常流连于吉梅博物馆、卢浮宫之中，在那里培养了他敏锐的艺术感与精致的艺术趣味。果然，中学毕业后，他放弃了受高等教育的机会而开始了独立的"文学生活"，只不过其开端并不十分光彩，但他并没有沉溺在他供职的色情书刊出版商卑污的泥沼里。他结交了法国当代文学界几乎所有最出色的人物：影响巨大的理论家马克斯·雅各布，名重一时的作家纪德、瓦莱里、杜·伽尔以及包括立体主义画派的全部创始者在内的一批"风华正茂"、"不顾世人辱骂"[3]的艺术家。他进行"严肃的"文学创作与文学批评，成为左派文学杂志《行动》的撰稿人，他的评论文章被誉为具有"一种洞察力和特别敏锐的眼光"。1921年，他出版了他的处女作短篇小说集《纸月》，这部内容怪诞的作品并不成熟，它仅仅标志着马尔罗登上了文坛，结束了他文学生活的准备阶段。从1918年他中学毕业到这个时候，尽管他在文

---

[1] 玛尔第勒·德·古尔赛编：《马尔罗的存在与言论》第64页，附3。
[2] 若望·雷马利：《马尔罗与艺术创造》，《马尔罗的存在与言论》第235页。
[3] 同上书，第235页。

学创作上并未取得可观的成就，但他的才智和博学，特别是对文化艺术上广博精深的知识，已经为当时的文化界所公认。因此，后来马尔罗在西贡吃官司的时候，纪德、莫里亚克、安德烈·莫洛亚、阿拉贡这些知名的作家，在《文学报》上发表声明"自愿为马尔罗所具有的智慧和实际的文学才华作担保"，并预言"以他的年轻有为与成就，可以对他寄予厚望"①。总之，他已经具备了一个作家应有的文化素养，但他要成为以后那位独具一格的大师，还缺乏一种能打动人心的精神，缺乏一种引人深思的哲理，当然更缺少有丰富社会内容的生活经历。

这一切，他的印度支那之行似乎都给他提供了。从这一段经历中，他冶炼和形成了他那开拓进取、奋斗冲闯但又多少流于赌博性的精神特征，他获得了以殖民地、半殖民地社会阶级矛盾冲突为内容的东方异国题材，他从亚洲的现实中，从他作为一个欧洲人在亚洲的经历中，按照他自己的方式深切地理解了人类的状况，他捕捉和搜集了印度支那阴暗的社会现实的景象、崇山峻岭的气势和密密丛林中葱茏的色彩，现在就看他以什么哲理把这一切加以统率，以什么精神的"乳酶"来使这一切进行化合了，究竟是什么哲理呢？

1925年12月，马尔罗最后告别了亚洲，回国途中，他在甲板上开始写他的《西方的诱惑》。这本出版于1926年的书，早已隐没在马尔罗后来所写的那些著名的小说的后面，往往容易为人们所忽视，何况，它在文学上还不够成熟，其中作者的"语言的表达与天马行空的思想是不相称的"②，但也许只有它，才提供了马尔罗的哲理、贯穿于他小说中的哲理的一把钥匙。

这部书信体的作品，类似孟德斯鸠的《波斯人信札》，它通过一个中国青年与一个法国青年在对方国家里旅行时互相通信的形式，把

---

① 若望·拉古杜尔：《马尔罗，本世纪的一个人》第60页。
② 若望·雷马利：《马尔罗与艺术创造》，《马尔罗的存在与言论》第237页。

东西方文明与世界观加以对比，深深的悲观主义，是这本书的基调。在作者眼里，不论东方文化还是西方文化都遭到了价值危机，都走向没落衰亡，西方文明所在地欧洲，是一座大坟场，整个世界处于"阴风怒号的沉沉黑幕之中"，而人类则眼见主宰着生活的是"一种本质的荒诞"。马尔罗在这本书里所说的"荒诞"，就是人类生存的荒诞，直接来自他所引用的17世纪哲学家巴斯喀关于人生存的荒诞性的描绘："请设想一下，戴着锁链的一大批人，他们每个人都判处了死刑，每天，其中一些人眼看着另一些人被处死，留下来的人，从他们同类的状况，看到了自己的状况，痛苦而绝望地互相对视着……这就是人的状况的图景。"①《西方的诱惑》中对人类生存荒诞性的根本理解，构成了马尔罗的哲理的基础，它在20世纪法国文学中具有值得重视的意义，是本世纪作家第一次对"荒诞"的揭示。

于是，马尔罗开始从他的哲理出发构思他的小说，也正因为他有了这种哲理，此后他的小说中才出现了贯穿一致的主题：人对生存荒诞性的反抗和挑战。虽然这些小说的题材不一，只不过，奇特的倒是，马尔罗此后第一部小说《征服者》和奠定他文学地位的主要作品《人的状况》，竟然都是以他并不熟悉的中国革命为题材。《征服者》出版于1928年，直接描写了1925年著名的省港大罢工的始末以及围绕这一事件的广州革命政府中各种政治力量的矛盾和斗争。《人的状况》出版于1933年，同年获龚古尔文学奖，它以1927年3月上海工人第三次武装起义到同年"四一二"蒋介石叛变革命进行血腥屠杀这一个时期里惊心动魄的阶级搏斗为内容，同样也直接描写了革命与反革命两方面的各种人物的活动。

马尔罗一生的冒险行为可谓不少，但他最大的冒险也许要算他用中国革命的题材来进行文学创作了，而且，他还是以熟悉中国革命内

---

① 巴斯喀：《思想集》，见安德烈·莫洛亚：《论马尔罗》，《从普鲁斯特到加缪》第299页。

情的人的身份来进行创作的！他的《征服者》与《人的状况》，在某种程度上无异于宣布了他是中国革命的参加者或目睹者，而他的小说只不过反映了他的亲身经历而已。所谓马尔罗是中国第一次国内革命时期的革命家，曾任广州革命政府中的"宣传部长"或"特派员"之类的传奇，即由此而来。不仅如此，"马尔罗本人在传说的编造中也起了作用"①，包括故弄玄虚的谈话、默认、肯定、暗示、讳莫如深，等等，甚至还有这样的事情："1937年当托洛茨基指责他为扼杀中国革命的共产国际——国民党服务，或当罗歇、加罗迪把'导致工人群众被屠杀的那场冒险的肇事性的广州起义'归罪于他的时候，他都宁可受冤枉而不出来澄清事实真相。"②

实际情况是，第一次国内革命时期，马尔罗根本没有到过中国，这一历史真相在法国已经为越来越多的研究者所确认。马尔罗的日程表明，他第一次印度支那之行，因刑事问题而几乎完全被困在金边，从未踏上中国的土地；他的第二次印度支那之行，从1925年2月来到西贡直至同年12月初被迫离开，他一直在当地办报，只是在这年的8月到香港购买过报纸的印刷设备，在香港短暂停留的几天中，他亲眼看到了震惊中外的"省港大罢工"。他真正第一次到达中国大陆是1931年的事，他的传记作者若望·拉古杜尔以大量材料令人信服地指出，"这是他1961年以部长身份访华以前唯一的一次中国大陆之行"③，而且他是作为旅行者在作环球旅行，中国只是他旅途中的一站。因此，《征服者》与《人的状况》中所描写的中国生活与斗争，只是建立在马尔罗在西贡办报时期对左派华侨的了解，他在香港短暂停留时以及在中国旅行时对中国生活景象的感性认识，当然还有他从报刊上所获得的关于中国革命的知识这样的基础上的，这就决定了这

---

① 若望·拉古杜尔：《马尔罗，本世纪的一个人》第94页。
② 同上书，第96页。
③ 同上书，第97页。

两部小说在对中国革命的描写上有着根本的缺陷。也许正因为《人的状况》是写作于马尔罗真正到过中国一次之后，所以，它在描写中国生活的浮光掠影时，又显得比《征服者》稍微真切。

在《人的状况》出版之前，马尔罗1930年发表的小说《王家大道》，倒的确是一部以他自己的生活与实感为素材写成的作品。小说写两个冒险家各自在印度支那山地丛林中的"赌博"，克洛德为了盗取古寺的石雕，佩尔肯为了在山林的土著部落里建立自己的独立王国。这两个人物的世界观、人生哲学、思想感情、愿望意图，都是马尔罗式的，特别是克洛德冒险活动的种种细节：牛车所组成的车队、艰苦的行程、寺院的废墟，等等，更是与马尔罗本人在印度支那丛林中的经历几乎完全一致。整个小说充满了浓厚的生活气息与生动真切的形象，而人物那种不同于一般人的性格特征，那种强烈的征服欲以及为实现这种欲望的勇敢、坚毅，还有东方丛林中紧张的冒险情节，又给小说带来了鲜明的浪漫主义的色彩。小说出版后，当年即获得文学联合奖。

西班牙战争给马尔罗的生活历程充实了新的内容，也给他的文学创作提供了新的灵感与新的题材，从西班牙前线回到法国不出一年，他发表了另一部重要的小说《希望》，直接以他在西班牙的见闻与感受，描写了西班牙人民抗击法西斯的可歌可泣的斗争。小说中所呈现的一幅幅生动的西班牙抗战生活的图景，所叙述的西班牙工人、农民、知识分子、共产党员和国际纵队一个个动人的战斗故事，构成了对西班牙战争这一伟大历史事件形象的再现。由于马尔罗本人是西班牙战争中的一位英雄，他的小说在某种程度上也就带有自传的性质，小说中所描写的国际纵队的生活与战斗，几乎都是以他本人的生活经验为蓝本的。也正因为这部小说是建立在马尔罗本人丰富的战斗生活和他在火热斗争中深切的真情实感的基础上，所以其中充满了栩栩如生的形象描绘，即使是对某个生活细节的描绘，往往也凝聚了作者大量的观察与感受。毫无疑问,《希望》可以算得上是20世纪西方文学中最为杰出的战争小说之一。小说出版的翌年,马尔罗又把它改编成电影《特鲁埃尔山》,由于它进步的革命内容,影片被法国政府禁止公演,直到战后1945年才得以与观众见面,并获得了德吕克奖。

《希望》之后,马尔罗的小说创作生涯趋向终结,此后,他只在1943年发表了《与天使的斗争》的第一部《阿滕堡的胡桃树》。这部小说是马尔罗创作生活的转折点,在这里,革命的主题和激情都消失了,作者转而在两次世界大战的背景上表现"基本的人性"。小说的主人公有好几个,作者轮流把描写的重点放在他们身上,作品所描绘的地理空间也很广泛,从欧洲到中东再到亚洲,不过,作者的注意力并不在于广泛表现社会现实生活,而陷入了一些抽象的哲理,如历史的发展、人的概念和艺术的作用等,而这正预示着马尔罗战后由小说创作向艺术理论与艺术史研究的过渡。

对造型艺术,马尔罗早从青年时代起就有广博的知识和浓厚的兴趣,战后,他文学艺术活动的重点转向了这个领域,接连写出并出版了卷帙浩繁的论著:《电影心理学大纲》(1946)、《艺术心理学》三卷(1947、1948、1949)、《论戈雅》(1950)、《想象中的世界雕塑博物馆》三卷(1952、1954)、《众神的变异》(1957)等①。此外,马尔罗战后还发表了一些散文与回忆录,如《反回忆录》(1967)、《砍倒的橡树》(1971)、《黑曜岩之首》(1974)、《拉查尔》(1974)、《过客》(1975),只有《不朽》是他逝世后的第二年即1977年出版的。

从马尔罗整个文学生涯来看,他的成果主要由两大部分组成,即他的小说创作与他的艺术史论著,这两个部分各自在法国当代这两个

---

① 马尔罗的艺术论著,在内容上有一些重叠。《艺术心理学》分为三卷,第一卷为《想象中的博物馆》,第二卷为《艺术的创造》,第三卷为《绝对的硬币》;而后出版的《沉寂之声》,是《艺术心理学》第三卷的重复;《想象中的世界雕塑博物馆》共三卷;《众神的变异》则为一卷;1963年出版的《想象中的博物馆》是《艺术心理学》第一部分与《沉寂之声》的改写。

领域里所占的地位和所具有的分量，都是令人瞩目的。当然，他的回忆录特别是他的《反回忆录》也具有很重要的意义，这不仅因为这是一个重要历史人物的回忆录，其中涉及他与我们这一时代另一些历史人物的关系与交往，表现出了作者敏锐的观察、深远的洞视以及他对于与历史人物紧密相关的历史真实的把握与理解（虽然在细节上并不完全符合事实），而且还因为这部回忆录的写作方法具有某种代表性与典型性，它属于五六十年代席卷法国文坛的一股背离原来的文学传统与写作方法的"反"风。它与传统的回忆录有所不同，不按年代的次序，不照顾事件发展的完整性，回忆、叙述、想象、分析、议论互相交错，并带有某种跳跃性。它是散文回忆录这一文学类别中"反"的代表，正如"新小说"与"荒诞派戏剧"在小说和戏剧领域里的"反传统"的性质一样。

三、他在当代法国文学中的意义

不论怎样，马尔罗在当代法国文学中的重要地位，主要还是由他的小说，特别是由他的《征服者》《人的状况》与《希望》奠定的。那么，他的小说创作具有一些什么意义呢？

批评家曾经指出："马尔罗整个一生，都向往一种雄浑有力的文学，在这种文学中，应贬低感情的价值以崇尚勇气与意志。"[1]马尔罗自己的小说作品就实践了他这一向往，这是他在文学史上首要的意义。

自从巴比塞写第一次世界大战的著名小说《火线》于1916年问世以后，到马尔罗发表他的小说以前，在法国以至整个西方，一直没有出现以20世纪重大历史事件为题材的作家作品。马尔罗继巴比塞之后，以博大的气魄选取了中国革命与西班牙战争作为他三部主要小说的内容，不仅把这两个伟大的事件当作背景与框架，而且把它们当

---

[1] 安德烈·莫洛亚：《论马尔罗》，《从普鲁斯特到加缪》第297页。

作直接表现与直接描写的对象。在《征服者》中,作者通过"我"在广州革命政府中的亲身见闻,表现出了省港大罢工的基本面貌:罢工爆发,广州政府下令抵制英国商品,香港工人破坏机器和他们高涨的反抗情绪,第三国际和共产党人在广州政府中的作用,革命政府在罢工中所遇到的困难,国民党内右翼势力对革命路线的抵制,英帝国主义支持的军阀叛变,10万香港工人撤回广州,无政府主义的恐怖活动,广州政府为解决罢工工人的生活所遇到的经济问题以及内部不同政治力量的矛盾,陈炯明的军事压力,罢工的结束,等等。在《人的状况》里,作者通过乔、卡托夫、陈等不同类型的革命者的故事,表现了中国革命1927年紧张的斗争和遭到的失败:上海工人总罢工,北伐军攻抵上海,蒋介石的反革命面目日益暴露,勒令工人纠察队和起义者交出武器,国际垄断资本寡头对中国革命的干涉和与蒋介石的勾结,共产党员们的革命要求与党内右倾机会主义对革命的贻误,最后是蒋介石血腥的镇压。而在《希望》里,由英雄群像的活动与经历组成了西班牙战争可歌可泣的全貌:首都马德里的不眠之夜,全民武装起来,人民反对法西斯的热情高扬,共和国军队在前线的英勇战斗,各界人民对军队的支持,德意法西斯公然进行武装干涉,国际飞行中队的支援,麦德林战役的胜利,法西斯军队对马德里的进攻,共和国军的反击,等等。这就是马尔罗为我们这个世纪已载入史册的革命事件所作的一份份形象的记录,所描写的有感染力的图景。也许,人们可以指出他的图景有失真之处,或者有肤浅的地方,但这些具有深广社会内容和历史意义的图景,毕竟是他留下来的,而不是别人,并且,毕竟在西方当代文学中只有他制作了这些图景,这就是他独特的贡献。还应该看到,马尔罗在他这几部小说里,都自觉地致力于表现历史事件的全貌和历史发展的过程,表现其中政治斗争的基本形势和阶级关系的格局。这样,他也就显示了一个大作家才有的着眼于广阔的社会历史的博大胸襟,同时,也就给他的小说带来一种雄浑的气派,这是西方文学中大量局限于个人的狭小天地的作家作品所不能比拟的。

在这种"雄浑的文学"中,活动着的人物既是特定的"这一个",也具有相同的精神面貌。在这里,人不是活动在狭小的个人圈子里,而是活动在人类历史舞台上,他们所专注的不是个人的前途、出路、个性的自由、爱情的得失以及个人感情的纠葛与纷扰,而是人群的斗争、巨大的事业、改变社会面貌的行动、决定历史行程的计划,他们不像小说中很多传统的人物那样具有纤细、敏感的感情,那样深深地陷在个人的感情天地里,他们的感情与思绪的活动中也有不少纯粹个人的内容,但更多的是与社会问题、政治问题、斗争与事业、大规模或大幅度的行动相联系着的。《征服者》中的革命家加林,《人的状况》中的共产党员乔和卡托夫以及陈,《希望》中的共和国军队的指挥员马努埃尔、国际飞行中队的马宁,都是这种人物。这些人物是否完全真实、典型?作为艺术形象是否生动?那是大可讨论的,但作者想通过他们塑造出一种雄健的人物形象,想在人物的塑造上给当代文学带来一些新意,确是肯定无疑的。

当然,我们应该注意到,《征服者》和《人的状况》中的中国革命的参加者,很多都是外国人、混血儿,即使是中国人,也是从小接受西方教育因而从思想到教养都已全盘欧化了的,如《征服者》中的洪与《人的状况》中的陈,而且恰巧他们都是偏激的恐怖主义者,热衷于个人的冒险活动。必须承认,马尔罗写中国革命的小说几乎没有写出一个真实的中国革命者,也没有写出一个真正的中国人民的形象,他笔下的中国革命者和中国人民的形象与实际生活相距实在很远,客观上也容易使人从这些形象得出对中国革命者错误的印象。这种情况显然是他缺乏在中国的生活经验所造成的,而不是由于他主观上有意进行歪曲。他既没有参加过中国革命,甚至没有在此期间到过中国,他就只好乞求于虚构了,他只能把故事与人物的活动安排在他尚能虚构一二的租界环境里，而那里基本上是外国人的天地，他不可能对中国革命者进行真实的性格描写，只好用让他的人物进行冒险和谈哲理的办法来代替。这便是乔、洪、陈这些不真实的人物产生的根由。不过，更值得我们重视的还是这样一个基本的事实：马尔罗受到了中国革命题材的感染与吸引，因而把中国革命当作一次真正的革命来加以描写，这不能不说是难能可贵的，不能不说表现了他力图处理重大革命历史题材的良好的愿望，正因为有了这种良好的愿望，当他在西班牙战争中获得了生活经验与实感后，他也就写出了真实反映西班牙的抗战生活与人民精神面貌的《希望》。

马尔罗在文学史上的第二个重要的意义在于，他在西方文学中献出了真正进步的"左"倾的作品。他的进步性与"左"倾，不仅表现在他所选取的革命题材上，更重要的是表现在他对题材内容所持的立场态度上。

马尔罗是站在同情、赞助、支持中国革命与西班牙战争的立场来处理他的题材的，因此，他的小说尽管有不真实的缺陷，但他却并没有颠倒正义与非正义、革命与反革命的关系，他以鲜明的态度，明显对照的爱憎，描写了对峙的两个阵营，歌颂革命的方面，批判反革命的方面。他着力表现中国革命者、西班牙革命人民以及国际纵队的理想主义、英雄主义与人道主义，表现他们斗争的正义性质，同时也着力揭露蒋介石、国民党反动派、国际金融寡头、法西斯军队这些反革命势力的凶残、暴虐与腐朽。他在小说里也并没有歪曲革命斗争的形势与发展，而是比较正确地反映了这种形势与发展，并以乐观主义的精神展望其前途。在《希望》中，他把西班牙人民的抗战描写成群情激昂、英勇卓绝的景象，即使西班牙战争最后失败了，但《希望》的最后结局还是充满了希望。在《人的状况》中，他也表现出了中国革命的悲剧性：在帝国主义与蒋介石互相勾结，反革命势力强大的历史条件下，共产党内右倾机会主义的错误领导"否决了一切反蒋的口号"①,制止了革命军队"逮捕蒋介石"②的要求,束缚了革命者的手脚,"使他们动弹不得"③,还要他们放下武器,最后导致革命的失败,导致革命志士遭到血腥的屠杀。而在革命失败以后,马尔罗又对中国革命寄予新的希望,虽然乔、卡托夫、陈这些革命志士牺牲就义了,但他们的事业后继有人,孙与梅这些继承者,像星星之火一样仍在燃烧,他这样做出总结:"革命刚生了一场大病,但它并没有死。"④

马尔罗在小说中的进步思想倾向,主要表现在对人物的描绘上。法国资本家费拉尔是他笔下的一个反面人物,他的经济利益决定了他是中国革命的敌人,十足的反动派,他支持"蒋介石控制各省",妄图"在中国消灭共产主义"⑤;在生活中,他是一个充满了"征服欲"的狂人,态度傲慢,性格暴虐,内心生活肮脏,他丑恶变态的心理状态在他对情妇施加报复的那一场中被刻画得相当细致,马尔罗把他作为国际垄断资本主义的代表人物安置在小说《人的状况》里,既写出了他的阶级本质,又不流于脸谱化,表现出了作家本人对侵华帝国主义势力的深刻认识。在《人的状况》里,国民党反动派的狰狞面目也被作者十分自觉地加以揭露,革命志士被反动派监禁和镇压的场面,写得像地狱一样残酷可怕,狱吏、军官、卫士都像其中的恶鬼。

比起对反面人物的揭露,马尔罗对正面人物,对革命志士与革命人民的描写,在小说里更是占大得多的比重,而且,这种描写带有明显的赞赏与歌颂。他把《希望》中那些完全投身于战斗生活的人民与战士,表现为一个伟大的群体。这里,有的工人"为了给共和国空军指明方向",不顾生命危险,"在窗下和院子里挥舞他们最漂亮的窗帘

---

① 马尔罗:《人的状况》第四部《四月十一日》,《马尔罗小说集》第324页,Pléiade版,1947年。
② 同上书,第323页。
③ 同上书,第324页。
④ 马尔罗:《人的状况》第七部,《马尔罗小说集》第426页。
⑤ 马尔罗:《人的状况》第四部,《马尔罗小说集》第337页。

和床单"①；有的农民因为不能顺利地为飞行中队带路，耽误了战机而"像小孩一样哭泣"②。这里，英勇战斗的战士们来自西班牙以及欧洲各个国家，他们冷静平凡的外表下都有着刚毅、坚强的品格，在沾满尘土与泥泞的面孔下，有着深沉的感情与健康的生活情趣。他们有的人"心里始终怀有和平主义的信念"③，但为了正义与革命而在残酷的战争中行动坚决、对敌人毫不留情；有的人为了表示自己抗战到底的决心，"胡子只刮半边"④；有的人在受了重伤、行动艰难的时候，还想起了"巴黎公社的精神"⑤……其中国际飞行中队的领导人马宁与共产党员马努埃尔更为突出，他们都具有坚定的信念与理想、勇敢的精神和可贵的品质。在战争环境中，他们艰苦奋斗；在火线上，他们身先士卒，沉着机智；而同时，他们又都具有深厚的人道主义的感情，对同志、对战友充满了兄弟情谊。这两个人物是马尔罗心目中的英雄形象，是从他自己英雄主义的感情与行为、从西班牙人民可歌可泣的斗争生活中提炼出来的。

同样，在《人的状况》里，马尔罗也力图赋予他笔下的一些革命者以正面的形象和优秀的品质，虽然他并没有写出真正的中国革命者。主人公乔是马尔罗心目中理想的一个革命家，马尔罗努力把他的形象表现得很高大，他借小说中人物老吉佐尔的看法指出，很多人，包括一些追求真理、愿意过有意义生活的人都免不了这样那样的缺陷：偏激、狂热、放任等，"唯独乔抵制了所有这一切"⑥。这是一个清醒、成熟的革命者，早就"认定蒋介石在设法消灭共产党"⑦，面

---

① 马尔罗：《希望》第一部第3章第2节，《马尔罗小说集》第520页。
② 马尔罗：《希望》第三部第3章，《马尔罗小说集》第817页。
③ 马尔罗：《希望》第一部第3章第2节，《马尔罗小说集》第519页。
④ 马尔罗：《希望》第三部第3章，《马尔罗小说集》第821页。
⑤ 同上书，第829页。
⑥ 马尔罗：《人的状况》第四部《四月十一日》，《马尔罗小说集》第349页。
⑦ 同上书，第324页。

对这种形势，他既不像陈那样偏激，"把恐怖主义变成一种宗教"[①]，也不像党内右倾机会主义领导那样放弃斗争，而是积极工作，依靠群众，组织反击蒋介石的武装力量，他被捕以后，又坚决拒绝了反动派的诱降，表现了坚贞不屈的品质。在私生活方面，马尔罗也赋予他一种人格，他对妻子梅有深沉、执着的爱，而且这种爱不是以自我为中心的自私的爱，而是以平等与信任为基础。另一个人物卡托夫也是党内一个坚强的忠诚的斗士，他是乔的战友，一生都在革命中度过，为了革命，他抛弃了个人宁静的生活，为了革命，他战斗到最后的时刻，贡献出了自己所有的一切，他就义前的表现是极为令人感动的，他眼见战友们即将被敌人投进燃烧的机车活活烧死，为了减轻他们的痛苦，他把藏在自己身上准备用来自杀的毒药分给了他们，而最后自己迈步走向燃烧着的机车。陈也是一个动人的革命者的形象，他把共产主义视为"复兴中国的行之有效的方法"[②]，他充满了革命的热情，对党内右倾机会主义的领导不满，虽然他采取的恐怖主义的方式是不正确的，但他带着炸弹行刺蒋介石的场面倒的确很感人，他的忘我，他的勇敢，他的壮烈牺牲都表现出了一个革命者的可贵品质。赫麦利奇是革命队伍中一个很有特点的人物，他对天下的苦难有深切的感受，他憎恨"自他出生以来就摧残着他，同样也将摧残他孩子的残忍的生活"[③]，并且，不惜"用任何暴力手段、用炸弹"去摧毁这种生活，他具有严肃的感情和仁慈的性格，收养了一个被侮辱与被损害的中国妇女做他的妻子，他对妻子与孩子的爱常使他有不能在革命斗争中轻装上阵的苦恼，虽然他为革命也做了一些工作，最后，妻儿都被国民党反动派杀害以后，他英勇地投入了战斗。这就是马尔罗所描绘的在中国革命这一"当代最富有意义、最具有伟大希望的事业"[④]中

---

① 马尔罗：《人的状况》第四部《四月十一日》，《马尔罗小说集》第315页。
② 同上书，第314页。
③ 同上书，第311页。
④ 马尔罗：《人的状况》第六部，《马尔罗小说集》第406页。

活动着、斗争着的人物,这些人物高大的形象正体现了马尔罗本人对中国革命的赞颂与向往。

马尔罗在文学史上具有的第三个意义在于,他的作品是对人的状况、人的命运这一重大问题的艺术的思考。他的作品中渗透着和贯穿着关于人的状况、人的命运的荒诞性以及人应该反抗这种荒诞性的哲理。如果说,革命的主题、"左"倾的色彩只是马尔罗一部分小说作品的特点的话,那么这一种哲理性却是他全部小说作品的"共性"。

我们在上面已经指出,马尔罗从巴斯喀那里接受了关于人的生存的荒诞性的哲理,即人都是被判死刑的哲理,这成为他全部作品的一个思想基础,在他的作品里,几乎所有的主要人物在一定程度都意识到了自己所面对的这种荒诞性。《征服者》中的加林,早就认识到人类"被荒诞的力量所驱使",并且在病重的时候,感到了"荒诞又找到了它的权利"[①]。《王家大道》的主人公也感叹:"压抑着我的是,该怎么说呢,我作为人的命运:我一天天衰老下去,时间这惨无人道的东西,像癌细胞一样,在我身上不可挽回地蔓延开来。"[②]在《希望》的结尾,马努埃尔也"听到了这样一个声音,它宣告的事情比人类的流血还可悲,比人类在地球上的现实存在还可怕,那就是人类的命运也许是永恒的"[③]。同一主题的这些变奏,使得马尔罗和小说在思想上连为一体,并显示了一种深沉、悲怆的格调。

马尔罗的这种人生观虽然具有一种高深的外表,但实际上只不过道出了人生的一种必然性,甚至可说就是人生的一种常识。人当然并不是永存的,当然注定要死亡,问题在于如何对待这种必然性。马尔罗没有宗教的感情与迷信的世界观,不相信存在着天国,人可以在天国中彻底摆脱那种生存的荒诞性,他明确地认为,上帝已经死了,而

---

① 马尔罗:《征服者》第二部《权力》,《马尔罗小说集》第114页。
② 马尔罗:《王家大道》第158页,Grasset版,1930年。
③ 马尔罗:《希望》第三部《希望》,《马尔罗小说集》第858页。

且上帝这一虚幻的寄托所不正是人类自己造出来的吗？他也并不因为"人生存的荒诞"是一种命定的必然性而认为人应该安于这种命运、服从这种安排，他从人的生活、人生的意义本身去寻找如何对付这种"生存的荒诞"的答案，提倡一种不忍受的哲学。在《征服者》中，他通过主人公之口指出："人们在活着的时候可以接受这种荒诞性，但不能在这种荒诞中生活。"[①]在《人的状况》里，同样的论点又出现在吉佐尔的嘴里："一个人要能够，怎么说呢？忍受人的状况这种情形是很少很少的。"[②]也许正因为在马尔罗看来是难以忍受的，他才把人注定要死亡的这种必然性称之为"荒诞性"，把与这荒诞性紧密相联的一些派生物都称之为"人的屈辱"，而这"屈辱"的对立面则是他所谓的"人的尊严"。

那么，如何才能改变这种"荒诞"，"把人的屈辱的状况化为尊严"[③]呢？马尔罗总的理想是，"要摆脱人的状况"[④]，"变成上帝，同时又不失自己的人格"[⑤]，或者说，人要成为普罗米修斯式的人，阿波罗式的人，即要表现出比"生存的荒诞"、比死亡更为强大的力量，其途径就是行动。而且，在他看来，既然人注定必然死亡，注定一无所有，那么，人在"最有效地使用自己力量"的过程中，只会丧失那最后一无所有的荒诞性，而人为了赋予自己的生命某种意义而死，就是对荒诞性的一种胜利了。因此，他提倡一种什么都敢干的精神，什么都可以孤注一掷的精神。根据这种认为人在行动中即使失去了生命也不过是抛弃了生存荒诞性的观点，马尔罗就在自己的作品里塑造了一大批行动大胆、不怕艰险、不怕痛楚和流血、视死如归的人物。

这些人物因为道路不同而分为两种，一种是从事个人冒险活动

[①] 马尔罗：《征服者》第三部《人》，《马尔罗小说集》第153页。
[②] 马尔罗：《人的状况》第四部《四月十一日》，《马尔罗小说集》第348页。
[③] 同上书，第348页。
[④] 同上书，第349页。
[⑤] 同上书，第350页。

的人，代表者就是《王家大道》中的佩尔肯与瓦奈克。他们完全不是奥勃洛莫夫式的耽于空想的人物，也不是维特式的耽于感情的人物，他们充满了行动，他们力图以自己的意志与力量在一定范围里成为主人，成为享有自由与尊严的"上帝"，并且，为此时刻准备以生命为代价。他们的经历是由接二连三的大胆妄为的冒险之举组成的，既不顾及人身的安全，也不顾及社会的规范与法律，一切都以实现个人强烈的意志与欲望为转移。佩尔肯为了满足他的征服欲和统治欲，竟冒着极大的生命危险进入土著部落，为了维持他在山林中的权势，他既敢于不择手段，用残酷的手段镇压山民，又敢于与政府和军队抗衡，准备组织自己的部落进行暴动，总之，他用自己的生命、意志和力量向一切挑战：山林、部落、政府、军队、危险和伤痛……克洛德是较低一级的佩尔肯，他的欲望没有佩尔肯那么大，意志力也没有那么坚强，他有攫取古艺术品的野心，他也把向秩序挑战视为向死亡和命运的挑战，因而，他无视法律的规定。正因为佩尔肯挑战的范围、勇气和力量比他更大，更显示了一种战胜生存荒诞性、突出人的"尊严"的气势，所以成了他所敬爱的对象，他随着他在山林部落中经历了惊心动魄的时光，似乎把他提升到他自己所不能达到的高度。

如果我们客观地分析这一类人物形象，那么就可以看出，这种人物形象包含着一些危险的性质。在他们身上，正义与非正义、是与非、善与恶的原则界线是没有的，他们不考虑这些，他们所追求的是生存时的轰轰烈烈，而不在乎是什么性质，也不在乎是什么途径，他们与亡命之徒有时很难区分，虽然马尔罗赋予他们一些不平凡的素质。如果马尔罗只以描写这种人物为己任，那他自己的意义就小得多了，甚至会成为一个消极性很严重的作家，幸好他没有这样做，他从自己的哲理出发，描写了更多的属于另一种类型的人，即从事革命活动的人。

这一类人不是为自己的欲望和意志而奋斗，而是在更高的历史政治舞台上搬演自己对生存荒诞性的斗争。在《征服者》中，加林在病中向他的朋友倾诉他的心情时说,他早年因支持堕胎、援助贫穷的妇女而被捕入狱,从那时,他就从社会秩序得到了"荒诞性的印象"。当然,远远不是"社会秩序"而已,还有"不可捉摸的整体","它使人感到自己的生命是被某种东西统治着的",这就是"人类的荒诞性",而他来到广州参加中国革命并担任革命政府中宣传部长的要职,正是为了"同人类的荒诞性作斗争"[①]。在《人的状况》中,乔被捕后,警察头子问他是否如传说的那样,他"参加共产党是出于人的尊严",乔承认了这一点,并且补充说,"尊严就是屈辱的对立面"[②],在这里,"尊严"与"屈辱",都是马尔罗关于生存荒诞性的哲理中的概念,尊严是超越与战胜死亡,而屈辱就是荒诞性的派生物。这两部作品的上述片断,揭示了马尔罗笔下的革命者思想体系的核心,很明显,他们之所以参加革命,是为了反抗人类的荒诞,生存的荒诞,为了获得并维护人的"尊严"。这种出发点可以促使人物追求生命的意义、摆脱人命定的无能为力的状况,实现人的力量、人的尊严和价值,在20世纪二三十年代资本主义的条件下,当然具有一定的积极的意义;这种出发点也可以使人物在与整个人类的荒诞性作斗争的同时,对社会的不义、对旧秩序的荒诞进行反抗,因而走向革命,并走进共产党,就像乔、加林、洪、陈那样,这比起20世纪同类资产阶级文学中对荒诞性的曾鼓噪一时但却缺乏战斗的社会内容,更不能预示任何前景的喧嚣,更有明显的进步性。但是,这种出发点毕竟不是一种革命的理想与信念,更与共产主义的人生观相距很远,而只是一种以个人的意义与价值为中心的资产阶级的意识形态。既然马尔罗"从未作为马克思主义者思考过"[③],那么,他笔下的人物如何能作为马克思主义者来进行思考呢?因此,他笔下的共产党员自然不像真

---

① 马尔罗:《征服者》第二部《权力》,《马尔罗小说集》第114页。
② 马尔罗:《人的状况》第四部《四月十一日》,《马尔罗小说集》第394页。
③ 安德烈·莫洛亚:《论马尔罗》,《从普鲁斯特到加缪》第302页。

正的党员，他笔下的中国革命者也就缺乏真实性，只有当马尔罗用反人类生存的荒诞性的哲理去塑造真正的个人冒险家时，他才达到了艺术的真实，就像他在《王家大道》中的情况一样。

只说马尔罗继承了巴斯喀的思想，看来是远远不够的。他继承的是传统的资产阶级人道主义思想体系，他把人道主义思想体系中关于人的生与死、人的命运与人自身的奋斗、人的渺小与人的价值等问题的思想，与在20世纪资产阶级意识形态领域中大为流行的"荒诞"的观念结合起来，以人为中心建立起他的一整套人生哲学。他的哲学把人的注定的命运当作一个基本的残酷的现实，因而带有一种悲剧的色彩，一位批评家把他的哲理称为"一种绝望的人道主义"，不是没有道理的。然而，他从"绝望的状况"出发所建立的把命运的必然性变为人对命运的掌握这一人生哲学，却又并不完全绝望。而且，我们知道马尔罗在巴黎大学发表演说时，曾把尼采的说法变动了一下，提出了一个震撼人心的问题："人死了吗？人要死吗？"[①]他这个向人类生存荒诞性挑战的问题本身就具有一种乐观昂扬的色彩。从"人被判处死刑"到"人要死吗"，这就是马尔罗哲理的出发点与归宿，他这种哲学继承并发展了人道主义思想体系中的积极成分，虽然是资产阶级的意识形态，具有阶级局限性，但在资本主义条件下绝不是一无可取的。

四、他的艺术论著的价值

至于马尔罗在艺术方面的丰富论著的内容和意义，应该承认，我们对此还缺乏深入的研究，我们仅能就目前的条件，提出一些初步的看法。

马尔罗早从少年时代就对造型艺术有浓厚的兴趣与广博的知识，

---

① 皮埃尔·德·布阿德福尔：《安德烈·马尔罗》，第112页，Editions Universitaires版，1955年。

那么，是什么样风格的艺术对他进行了最初的熏陶？那是历代传统的古典艺术杰作，它们使"我心灵深处回荡起和谐的钟鼎之声，使我喘不过气来"①。然而，他的青年时代却又是在文学艺术领域里现代主义思潮风起云涌之中度过的，他结识了毕加索这个由古典传统的美发展到现代派风格的艺术大师，他也结识了立体派的画家与超现实主义的文学家，他还广泛地研究过造型艺术中野兽派与怪诞派的作品。这样，他就具备了那种能熔古今艺术于一炉的条件，而且，长期的经历，又使他获得了西方艺术与古代东方艺术广博而精湛的学识，这更造就了他艺术史家的阔大眼光，从他自己的条件中，他自然也就习惯于把古典与现代、西方与东方的艺术加以比较。早在本世纪20年代，他就形成了这种比较的观点："只有通过比较，才能感受，把一座希腊雕塑与一座埃及的或亚洲的雕塑加以对比，要比研究100尊希腊雕塑更能深切地了解希腊人的艺术天才。"②他以后就是用这种比较的方法去探讨人类的艺术形式的发展与演变的。

  如果要说马尔罗对艺术史研究的贡献，那么，也许首要的要算他那种全面进行比较的指导思想和以丰富翔实的资料说明问题的方法两者造就而成的艺术图片的宝库。他1928~1931年的亚洲之行，是为了广泛收集艺术资料，他还曾冒生命危险深入南也门的荒漠去探寻古王国的故都。他到埃及、印度进行过艺术考察，他在担任文化行政工作期间，更是进行了大量的艺术考察活动，而他的职务又为他提供了方便的条件。因此，他的艺术论著充满了大量的丰富的图片材料，不论是《众神的变异》《沉寂之声》还是《想象中的世界雕塑博物馆》，实际上是世界造型艺术资料的大型结集。他写作自己的艺术论著时，曾收集了几万张艺术品的照片，并进行了严格的核实查对，仅选用在

---

① 马尔罗：《永恒》，见若望·雷马利：《马尔罗与艺术创造》，《马尔罗的存在与言论》第235页。
② 马尔罗：《卡拉尼斯的画》，载《当代艺术家辞典》第三卷第90页，巴黎，1931年版。见《马尔罗的存在与言论》第236页。

他论著中的艺术图片,就有近2000张之多。在《想象中的世界雕塑博物馆》里,其丰富的图片所占的比例大大超过了文字的说明。

马尔罗既掌握了如此罕见的巨大的艺术资料宝库,又热衷于比较的方法,并且还是一位头脑敏锐、见解精辟、又接近过马克思主义的思想家,人们本可以期望他在20世纪建立起科学的艺术理论的体系,但是,事实并不如此,马尔罗并没有一整套科学的艺术理论。他的《艺术心理学》,从其标题来看,该是对艺术创作与艺术欣赏的心理基础的探讨,该对艺术的内部规律提出系统的观点,但这本书的内容与标题并不一致,正如他在《众神的变异》中所说的那样:他的"目的既不是研究艺术史,也不是研究美学,而是……研究文化作为对人是否不朽这个问题的一个永恒的回答所具有的意义"[①]。他对前两个目的的否定,使他不可能建立起艺术思想的理论体系,至于他追求的那个目的能带给他什么,我们在下面还要论及。这里需要指出的是,他文学家的文笔,倒使他的艺术论著成为"法国浪漫主义散文的杰作"[②],既然是散文杰作,那就不容易兼顾严谨的理论,而且,即使他对艺术规律进行了一些理论探讨,他的观点也往往自相矛盾或者不切实际。正如他有时强调人类不同时期的文化由于革命与社会变动而根本相异,传统的历史发展往往发生中断,但有时又强调人类不同时代艺术形式发展的连续性,不同时代的艺术在表现基本人性时的稳定和一致;又如,他把对原始艺术的重视与欣赏视为20世纪艺术领域里的革新,显然违反了18世纪德国浪漫派早就赞扬过原始淳朴艺术的事实;再如,他对古代艺术中宗教感情表现的社会根源,也曾以主观臆说代替科学的分析。总之,虽然马尔罗的艺术论著不少,但我们实在不能把他看作一个有严格理论体系和科学分析的艺术史家与艺术理论家,而根据上面我们所引证的他自己规定的目的来看,我们把

---

① 马尔罗:《众神的变异》第127页,Gallimard版,1957年。
② 亨利·贝尔:《传奇人物马尔罗》,见《马尔罗的存在与言论》第247页。

他仍然看作《人的状况》的作者则更为恰当。是的,"人的状况"的哲学始终是马尔罗一切活动,当然也包括他的艺术研究活动的基础,只有根据马尔罗这一基本的哲理,才能把马尔罗关于艺术问题的一些议论和见解贯串起来,才能解释马尔罗的全部艺术理论,也正是在这个基础上,他建立了他"报复性"的艺术使命论、"非现实"的艺术创作论和形式主义的艺术史观以及他关于艺术遗产继承的主张。

人从被判处死刑、注定要死亡、注定要陷于生存荒诞性的状况中如何解脱?马尔罗在他的小说里已经作了一个回答,那便是通过冒险、通过革命显示人的力量、人的尊严、摆脱人的屈辱状况;而在他的艺术论著里,他又作了另一个回答,那就是通过艺术,而且,与其说人可以通过艺术来摆脱屈辱的生存、摆脱人生来俱有的生之荒诞性,还不如说,艺术作为人类的一种创造性的活动,干脆就是人摆脱这种状况的一种有效的途径。于是,马尔罗从他的哲理出发,对艺术提出了一个警句性的定义:"艺术就是人的一种永恒的报复"[1],这种"报复"所针对的当然是"人的状况",是人死亡的必然性,而且,死亡既然是永恒的,那么,这种"报复"也是"永恒的",可见它是多么强而有力。

这是一个从抽象哲理出发的形而上学的定义,而不是一种科学的总结,它所包含的人道主义的勇气和气魄,显然要比社会的心理的分析多得多。马尔罗把这视为他艺术思想的结晶,视为他全部艺术论著的主旨,让它在自己的书里不断反复出现。为什么艺术是一种如此强有力的报复?请看他的解释,他在《反回忆录》里这样说过:"我们虽然被囚禁在天地之中,但我们却从自己身上创造出足以否定我们的渺小速朽的强有力的形象来,这的确是神奇不可思议的事情"[2],这里,马尔罗指出了人类所创造的艺术形象使人类足以不朽,因而这种艺术创造力具有神奇的力量;在《沉寂之声》里,他说:"艺术家的

---

[1] 马尔罗:《沉寂之声》第635页,Gallimard版,1951年。
[2] 马尔罗:《反回忆录》第44页,Gallimard版,1972年。

力量在于……向世界呼喊，让世界听到人的声音。过去时代的文化虽已消失，但保存在伟大艺术品中的人的心声，却是永远不灭的"①，这里，他指出了艺术品中人的声音的不朽。总之，在马尔罗看来，"历史使人认识命运，而艺术则使人摆脱命运获得自由"②，也就是说，艺术本身就是对人类注定的那种屈辱命运的一种抗衡，甚至可以说"就是一种反命运"③了。马尔罗把艺术的作用描绘得这样神奇，以至他简直就要把艺术品加以神化了："一切艺术作品都有变成神话的趋势"④，因此，他把艺术在人类活动中的地位抬高到一种罕见的高度，认为艺术就是显示了人类"自身的崇高性"⑤的所在。

不难预料，马尔罗对艺术的这一根本的认识，将会使他有什么样的创作论的主张。他这种认识的形而上学的性质，这种力求实现并维持人的生命力的艺术观，必然决定他在创作上强调人的主观作用，过分夸大作家的创作天才和创作自由的空间。一个人为什么要进行艺术创作？在马尔罗看来，就是为了要创造以战胜死亡，甚至艺术家的"自我表现的目的也是为了创造"⑥。他在《众神的变异》中集中地说明了毕加索自白中的那种体会："没有上帝我可以照样生活和绘画，但使我感到痛苦的是，缺乏创造力就无所作为，创造力比我自己更伟大，它是我的生命。"⑦在文艺创作中强调创造性本来是应该的，不过，要看这种"创造性"是指什么而言，如果是指观察生活的新角度、主题思想的新颖深刻、艺术形式的变化多彩，那么，创造性确是文艺创作的生命。但马尔罗并不满足于这些，他走得更远，把创造性

---

① 马尔罗：《沉寂之声》第628页。
② 同上书，第621页。
③ 同上书，第637页。
④ 马尔罗：《王家大道》第42页。
⑤ 马尔罗：《轻蔑之秋》第12页，见《马尔罗的存在与言论》第240页。
⑥ 马尔罗：《想象中的世界雕塑博物馆》第一卷第1页，Gallimard版，1952年。
⑦ 马尔罗：《黑曜岩之首》，见《马尔罗的存在与言论》第235页，1976年。

用在文艺与现实的根本关系上,提出了"非现实"的创作论的思想。这种"非现实"的创作论看起来似乎与现实主义的来源于生活而又高于生活的主张颇有点相像,如他指出过文艺复兴时期绘画大师们的杰作中人物形象高于现实,他也指出过:"在绘画中一幅夕阳西照的美妙图景,并非实际上的美好的夕阳,而是一位伟大艺术家自己的夕阳。"[1]这些见解揭示了艺术家的主观条件在艺术地反映现实的过程中正常而必要的作用,无疑是正确而精辟的,但与此同时,马尔罗又把艺术家的主观条件无限地加以夸大,而否定在艺术创作过程中始终应该尊重的现实。在马尔罗看来,艺术品只不过是艺术家所操纵的一小块世界,在这里,他的自由是无限的,他几乎可以为所欲为,现实本身是微不足道的,艺术家已经不再从属于它,受制于它,"伟大的艺术家并不是世界的记录员,而是世界的敌手"[2]。马尔罗的这一表述看起来很简单,其实否定了巴尔扎克所提出的作家应该作"历史的书记"的现实主义的原则,而把现实看作是艺术创作中的一个对立面,或者把现实仅仅当作现实在艺术家心目中这种或那种变形、投影。如他曾把毕加索脱离了现实主义创作道路后所创作的"非现实"的艺术品,说成是"欧洲最尖锐的现实"[3],并且,还对非模仿性的表现方法表示了赞赏。正因为马尔罗强调不尊重现实关系的创作,所以,他也就特别重视艺术天才的作用,他的理论与浪漫主义的天才观是一致的,他甚至认为:"掌握艺术的规律,非得有天才不可"[4],而那些艺术杰作之产生,就是"神秘莫测而又高尚无比的手"[5]颤动的结果。马尔罗这些思想观点带有明显的浪漫主义创作论的性质,并且显然还为他对现代派那种自由无羁、着力表现主观精神世界,提倡"非客观"、

---

[1] 安德烈·莫洛亚:《论马尔罗》,《从普鲁斯特到加缪》第316页。
[2] 同上书,第317页。
[3] 马尔罗:《对知识分子的呼吁》,见布阿德福尔:《马尔罗》第134页。
[4] 《马尔罗的存在与言论》第241页。
[5] 安德烈·莫洛亚:《论马尔罗》,《从普鲁斯特到加缪》第319页。

"非具体"的形象的创作方法的赞赏与支持，提供了理论的前提。

关于马尔罗的艺术史观问题，我们先要指出，艺术史观问题本来是一个历史学范畴的问题，只有以历史唯物论的观点，才能对艺术发展的根由与规律有全面、正确的认识。当然，资产阶级社会学的观点，也并非不能在一定的程度上揭示艺术发展中的一部分规律，但毕竟是"一定的程度"和"一部分"。然而，遗憾的是，马尔罗的艺术史观不仅与历史唯物主义相距很远，甚至连资产阶级社会学的味道也很少。他不是从阶级关系、从社会生活的条件去分析艺术形式的产生与发展，也不像资产阶级某些社会学的理论批评家那样，在考察艺术发展过程时，把民族的、地理的、环境的因素估计进去。他的艺术史观具有浓厚的唯心主义的性质，是他的"报复"论的艺术观的直接派生与演绎，在他看来，既然人从事艺术创作活动是为了战胜死亡、显示出人的力量与崇高性，那么，艺术发展过程也就成为了一种不断"报复"、不断创造的过程。在这里，动力是人追求不朽的愿望与意志，而不是任何阶级社会的原因，而且，人创造艺术品的途径又不是别的，只是"从其他艺术形式获取自己的艺术形式"，因为，"一种行将诞生的艺术，其原料不是来自生活，而是来自以往的艺术"[①]。这样，在马尔罗的艺术史观里，人的不断"报复"、不断进行艺术创造的过程，就是艺术形式上不断变化和革新的过程。一位理论家说得很中肯："马尔罗认为形式的不断变化，就是艺术的本质。"为什么马尔罗对毕加索那样推崇？原因就在于他认为毕加索不断追求新的艺术形式、不断变换自己的艺术风格，正体现了艺术的本质，正代表了人类艺术不断抛弃固有的形式而创造新形式的进程。因此，马尔罗的艺术史研究就成了对古往今来各种各样艺术形式的陈列与比较，他在《众神的变异》、在《想象中的世界雕塑博物馆》中，就是这样做的，甚至他论著的标题本身就标明了他陈列比较的方法与形式主义的艺术史观。

---

① 马尔罗：《沉寂之声》第617页。

如果说,"报复"论的艺术哲学给马尔罗在理论上造成了一些缺陷与局限,使他没有成为一个有严格体系与科学方法的艺术理论家与艺术史家,但至少给他带来一个好处,那就是使他对艺术有一种胜于爱生命的感情,使他对艺术的热爱保持在一个哲理的高度上。他曾明确地对访问者说过:"对我来说,最为重要的就是艺术,我爱艺术就像有些人爱宗教一样。"他从这种感情出发,当然也希望更多的人欣赏并热爱艺术,他充满热情地追求这一目的,并把它视为自己生命的意义,他曾这样自白:"如果我临终的时候,我可以对自己说,有50万以上的青年看到了由于我的行动而有一扇窗子打开了,通过这扇窗子,他们得以摆脱了技术的冷酷、广告的袭击,不再一心向'钱'看,也不再沉溺在庸俗无聊并带有暴力色彩的消遣里,只要我能对自己这么说,我敢保证,我就死得心满意足了。"[①]他要打开的那扇窗子,就是艺术之窗,他在担任文化部长期间,就是这样做的,他这样规定自己的政策:"让尽可能多的法国人能欣赏到人类的、首先是法国的艺术名作。"[②]由于他有这样一个良好的志愿,法国人在20世纪就获得了一位能干而竭诚的"文艺总管",一位杰出的艺术遗产的继承者、收藏者与展出者。

马尔罗对人类艺术遗产热情的继承态度,有其理论的根据,他关于文化遗产继承问题的见解,也许是他文艺思想中最有价值的部分。他认为艺术不朽,不仅是因为艺术形式表现了人类的创造性,艺术品中响着人类那一部分已经消失的历史的声音,因而都具有超越死亡、战胜生存荒诞性的意义,而且还因为,艺术品中体现了人的理想,表现了人类各个时代优秀的品质,这些都是人身上的稳定的素质,在一定程度上具有永恒的意义,并且,在有分歧的世界上,有助于使人们

[①] 弗朗索瓦丝·陶朗洛:《从艺术与行动中见出思想的一致》,《马尔罗的存在与言论》第177~178页。
[②] 见《马尔罗的存在与言论》第253页,1959年1月9日《办公日志》。

交流思想感情，使人联合起来。他曾以《安娜·卡列尼娜》为例，说明不同民族、不同时代的人们之间的感情交流："如果说，我们根本没有把活人的梦想联合起来，至少我们已经很好地把死人联合起来了。"[1]

在遗产问题上，马尔罗显示了一个大文化人广阔的胸怀和应有的价值标准，他对人类一切优秀的、有价值的文化遗产都有浓厚的兴趣，只要是真正有价值的遗产，他都主张加以继承而不应受时代、民族、社会制度和艺术风格的限制。而且，他还精辟地认为，文化艺术首先必须是民族的，富有民族的内容和特点，而后才能进入世界的优秀文化宝库。他指出，托尔斯泰、陀思妥耶夫斯基都是"地道俄国化的作家"，但他们都在西方文化中享有重要的地位。虽然马尔罗战后在政治上保守右倾，以竭力防止法共在法国取得政权为己任，但他对无产阶级伟大的诗篇《国际歌》，却又作了高度的赞美，他称这首歌"将与人类永恒正义的梦想联结在一起"[2]。而另一方面，他对资本主义商品性的、庸俗化的文学艺术，则采取了一种批判的态度，他曾在一篇著名的演说里，把资本主义的机械文明窒息精神文明的生产，电视与电影泛滥成灾，其中"最触目惊心的东西就是动物的本能、性与血的暴力"等等，视为"威胁着人类的不祥的命运"[3]，并且号召"向庸俗的潮流进行面对面的斗争"。马尔罗对两种不同文化艺术如此鲜明对照的态度，在一定程度上超出了自己的阶级局限性，这也正是马尔罗卓越的所在。

1983年2月完稿

---

[1] 马尔罗：《对知识分子的呼吁》，布阿德福尔：《安德烈·马尔罗》第129页，Editions Universitaires版，1955年。
[2] 马尔罗：《对知识分子的呼吁》，布阿德福尔：《安德烈·马尔罗》第128页。
[3] 马尔罗：《1967年1月8日在牛津大学"法兰西之家"新址开幕典礼上的演说》，见《马尔罗的存在与言论》第54~55页。

10

从《西西弗神话》到《反抗者》

——《加缪全集》中译本总序

一

一个20世纪作家,其名字两次成为世界各国大报头版醒目标题,甚至是头版头条新闻,这无疑说明了世界与人类对他在意的程度,标志着他文学地位的重要性、他存在的显著性。他就是法国人阿尔贝·加缪。

1957年10月中旬,瑞典皇家科学院宣布将当年的诺贝尔文学奖授予加缪。16日,当加缪得知这个消息时,正与友人在巴黎福赛圣贝尔纳的一家饭店的楼上用餐,他顿时脸色煞白,极为震惊。同样,这个消息也震惊了整个巴黎与欧美文化界。

为什么普遍的第一反应是震惊?

固然,他的文学成就是毫无疑义的:其名著《局外人》(1942)、《西西弗神话》(1943)、《鼠疫》(1946)、《反抗者》(1950)以深沉的精神力量给了人们以隽永的启示,享誉世界,成为20世纪文学中的经典。瑞典皇家科学院认为他"热情而冷静地阐明了当代向人类良知提出的种种问题";莫里亚克称他为"最受年轻一代欢迎的导师";福克纳把他视为"一颗不停地探求和思索的灵魂"而表示敬意;《纽约时报》的社论评论他"是屈指可数的具有健全和朴素的人道主义外表的文学声音"……

使人震惊的原因是他的获奖大为出乎人们的意料。首先，因为他并不是经过任何重要团体的推荐，而是由瑞典皇家科学院直接评选出来的，而且他是战胜了法国的9位候选人，特别是超过了其他好几位声名更为显赫、地位更高的大师，如马尔罗、萨特、圣-琼·佩斯以及贝克特等而获此殊荣的。更为主要的是他太年轻，他毕竟只有44岁，是法国20世纪文学史上最为年轻的诺贝尔奖获得者！在他之前，苏利-普吕多姆于1901年获奖时是62岁，罗曼·罗兰于1915年是49岁，阿纳托尔·法朗士于1921年是77岁，亨利·柏格森于1927年是68岁，马丁·杜·伽尔于1937年是56岁，纪德在1947年是78岁，莫里亚克在1952年是67岁……至于在他之后，萨特于1964年获奖是59岁，克洛德·西蒙于1985年则是72岁……直到今天，加缪这个名字在世人心目中之所以格外有分量，实与他几乎是在青壮年时期就达到了文学成就的巅峰有关。

他再度引起全世界舆论的极大关注是在1960年。这年开始的1月4日，在法国荣纳省的桑斯附近，加缪遇车祸身亡。这个消息又一次震惊了世界。各国报纸的头版头条报道了这一噩耗，正在闹罢工的法国广播电台，也特别播出了哀乐，悼念他的逝世。当时担任法国文化部部长的马尔罗这样对他盖棺论定："20多年来，加缪的作品始终与追求正义紧密相连。"即使是加缪的论敌，也表示了沉痛的哀悼，曾与加缪闹翻了的萨特在《法兰西观察家》上发表了令人感动的悼词，这样评论加缪："他在本世纪顶住了历史潮流，独自继承着源远流长的警世文学。他怀着顽强、严格、纯洁、肃穆、热情的人道主义，向当今时代的种种粗俗丑陋发起胜负未卜的宣战。但是反过来，他以自己始终如一的拒绝，在我们的时代，再次重申反对摒弃道德的马基雅维里主义，反对趋炎附势的现实主义，证实道德的存在。"而西蒙娜·德·波伏瓦则在得知加缪逝世的噩耗后，即使吃下已长期停服的安眠药也无法入眠,而冒着1月份寒冷刺骨的细雨,在巴黎街头徘徊……

　　生命的终止并不全然都是生命的终止,1月4日的车祸并没有使加缪悄然离开世界,反倒成为加缪不朽生命力在人们心目中弘扬光大的新起点。世人对加缪有如此隆重的关注、如此揪心的惋痛,又与加缪系早逝于英年这样一个事实有很大的关系,他去得太年轻,毕竟只有47岁。要知道,这个时期的他,正处于某种创造力勃发、神采高扬的状态:他的重要小说《第一个人》写作得甚为顺利,基本上已经完成,可能是献给母亲的题词已经写好,而这部作品是被他自己称为"我成熟的小说";他在戏剧创作与戏剧编导方面,也雄心勃勃,甚至对演电影也兴致很高,玛格丽特·杜拉斯的著名小说《琴声如诉》由布鲁克执导搬上银幕之前,杜拉斯、布鲁克与女主角让娜·莫罗都一致同意由加缪出演男主角,加缪也已欣然同意,只是因为《第一个人》的写作进度与电影拍摄的档期有矛盾,该片男主角才由赫赫有名的硬派小生贝尔蒙多代替出演;至于他在这一段时期里与一个年轻、健康而美丽的女子相恋,更被后来传记作者视为加缪的第二个青春的标志……一个充满了生命活力的人,一个已经获得了最高文学殊荣而正要翻开新的一页的作家,如此英年早逝,显然给世人留下了对他灿烂前景扼腕长叹的惆怅与无穷无尽的遐想。

　　年轻是世界上最美好的一个字眼,特别是在人生攀登的高难领域里更是如此,加缪却两度在高层次的意义上体现着它、代表着它。因此,当人们环视20世纪文学的时候,必然会发现,加缪是一个特别熠熠生辉、别具一番魅力的名字。

二

　　面对着加缪这样一个充满了生命光辉的不朽者,这样一个在20

世纪现实中有声有色、显赫了一个时代的客观存在，这样一个在人类文化史上永远光华照人的精神现象，该如何观照与审视？正如观察天象与星体时显微镜无用武之地一样，我们面对着加缪时，某些时髦的工具如叙述学、符号学、文体论、结构主义批评、语言学理论，就显得过于琐细，而难以得心应手了，观察天象就应该用观察天象的方法与工具，就应该用望远镜与光谱分析、地质分析……

作为一个社会的人、时代的人，作为一个客观存活的个体，加缪身上值得我们首先注意也必须予以注意的是哪些方面的成分与状况？

"我是穷人"，"我过去是，现在仍是无产者"，这是加缪社会生活状况最主要的一个基点。

这种状况一直可以上溯到加缪家族的上两三代。他的曾祖父原是法国的穷人，穷得没有土地，趁法国的殖民征服之际，移民到了阿尔及利亚。他的祖父是个农民，兼做铁匠；他的父亲则因为双亲故去被送进了孤儿院，成年后在家乡当了雇农与酒窖工人，第一次世界大战爆发后应征入伍，于1914年身负重伤去世。这时的加缪还不满1岁，母亲带着加缪和他哥哥到了自己阿尔及利亚的娘家，以帮佣为生，勉强维持自己与两个孩子的生活。整个家族几代人都这样处在赤贫的境况之中。赤贫也就是意味着"什么也没有"[①]，意味着加缪一生下来就生活在没有书本、没有文化、没有历史的空白之中。他从零开始，这就是加缪对自己的理解，也就是说，他把自己视为本家族从原始状态中走出来、走向文明的"第一人"。由此，他给他最后一部小说，亦即本人的精神自传取了"第一个人"这样一个标题。

从不满1岁直到17岁，加缪是在阿尔及尔的贝尔库贫民区长大的。他的家庭生计艰难，幸亏加缪兄弟两人被承认为战争阵亡者的孤儿，每年从政府得到若干抚恤金，得以维持最低水平的生活与上小学

[①] 《第一个人》注解。

念书，但是"每次回到家中，就回到了贫穷、肮脏、令人厌恶的地方"，家里连做作业的桌子也没有。"人人都得干活挣钱"，加缪兄弟也不能例外，只是由于母亲的大力支持与艰苦支撑，加缪才未辍学一直念完了高中，接着又在阿尔及尔大学完成了他的学业，先后于1934年与1935年，获得了文学与哲学两个毕业文凭。同样，不论是在中学期间还是大学期间，加缪始终都被贫穷的阴影笼罩着，他口袋里从来都没有什么零花钱。当中学生的时候，每当暑假他就要去打工挣钱，干过各种临时工的活。而到了大学，则去当家庭教师，辅导准备会考的高中生，也当过汽车零件推销员、船舶经纪人的雇员，等等，以弥补自己拮据的经济。

从学校毕业走上社会之后，他又完全过着为生计所迫的智力劳动者的生活。他长期在报馆任职，既是他的兴趣与专长，更是一种不可或缺的谋生手段；在相当长一段时期里，他在左翼文化团体里工作，这与他左倾的政治态度有关，其实也有维持生活出路的性质。即使是在1935年被迫离开共产党后，他仍待在由共产党控制的"文化之家"里，直到1937年年底，就充分说明了这点；他在整个第二次世界大战期间，经常居无定所，甚至长时间寄住在友人家里，既与他参加抵抗运动的斗争生活有关，也是他生计艰难窘困所致；他虽然29岁发表《局外人》后就一举成名，而在文坛开始崭露头角则为时更早，但他几乎从没有过过富裕阔绰的生活，他获得诺贝尔文学奖之后，才在普罗旺斯的卢马兰村购买了一幢别墅，直到生命的最后一年，他来来往往仍然是驾驶他那辆陈旧的黑色雪铁龙车……难怪他成名之后这样说过："我过去是，现在仍然是无产者。"

从加缪的家庭出身、青少年时期的成长与入世后的生活状况来说，用"平民知识分子"一词来概括他是远远不够的。他几乎完全像世界著名的无产阶级作家高尔基那样，是来自社会的底层。不同的是，他受到了完整而良好的中学教育与大学教育，在现代化的教育过桎中被培养成为一个全面的知识分子、一个高层次的文化人,而这种长期的清贫与困顿又作为一种最基本的土壤以其苦涩的汁水滋育了这样的"第一人",使他在法国思想文化领域里具有自己的特色,在这里,我们至少可举出以下两点:

瑞典皇家科学院在授予加缪诺贝尔奖的评语里这样说:"加缪是准无产阶级出身,因此,发现必须依靠个人的力量,在生活中跋涉向前⋯⋯"这种跋涉向前的必要,也就成为了他奋发向上的动力,而这种动力的持续作用造就了他英年的才华,贫困严酷的条件使他得到了足够的磨炼,完整的现代化教育造就了他的文化层次与精神高度,在文化精神光亮的照射下,磨炼奔向明确的目标。而渗透着磨炼苦汁的精神层次与文化水准则反倒具有一种贴近大地的实实在在,这就造就出了一个务实求真、充满了活力的智者。加缪既是一个通今博古的现代文化人,又绝非一个只在书本中讨生活的书斋学者,绝非一个靠逻辑与推理建立起自己体系的理论家。他的理论形态充盈着生活的汁液,如果他不是从实际生活与书本知识两方面汲取了营养,他怎么能写出既有深远高阔的精神境界,又充满了对人类命运与现实生活的苍凉感的著作?

作为"无产者"的基本生存状况在加缪身上刻下的另一个主要的印记,就是他的左倾以及他与马克思主义的关系。不言而喻,他的生活使他与无产阶级的哲学马克思主义的关系以及他与无产阶级的政党——共产党的关系,可以说是天然的、必定的。他正是由于相信了马克思主义是拯救贫苦阶级的理论而走近了它,并且加入了共产党。但是,加缪的这种行为绝非纯理性认识与意识形态的结果,而正如他自己所说是"在悲惨世界中学会"的结果,这个"悲惨的世界",除了他亲身承受与体验的贫困、所见所闻的苦难外,就是这个世界截然不同于理论与概念的现实复杂性。加缪不仅在自己困顿的现实生活中、现代化的教育过程中,从各种人、各种活动中充分体验到了这种复杂性，而且他是在法国殖民地阿尔及利亚这样一个特定的环境中生活与成长起来的，这里不同种族、不同利益的矛盾与冲突，特别是他精神上对法兰西与对阿尔及利亚的二元归向的矛盾体验与痛苦思索，更使他学会了任何理论学说都无法给予的东西。于是，在共产党学说、社会主义思潮风起云涌的20世纪，法国—阿尔及利亚出现了一个杜绝了抽象精神、狂热理论、偏激学说的左倾文化人，一个从实际出发，保持了精神独立与自由人格的左倾文化人。正因为如此，他在1935年参加了共产党后，因在阿尔及利亚问题上持不同意见，而于1936年又离开了共产党，这定下了他终身作为一个不跟任何主义学说、路线政策随波逐流，不附着于任何实体阵营的自由的左倾思想家的格调。

三

作为一个社会的人、时代的人，作为一个"我思故我在"的人、一个靠笔安身立命的人，加缪身上值得我们关注的另一个重要的事实与状态，就是他在现实社会中与实际斗争不可分割的关系。

在法国20世纪文学中，我们可以看到不少介入现实生活、参加社会政治活动的作家。从广义的角度来说，他们都与实际斗争有紧密的联系，不过，介入的程度与参与的层次是大有不同的。有一部分作家的介入与参与，基本上限于发表谈话、签署声明、参加集会等公开的形式，这些形式属于社会政治活动的高层次范围，参加活动者无不是以自己显著的名声与地位为基础的，纪德、杜·伽尔、罗曼·罗兰、莫里亚克、萨特、西蒙娜·德·波伏瓦都有过这类的社会政治活动，特别是萨特更是此道的大师与老手。不言而喻，这种方式的活动有其轰动效应与巨大的社会影响，但不可否认作为实际斗争却带有明显的表层性。另有一部分作家的介入与参与，则不仅止于这种表层的形式，而是以长时期深入基层的日常具体的工作为内容，可谓更为严格意义上的实际斗争。属于这种情况的，为数比前一种要少得多，从20世纪40年代起，最为突出的有马尔罗与圣爱克·苏佩里。马尔罗成名之后，正逢法西斯在欧洲日益得势、逞凶，而世界反法西斯斗争也正是风起云涌的时代，他不仅是集会上、宣言上的活动家，而且是政治斗争与军事斗争的组织者。在抗击法西斯的西班牙战争中，他组织了一支空军部队；在解放法国的武装斗争中，他也是一个兵团的指挥官。圣爱克·苏佩里则一直作为飞行员坚守在第一线，并在二战时牺牲在蓝天之中。除了这两个实践型的作家之外，就要数加缪了。

加缪早从大学时代起，就是一个实干的政治活动分子，较早就积极参加亨利·巴比塞与罗曼·罗兰发起的反法西斯运动。投身于左翼政治组织后，他在群众中做过具体的宣传工作，也做过带有文运性质的基层工作。他很早就卷入了法兰西与阿尔及利亚的错综复杂的关系，非常具体地参与了反对殖民主义的进步活动，亲身进行社会调查，撰写调查报告，以揭露殖民主义统治的不合理。在20世纪40年代反对德国法西斯的斗争中，加缪更是地下抵抗运动中的重要人物，是解放运动的战争组织中的坚强战士，从事过不少秘密的工作，特别是情报工作与地下报纸《战斗报》的筹备与领导工作；与此同时，他还不断撰文揭露侵略者的罪行，号召法国人民振奋精神，坚持抗敌，解放法国，向德国人民戳穿法西斯的欺骗与裹胁。在那黑暗的年代，加缪像一个斗士一样以自己的笔为武器，进行勇敢的、实实在在的战斗，正是由于在反抗法西斯斗争中的突出贡献，他于1945年被授予抵抗运动勋章。

对于处于全国中心地位的巴黎文化界、思想界来说，加缪这样一个出身贫困、有双重种族背景而又与重大社会现实斗争有如此深入、如此具体联系的来者，无疑要算一种"新鲜血液"。他的异样性显而易见:他既不同于巴黎文艺界那种习于以形式与风格的创新为业、以才情为传世不朽的手段的文人,也不同于那种传统的在书斋中以隽永的见解与独特的思辨而振聋发聩、令世人折服的哲人;他带来了新的气息,他的立场,他的观点,他的理念,他的视角,他的表述方式自有其独特之处,是他以困顿与实践为特征的存在状态的凝现与升华,是他在生存荒诞与社会荒诞中没有停顿的实践在精神上的延伸。就像希腊神话中的安泰俄斯以大地为其无穷力量的根本源泉一样,加缪全部论著、全部作品的力度,都来自他的实践生活和身体力行的品格,他的这种力度是很多其他同时代作家所没有的,他力度的强劲与坚韧持久,甚至也是他的同类哲人兄长萨特稍逊一筹的。

然而,也是因为加缪与现实的社会政治有着深层次的、具体而微妙的关系,他本人生前在各种力量、各种利益的矛盾与冲击的旋涡里,就没少遭困扰,身后也有各种相左的议论、评价缠绕着他的名字,在反法西斯方面,他获得了众口一词的赞扬与完美的英雄称号,但在反殖民主义斗争与共产主义运动这两个重要的方面,他经常而且至今仍是不同评价的争论对象。

法国早在 1830 年就开始对阿尔及利亚大举入侵,到 1848 年,实际上已全部控制和占领了整个阿尔及利亚。此后,就一直不断向这块殖民地大规模移民,特别是在 1870 年普法战争失败、阿尔萨斯与洛林两省割让给普鲁士后,法国政府更是将大批选择了法国国籍的两省居民,安置在阿尔及利亚广阔肥沃的土地上。加缪的祖先是阿尔萨斯人,正是那时来到阿尔及利亚定居的,因此,在加缪心目中,法兰西与阿尔及利亚都是自己的祖国故土,但两者截然不同的、殖民者与被殖民者的地位却不可避免地使他置身于两难的境地。加缪眼见养育了自己的阿尔及利亚遍地贫困与苦难,感同身受,对这片土地强烈的同情、对殖民制度恶果的憎恨,自始至终贯穿了他整个一生。为阿尔及利亚的处境与命运牵肠挂肚、仗义执言、奔走呼号的活动自然也就成为他生活的一个不可分割的组成部分。他曾辛劳跋涉，对阿尔及利亚人苦难贫困的生活状况进行过深入的社会调查，进行过系统的报道，撰写过大量的文章，真可谓呕心沥血，甚至，他为了阿尔及利亚还做出过重大牺牲：他被迫离开法国共产党，就是由于他反对法共在阿尔及利亚问题上的民族沙文主义的政策，由于他指责了党的领导迫害阿尔及利亚穆斯林的态度。然而，殖民主义与反殖民主义的斗争是不可调和的，在两个水火不相容的对立面中，要调和折中实不可能：加缪站在法兰西的立场上抵制与反对阿尔及利亚穆斯林争取完全民族独立进行恐怖主义的活动，又必然引起他与阿尔及利亚一方的深刻矛盾，因此，直到他去世之前，他仍然受到对立双方的批评与责难。加缪作为阿尔及利亚事务的参与者，事实上是陷入了悲剧的处境，这不是他个人的失误所造成的，甚至也不能归咎于他思想意识上的局限性，这是时代的悲剧，是法兰西与阿尔及利亚两个民族漫长的悲剧历史过程所决定的。随着法国与阿尔及利亚之间关系走向彻底解决，阿尔及利亚最后获得了独立与自由，加缪的活动与声音，也就成为了阵痛不断的漫长历史中一种困惑的回响。

在与共产党运动的关系上，加缪的言行作为、活动轨迹则更为深刻地反映了历史风云中的复杂矛盾与时代发展的必然。加缪是在20世纪30年代整个西方世界的知识阶层明显左倾的潮流中，投身于共产党的，而西方知识阶层的左倾潮流则是第一次世界大战后自由资本主义深层次矛盾的明显暴露，苏维埃政权与德国法西斯政权是作为对传统的自由资本主义的两种强劲的逆反力量而在突出的历史背景下出现的。在加缪之前，一些著名的作家如罗曼·罗兰、杜·伽尔、纪德、马尔罗等，就已经因与苏联为友而轰动一时，像他们一样，加缪把马克思主义、共产党视为能使面临着危机的人类摆脱困境，甚至获救的途径。正是出于这样的信念,他参加了法国共产党。此后,他不仅担负起党派给他的在穆斯林中进行工作的任务,而且主动地通过戏剧活动为政治斗争服务。他创建了劳动剧团,先后演出了赞颂共产党人反法西斯斗争的《轻蔑的时代》与描写西班牙无产阶级斗争的《阿斯图里起义》,加缪不仅是剧团的组织者、领导人,而且亲自创作与改编剧本,担任导演,出演主角。劳动剧团的演出取得很大的成功,产生了广泛的政治影响,以致被政府当局认为有煽动性、危险性而禁止再演。此外,加缪还参加其他的剧团,经常到阿尔及利亚城乡各地巡回演出。稍后,加缪又组建了"阿尔及利亚文化之家",开展了各种各样、丰富多彩、进步的文化活动,实际上成为共产党的外围组织;同样,加缪在这个机构中也扮演了极为重要的角色,他是各种活动的策划者、组织者、协调者、节目主持者,还亲自进行演讲以及演出等。

所有这些活动,充分地表明加缪是一个非常积极并卓有成效的党内活动家,他把巨大的政治热情、创造性的工作与自己熟悉在行的文化艺术事业结合起来,在阿尔及利亚这个特定的舞台上开创出生动活泼的政治局面。

正如共产主义运动过程中千千万万个例子所表明的那样,把马克思主义与共产党政治斗争视为济世良方、解放道路的人,并不一定把马克思主义的学说教义、共产党政治原则融进了自己的血液里,倒是血液里常携带着不少传统观念、生活习俗、个人际遇的积淀,用国内常听说的一句话来说,就是"组织上入了党思想上没有入党"。何况在 20 世纪共产主义运动中作为理论旗帜的,事实上已不再是经典的高度理论化的马克思主义,而是有重大变更、具有极大实用性的列宁主义。至于在实际共产主义运动中作为指导法则起具体控制作用的,更是从列宁主义中蜕变而成的斯大林主义,其显著的特征就是以政治功利为目的的实用主义、以强权哲学为标志的极权主义、以专制与冷酷纪律为手段的组织方式，所有这些通过第三国际的管道流传到全世界范围。共产主义运动的这种政治形态，在较发达的国家，特别是在文化密集程度较高的领域里，势必与具有历史文化内涵、习惯于思考的人士发生深刻矛盾。因此，在20世纪30年代欧美知识阶层左倾化高潮之后不太久，就越来越多地出现了同路人分道扬镳的事例。纪德的《从苏联回来》，罗曼·罗兰留下的日记，马尔罗转向戴高乐主义，就是明显的标志。这种转向、分手、背离的倾向发展到五六十年代匈牙利事件"布拉格之春"时，则形成了高潮，甚至一直都坚定地站在社会主义阵营之中的萨特，也成了斯大林主义——苏联政策的激烈批评者并公开宣布"分道扬镳"。在这些声名卓著的作家纷纷开始自己"理性复归"的过程之初，远离欧洲思想中心、处于偏远阿尔及利亚的默默无闻的加缪，就已经显示出了自己的理性与独立精神，对法共在阿尔及利亚的错误政策进行强烈地批评，他为此付出了沉重的代价。就20世纪全人类历史发展进程而言，不能不说加缪是一个先行者，同时又是一个殉道者，也正是从这里起步，他发展成为20世纪一位独立、勇敢而伟大的思想者。特别难能可贵的是，他在以后超越党派利害、致力于批评极权主义的过程中，还多次对受到镇压的欧洲共产党进行声援，他于1949年声援被处死刑的希腊共产党员，1952年声援被判处死刑的西班牙左派就是两个明显的事例。

四

由于英年早逝，而且生平参加了大量的社会实践活动，加缪实际上完全从事文学创作的年月并不长，至少与文学史上很多巨星式的人物相比要短少一些，而那些人物所享用的悠长岁月与在有生之年所保持的旺盛精力，往往是他们得以攀登到世界文学顶峰的一个不可忽视的条件。加缪不仅有生之年不长，而且体弱多病，但也攀登到了世界文学的顶峰，他攀登的轨迹不能不说是相当辉煌的，值得作一番回顾与探究。

像很多著名的文学人物一样，加缪从小就显示出了对文学的兴趣与语言文字的能力：在小学时期，就已经对发表演说、朗诵诗歌很有兴趣，7岁时就想将来成为一名作家。他驾驭文字的能力很强，法语成绩优秀。中学期间，他博览群书，很快就得到哲学老师让·格勒尼埃的赏识。这位先生本人是一位作家，虽然来到边远的阿尔及利亚，却与文化中心巴黎的文艺界、出版界有广泛的联系，经常在权威的文学刊物上发表文章。加缪从中学、大学时代一直到他1940年初次离开阿尔及利亚去巴黎寻求发展，甚至在这之后，都一直得到他的关怀、指引与提携，是加缪的导师与忘年交。一个来自"穷乡僻壤"的青年，能够顺利地进入巴黎的主流文化界并迅速取得成功，实与这一"得贵人相助"的际遇不无关系。

加缪在大学期间就已经开始写作，但他毕竟不是出自诗书之家，也没有浸染在巴黎高师这样的名校，这就决定了他的创作不是从吟哦诗韵、摆弄格律开始，而是选择了以自然朴实而非技巧化的文字形式，实实在在表述对现实生活的认识与内心感受的道路。他1935～1936年所写的一系列散文就是这类性质的作品，这些散文随笔在他刚出校门后一年就出版了，这就是他的第一个文集《反与正》。

《反与正》的篇幅不大，但却是加缪整个创作中具有重要意义的作品，由五篇散文组成：《嘲弄》是三幅人生暮年的图景，分别描绘了一个瘫痪的老妇人，一个没有自知之明的老头与一个在家庭里作威作福的老外祖母，同样面对着衰老死亡的不同境况；《若有若无之间》是一个生活艰难、劳苦辛勤、孤独沉默的老母亲的画像；《伤心之旅》与《热爱生活》记述了作者本人1936年六七月份在布拉格、意大利、西班牙旅行中的见闻观感与异乡人的内心体验；《反与正》

是从一个老妇人晚年为自己修建墓室的故事引发出来对生活的思考。所有这些散文的素材都取自作者本人周围的生活与人物,其中包括他的外祖母与母亲。从平常的生活现象中生发出敏锐的感受并再抽引出形而上的哲理,这就是加缪在这个文集中所做的事。在这里,生存荒诞、人都要死、现实境况的尴尬、异乡人、人的孤独、人与人关系中的漠然,等等,日后在《局外人》与《西西弗神话》中清晰成形的思想主题,都已经灵光一现,因此,《反与正》实际上是加缪文学创作中那强力核心部分的雏形。加缪自己就讲得很明白:"就我来说,我知道自己的创作源泉就在《反与正》里。"

紧接着问世的又是一本散文《婚礼集》(1939),文集中的四篇文章都是在《反与正》出版后写作的。这时的加缪不像1934～1936年写作《反与正》时那样,陷于物质生活拮据、健康状况不佳、婚姻不稳定以及入党后心情不舒畅等一系列困窘中,他这时的处境与心情大为好转,至少《反与正》的出版已经预示着他面前展现出一条有希望的文学之路。因此,《婚礼集》在风格上与《反与正》形成了鲜明的对照,如果说《反与正》是沉重、忧郁、悲怆、阴沉的话,那么《婚礼集》则是愉悦、光亮、温馨、优美的。在这里,是阳光明媚、繁花似锦、光影绰绰的夏季的阿尔及利亚大地,自然风光与人文景观相互辉映,仿佛一对新人举行着美妙结合的婚庆。作者以太阳与大海民族之子的自得感沐浴其中,不是来寻求孤独,不是来思索哲理,而是观赏大自然、品味故乡风物、享受生活乐趣。总之,这是一本阳光灿烂的书,一本热爱生活的书。如果说,《反与正》为加缪以后的思想与创作提供了一个重要的基调,即对于生存荒诞性的直视与思考,那么《婚礼集》则提供了另一种基调,即对于人的存在的投入与执着。这两个鲜明对照的基调将水乳交融在《西西弗神话》中。

加缪这两个早期作品都不属于文学类别中往往最受重视、被认为最具艺术创作含量的那三种文学形式：小说、诗歌与戏剧，而仅仅是散文随笔而已，且篇幅短小。但是，请注意，散文随笔恰巧在法国文学史上最具有久远的历史、最深厚强大的传统，出现过一系列划时代的名著，其深远历史影响，其巨大的社会效应甚至超过了任何小说、戏剧、诗歌的杰作。文艺复兴时期蒙田的《尝试集》，启蒙时代孟德斯鸠的《法意》与《波斯人信札》，卢梭的《社会契约论》与《忏悔录》都是最脍炙人口的例子。加缪一开始就选择了这种对作家自我表现最为方便自然，对于直面现实与人生最为迅捷有效，对于阐明事理要义最为深入透彻的文学形式，对于一个有介入现实、济世益人意愿的作家来说，这种文学形式自然是他的首选。但要达到高目标，进入高境界，还要看他是否具有从最平常不过的生活现象中感悟深刻哲理的能力，是否选择了为世人所关注的重大的现实问题作为自己深掘、开发的富矿，以及他是否能提供出隽永的哲理体系，并以艺术家的才能将这种体系加以形象化，表现得生机盎然、活力十足而便于其远播四方、深入人心。

从最初的两本散文集出发上路，方向已经选定，路还没有踩踏出来，就看出发后的第一大步了。文学史上有不少作家，在借自己精神的灵光展望自己的前进方向之后，却未能跨出关键性的一大步，有的就耽误了自己整整一个创作时期，有的甚至竟未能导流有致，"水到渠成，功成名就"。加缪则不然，他顺应自己的精神行程，跨出的一步，却径直通向顶峰，举足轻重，令世界为之一振，这就是紧接着两部散文之后于1940年完成的小说名著《局外人》。

如果一部举世公认的杰作是一蹴而就的，那倒的确是一种文学创作的奇迹。但事实上《局外人》却有"前期创作准备"，那就是小说《幸福之死》。这虽然是一部从未出版过的小说，但法国资深的加缪研究者有充分的证据已经指出，这部作品有不少处与《局外人》相似：它的主人公梅尔索的名字与《局外人》的主人公名字只有一个字之差，他同样是一个清贫的职员，也犯有一条命案；《幸福之死》里，也出现过母亲死亡与葬礼的场景，主人公在母亲下葬时无动于衷等等情节；也许更值得我们注意的是，梅尔索在生活中也具有近似的"局外人感"，他面对死亡这一个人生大课题，也有所考虑，有所动作，虽然跟《局外人》的主人公颇不一样。因此，我们大可把《幸福之死》视为《局外人》的一种"预备创作"，甚至是一种"草案"，只不过这份"草案"比后来的那个杰作要繁复一些，但提炼、加工、凝聚、浓缩不正是制作精品之道吗？

　　《局外人》只是一个规模不大的中篇，作品的内容几乎全部是一桩命案与围绕它的法律过程。中心的人物，甚至可以说作品的唯一观察者、唯一的感受者则是默尔索这个颇具独特性的小职员。小说以这个人物的真切感受揭示出了现代司法过程中的谬悖，特别是其罗织罪状的邪恶性质。一个并不复杂的过失杀人案在司法机器的运转中，却被加工成为一个"丧失了全部人性"的"预谋杀人"案，被提高到与全社会全民为敌的"罪不可赦"的程度，必欲以全民族的名义处以极刑。这是将当事人妖魔化的精神杀戮与人性残害。而这种杀戮与残害的实现与完成，则是通过这样一种方式与手段：将当事人完全排除在司法程序之外，使他在从预审、开庭、起诉、审讯、辩护到宣判的整个过程中，处于一种被"取代"、被"排除在外"的局外人地位。从法律程序而言，当事人悲剧下场的根本原因就在于此。而从定罪定刑的法律基本准则来说，默尔索则又是死于意识形态、世俗观念的肆虐。他之所以被妖魔化而定罪，正是由于他一系列再平常不过的生活细节竟被观念、习俗的体系特别挑选出来，并被精心编织成为一个十恶不赦的犯罪神话，于是意识形态对法律机制本身的侵入、干扰与钳制使得法律机器成为了某种"说法"的专政工具、某种精神暴虐的途径。所有这一切发生在外表极为客观严谨、细致周到的法律程序里，正暴露出了现代司法制度的荒诞。

《局外人》的社会意义首先在于对荒谬现实的深刻揭示，而它之所以有这种现实的力度，则因为它是加缪早年生活经历的积淀与结晶。加缪自称，他曾经追踪旁听过许多审判，对重罪法庭审理的一些特大案件非常熟悉，并有"强烈感受"，"我不可能放弃这个题材，而去构思我缺乏经验的作品"[1]。而他对阿尔及利亚灰暗背景与小职员猥琐生活的熟悉，也有助于他在《局外人》中成功地描绘出色调阴沉、充满了悖谬成分的现实社会图景。如果《局外人》仅止于此，那就不过是文学史上雨果《一个死囚的末日》、法朗士《克兰克比尔》等这类揭露司法黑暗的小说的步后尘之作。但《局外人》却以其崭新的内涵而具有划时代的意义，这内涵就是通过主人公默尔索独特的视角与感受对荒诞主题的挖掘与阐发。

世界文学中被描写得最出色的人物形象，都具有使其成为不朽典型人物的性格特征，默尔索的性格特征是什么？那就是他那种漠然、不在乎的生活态度。在这一点上，他不同于文学上几乎所有那些入世、投入、执着的"小生"主人公，他对周围的人与事、对自己的生活、前途、命运都漠然、超脱、无所谓。"我怎么都行"就是他遇事表态的口头语，即使是最后在法庭上眼见自己的精神蒙冤，也是如此。作者并不是把这个人物视为一个懒洋洋、冷漠孤僻、不近人情、浑浑噩噩、在现代社会中没有适应能力与生存能力的废物，恰巧相反，加缪曾给予了他不少的赞词："他不要花招"，"他拒绝说谎"，"拒绝矫饰自己的感情"，"他是穷人，是坦诚的人，喜爱光明正大"，"一个无任何英雄行为而自愿为真理而死的人"，[2]总之，这是一个另类的新颖的人物，用加缪的话来说，他那些独特的行为表现只不过表明了"他是他所生活的那个社会里的局外人"[3]。由此可见，这

---

[1] 罗杰·格勒尼埃：《阳光与阴影》第100页，伽里玛出版社。
[2] 同上书，第91~92页。
[3] 同上。

个人物在加缪那里的正面性质是毫无疑问的。事实上,加缪在这个人物身上投射了他的一两个自外于时俗的朋友的身影,也注入了他自己1940年初到巴黎后的那种"异己感"、"陌生感"、"一切与己无关"①的感受。

问题在于默尔索这种行为方式,这种性格表态是以什么精神核心为其内在的根由?默尔索临死前对神甫拒绝忏悔、拒绝皈依上帝的那一席像火山爆发般的慷慨陈词(他生平第一次如此动了感情),才使人得见他那深藏的精神内核。这内核里也许含有不少成分,但最最主要的成分就是看透了一切的彻悟意识:他不仅看透了司法的荒诞、宗教的虚妄、神职人员的伎俩,而且看透了人类生存状况的尴尬与无奈,深知"世人的痛苦不能寄希望于不存在的救世主","所有的人无一例外会被判处死刑"。既持有如此的彻悟认知,他自然就剥去了生生死死问题上一切浪漫的、感伤的、悲喜的、夸张的感情饰物,而保持了最冷静不过、看起来是冷漠而无动于衷的情态,更不会去进行一切处心积虑、急功近利、钻营谋算的俗务行为。加缪让他的主人公如此感受到人的生存荒诞性的同时,也让他面临着人类社会法律、世俗观念与意识形态的荒诞的致命压力,从而使他的《局外人》成为一本以极大的力度触撼了人类存在中这个重大基本课题的书。它在法国文学中的重要地位从它问世之初就已奠定,它以深邃的现代哲理内涵与精炼凝聚的古典风格,成为20世纪世界文学中的经典名著。

五

人类存在的基本内容,不外乎就是生存状态、存在意识与存在方式。如果有什么作家在自己的整个创作中对这一系列基本内容有全面的触及、探讨与形象表现的话,我们面前的加缪就是这样一个作家。

---

① 罗杰·格勒尼埃:《阳光与阴影》第84页,伽里玛出版社。

这些基本内容各个方面所构成的那个整体，在他的创作中就是他所谓的"荒诞"命题，我们即将看到这个命题在他创作历程中充分、完整而有力的展现，成为加缪创作整体中的类母题。即使只是某一个一般的类母题能如此展现出来就已经很难能可贵了，何况是这样一个重大的类母题呢？

到这里为止，我们已经看到这个类母题最初在两个散文集中朦胧、隐约地浮现，在《局外人》中则已经看到它明朗清晰地展呈出来了，而与《局外人》几乎同步的，还有剧本《卡利古拉》。虽然这个剧本迟到1944年才出版，但它的写作并不迟于《局外人》，甚至动笔得还早一点儿，几乎同时是在1938年。如果说《局外人》在加缪的创作行程中是对人类存在课题相当全面的触及，那么《卡利古拉》则是一次非常猛烈的撞击。

剧本的同名主人公是古罗马帝国时期著名的暴君，但这并非一个历史剧，而只是寓言剧、哲理剧。主人公除了身披罗马皇帝的衣袍、把杀人当儿戏以外，似乎与真实的历史人物并无相同之处。在剧本中，加缪主要是让主人公进行哲理宣讲或者采取带有哲理宣讲性质的行为。他把17世纪法国大思想家巴斯喀著名的哲理放在他的嘴里，让他宣称自己认识了一个"极其简单极其明了，有点儿迂拙，但是很难发现的真理"，那就是"人要死亡，人并不幸福"。巴斯喀认为，人的伟大在于有别于动物，在于"认识到了自己会死"，于是，加缪的卡利古拉就成了巴斯喀哲理的体现者，体现了面对着生存荒诞与世界荒诞而具有清醒彻悟意识的哲理，这正是加缪的立场与哲学。他在剧本中安排了卡利古拉与另一个人物关于如何看待现实世界的对话：这个人物主张人为了苟安于世界，就应该致力于维护这个世界，粉饰这个世界，为它辩护；他的回答却是：这个世界并不重要，重要的是自己的认定，而他自己，则从世界那里感受到"一阵阵恶心"与"血腥味、腐尸味、高烧时的苦涩味"混合在一起的味道。正因为如实地感受到了这一切，有了自己清醒的认定，他才是"自由的"，他这种自由的自得感，几乎与《局外人》中默尔索临刑前的幸福自得感："我过去幸福，现在还幸福"很是相似——其根本的相似，就是都以对世界有清醒的认定为基础。

在卡利古拉这个人物哲理认识的层面上，加缪已经表现出他非常重视与强调人面对生存与世界时的清醒认识、彻悟意识。为了更进一步把他对彻悟意识的重视与强调从思辨推到极端的地步，他又安排了卡利古拉一连串极端的行为，这些行为极端到了悖谬的地步。卡利古拉的起点是认识了世界与人生的真相，获得了真理，他明确认定："这个世界，在目前状态下，是让人无法容忍的。"然而，他面前的世人却偏偏"缺乏认识"，生活在"假象"之中，面对着荒诞，面对着命运，或认为理所当然，或迷信绝对的善，或竭力要为现存的世界辩护，力求维持既有的秩序。要改变就必须先看透，如何才能使世人认清呢？他要充当世人的"言之有物的教师"，教世人认识世界与人生那"让人无法容忍"的状况，而他可采取的办法却是一种绝对的、极端的办法，那就是把荒诞的世界、恶的命运的逻辑推行到极端：既然世界本是无法容忍的，而人们又麻木不仁，那他就来施行暴虐、任意杀戮，使人深感难以维持下去；既然"人不理解命运"，那他就"装扮成了命运"，让人感受命运的荒诞可怕。有谁能根据自己的意愿如此为所欲为？有谁能充当这样一个"教育者"？当然只有像他这样的在人世中握有至高无上权力的帝王，于是，在他这样做的时候，他也就真的成为恶的化身、荒诞的代表，成为世人必须铲除而后快的暴君。

写作于20世纪30年代末，出版、上演于40年代上半期的《卡利古拉》，无疑带有鲜明的反极权、反专制、反暴政的倾向，把它放在这个时代既有红色恐怖的破坏，又有德国法西斯暴虐横行的背景上，它的现实针对性是不言而喻的。但笔者在这里更注重的是加缪在《卡利古拉》中对清醒意识、彻悟意识的强调，他这种强调在他整个荒诞创作类母题中要算一次重量级的阐释了。正因为《卡利古拉》既具有如此思辨性的哲理内容与尖锐的时代针对性，又具有戏剧情节的生动变化以及人物特殊的际遇命运，所以成为加缪在戏剧创作方面最为成功的作品，从40年代以后，一直到20世纪整个下半期，曾多次在法国与世界各地上演并取得成功。

与《局外人》《卡利古拉》一起，堪称三箭连发的则是加缪著名的经典之作《西西弗神话》，这三个在哲理体系上三位一体的作品，几乎是在同一个时期创作出来的。起初是在1938年开始撰写《卡利古拉》并同时收集写《局外人》的资料，而在1940年他完成了《局外人》之后的三四个月，即投入了《西西弗神话》最重要部分的写作。在问世次序上，《局外人》发表于1942年7月，《西西弗神话》紧接着就在1943年出版，不久，则是《卡利古拉》于1944、1945年先后出版与上演。

这三部作品的共同哲理基础，甚至可以说它们的共同哲理内容就是荒诞，加缪把它们合称为"三部荒诞"，称这三部作品"构成了我现在毫无愧色地称之为我创作的第一阶段"[①]。在同一个时期，三部作品如出一辙，接连迸发而出，不能不说是作者对同一个哲理、同一个创作类母题早已有过深思熟虑的思考。加缪在这方面的思考开始于何时？酝酿成熟并发展为不吐不快又在何时？

对此，我们用不着做斩钉截铁的结论，但我们要指出加缪与马尔罗的关系。马尔罗是法国20世纪对生存荒诞性探讨得最早，也是探讨得相当充分的一位先行者作家。他的《王家大道》出版于1930年，《人的状况》于1933年，《轻蔑的时代》于1935年，正是加缪在大学念书的年代。他显然阅读、钻研过这三部阐释了生存荒诞性哲

[①] 加缪致克里斯蒂安纳·加兰多的信，见《阳光与阴影》第95页。

理的小说与论著，因为他在 1937 年曾经准备写一部评论马尔罗的论著，并已经撰写出了详细的提纲。而在获诺贝尔奖之后，他在私下与公开的场合都不止一次表示，应获此奖的是马尔罗而不是他自己，可见他一直把马尔罗视为自己的精神导师与先行者。更重要的是，根据不止一个传记作者的记载，加缪在大学期间，特别是在哲学班撰写毕业论文的期间，曾经研读过 17 世纪大思想家巴斯喀的哲学著作，而巴斯喀的哲学思想正是马尔罗哲理的一个源头。加缪也显然被巴斯喀《思想集》中关于人都被判了死刑的人的状况图景的论述所震撼，他后来在《局外人》中的默尔索与《卡利古拉》中的主人公就发表过相似的如"人并不幸福"、"人被判了死刑"之类的见解。

在加缪这"三部荒诞"中，小说《局外人》与剧本《卡利古拉》在哲理的表现上固然有其形象生动、内涵蕴藉的优势，但在哲理的全面、完整、清晰、透彻的阐释上，则显然要以"直抒胸臆"的散文随笔《西西弗神话》为优。从这个角度来说，《西西弗神话》在加缪整个哲理体系中具有特殊的意义，它是加缪荒诞哲理集中浓缩的体现，是最有权威的代表作。

虽然《西西弗神话》从创意、酝酿到写作、定稿，是在 1936～1941 年的几年间断续写成的，但它仍具有哲理上内在的完整性与推理上的系统性，它从荒诞感的萌生到荒诞概念的界定出发，进而论述面对荒诞的态度与化解荒诞的方法并延伸到文学创作与荒诞的关系，这一系列论述构成了 20 世纪西方文学中最具有规模、最具有体系的荒诞哲理。

人存活于现实世界之中，是如何感受到荒诞的？这种感受可能随时随地油然而生，也许是在某一个街角，也许是在进行某一种操作，它是对一种持续生态状态的猛然反应：可能是疲惫与厌倦，也可能是失望与惊醒……而所有这些形态不同的精神反应，其消极颓然的性质是显而易见的。其产生的原因往往是人怀着希望、理性而与冷漠、无理性的客观现实遭遇所致：要么遭遇到了物质世界的冥顽与格格不入，要么是遭遇到了人类社会的无人性与不合理，当然，更为根本的是要面对着始终威胁人的那种命定的"死刑"，它就像是对人之存在的、摆脱不了的嘲弄。总之，人类对理性、和谐、永恒的渴求与向往和自然社会生存有限性之间的"断裂"，人类的奋斗作为与徒劳无功这一后果之间的断裂，这就是加缪所论述的荒诞。正如他自己所说的"荒诞是在人类的需求与世界的非理性的沉默这两者的对抗中产生的"。虽然荒诞产生于主观愿望与客观世界的"断裂"，但是，假如客观世界符合了人的理想与愿望，使人感到协调、融洽与满足，如果人对客观世界感到合理与亲切，感到就是自己的祖国与故乡，荒诞也就不存在了。因此，加缪所思考的荒诞，归根到底仍是来自客观世界的荒诞。正因为如此，他进而论定了人在这个难以令他满意的世界上的状况与处境："在这个骤然被剥夺了幻想与光明的世界里，人感到自己是一个局外人。这是一个得不到解救的流放，因为人被剥夺了对失去的故土的记忆和对福地乐土的希望。这种人与生活，演员与布景的分离，正是荒诞的感觉。"

既然荒诞是人存在的一种必然状态，因此，就有一个如何面对荒诞的问题。事实上任何人对待荒诞也都持有某种态度，加缪从荒诞哲理的高度把人的态度概括为三种：一是生理上的自杀，既然人生始终摆脱不了荒诞的阴影，甚至生存本身就具有被判了死刑的荒诞性，那么最简易的对待方式就是自行消灭以摆脱荒诞的重压与人生的无意义，当然，这是一种消极逃避、俯首投降的态度；二是哲学上的自杀，这是精神领域里的一种现象，它不是正视荒诞，而是逃遁到并不存在的上帝那里去，企望来世与彼岸，以虚妄神秘的天国作为逃避荒诞的乐园，这是自我理性的窒息与自残。加缪对这两种态度都作了明确的否定，如果是通过前者，加缪对芸芸众生某些逃避人生的行为表示了反对，那么，通过后者，加缪则对历史上一切有神论的、宗教的世界观，一切神秘主义的哲学与哲学家进行了一次清算。

对待荒诞，加缪所主张的是第三种态度，即坚持奋斗，努力抗争。他把这种奋斗抗争的人生态度，概括浓缩为西西弗推石上山的神话。《西西弗神话》中的一个国王，招惹了众神的恼怒，被判处把一块巨石推向山顶。由于本身的重量，巨石总要滚下山来，于是，他又得把石块再推上山去，如此反复，永无止境。众神以为，再没有什么惩罚比这无效的、没有尽头的劳役更为可怕的了。然而，西西弗却不断推石上山，周而复始，坚持不懈，永不停顿。

西西弗的故事，源于古希腊神话，加缪加以改造，用此构成了他的名著《西西弗神话》中的中心形象与最最重要的一章，它是整个人类生存荒诞性的缩影。命运的判决，永无止境的苦役，毫无意义的行为，热烈愿望与冷酷现实的对立，主观理想的呼号与客观现实的冷漠沉默，没有祖国、失去故土、永被流放的个人，所有这些都蕴藉在这个形象里。但同时，它又是人类与荒诞命运抗争精神的突现。人在荒诞境况中的自我坚持，永不退缩气馁的勇气，不畏艰难的奋斗，特别是在绝望条件下的乐观精神与幸福感、满足感，所有这些都昂扬在《西西弗神话》的精神里。是的，在荒诞绝境中的幸福感与满足感，简直就是一种精神奇迹，但加缪明明是这么说的："爬上山顶所要做出的艰苦努力，就足以使一个人的心里感到充实"，"应该设想西西弗是幸福的"。因此，与其说《西西弗神话》是20世纪对人类状况的一幅悲剧性的自我描绘，不如说是20世纪一曲胜利的现代人道主义的高歌，它构成了一种既悲怆又崇高的格调，在人类的文化领域中，也许只有贝多芬的《命运交响曲》在品位上可以与之相媲美。

从《反与正》到《局外人》《卡利古拉》《西西弗神话》，已经出现了一个内容丰满、形态完整的哲理主题，在加缪的创作历程中，成为一条强有力的主线或轴承，在这里，形象的文学创作与抽象的理论论著相辅相成，相得益彰。而其在两种不同作品之中，形象与哲理又水乳交融：文学作品中体现了荒诞哲理，荒诞哲理论著中又突现出西西弗的形象，这已经足以构成法国20世纪文学中的一个令后人难忘的重大现象。何况紧接着，加缪又更进一步上升到新的高度，把他的荒诞哲理与人类20世纪重大的正义斗争使命结合起来，创作出《鼠疫》与《反抗者》，把人类存在的这一个最为重要的课题阐述得最为完整深刻、最为充分酣畅、最为鲜活生动，以至他作为一个哲人作家，在同一个思想领域里，其影响大有超过一代宗师马尔罗、萨特之势。

六

《鼠疫》完成于1946年，1947年6月在巴黎出版。一问世，它就取得极大的成功，深受读者欢迎，并获得了当年的文学批评奖，两年之内重印8次，总共将近20万册。

作品完成、出版于战后，酝酿创作却在第二次世界大战期间。早在1941年，加缪即已经开始研究过瘟疫流行病问题，但对于他来说，这只不过是对荒诞不幸的世界加以一般审视的一部分，真正引发小说创作的，是1939年9月爆发的第二次世界大战。战祸一起，德国法西斯势力即席卷西欧，法军溃败，加缪被迫离开巴黎，先到里昂，后又流放到阿尔及利亚的阿赫兰，直到1942年夏才结束流离的生活。而1941～1942年期间，阿尔及利亚正广泛流行瘟疫。正是在这种时代与环境的背景下，加缪在1941年完成了《西西弗神话》后不久，即开始酝酿《鼠疫》的创作，沿着原有的荒诞哲理观，战争灾祸、恶势力猖獗，自然就和可怕的瘟疫、鼠疫联系在一起了。

《鼠疫》是一部象征小说，在加缪那里，促使时代历史的基本内容与鼠疫故事催化在一起的，是美国作家麦尔维尔著名的长篇小说《白鲸》。其中白鲸是邪恶的象征，人与它进行了殊死的搏斗。加缪曾深受这部作品的影响，特别赞赏麦尔维尔"根据具体事物创造象征物,而不是全凭幻想来进行创造"[①]的才能,他便是"以现实的厚度为依据"写出这部象征小说的。这里,"现实的厚度"表现在两个层面:在一个层面上,它是以严格真实的细节描绘构制出一个鼠疫流行、即将毁灭全城的象征故事;在另一个层面上,这个象征故事则明确而具体地影射着第二次世界大战时,德国法西斯势力在全欧逞凶肆虐的严酷历史现实。

小说与时代历史的贴切程度犹如影之随形,不论是在历史的真实上还是在历史的走向上都是如此。瘟疫狂袭,人大批大批死亡的阿赫兰城,是纳粹阴影下的欧洲的真实写照,阿赫兰城里的人们在面临毁灭的危机中奋起与瘟疫作斗争,团结一致、齐心合力的篇章,是20世纪40年代国际民主阵营与法国抵抗力量全力抗击法西斯侵略奴役的斗争的生动反映,最后,阿赫兰城的人们战胜了鼠疫则昭示着反法西斯战争的胜利。因此,人们完全有理由说,《鼠疫》是人类20世纪一次命攸关的严重历史斗争的缩影,它是一个时代人性力量战胜恶势力的史诗,加缪自己就曾明确指出:"《鼠疫》显而易见的内容是欧洲对纳粹主义的抵抗斗争。"

对于《鼠疫》来说,具有如此重大的历史题材与如此重要的现实指定,就足以在20世纪文学史上占有突出的地位,但也许更值得我们深思的,是它所具有的哲理深度。清晰明确的历史意识,固然有其社会进步的借鉴价值,而在一部文学作品中,隽永的哲理则更有其持久的人文启迪意义,《鼠疫》就具有这种双重的力量。而以《鼠疫》的哲理价值而言,它显然来自对加缪荒诞哲理的发展与突破,特别是关于人类该如何对待荒诞世界的哲理的发展与突破。

如果要对哲学上的荒诞世界做一个典型的、形象化的比喻,那么,一个鼠疫肆虐、人的生存面临着极大威胁的城市也许就是最有表

[①] 罗杰·格勒尼埃:《阳光与阴影》第144页,伽里玛出版社。

现力的比喻了。加缪正是通过这样一个象征深化了他对荒诞世界的阐释，如他所说的那样："我试图通过鼠疫来表现我们所遭受的窒息以及我们所承受的威胁着人、将人流放的环境。"在这部小说里，荒诞不再只像《西西弗神话》中所概括的那么抽象，不仅仅是"人的呼声同世界无理性沉默之间的冲突"，"人与生活，演员与布景的分离"，"人得不到解救的流放"等等这些费解的词语，而是活生生的形象的现实生活，是违反人的愿望与理性的痛苦不幸的生活。在这里，加缪特别突出了三种生活象征性的境况：一是分离的境况，包括亲属的分离、夫妻的分离、情人的分离，这些意味着隔离、封锁、囚禁、流亡、集中营，小说中对种种生离死别的描写是着力而动人的，构成了感人的人道主义的篇章。二是小说中没有任何一个女性的境况，这意味着失衡、畸形、苦涩，没有生机，没有激情，没有希望，没有未来。当然，小说中最恐怖的氛围与境况还是死亡，它不言而喻意味着极度的痛苦，完全的黑暗，彻底的毁灭。这种种境况就是加缪在小说里所认定、所描绘出来的荒诞世界图景——与人的生存愿望、正常人性要求合理的社会理想完全相反的反人道的荒诞世界图景。这种荒诞正是恶势力鼠疫所造成的。而鼠疫象征着什么，加缪又有明确的社会指定性与政治指定性。特别是他通过小说中的人物塔鲁与里厄分别指出："每个人身上都带有鼠疫，世界上没有人是清白的"，"鼠疫杆菌不会灭亡也不会永远消失，它可以沉睡几十年，也许有一天，鼠疫又要制造人类的苦难"。这样，加缪在《鼠疫》中也就把他关于荒诞世界的哲理大大拓宽了一步，加深了一步，并将荒诞的根由指向人类自身的过失与人类社会。

在《鼠疫》中，关于人应该如何面对荒诞的哲理，显然比加缪以前任何一部作品都表现得更为明确、清晰、有力度。小说中阿赫兰城人团结斗争、战胜鼠疫的整个故事框架，就充分说明了这一点。为了把《西西弗神话》中艰苦卓绝与命运抗争的哲理更深广、充分透彻地阐释与发挥出来，加缪在《鼠疫》中安排了一系列人物，让他们在互相辨析中、在自身的发展变化中，将这个哲理展示得淋漓尽致。

小说的主人公贝尔纳·里厄医生，是加缪反抗哲理的形象载体，是他理念的诠释者，这个人物鲜明而突出地体现了对荒诞命运坚挺不屈、奋力抗争的精神。他深知医学的力量有限，难以消灭鼠疫，但他仍尽医生的本分，忠于职守，医治病人。为控制鼠疫继续流行，他日夜奔波，不辞劳苦与危险，不在困难与无效面前低头，持续地与鼠疫进行斗争，其劳顿、其坚韧、其无畏犹如西西弗推石上山。如果他与西西弗还有什么不同的话，那就是他身上的抗争精神，与荒诞、邪恶进行斗争的精神更为突出，而且，他还是一个从个人抗争到集体行动的人物，他从精神上影响周围的人不放弃、不屈服、不投降，团结一致，齐心合力，一道投入对鼠疫的斗争。西西弗那种抗争的人生态度到这里发展成为明确的反抗意识、进击的反抗行为，甚至集体的反抗事业。

与贝尔纳·里厄相对照或相补充的人物则有帕纳鲁、塔鲁与约瑟夫·格朗、雷蒙·朗贝尔等。帕纳鲁是个善良而正直的神父，他从宗教世界观出发，认为鼠疫是上帝对人的惩罚，唯一的办法就是一切听凭上帝的安排。他代表了依赖虚妄的神而放弃现实抗争的消极人生态度，正是《西西弗神话》中所批判的那种面对荒诞世界而采取的"哲学自杀"。但最后，在事实的教育下，他也投入了反鼠疫的斗争。塔鲁是与贝尔纳·里厄并肩向鼠疫进行斗争的战友，他认为鼠疫与人性中的原罪有关，他一直致力于社会政治斗争，但以非暴力的方式抗恶；约瑟夫·格朗是一个追求完美的理想主义者，他在对鼠疫的斗争中坚守岗位，埋头工作，要算"一个默默无闻、无关紧要的英雄"，堪称"榜样与模范"；雷蒙·朗贝尔是一个追求个人幸福生活、热恋中的青年，但面对着鼠疫的猖獗，他毅然把个人的爱情与幸福放在第二位，而担负起自己崇高的责任，与大家共同战斗。小说中所有这些人物描写都突出了整个小说中"面对鼠疫,人唯一的口号是反抗"的精神,而这些人物也补充了贝尔纳·里厄这个主人公共同构成了人类反抗荒诞、反抗恶的精神风貌,使这个抗恶的故事具有了一种崇高的格调。

令人深思的是,《鼠疫》这样一部主题极为肃穆、缺乏个人化生活内容、毫无文学佐料的作品,在20世纪中竟达到了畅销书广为流传的程度,其发行量将近500万册,在法国小说中,与《局外人》皆居首位。这两部作品是加缪文学创作中光华闪耀的双璧,也成为20世纪世界文学中不朽的经典。

加缪反抗荒诞、反抗恶的主题,在《鼠疫》后,又有一次引人注目的延伸与发展,那就是迟于两年后出版的剧本《正义者》。如果说,《鼠疫》中对荒诞的反抗与斗争还带有某种抽象性、象征性,那么,到了《正义者》中,这一斗争已经成为社会历史范畴里的问题,带有十分具体的历史的确定性。

这个剧本取材于1905年的俄国革命,以革命党人一次真实的刺杀事件为蓝本,甚至保留了这个事件真实主人公的姓名。在这里,荒诞就是黑暗的沙皇统治,就是充满了奴役、追捕、压迫的暴政;人物对荒诞的认识是清醒而明确的,对荒诞的反抗斗争也是具体而坚决的,那就是要通过投炸弹、刺杀与革命,推翻旧制度,解放俄罗斯。剧本表现的重点并不是刺杀事件的情节,而是人物的精神境界与人格力量。加缪力图描绘出新型的英雄,作为特定的阶级的革命者,他们具有理想主义、革命激情、献身精神与某种悲剧性的崇高格调;作为对抗荒诞的一般意义上的人,他们有坚毅刚强的素质、美的情操、同情心、尊严感与友爱之情。这种英雄带有西西弗的色彩,而又比西西弗更高、更充实、更具体。这种新人形象在法国20世纪文学中显然是不可多得的,他们肯定会大大缩小加缪与我们今天社会主义读者的思想距离。

还值得注意的是,加缪在剧中围绕刺杀事件,提出了革命与人道、斗争与同情、行为与道德准则的问题。他先让这两对关系在主人公的身上尖锐对立、激烈冲突——卡利亚耶夫因见到了儿童而不忍心扔出炸弹,致使革命党人的行动计划完全失败;而后,他又把这两对关系在同一个主人公身上统一了起来——卡利亚耶夫终于还是胜利完成了革命党人的计划,并且以一种崇高的精神英勇就义。这样,加缪就表现出了一种精神境界更为宽广丰富、更为深刻动人的革命者形象,在这形象上寄托了他自己将革命与人道结合在一起的理想,这种理想即使在今天,也值得深思,且必然会引起深思。

七

正如在荒诞的主题上,加缪创作了《局外人》与《卡利古拉》这两部形象性的作品之后,又写了一部理论专著《西西弗神话》来全面阐释他在这个方面的哲理;同样,在反抗的主题上,他创作《鼠疫》与《正义者》这两部形象性的作品之后,也写了一部专题理论著作来全面阐释他关于反抗问题的理论体系,这就是他的《反抗者》。而他的第二主题以及第二个作品系列,则又明显的是第一主题"荒诞"以及第一个作品系列的延续与发展。正如《西西弗神话》早已宣示的,先是荒诞,接着就是反抗;既然有了荒诞,就必然要进行反抗,也只能进行反抗。

《反抗者》一书酝酿了10年之久,早在1943年就已写了初步的提纲,写作一直持续到1951年,出版于该年10月。这是一部洋洋大观的理论力作,它从对"反抗者"加以界说,到对文学发展过程中的反抗与历史以及艺术中的反抗进行较系统的考察,最后针对近一个世纪以来的社会发展,特别是20世纪的社会政治现实,论述了反抗与革命的区别。全书涉及哲学、历史、文学、艺术、政治等各个领域，视野广阔，内容丰富，是加缪思想的全面展现。

17世纪法国大哲学家笛卡尔，曾提出一个举世闻名的命题："我思故我在"，把思想提高到人之所以成为人、人之所以存在的唯一标志、唯一条件。加缪在《反抗者》中，则提出这样一个命题："我反抗故我在"，把反抗视为人之所以成为人、人之所以存在的标志与条件。是的，既然世界是荒诞的，对人的理想、人的愿望、人的呼喊只有冷漠的沉默与恶意的敌对，那么，人如果没有反抗，又何以为人？又与蠕虫何异？当然，任何人都可以借用笛卡尔的"故我在"这一"曲调"，填进自己的"歌词"，如像萨特在他1964年出版的《文字生涯》中就提出了"我写作故我在"。同样，处于各种存在状态，选择各种生活方式，从事各种职业生活，在社会生活中拥有各种地位身份的人，都各有其"我××故我在"的自得。但是，哪一个命题像加缪这个命题这样从最基本的意义上，从最高的概括程度上规定了人面对着世界所持有的存在方式？哲学的发展也许将证明，加缪的命题是对笛卡尔思想最富有创造性的发展——两者同为关于人之存在的经典性的哲理命题，而加缪把反抗提到更高的角度，显然已经形成了一整套关于反抗问题的哲理体系。

反抗是人所进行反抗。加缪的反抗理论是从对反抗的人加以界定开始的。由此，加缪也就从纯形而上的哲学范围跨进到具体的社会现实范围。他明确的定义是这样的："什么是反抗者，就是说'不'的人。但他如果表示'不'，他绝不是放弃。他也是一个说'是'的人，甚至从他最初的意念就是如此。"可见，在反抗者身上既有否定、拒绝，也有赞同、追求，这当然不是指他所面对的是一个沉默、冷漠、像月球一样的自然界，而是一个充满了现实矛盾的人类社会。于是，推石上山的西西弗就发展成为一个说"不"也说"是"的社会人，哲学比喻发展成为社会历史论著，哲学家加缪成为一个社会学家、政治理论家。

加缪把反抗的人放在社会关系中,对他反抗的动机、方式、准则、目标、效果加以界定,指出他在这些方面与本能的、纯出于狭隘、低层次、利己目的的愤怒者的本质区别。在他的眼里,反抗者应该是突破了个人存在,超越了自我,摆脱了一己私利,遵循在一定社会范围里为人群所认同的价值观,具有巨大的活力并在反抗的过程中有助于人群的合作与聚集。可见,在加缪心目中,反抗是有理性的,是有价值标准、社会效益,有见解意义的社会行为。它是人的尊严的体现,具有明显的崇高性。

在对反抗的限度作出规定,对反抗与反抗者进行了定位、定格之后,加缪在这部论著中主要就进入了历史回顾与历史考察的领域,涉及面从文学、艺术一直到社会政治。在文学中,他认为把天火盗给了人类的普罗米修斯是最早的反抗者,接下来,他赞赏的还有该隐、希腊诗人、罗马诗人、19世纪的浪漫主义文学中的《呼啸山庄》《卡拉马佐夫兄弟》中的主人公以及尼采,等等;他所贬斥的则有萨德,以及为超现实主义所尊奉的大师洛特雷、阿蒙与兰波等。不难看出,加缪所看重的是那些富有思想含量的作品,而不是那些富有技艺成分的作品。就思想而言,他所重视的是古典的人文传统、人道主义传统,而他摒拒的是偏颇失衡的思想形态。显然他对文学的回顾,并非完整的文学史概述,而是他特定反抗史观中的文学图景。但是,应该看到,如果加缪关于反抗与反抗者的论述,止于作哲学的界定,那么,他的反抗论必定会作为一种具有高度概约性的哲理而获得普遍的认同,就像《西西弗神话》,相反,一旦他进入具体的历史考察领域,就不可避免地陷入各种主义、各种观点、各种意见纷争的泥沼,他对文学的褒贬意见,首先就遭到超现实主义者的非难。

文学论争只不过是一个仁者见仁、智者见智、无有大碍的领域,而真正麻烦且令人伤神的是时政性的论战。《反抗者》出版后,加缪不仅遭到超现实主义从文学上的批驳,而且更遭到了思想界左派在政治上的围攻,既包括法共的理论工作者与报纸杂志,也包括像萨特这一类的法共的同路人,特别是萨特及其主编的《现代》杂志在这场大批判中更是特别突出,形成了法国20世纪思想界的一桩大事。在《反抗者》出版后不久,《现代》杂志就发表了该刊编辑法朗西斯·尚松的文章,进行了严厉的批判,措辞激烈,带有恶意,甚至不惜进行歪曲与杜撰。加缪不得不回应,写了一封致《现代》杂志主编萨特的公开信,进行自我辩护,这封公开信又引发出萨特的一大篇批判文章《答加缪书》,其严厉与刻薄亦不下于尚松文,批评加缪"是个资产者","抛弃了历史","变得恐怖与粗暴",《反抗者》的出版是一场反革命的"热月政变",等等。这场论战标志着加缪与萨特的多年友谊毁于一旦,大批判的阴影一直笼罩着加缪此后的精神与生活,直到加缪1960年逝世,萨特才写了一篇带有感情的悼念文章,总算给他与加缪的残破友谊画上了一个句号。

不言而喻,这次批判与论战是由于《反抗者》中一系列对反抗与社会革命的本质区别的论述,以及对现代历史、对马克思主义,特别是对社会主义运动某些现实的论述而引起的。加缪不是一个历史学家、政治史学家,他在《反抗者》中关于现代历史及其过程中的社会革命的论述,不可能得到所有人的赞同,但他论述中所涉及的社会革命中暴力的过度滥用,的确是现代史上赫然存在、不可辩驳的事实。加缪不是一个马克思主义发展史、社会主义思潮发展史的研究者,何况这部历史本身就复杂纷繁,像一个难以厘清的线团。他对马克思主义学说不同组成部分的评论,也许至今还会遭到怒视与愤怒反击,但他论述中所涉及的社会主义革命之后斯大林主义的存在,即集权主义、专制主义、个人神化与集中营的存在的确是触目惊心的现实。加缪不是一个政治家、社会学家,更不是为政者,他不可能提出一个为所有人认同的人类社会的改良方案，但他召唤古希腊文化中的人文精神、"地中海思想"以及合理、和谐、和平、自由、民主的人道主义传统进入现代社会，仍不失为一种非常美好的社会理想。不过，他提出的这些问题与他的论述，在当时实在是太尖锐、太敏感、太复杂了，触及国别的利益、阵营的利益、政党的利益、学派的利益以及那些以阵营性为一时安身立命之基石或一时只习惯于"左"倾惯性的思想家、批评家的利益，因此，加缪的被围攻也就是必然的了。

人们是否可以设想加缪当时不去捅这个马蜂窝以免于自讨苦吃呢？应该看到，对于加缪来说，这是自然而然的一步，水到渠成的一步。要知道，加缪不是一个书斋中的教条主义者，而是一个在实际生活中、在复杂的社会现实中学会了思考的思想家；不只是一个靠思维与笔介入社会政治的作家，还是一个身体力行在实际斗争中得到了锤炼的斗士。他本人经历过无产者的穷困、反抗者的磨难，亲眼见证了民族的纷争、第二次世界大战中人类的痛苦、德国纳粹的国家社会主义等等在世界范围里的影响——他正是在这种时代背景与历史过程中酝酿自己的《反抗者》的。这部作品是加缪长期感受、长期体验、长期思考的结果，是他不可能不写的一本书，是他不吐不快的一本书，是他作为一个斗士介入社会现实的又一个前进的脚印，是他作为一个思想家的自我完成，是他要把他想走的路走到底的明证，而不是如很多人曾讥讽的，是一个"倒退"，更不是萨特所蔑称的"热月政变"。而且，在那个时代环境中，加缪此举也不是一个孤立的现象：第二次世界大战后，西欧知识界开始对社会主义苏联有了清醒的意识，抛弃了某些不切实际的浪漫想象，西欧知识界20世纪30年代中期以来的那种左倾，从这时起有了越来越明显的退潮，及至1968年的"布拉格之春"，苏联坦克彻底碾碎了西欧知识分子的左倾情结与苏维埃理想，在那之后，"社会主义阵营"之中或其周围，已经没有什么知识界代表人物在站岗放哨了，这是20世纪历史进程的一个组成部分，加缪的《反抗者》只不过是这个历史进程中的一个突出事件而已。

《反抗者》出版至今已经有了整整半个世纪，世界越来越厌弃暴力与集中营，越来越向往和平、自由、协调、和谐、符合人道的境界，并一步步缓慢而坚定地向这个目标前进。半个世纪的时间对围绕《反抗者》的那场论战作了无情的检验，也证实了这本书的勇气与意义。

从《局外人》《卡利古拉》《西西弗神话》到《鼠疫》《正义者》《反抗者》，这就是我们所理解的最基本的加缪，是鲜明突出的加缪，是给诺贝尔奖的殿堂添光增彩的加缪，是最有生命力的、将传世不朽的加缪！

拾遗集[1]

柳鸣九 著

---
[1] 本集乃近年来作者所发表的单篇文章之汇集。

对"影响中国人的十部法国书籍和影响法国人的十部中国书籍"评选活动的祝词

中法建交已经50年,但中华民族与法兰西民族在精神文化上的"建交",却已有好几个世纪。两个民族、两个国家在精神文化上的关系,基本上可用8个字来概括,即心心相印、神交已久。而书籍就是这种心心相印、神交已久的历史最有力的佐证与记录。

好几个世纪以来,这一关系不免由于时代的历史进程不同、各自所处的际遇变化而在情势上有所起伏,总的来说,从16世纪到18世纪,法国人对中国精神文化的心仪仰慕相对较多一些。最明显的例子有二:其一,拉伯雷在人文主义巨著《巨人传》中,就曾把中国视为智慧的神瓶的所在方位,让他的主人公庞大固埃跋涉万里来到神秘的东方寻找神谕;其二,伟大的人文主义作家蒙田在他不朽的巨著《随笔集》中,对中国曾有溢于言表的赞赏。

19世纪以后,特别是到中国清朝时代的后期,心仪的天平倾斜度有所转换,轮上中国人对法国精神文化产生了仰慕崇尚之情,法国书籍成为中国人心仪倾慕的对象,甚至有不少成了中国人救国自强的启示录与教科书,严复等先驱先贤所译的《法意》《社会契约论》等法国书籍就起了这种作用。对于法国书籍在中国社会进程中与文化发展中所起过的积极作用,中国人是不会忘记的。

随着新中国的崛起、国力的增强、文化艺术的发展,中国人的精神文化产品越来越多地得到法国人的欣赏与赞美,法国的鸿篇巨制则在中国因有了较好的条件，而得到更为系统、更为完整的译介与传播，毫无疑问，一个新型精神交往的时期开始了，出现了两个民族、两个国家在精神文化上相互欣赏、惺惺相惜、双向交流、彼此融汇的热络局面。

《光明日报》所举办的这次评选活动，是对两个民族、两个国家精神文化交流史的一次珍贵回顾，是对我们当前文化交流工作的一次有益的启示，也预示着两国精神文化交流未可限量的光辉前景。总而言之，它像早晨的一颗露珠映照出辉煌的阳光一样，反映出了历史上的两个文明古国、当今世界上两个精神文化大国的非同一般的交情与特殊的友谊。

祝评选活动圆满成功！

2014 年 2 月 24 日

答光明网记者问

记者：近年越来越多中国书籍被翻译成法文，进入法国，不仅法国汉学家，不少法国人都研读中国古代哲学《易经》，读莫言的作品。您有何看法，如何促进中法民间的沟通？

柳鸣九：近年来，越来越多的中国书籍翻译成法文进入法国，这是个好现象，这是一件值得欣慰的事情，也是一件有益的事情，是中法文化交流发展到一定程度，必然出现的欣欣向荣的局面。这首先是因为中国的文化历史悠久，博大精深，有吸引人的魅力，何况法兰西民族是一个崇尚文化，有文化品位、有高度鉴赏力的民族，自会慧眼识佳品。第二个不可忽视的原因，是因为中国作为一个世界大国的崛起，国家强盛了、国力雄厚了、对外影响扩大了，其他的国家，其他的民族自然会更多地关注你的文化发展、思想成就、艺术佳品，这就是我粗浅的看法。至于如何促进中法民间的沟通，我只是一个书斋学者，对文化交流的具体事务，说不上有什么切实的见解。

记者：您曾说过如果法国18世纪没有文学的启蒙主义思潮，就不会有大革命，至少革命不会具备那么完备的形态，不会那么彻底。在美国，众所周知，法国名著《汤姆叔叔的小屋》对南北战争也起到了重要影响。您怎么看文学对社会的作用？

柳鸣九：关于文学与社会的关系，总的来说，文学来源于社会生活，但文学对社会也有反作用，这是马克思主义关于物质生活与上层建筑、意识形态关系的基本原理。这里有两点要特别注意：1. 从根本上决定社会生活的是物质生产方式与经济生活进程，这是社会历史发展变化的最根本、最内在的原因。2. 文学对社会的影响的确有，但一般都相当有限，甚至很有限，即使一种文学流行于一时，达到了洛阳纸贵的地步，其影响也是有限的，往往仅限于社会思想情绪与时尚风气的层面，并不是所有的历史事件中都有文学影响的影子。法国18世纪大革命深受启蒙主义思潮的影响，美国南北战争也受《汤姆叔叔的小屋》的影响，这也的确是历史事实，但只是两个极致的例子，在以后的历史中，我们就很难看到这种例子了。总之，文学对社会的作用，情况很复杂，每个事例都有不同的情况，不能一概而论，需要一个个具体分析，你们这个问题对我们这次采访来说，实在是太大了一些。

记者：《法国文学史》获首届国家图书奖，直到今天，这部《法国文学史》仍然还是中国文坛规模最大的多卷本别国文学史。那么，游历于中法两种文化之中，您觉得法国文学与中国文学最大的差别是什么？法国题材作品一直受到中国读者的青睐，我们在欣赏法国文学作品时有什么好的方法可以更快融入吗？

柳鸣九：法国文学与中国文学有什么不同，则又是一个大问题，不是几句话能讲清楚的。如果要我举出一个主要的差别，那就是在中国文学中有一个传统的理念就是文以载道，而法国文学最重视的是独创性与创新精神，包括艺术上的创新与观点的创新、视角的创新。法国文学多次成为世界文学新思潮、新流派的发源地，那不是偶然的。我们要欣赏法国文学作品，就要注意法国文学的这样一个特点、这样一种脾性，这样可以更容易融入一些。如果用文以载道的要求去面对它，那就会格格不入。

记者：有国际知名同行开玩笑讲："柳鸣九先生这么多年写作的东西累积起来，比他的身高还要高哩……"您的大部分作品是在哪个阶段完成的？现在您每天还笔耕不辍吗？

柳鸣九：首先我应该澄清一点，我写作出来的论著以及散文随笔并没有那么多，如果加上我翻译的、编选的以及主编的书，大概可以这么说。我大学毕业后，一直到现在都是在书斋里爬格子，只是在"文化大革命"期间被整整耽误了10年，再加上参加政治运动，以及上山下乡参加劳动的时间那就远远不止10年。如果我有什么劳绩的话，那也是我用时间堆积出来的，天道酬勤嘛，因为我以勤补拙，还算是一个比较勤奋的人。

记者：今年是中法建交50周年，您如何看待中国和法国这50年的文化交流？

柳鸣九：我如何看中国和法国这50年的文化交流，简单说来就是，我看发展得越来越好，前景将会更好。

法国书籍在中国的历史际遇

在庆祝中法建交 50 周年之际,《光明日报》举办了"影响中国人的十部法国书籍"与"影响法国人的十部中国书籍"大型评选活动,引起了国内外的广泛关注。这是一次别出心裁、别具一格而又十分有积极意义的文化庆典,它是对中法两个民族、两个国家自古以来直到今天精神文化交流史的一次珍贵的回顾,也是对当今中法两个大国友好关系渊源与思想文化内涵的展示,很好地反映出中法友好关系的水平与特色。在世界大国关系中,久远的交流、丰富的人文内涵、尚文的品位、互相倾慕的情谊,正是中法友好关系中所具有的独特内容与风采。

中法都是文明古国、文化大国,都拥有历史悠久、丰富多彩、灿烂辉煌的文化,这是长远交流的基础,因为各自具有精神文明的丰富资源,才有吸引对方的文化魅力,才有达到长存不朽境界的"硬币"(用马尔罗的话来说)可供通兑。事实上,两个国家之间存在精神文化交流关系已有好几个世纪,可以说是"心心相印,神交已久",而回顾其历史进程,大致上有这样一个轨迹:从 16 世纪到 18 世纪,法国人对中国的精神文化仰慕得相对较多一些,19 世纪以后,则是中国人对法国的精神文化更为心仪仰慕,甚至效法学习。而随着新中国的成立与崛起,则迎来了互相欣赏、惺惺相惜、双向交流、彼此融汇的新型精神交往的新时期。两个民族、两个国家在精神文化上仰慕的天平的倾斜度之所以有此转换变化，毋庸讳言，其根本原因就在于历史进程的不同阶段，两个民族、两个国家各自所处的际遇与存在状态有了变化，"影响中国人的十部法国书籍"与"影响法国人的十部中国书籍"正全面地映照出了这一历史现实的全貌与过程。

法国人对中国表示心仪仰慕，最早见于著名典籍者，要算16世纪两位伟大的人文主义作家拉伯雷与蒙田，前者在他的小说巨著《巨人传》中曾把中国视为智慧之神瓶所在的方位，让主人公庞大固埃跋涉万里来到神秘的东方寻求神谕，后者在他的散文巨著《随笔集》中，对中国有溢于言表的赞赏。而中国书籍对法国人直接产生显著影响的经典事件则要再过两个世纪，到18世纪，启蒙思潮前期的领袖人物伏尔泰将中国的名剧《赵氏孤儿》改编成《中国孤儿》，一直传为文学史上的佳话。

至于法国书籍进入中国人的视野并产生影响，却是迟至19世纪后期才有的事，这既是因为古代缺乏便捷的传播条件，也因为封建专制的中华帝国基本上一直奉行妄自尊大、闭关锁国的政策所致。中国人之所以把眼光投向西方，自有其深刻的社会历史根由。一方面是因封建专制主义统治的中国社会已经积贫积弱，国力衰落，中国的有识之士怀着自觉的强国梦想而开始放眼世界，寻找民族自强之道；另一方面则是西方诸国完成资产阶级革命后，在创造民主主义的精神文化方面取得辉煌的成就。以法国而言，法国早在18世纪之前就是一个文学大国，16世纪的人文主义文学，17世纪的古典主义文学都有丰硕的业绩，拉伯雷、蒙田、高乃依、拉辛、莫里哀等作家早都成为欧美各国文学仰视的楷模。18世纪的启蒙思潮文学更达到了辉煌的高度，具有广泛、深远的世界影响，大思想家、大文学家孟德斯鸠、伏尔泰、狄德罗、卢梭已成为人类精神文明天空中光华灿烂的星辰，他们不仅在文学创作上有丰厚的建树，而且在哲学、历史学、政治理论、美学理论等领域都取得了很高的成就,足以使后世受益无穷。18世纪法国的资产阶级革命,不仅对本民族本国具有划时代意义,而且成为全世界民主主义革命的一个样板,而法国历史学家对人类这笔宝贵历史遗产的研究与总结,又进一步使法国历史学提升到一个新的高度,对社会历史认识的阶级观点与阶级分析方法,就是法国社会历史学派的一大贡献。到了19世纪,法国的文学艺术发展繁荣更成为人类的骄傲,它以其特有的、传统的独创精神继续保持着作为几乎所有新思潮新流派发源地的地位,它的浪漫主义文学、现实主义——自然主义文学在全世界范围里都居于几乎是登峰造极的地位,雨果、巴尔扎克、司汤达、梅里美、福楼拜、莫泊桑、都德、左拉都是人类文学中最名列前茅的大师。总而言之,当19世纪后期中国人开始"西看"的时候,地平线上已经存在着一个极其丰富的、取之不尽的法兰西精神文化宝库,这个以民主主义、人道主义与创新发展精神为特点的宝库,至少在长时期里足以供中国人充分取其精华、吸收营养而受用无穷。现在就看寻求振兴国家与发展先进文化之道的中国人如何选取了。

在这方面,严复是最具有标志性的重要先驱,作为清末改良维新的代表人物,严复的译介工作早从1896年发表西方思想名著《天演论》开始,便带有明确的启蒙与改良的目的。他所译法国启蒙主义作家孟德斯鸠巨著《法意》,一直是清末改良维新派的启示录、教科书,其中"三权分立"的国家学说,则一直是他们的政治理想。与严复的译述工作大致同步,卢梭的《社会契约论》在1898年也部分译介到了中国,其"天赋人权"、"主权在民"的民主主义政治学说,则在中国产生了更大的反响,辛亥革命时期,成为资产阶级民主革命派的理想,对后世的影响之深远,实在难以估量。

不言而喻,在意识形态中,文学是最有活跃传播力的"尖兵"。1897年法国作家小仲马的名作《茶花女》最早作为"第一只燕子"飞到了中国的人群中,而译者林纾也成为中国译介法国书籍并大获成功的第一人,虽然他的译介工作是在旁人口述的协助之下完成的。此后林纾又译介了孟德斯鸠、大仲马父子、雨果、巴尔扎克等人的作品约十来部,在最早的中法文化摆渡中的劳绩是不可磨灭的。

  林纾之后直到民国时期,特别是新文化运动之后,法国书籍主要是法国文学作品在中国的译介如雨后春笋,从事译介法国作品的译者越来越多,其中实不乏在中国最有民望的知识界代表人物:胡适先后在1912年、1914年译出了都德著名的爱国主义小说《最后的一课》与《柏林之围》,鲁迅于1903年译出了雨果《悲惨世界》中的部分章节《芳汀》(译名为《哀尘》),陈独秀与苏曼殊则译出了《悲惨世界》的更多章节(译名为《惨世界》)等等。随着游学法兰西的学子纷纷东归,直接从事法文翻译并以此为主业的职业翻译家也越来越多见,如其中的佼佼者梁宗岱、傅雷、李健吾、焦菊隐、陈占元、王了一、盛澄华等,他们在翻译业绩上都达到了相当可观的规模。由于他们的努力,被译介的法国作家人数大大有了扩充,被译介的法国文学杰作名著的数量也大大有了增加,蒙田的《随笔集》、伏尔泰的哲理小说、雨果的《巴黎圣母院》《悲惨世界》、巴尔扎克的《高老头》、莫里哀的喜剧、莫泊桑的《羊脂球》等小说名篇、左拉的《娜娜》《小酒店》、罗曼·罗兰的《约翰·克利斯朵夫》、司汤达的《红与黑》、梅里美的《卡门》等等,陆续进入了中国人的阅读生活,法国书籍的中译本像蒲公英飞絮一样飞落在中国人的书架上,以至可以这样说,在中国,受过良好教育、有一定文化素养的知识分子,几乎无人不识这些法国文学大师与他们的名著佳篇。

  当然,新中国成立后,法国书籍在这片东方大地上的命运与地位,有了理所当然的、令人欣喜的提升与优化,在这里,法国书籍得到了更加广泛而精良的译介,得到了更大规模的出版发行,得到了认真深入的解读研究,拥有了更多的读者,与普通读者也更为心心相印,息息相通。总之,一句话,法国书籍作为一种优质文化的载体,在新中国得到优厚的礼遇,虽然也曾经由于有"左"的干扰而发生过"批判""横扫""清污"之类的粗暴、不愉快的插曲,但雨过天晴,对于法国书籍来说,它仍然可以在这里享受到一片辽阔深远、宁静平和的蓝天与温暖如春的气候。以引进而言,新中国成立后,凡是法国文学史上曾经留名的重要作家,都已经得到更大程度的翻译介绍,重要作家作品在过去时代没有译介的,现在都已补齐,几乎不再有什么遗漏,而重点作家则都出版了全集或大规模的文集,如巴尔扎克的《人间喜剧全集》、二十卷本《雨果文集》、大型《萨特文集》《莫里哀全集》《卢梭全集》《加缪全集》,等等。特别应该一提的,是对法国当代文学的译介,显著的例子就是七十卷"法国二十世纪文学丛书"的出版与完成,一个国家对当代另一个国家文学的了解与译介达到如此迅速、如此系统的程度,达到如此可观的深度与如此大的规模,实属不易,即使在当代最先进国家之间的文化交流中也是很罕见的。再以出版发行而言,在新中国时期,法国书籍的印刷发行量,据粗略的估计,足有数千万册之巨,以具体的单本而言,据不完全统计,圣爱克·苏佩里的《小王子》就已销售了170余万册,雨果的大部头名著《悲惨世界》也销售了60余万套,甚至史学著作《旧制度与大革命》也销售了14万卷,仅以此三例,即可见法国书籍在中国拥有读者之广、读者之多。在一个文明古国,在一个正处于伟大复兴进程中的世界大国,法国书籍有如此的历史际遇,我相信是值得法国人骄傲的一件事。

在《光明日报》细致的组织与周到的安排下,这次评选活动终于胜利完成,评选采取了公众投票与专家评议相结合的办法,最后产生了十部法国书的名单。这个名单是历史的观照,《法意》《社会契约论》的入选,使我们想起中国人在过去困顿艰难中上下求索、寻求出路的历史,中国读者没有忘记法国书籍在民族社会进程中的启示作用。这个名单是中法两国人民思想共鸣的佐证,《悲惨世界》的入选,表明一个存在着祥林嫂、祥子、春桃、月牙儿、三毛这样悲惨者的国度,对雨果笔下芳汀、珂赛特、冉·阿让、加弗洛什的故事有多么普遍而深切的同情,对作者那种磅礴的人道主义激情是多么景仰并深有同感。这份名单是中国人精神坚守、精神追求的记录,《约翰·克利斯朵夫》在法国文学史上的地位并不那么高,但主人公那种不向恶俗世道低头、坚守自我尊严与骄傲的倔强性格,却成为在恶浊社会环境中抗争的好几代中国青年精神坚守的榜样,成为他们与低俗抗争的支撑点,中国读者至今还没有忘记这本法国书所提供的精神营养。《旧制度与大革命》是一部史学专著,它以高票当选,充分反映了中国人对社会历史的求知热情与对历史规律、历史动向执着的思索。这个书单也反映出中国人读书品位的水平,《红与黑》的高票当选,说明作者所期望的"少数幸福读者"在中国着实不少,中国人的确读懂了时代巨变之际两种不同价值标准在一个青年人身上的冲突,并有深切的感同身受,同时中国读者也十分赏识作者那种颇有现代性的心理描写艺术。这个名单作为公众投票的结果,当然带有"大众口味菜单"的色彩,其中就有《茶花女》《基督山伯爵》两部带有通俗文学性质的作品,这表明大众对意义浅显而叙述十分引人入胜作品的青睐,当然,这也合乎文艺首要使人喜闻乐见这一根本之道。

这次评选既是庆祝中法建交50周年活动的一个组成部分,也是一次大型的文化调研,它所提供的情况、数据与启示,未尝不可成为促进中法文化交流的参考,特别是有助于激励我们更好地发展本国的文化,以求在伟大的民族复兴中,创造出在世界人民眼里更光辉灿烂、魅力十足并得到普遍认同的中华精神文明。

载2014年3月25日《光明日报》

"在中国最有影响的十部法国书籍"评选揭晓发布会上的致辞

先讲几句个人由衷之言：今天的揭晓典礼要一个人出来致辞，作为评委，我义不容辞，作为主持人所说的"评委会主席"，病夫老朽实不敢当。被帕金森氏收归门下多年，脑供血不足，思维短路，牙齿漏风，实不宜担此重任。"不敢当"这话，已对有关领导讲了多次，但固辞未果，终于只得"恭敬不如从命"，现遵命致辞，以完成今天典礼的一个程序。

这次评选工作胜利完成，首先应该归功于《光明日报》别出心裁的构思、细致的组织工作与周到合理的安排，应该归功于公众的深切关怀与热情参与，应该归功于诸位贤人能人评委贡献了自己的文化专业学识与权衡取舍的智慧。

这次大型评选是一次别具一格又十分有意义的文化庆典，它是对中法两个民族、两个国家精神文化交流史的一次珍贵的回顾，也是对当今中法两个大国友好关系中渊源与思想文化内涵的展示，很好地反映出中法友好关系的水平与特色，久远的交流，丰富的人文内涵，尚文的品位，互相心仪倾慕的情谊，这就是中法友好关系中所具有的独特内容与风采，而这种独特内容与风采，正是其他世界大国关系中不多见的。

评选工作本来就是仁者见仁、智者见智的事，是各有所好、众口难调的事，我们不必把今天的名单，视为绝对真理、视为永恒的"状元榜"，它只是那么一个意思，只是那么一种表述，它表述了我们的诚意，对发展中法文化交流的诚意，它表述了我们的敬意，对中法文化交流中做出过贡献的先驱先贤以及书本典籍的敬意!

我们今天首先致敬的对象是孟德斯鸠的《论法的精神》与卢梭的《社会契约论》这两部巨著，因为它们早在19世纪末20世纪初就进入了中国，给了正在上下求索的中国人很有力的启示，前者影响了中国维新改良的政治思潮，后者则传播了民主主义的政治思想，直接影响了辛亥革命时期的民主革命派。

我们也没有忘记在清朝末年林纾所译出的《茶花女》，它当时的确使人耳目一新并几乎带来了一点"洛阳纸贵"的效应，故称得上是法国文学飞到中国人群中的"第一只燕子"。此后，它作为一本通俗流行的作品，在中国人气一直不减。

我们特别重视先贤鲁迅、陈独秀、苏曼殊都曾翻译介绍过的雨果的《悲惨世界》，这部书足以在任何时候都深深感动中国人，因为书中所写的悲惨者和中国人身边的祥子、月牙儿、春桃、三毛这些同胞很相像，而作者对劳苦大众那种热烈的人道主义同情与怜悯，正投合了中国人心灵的需要。

巴尔扎克的《高老头》也深得中国人的重视，不仅因为它把资产阶级的金钱冰水如何腐蚀人类最自然的亲情，表现到令人痛心扼腕的程度，而且因为它代表了规模宏大的艺术巨制《人间喜剧》，面对着这样一座包括90多部作品的宏伟文学大厦，谁能不肃然起敬呢？

《约翰·克利斯朵夫》也是一部很多中国人都念念不忘的书，主人公那种不向恶俗世道低头、坚守自我尊严与骄傲的倔强性格，曾经是好几代中国青年在污浊社会环境中进行精神坚守的榜样，成为他们与低俗抗争的支撑点。

《红与黑》是中国人特别喜爱的一部书,司汤达所期望的"少数幸福的读者",看来在中国着实不少,中国人读懂了这部书所描写的,时代巨变之际,两种价值标准在一个青年人身上的冲突,这种冲突,中国的年轻人也曾感受过,这就足以使它高票当选,何况对这部书高超的颇有现代性的心理描写艺术,中国读者也很懂味,非常赞赏。

《小王子》是在中国特受欢迎的一本书,中国人重视儿童教育,讲究从起跑线,甚至从胎教就开始,自然重视为自己孩子置办有助于启迪智慧的书籍,而《小王子》正是世界上首屈一指、内涵丰富的经典儿童读物,而且其思想深邃,带有一定哲理性,也是一部成年人耐读的书,老少皆宜,使得《小王子》在中国销量惊人,独占鳌头。

这次选评既然有公众的投票,必然就有合乎大众口味的书籍当选,大仲马的《基督山伯爵》与小仲马的《茶花女》一样,也是受益者,可见大小仲马父子二人在中国的粉丝人数之众多,他们显然很喜爱这两位作者引人入胜、魅力十足的叙述艺术。

托克维尔的《旧制度与大革命》是近年来在中国广受关注、深得青睐的一部史学专著,它的高票当选,表明了中国人读书品位的严肃性与对历史知识的热情追求,表明了中国人对社会历史发展规律的深切关注与执着思考。

好书无数,有影响的书很多,远不止以上所列出的十本。例如,由胡适最早译出的都德爱国主义名篇《最后的一课》《柏林之围》;对中国20世纪新文学起过重要作用的左拉的自然主义巨著;莫泊桑脍炙人口的短篇小说;蒙田影响了中国好几代散文名家的《随笔集》;卢梭以坦诚的人格力量感召过不止一个中国文学大师的自传《忏悔录》;改革开放以来,很多知识精英所热衷的萨特哲学著作与哲理小说;梅里美在中国知名度很高的小说《卡门》;加缪风格纯净而内涵深邃的《局外人》,以及杜拉斯的《情人》《广岛之恋》,等等,都曾在这次评选中获得了广泛的支持与大量的选票。然而，座位只有10个，我们只能选十部书，因此我们这次评选不可能不是一次永恒的遗憾，好在任何评选即使再周全、再圆满，从根本上来说，也都是"遗憾的取舍"、"遗憾的智慧"；好在法国的先贤先哲、才人雅士重视的是读者，是受众而不是其他，一个作家能在中国获得自己的读者，这本身就是一种荣誉。

最后，愿这次评选活动能对中法文化交流提供若干启示与参考，愿这次评选活动成为更进一步促进中法文化交流的助力！更为重要的是，愿这次评选活动有助于激励我们"耕种好我们自己的园地"，Il faut cultiver notre jardin，以求创造出在世界人民眼中更光辉灿烂、更魅力十足、更有亲和力、更得到普遍认同的当代中国文化。当然，在当前商品经济法则比人文价值似乎更说了算的今天，作为一个人文学者，请允许我附庸时尚地讲那么一句，愿出版商们从这次评选中获得营销商机与发财灵感。

谢谢！

2014年3月25日，正值年满八十岁之际

纪念加缪逝世50周年

——在上海译文出版社《加缪全集》新书发布会上的发言

50年前的1月4日,法国作家加缪在意外的车祸中去世,这个噩耗当天成为欧美各大报的醒目标题,甚至是头版头条。20世纪伟大的作家、时任法国文化部长的马尔罗这样对他盖棺定论:"20多年来,加缪的作品始终与追求正义紧密相连。"即使是曾经与加缪反目成仇的萨特,也表示了沉痛的哀悼,作出这样的评论:"他在本世纪顶住了历史潮流,独自继承着源远流长的醒世文学,他怀着顽强、严格、纯洁、肃穆、热情的人道主义,向当今时代的种种粗俗丑陋发起了胜负难卜的宣战。"西蒙娜·德·波伏瓦在得知这个噩耗后,即使服下已长期不用的安眠药也无法入眠,而冒着1月份寒冷的细雨在巴黎街头徘徊⋯⋯

所有这些,说明了世界与人类对加缪在意的程度,标志着他文学地位的重要性、他存在的显著性,而他这时只有47岁。他是众所周知的文学成就标杆诺贝尔奖在20世纪最为年轻的获得者,他英年早逝,逝于创造力勃发、神采高扬的年龄段,给世人留下了对他未可限量前景扼腕长叹的惆怅与无穷无尽的遐想。

加缪首先是一个大写的人,而后他才是一个伟大的作家,理解了作为人的他,也就理解了作为思想者、作为作家的他。他几乎完全像我们熟知的高尔基那样,是来自社会的底层,在殖民地阿尔及利亚的贫民窟长大，不同的是，他通过了完整而良好的中学教育与大学教育，成为一个具有高度文化水平与精神境界的现代知识分子。清贫的生活状况，使他受到多方面的历练，生存的压力使他必须在现实生活中跋涉前行，而现代精神文化的思维与见识，则引导他奔向明确高远的境界，渗透着磨炼苦汁的精神层次与心智境界也就具有了一种贴近大地的实实在在，这就形成了一个务实求真、充满活力的智者。加缪是个博大通今的现代文化大家，绝非一个在书本中讨生活的书斋学者，绝非一个靠逻辑与推理建立起自己理论体系的理论家，他的理论形态充盈着生活的汁液，如果他不是从实际生活与书本知识两个方面汲取了营养，他怎么能写出既有深远的精神境界，又充满了对人类命运与现实生活的苍凉感的作品与论著？这是加缪使中国读者容易有亲切感的一个重要方面。

　　作为"无产者"的基本生存状况在加缪身上导致的一个主要印记，就是他的"左"倾以及他与马克思主义的关系，这种关系几乎可以说是天然的、必定的。事实上他曾经是共产党内一个非常积极并卓有成效的文化活动家。后来，他又积极参加了反法西斯斗争与反殖民主义斗争，在二战中，他更是地下抵抗运动中的重要人物，从事过不少秘密工作，特别是情报工作与地下报纸《战斗报》的筹备工作与领导工作。由于在斗争中的突出贡献，他于1945年被授予抵抗运动勋章。

　　应该看到，加缪的世界观与行为，并非纯理性与意识形态的结果，而是自己在悲惨世界中学会的结果，他对这个世界截然不同于理论与概念的现实复杂性有充分的理解，而且，他是在法国殖民地阿尔及利亚这样一个特定的环境中生活与成长起来的，这里不同种族、不同利益的矛盾与冲突，特别是他精神上对法兰西与对阿尔及利亚的二元归向的矛盾体验与痛苦思索，更使他学会了任何理论学说都无法给予的东西。于是，在共产党学说、社会主义思潮风起云涌的20世纪，他成了一个杜绝了抽象精神、狂热理论、偏激学说、狭隘党派利益的真正"左"倾思想家,一个从实际出发、保持了精神独立与自由人格的思想家,一个不跟任何学说主义、路线政策随波逐流,不附着于任何实体阵营的自由的"左"倾思想家。他的这个方面是应该为中国读者所容易理解的,也许是要以较大的包容度去理解的。

作为一个获最高成就奖的作家,加缪使人感到惊奇的是,他完全从事文学创作的岁月并不长,他英年早逝,在有生之年又长期、大量地从事了政治社会实践活动,且健康情况并不理想,从他开始写作的1935年到逝世,正如马尔罗所说,不过20多年,但他达到了世界文学成就的顶峰,这个不长的攀登轨迹应该说是相当辉煌的。众所周知,他并非出自诗书之家,他也没有从小就哦吟诗韵、摆弄格律的经验,相反,他完全是从一个在文化上、精神上赤贫的底层之家出来的,他是文化状态从零突破的"第一个人"。他是靠什么攀登到了世界文学成就的高峰?我曾在拙著《从选择到反抗》中把加缪概括为法国20世纪文学史上的一道"巨型的灵光"。要发射出强度的灵光,首先自己就必须是思想的、精神的火炬,而这正是加缪作为文学家首要的资质与品格。他巨大的、无穷的精神力量,就来自他根植于人类历史上最强大、最久远的精神传统人道主义,特别是继承了法国17世纪大思想家巴斯喀关于人生存与命运的哲理,把它加以发扬光大、丰富深化。特别难得的是,不仅使之具有了完整深邃的理论形态,而且还表现在、充盈在生动丰满的文学形象中,凝现为一部一部传世不朽的文学杰作。这完整的理论形态,不妨直白简单称为关于人存在荒诞性的哲理,它全面涉及人的生存状态、存在意识与存在方式,而这一系列文学代表作就是《局外人》《卡利古拉》《西西弗神话》《鼠疫》《正义者》与《反抗者》。它们无一不是充分、完整、有力地展现了加缪哲理的类母题。

在《局外人》中，一个并不复杂的过失杀人案在司法机器的运转中，却被加工成一个"丧失了全部人性"的"预谋杀人案"，被拔高到与全社会全民为敌的"罪不可赦"的程度，必须以全民族的名义处以极刑。主人公是死于意识形态、世俗观念的肆虐，死于把当事人完全排除在司法程序之外、使之沦为"局外人"的现代司法的阴险性。他之所以被妖魔化而遭极刑正是由于他一系列再平常不过的生活细节被观念、习俗的体系特别挑选出来，并被精心编织成一个十恶不赦的犯罪神话。主人公默尔索不仅是司法荒诞的承受者与认知者，而且，也感受了人类生存状况的尴尬与无奈。面对所有这一切，他自然也就剥去了人生生死死问题上一切浪漫的、感伤的、悲喜的、夸张的感情饰物，而有一种清醒的彻悟意识，即使面对自己的命运，也保持了最冷静，甚至看起来冷漠而无动于衷的情态，似乎是在冷眼旁观自己命运的一个局外人。小说以深邃的有力度的现代哲理内涵与精练凝聚、富有感染力的古典风格，从问世之初起就赢得了全球的读者，成为20世纪世界文学中的经典名著。

寓言剧《卡利古拉》是加缪戏剧创作中最为成功的作品，它虽然带有很强的思辨性，但对人类存在这个课题的触及不仅没有弱化，反倒更有强度。加缪让卡利古拉明白地宣示了巴斯喀哲理，体现了面对生存荒诞与世界荒诞的清醒认识与彻悟意识，明确认定"这个世界在目前的状态下是让人无法容忍的"，为此，就有必要促使世人对所有这一切，先要认清与看透。这个剧本写作于上个世纪30年代末，出版于40年代上半期，无疑是针对当时的斯大林主义的破坏与德国法西斯的暴虐横行，带有鲜明的反专制、反暴政的倾向。

在加缪整个文学创作中，作为精神核心与思想基础的，是他著名的论著《西西弗神话》。这部论著从荒诞感的萌生到荒诞概念的界定出发，进而论述面对荒诞的态度与化解荒诞的方式并延伸到文学创作与荒诞的关系,这一系列论述构成了20世纪西方文学中最具有规模、最具有体系的荒诞哲理。在加缪看来,人类对理性、对和谐、对永恒的向往与渴求跟自然生存的有限性、跟社会生活的局限性之间的断裂,人类的作为、人类的奋斗跟徒劳无功这一后果之间的断裂,就是荒诞,这几乎就是他全部文学创作的思想基础。

既然荒诞是一种必然,因此就有一个采取什么态度、如何面对荒诞的问题。加缪从荒诞哲理的高度把人的态度概括为三种,并明确否定了前两种即生理上的自杀与哲学上的自杀,实际是对逃避人生的行为与精神上的自我麻醉以及一切有神论、宗教世界观神秘哲学进行了彻底的清算。他所主张的是第三种态度,即坚持奋斗、努力抗争。他把这种奋斗抗争的人生态度,概括浓缩为西西弗推石上山的神话。西西弗得罪了众神,被判处推石上山的苦役,巨石由于本身的惯性总要滚下山来,于是,西西弗又得把石块再推上山去,如此反复,永无止境。然而,西西弗却不断推石上山,周而复始,坚持不懈,永不停顿。加缪把希腊神话故事加以借用,以它构成了他的名著《西西弗神话》中的中心形象与最重要的一章,作为整个人类生存荒诞性的缩影,但同时又作为人类与荒诞命运抗争精神的突现。人在荒诞境况中的自我坚持、永不退缩的勇气,不畏艰难的奋斗,特别是在绝望条件下的乐观精神与幸福感、满足感,所有这些都昂扬在《西西弗神话》的精神里。我们与其说《西西弗神话》是20世纪对人类状况的一幅悲剧性的自我描绘,不如说是20世纪一曲胜利的现代人道主义高歌,它构成了一种既悲怆又崇高的格调,在人类文化领域里,也许只有贝多芬的《命运交响曲》在品位上可以与之媲美。

在《西西弗神话》之后,加缪又更进一步上升到新的高度,把他的荒诞哲理与人类20世纪重大的正义斗争使命结合起来,创作出《鼠疫》与《正义者》,把人类存在这一个重要的课题阐述得更为完整深刻、更为充分酣畅、更为鲜活生动,以至他作为一个哲人作家,在同一个思想领域里,其影响大有超过一代宗师马尔罗与萨特之势。

真正引发加缪创作《鼠疫》的是1939年爆发的第二次世界大战,是德国法西斯势力在全欧逞凶肆虐的严酷历史现实,小说与时代历史的贴切程度犹如影之随形,不论是在历史的真实上还是在历史的走向上都是如此。鼠疫狂袭、人群大批死亡的阿赫兰城,正是纳粹阴影下的欧洲的真实写照,阿赫兰城里的人们在面临毁灭的危机中奋起与鼠疫作斗争、团结一致、齐心协力的篇章,则是40年代国际民主阵营与法国抵抗力量全力抗击法西斯奴役的生动反映,最后阿赫兰城的人们战胜了鼠疫则昭示着反法西斯战争的胜利。因此,完全有理由说,《鼠疫》一书是人类20世纪一次命运攸关的历史斗争的缩影,是一个时代人性力量战胜邪恶势力的史诗。在这部小说里,关于人应该如何面对荒诞的哲理,显然比加缪以往任何一部作品表现得更为明确清晰、有力度。

反抗荒诞、反抗恶的主题,在稍后的剧作《正义者》中又有了延伸与发展。剧本取材于1905年的俄国革命,带有十分具体的历史确定性。在这里,荒诞就是黑暗的沙皇统治,就是充满了奴役、追捕与残杀的暴政,人物对荒诞的反抗斗争也是具体而明确的,那就是通过暴力反抗,推翻专制制度,解放俄罗斯。剧本表现的重点并非暴力反抗的故事,而是反抗者的精神境界与人格力量,特别是将革命行动与人道关怀结合在一起的理想。这种新人形象在法国20世纪文学中显然是不可多得的,他们肯定会大大缩小加缪与中国社会主义的思想距离。

在反抗的主题上,加缪继《鼠疫》与《正义者》之后,又写了一部专题理论著作来全面阐释他关于反抗问题的理论体系。既然存在着荒诞,就应该有面对荒诞的反抗,加缪在《反抗者》中,明确提出了这样一个命题:"我反抗故我在",把反抗视为人之所以为人,人之所以存在的标志与条件。在加缪看来,反抗者应该是突破了个人存在,超越了自我，摆脱了一己私利，遵循在一定社会范围里为人群所认同的价值观，具有巨大的活力并在反抗过程中有助于人群。总之，反抗是有理性的、有价值标准与社会效益、有意义的社会行为，而反抗者则是大写的人、有理想的人。

今天，在加缪逝世50周年的时候，中国人以《加缪全集》中译本的出版以及今天的这个聚会，对这位伟大作家表示了诚挚的敬意，这也是一次最好的纪念。这件事，正像不少同类文化事件一样，多少也说明了改革开放后中国人在文化上具有多么强旺的接待能力，凝聚了中国学术文化界对加缪的认知与热情，反映了当代中国作为有悠久历史文化的世界大国，熟悉世界文化并持有成熟见解的文明化程度。然而，与此同时，我们不能不注意到，在中国GDP大幅提升、外汇储备巨额增加、国有企业纷纷在海外进行并购与开拓的过程中，文化领域中却出现了物质主义横流、功利主义张扬、精神倾滑、人文弱化的迹象，文化积累性图书市场的萎缩，"看图识字"倾向的出现，恶搞文化、媚俗文化的流行……以致我们经常不知道有价值的严肃文化是否会碰到什么尴尬与意外。在此氛围中，上海译文出版社以巨大的人文文化积累的热情，令人赞赏的工作效率，推出了加缪这位伟大人道主义作家全集的中译本，而且在50周年的时间点上踩得这么准，只有3天之差，的确是一件很难能可贵的事。这里，请允许我代表参与制作《加缪全集》的学界全人，表示由衷的谢意。

在下先抛砖引玉，请大家指教。

谢谢！

2009年12月20日

加缪与先贤祠

在巴黎的闹市区，有一个肃穆严威的去处：先贤祠。这是模仿古罗马的潘提翁神殿建造的一大座巍峨厅堂，动工建于1764年，完成于1790年，本来是为了供奉巴黎城的保护女神，从法国大革命开始，改为安置国家民族伟人灵柩棺木的庙堂，如1791年迎入启蒙思想运动的先驱伏尔泰，1794年迎入共和国精神的奠基人卢梭，1885年迎入一代文豪、反专制主义的斗士雨果，等等，均为先贤祠史上的大事，由于供奉的是棺木，它又被称为"伟人公墓"。

就建筑之古、声誉之隆、品级之高，先贤祠无疑算得上是巴黎第一流的"名胜古迹"。但到花都旅游的人，去瞻仰拜访的人实在不多。它远不像埃菲尔铁塔、凯旋门、巴黎圣母院等地那么游人熙熙攘攘。它耸立在热闹的街区之中，被巴黎大学、巴黎高师、法兰西学院等文化殿堂从四面簇拥着，却显得冷清、寂静，颇有大隐隐于市之态，当然，它更是很少成为社会关注的焦点、媒介热议的话题。

不过，一旦它成为话题，那肯定就是大话题、热话题。几年前，法国总统希拉克决定将法国著名作家大仲马移葬先贤祠，就曾引起了热议，不仅是在巴黎、在法国的热议，而且是在全世界的热议，一时间还成了全世界很多报纸文化新闻的头条，不，不仅是文化新闻，而且简直就是政治新闻了，因为这毕竟是法国总统的决定。希拉克最后把这件事办成了，你不能不承认这是他的一项文化政绩，至少是一件令人瞩目的文化作为，移葬的那一天，隆重的典礼、堂皇的仪仗队、万人空巷的盛况，不仅使得先贤祠大肆热闹了一阵子，在荧屏上吸引了全世界的眼光，而且，此举开了一个先例、树立了一个文学批评标准：通俗文学作家也可以入先贤祠，如果他的名气的确很牛很牛的话。

希拉克能想出来的文化创意，现任总统萨科齐当然也能想到，就在上个月15日，他宣布欲在2010年加缪逝世50周年之际，将这位大作家的遗骨从外省迁移至先贤祠，并且就此与加缪的女儿卡特琳娜·加缪达成初步共识。在我这个粗通法国历史文化的人看来，他这个动议还是很不错的，于先贤祠，于加缪，这都是一件相得益彰的好事。

加缪是1957年诺贝尔文学奖的得主，当时他44岁，是20世纪最年轻的一个诺贝尔奖获得者。当然，在历史上，获得此奖后不久就淹没在历史时序里的作家也大有人在，加缪可不属此列，他至今仍是在全世界享有崇高声望、最被当代人热读的作家。其实，他的作品数量并不多，其全集总共不过四卷。

他何以"以一当十"，竟有如此经久不衰的影响力？作为文学家的他，其力量概而言之，就在于他对人的存在这个最根本的问题有彻悟的认识，有成体系的哲理，并且以经典的文学形式把这种哲理表现于生动鲜活的艺术形象中。因为是对"最根本的问题"的"彻悟认识"，所以人人都要关心、都要思索、都会共鸣；因为是"成体系的哲理"，所以他有深度，有睿智，是有光亮的精神火炬，对世人能起昭示作用；因为是"经典的文学形式"，所以最容易为大多数文化读者所喜闻乐见。有这三者的统一，加缪才能创造出在格调上、气度上可与贝多芬的《命运交响曲》媲美的文学系列：《局外人》《西西弗神话》与《鼠疫》，他也就免于成为一个遣词造句的文匠，而成为文学殿堂里一个气派恢宏的大家，堪与在先贤祠享受哀荣的那些伟人并列。何况，加缪除了文学业绩外，还有民族功勋，他在第二次世界大战期间从事了大量的反法西斯的地下斗争，做了突出的贡献，因而1945年获得抵抗运动勋章，与伏尔泰、雨果、左拉一样，他也是一个作家兼斗士的民族伟人，他能入住先贤祠，我相信定将使这个殿堂更加充实，更添一份光彩。

令人意想不到的是，加缪迁入先贤祠一事，却遭到法国左派与他自己亲属的强烈反对，看来，此事大有被搅黄作罢之势。

据有关报道，左派政党为此不惜发表声明，冷嘲热讽，矛头直指"萨科齐政府的右翼政策"，有的左翼政治家则干脆指责"萨科齐欲借先哲遗骨图政治私利"，甚至有关人士更语出惊人："此举纯系花招，是萨科齐劫持知识阶层的一种伎俩。"

加缪与法国左派的关系一直复杂而不平静。他是一个有独立精神、真正"左"倾的现代西方智识精英，唯其有点独立精神，在上个世纪阵营感颇为时兴的那个历史年代里，法国的左派对他可没有少操心费劲，他还曾经被扣上过可怕的帽子。虽然他最后被盖棺论定为"与正义事业紧密相连"，但这次移葬先贤祠一议，又引起了左派大动脑筋，大费口舌。不过，实事求是说，其策略还是高明的，并未指向加缪，而是指向了萨科齐政府之右。在政治上左派批右，天经地义也，司空见惯，似无可厚非。毕竟世人的眼睛是雪亮的，此番举动表明，声言者对移葬之事并不乐观其成，其内心的想法究竟如何，则不甚明朗。至于"劫持知识分子"一说，显然有失夸张，确实言重了。既然乃一纯粹文化事件，何妨就事论事，但问入祠者品级如何，够不够入祠的标准足矣，刻意加以政治化而大做文章，徒有损自己的文化价值观，让世人看在眼里，记在心中，损人而不利己，何苦来着？

令人匪夷所思的是，加缪的儿子若望·加缪也出面反对将乃翁迁入先贤祠，而且看来起了很重要的作用，以至加缪的女儿卡特琳娜也从原来赞同而改口后撤。加缪这一儿一女，是双胞胎兄妹，若干年前，我就见过加缪不止一张带着年幼的儿女休闲与出游的照片，怎么也不会想到那个毛头小子日后会有此番惊人之举。他年已六十有四，现在过着隐居生活，他的反对是通过一位密友表示的，而这位密友又拒绝公布身份，其反对理由，据说也是怀疑萨科齐有利用加缪的意图，而且认为为国家民族服务、接受官方荣誉"亦非加缪九泉下所愿"。

不言而喻，无神论者都知道这是儿子在替代九泉之下的乃父思考与表态，实在难以令人信服。众所周知，加缪曾经为了法兰西的存亡，进行过艰苦勇敢的斗争，而且，他生前并不拒绝适合于他的官方荣誉，至少有两次，一次是他接受了抵抗运动勋章，一次是领取了诺贝尔文学奖。何况，若望·加缪先生该知道，加缪在普罗旺斯卢马兰村的墓地实在是太简陋、太偏僻了，我见过他墓地的照片，我担心隔不了多少年，它就有可能被野草所淹没，我想，他的确应该有一个比较经风雨、抗时序的新居所。

今天，已经是 2009 年的岁末，距 2010 年 1 月 4 日加缪逝世 50 周年纪念日只有三四天，关于加缪移葬先贤祠一事，迄至今日为止，尚未听说有"峰回路转"、"柳暗花明"的消息传来，看样子，这件事是彻底黄了。面对着一桩相得益彰的好事就此泡汤的过程，我实在不能不扼腕叹息。

在感慨系之的时候，欣闻上海译文出版社即将在近日推出中译本《加缪全集》，这是中国人对加缪最诚挚的敬意，也是对他逝世 50 周年的一次最好的纪念。我觉得这似乎有点像一句俗话所说：这里不亮那里亮。

加缪活在全球，他在哪里都闪闪发光。

2009 年 12 月 30 日

且说大仲马移葬先贤祠

一、世界的头条文学新闻

有一条世界性的文学大新闻已经过去快一年了。如果在当时就发表议论,那就是作时事评论,而作时事评论似乎是电视台、报纸评论员的专务,但事过一年,如果表述表述看法,那就只是文化思考的事了,而在当今世界上,多元的、多视角的文化思考,正是21世纪"世界丰富多彩性"最应该有的、最正常不过的表现形态,怎么多也是不过分的,中国的文化人越来越多地参与其中了。

这条消息当时在全世界显然产生了轰动性的效应,远比某位作家获得了当年的诺贝尔文学奖的消息要轰动许多,因为从巴黎发射出来的电波,使全世界在荧屏上看到了如此隆重的画面:法国巴黎举世闻名的先贤祠里,灯火通明,大仲马的灵柩由6名共和国卫队士兵肩负,移入了祠内,陪送的有共和国的总统、总理、政府大员以及各界名流,盛大的场面,足以使人一生难忘。而盛典中对大仲马的崇高评价则使人耳目一新,如称大仲马如同江河般浩大的文学业绩,"展开了一个永恒、多虑、战斗、英勇与优雅的法兰西的画卷",等等。

这显然是一个政府行为,而且是精心策划、出手漂亮、效应巨大的政府行为,是当代世界中政府文化运作的一次杰作。首先,它靠大仲马这个在全球闻名遐迩的名字,再次提示并强化法兰西在世人心目中世界文化大国的声誉与地位。其次,它通过将大仲马"挪个窝",从他的故乡移葬到先贤祠,宣示了一种颇有新意的文学价值观,这种价值观尽管尚未以理论语言有明确的表述,但已经使人有了实实在在的感觉,我们对它姑且暂以"通俗文学崇尚"一词名之,它是否会像麦当劳在当代饮食文化中标志着的快餐时尚那样,在文学中将引导"通俗文学美学崇拜",虽然不敢过早断定,但毫无疑问的是,法国当局已经非常成功、非常戏剧性地显示出了自己独特的文学见解与专业水平。

而且,令人赞叹的是,如此全球范围的轰动效应竟是如此轻巧、如此经济就取得了。若要争取推出本民族一个诺贝尔文学奖获得者,那要经历若干年的历程;若要在本国举办一次世界性的文化大会,也要费许多人力财力。比较起来,此举要简单得多,省劲得多,将一口棺木从东北部的一个外省移运到巴黎,在现代技术条件下是相当容易的一件事,想必花钱是甚少的,除此之外,此举还开辟了一个"可持续发展的前景",要知道在法国没有葬进先贤祠的文学伟人还多着呢,巴尔扎克、司汤达、福楼拜、莫里哀、乔治·桑……如果过两年就来这么一次迁葬,移葬的对象资源如此丰厚,全球轰动性的文学新闻,就得由法国来垄断了!

这么说来,此举确实绝顶聪明。

二、试与前人共比高

然而,当一个民族的文化成为全球人民共同的精神财富之后,当一个作家成为全世界都认知的公共人物之后,在这种文化中所发生的一切,对这个作家的态度与定位以及给他什么待遇、什么评判,往往不可避免会引起各方面的议论与思考,这是精神文化领域里的常态与定律。大仲马移葬先贤祠，引起了议论纷纷就是如此。

说实在的，这个消息一传来，在对法国文化与大仲马有所了解、有所认识的人士中，首先引起的是惊奇与纳闷，坦率地说，我个人就是纳闷者之一。

我们知道，先贤祠中原先所供奉的都是曾经对法国历史发展起过极其重大影响与作用的人物，别的领域且不论，就以法兰西从来都引以自豪的文学领域而言，所供奉的5位作家，不仅都有辉煌的文学成就，而且，都在法兰西民族发展过程中留下了光照千秋的历史功绩。

第一位伏尔泰，他是18世纪启蒙文学中的巨擘，其哲理小说至今仍魅力长存、兴味盎然，令千千万万读者着迷，在当时，他是整个法国乃至欧洲启蒙思想运动中的精神领袖，在反对封建专制政权的斗争中，起了"统帅"的作用。他"战略思想"超前，当时就发明了类似"边区根据地"的斗争方式，身居于法国与瑞士的边境费尔奈，从这里对官方与教会频频发出猛烈的抨击，叫对方拿他无可奈何，他由此享有至尊的权威的地位，整个欧洲的进步人士尊称他为"费尔奈教长"，纷纷到这个小地方来向他朝拜。

第二位卢梭，他是在精神领域中开辟了一个新时代，为法国大革命做好了理论准备的思想伟人，他的《社会契约论》成为现代资产阶级共和国的理论基础，直接写进法国的《人权宣言》与美国的《独立宣言》。他关于政治、社会与教育方面的多种论著在全世界都有广泛而深远的影响，他既高扬着激昂精神又充满了诗情意趣，而在严酷的自我分析上更有足以惊世骇俗的《忏悔录》，至今仍是自传文学中首屈一指的经典，是有文化、有教养的人士必备的案头书。

第三位雨果，他在文学创作的各个领域，都算是一位大师，他是法兰西文学中唯一称得上"民族诗人"的诗人，他是西方文学史上的浪漫主义运动名副其实的领袖，他是小说中最具有崇高人道主义精神的代表，他的《悲惨世界》《巴黎圣母院》大概是在全球拥有最广大读者的法国小说,他还长期投入了反专制独裁的斗争,在法国19世纪的政治社会生活中,他长达几十年都是一种精神、一种主义、一种人格、一种决心的象征。

第四位左拉,他是19世纪下半叶法国文学主潮自然主义不争的巨匠与领袖,其代表作家族史小说作为整个一个历史时期社会现实的艺术再现,规模宏大,是文学史上后人几乎难以超越的"王屋山"、"太行山"。他所代表的思潮流派影响遍及全世界,还延伸到了20世纪,同样,他也是他那个时代社会政治生活中有全国性影响的重要历史人物,他敢于伸张正义,以个人的思想力量与人格力量与整个资产阶级国家机器对抗,在法国赢得了崇高的威望。

第五位马尔罗,他是20世纪雄浑文学的代表人物,也是悲怆人生哲理的大思想家,其文学影响与思想影响曾经不可一世。他同时也是欧洲20世纪三四十年代法兰西与反法西斯斗争时代风云中的一只勇猛高翔的雄鹰,真正驾驶着战斗机在空中拼搏,其作为轰轰烈烈,其功勋卓绝不朽。二战后,他又是法国政治中戴高乐主义的核心人物,在长期国务部长的任期里,对法国文化建设起了极为重要、极为出色的作用。

总而言之,这5位不仅文学成就盖世,皆堪称一时的泰斗,一代的宗师,而且对法兰西国家建有功勋,上升到了民族历史领域的高度,他们之得以进入法兰西这个最高的庙堂受到供奉,完全是几个世纪来民族历史的评估结果,认定结果,体现着整个一个民族在历史评价上精心而令人信服的平衡感与深思熟虑。

与以上这几位先入祠者相比,大仲马显然是稍逊一筹,他之所以入先贤祠,无疑要算是一次"落差"。

作为文学家,大仲马的确很有名,他的长篇小说《三剑客》在全球都称得上是闻名遐迩,已经不止一次被搬上银幕与荧屏,让全世界的人看得到法国剑客那种忠义、勇敢、潇洒与多情。法国人的风趣魅力广为世界所知，相当一部分得归功于这本小说（当然别忘了，还有电影电视的编导、演员、舞美、灯光……），他的《基督山伯爵》写出了近代社会中一个善恶报应传奇的故事，引人入胜，令人拍案叫绝。他作品的数量惊人，仅以历史题材居多的小说就有500卷以上，而剧本则有将近90个之多，所有这些无疑都是他的亮点与辉煌，对他青睐有加，也不是没有根据的。

三、纯文学的质疑

但是，众所周知，大仲马在文学史上，在世代读者的心目中，从来都是定位定格为通俗作家，他以历史故事题材的小说数量众多，都不能说是历史小说，而只是历史传奇、历史演义、历史戏说之类的玩意儿，与法国文学中像尤瑟纳尔的《阿德里安回忆录》这样富有历史内涵与历史哲理的作品，不是一回事。因为：其一，它们在历史真实上经不起推敲，甚至往往只是根据佚闻野史，大加附会想象的结果；其二，是谈不上有任何历史哲理与历史的真知灼见，作者甚至对这方面毫无兴趣。总之，大仲马只求把故事写得热闹好看，如果要作一个类比的话，那就不妨说他的"历史小说"颇像我国古典小说中的《包公案》《七侠五义》之类的东西。同样，大仲马以当代生活为题材的小说，如《基督山伯爵》，也难以与司汤达、巴尔扎克那些描写19世纪现实生活的杰作媲美，缺乏那种对现实关系深刻的理解、洞察与真切、有力的描绘，而仅以传奇式故事与引人入胜的情节取胜，因而在真实、深度与含义上远为逊色，如果也作一类比的话，大仲马的这类作品则颇有点像我国20世纪三四十年代张恨水的小说，同样也属于通俗文学畅销书的范畴。

毋庸讳言，这里的确存在着一个通俗文学与严肃文学的区别差异问题、层次级别问题。不过，话说回来，大仲马写这些作品的时候，本来就不是要制作什么"严肃文学"的作品，本来就没有要进入文学的大雅之堂的奢望，他是为当时兴起的报纸连载专栏写作，而这种文学制作与文学运营，显而易见更直接，也更多地是为了商业运营。报纸靠味道浓烈的连载专栏扩大销售量，专栏作家靠连载而"来钱容易"、"收入丰厚"，大仲马成为当时百万巨富，不仅拥有豪宅山庄，而且还拥有私人剧院，实与此种文学制作、文学运营有关，在这种前提下，在这种方式中，文学写作中的艺术追求与商业驱动，二者各占的比重是不言而喻的。

还有一点，可说道说道，虽然文学创作一般都是作家个体进行的精神劳动，用巴尔扎克的话来说，就是"精神劳役"，但在大仲马这里也开始"变了样"，他不再像巴尔扎克那样单打独拼，靠透支自己的脑力与体魄来铸造一部部作品，而是俨然像一个班主，一个"工作室的头"，一个作坊老板，指挥着若干个写手制作出一期又一期连载，一本又一本畅销书，而在他的写作班子中，就有一个历史教师，他名叫奥古斯特·马盖。

各得其所，似乎可以说是万物应有的正常而合理的秩序。大仲马去世后，自得其所安静地躺在自己家乡的故土中，作为一个仍有艺术生命力的作家享受着一个多世纪以来千千万万，一茬又一茬爱看故事的读者对他的赞赏与喜爱；作为一个获得了文学畅销巨大成功的制作人拥有着文学市场上的崇高声誉。而今他被挪到一个陌生的寝地，一个他从来就不准备进入的殿堂，今后，他固然要享有这个殿堂带给他的光圈，但也永远摆脱不了严酷的历史带给他的若干质疑，这些质疑多多少少会蕴藏着"戳脊梁骨"的意味。

质疑一，以文学成就而言，以在文学史上的地位而言，以纯文学的艺术追求而言，以作品所显示的思想力量与意境而言，以作品在社会现实生活中的审美认识意义与思想意识的社会作用而言,排列在大仲马之前的法国作家大有人在,名列前茅的就有司汤达、巴尔扎克、福楼拜、萨特、加缪,而且好几位就葬在巴黎,巴尔扎克在拉雪兹神甫公墓,司汤达在蒙马尔特公墓,萨特在蒙巴纳斯公墓,要把他们改葬迁入先贤祠,实在是太方便了。

质疑二,的确,大仲马的名声太大太大太大,他的小说流传太广太广,拥有的读者无疑要超过严肃文学中一些地位高、成就大的作家,这似乎是他被请入先贤祠的最大理由,但这个理由也受到了再明显不过的挑战,像他这样流传广,受众多的作家世界上是不少见的,如果按此标准,创造了福尔摩斯的柯南道尔,以《尼罗河上的惨案》等代表作闻名全球的克丽斯蒂娜以及销售量已达2.5亿册的《哈里·波特》的作者J·K·罗琳,岂不都该作为宗师泰斗供奉在文学殿堂之上?至少岂不都该获得诺贝尔文学奖?

质疑三,满纸泪水与心血,从来都是作家全身心投入艺术创作的至极境界,写作的纯个人性、纯个性化是文学创作的特质与标志,可大仲马却把个性的文学创作在一定程度变成"写作班子"、"工作室"与写手们的事,却又并不妨碍他把全部创作劳动都归于他本人纯个性化的署名之下,这就颇像一些领导人靠秘书班子出版文选,总统靠写手捉笔,长官雇学人写博士论文谋取学位。如果说政治人物的文章、报告、文选,本来就那么回事,人们都见怪不怪的话,那么对于文学大师来说,写手、创作班子、工作室的参与,就未免是一件难为情的事了。毫无疑问,大仲马这条"软肋"因他入供先贤祠而更显得触目刺眼了。

当然,这些尴尬都不是大仲马本人想要造成的,他不过是不由自主地任人挪来挪去而已。他被挪来挪去也不止一次了,1870年12月5日,正当普法战争进行中,他逝世于第厄普城附近的普依,当时由于第厄普城被普鲁士军队攻占,他就被葬在离第厄普城一公里远的涅维利—列—波列村。战争结束后,其子小仲马将他的遗体移葬在故乡维累尔-科特雷,与其父母同在仲马家族墓地,小仲马在移葬的墓前致词中这样说:"我的父亲希望永久安眠在这里。"大仲马生前是否曾遗言要"落叶归根",我们不得而知,但维累尔-科特雷是他度过了童年时代的地方,这里自由雄浑的氛围与繁茂的林莽正投合他强壮豪迈的气质与热情奔放的性格,且不说有其家族的墓园,用小仲马的话来说,还有"他的朋友保存着对他的回忆",在那次移葬中就是"由许多忠实的朋友来代替搬运工人把他的遗体抬进教堂"的。把大仲马安葬在这里,应该是最符合他本人的心愿,而今,他被拽离自己的家园故土、亲朋好友,移进庙堂般的先贤祠,在晦暗的石壁厅堂之中,与一些陌生人相伴,也许是他本人最不愿意看到的事,至少是与他那豪迈奔放、放纵无行的性格颇为格格不入的事。看来,此举实在并非大仲马自身的需要,而是当代法兰西权力意志的体现,政府作用影响的需要。

四、拿破仑情结及其演绎

统观历史,法兰西曾经好几度在权力意志、影响作用上都达到了辉煌的顶点,那就是中世纪的查理曼大帝时期,封建专制时代的路易十四太阳王朝与法国大革命后的拿破仑时期。查理大帝的帝国东至易北河多瑙河,南面包括意大利,西南至厄布罗河,北面直达北海,版图与西罗马帝国相等,后来的意大利与德意志原本都是它的组成部分。路易十四王朝在17世纪的欧洲可说是权势赫赫,光焰逼人,整个欧洲的君主政体无不以它马首是瞻,视为典范。拿破仑帝国则是以军旗征服了几乎整个欧洲,并把法国资产阶级革命的新思维、新观念与法治理念推广到了它所征服的地域。欧洲国家中没有一个像法兰西这样经历过如此权势的辉煌,这对于法兰西民族精神与民族心理的形成无疑起了潜移默化、源远流长的影响与作用,正像中华民族念念不忘远祖黄帝,不忘秦皇汉武一样。当然,对于现代法兰西而言,查理曼大帝与路易十四远矣哉,属于与现代截然不同的遥远过去,但拿破仑的辉煌却不过是19世纪的事,他的文韬武略都是现代型的,他也就更成为现代法兰西缅怀向往的对象,心理情结的根由,司汤达、巴尔扎克固然都力图在文学领域中建立拿破仑式的业绩,戴高乐主义中那种独立不羁的精神与骄傲自重的姿态,何尝又没有拿破仑主义的基因?

然而,从19世纪下半叶开始,一直到20世纪40年代,法兰西一直"时运不济",甚至可以说是每况愈下。首先,在19世纪70年代的普法战争中,一败涂地,自家的皇帝老子成了普鲁士人的俘虏,阿尔萨斯与洛林两个省份的大部分割让给了战胜者,真可谓丧权辱国。到了20世纪的第一次世界大战,战争一开始的1914年,法军即惨遭全线溃败,德军几乎攻抵巴黎城下,法国政府不得不迁往波尔多。法国与英国并肩作战,苦苦支撑,即使是在战争临结束的1918年,德军又一次威逼巴黎,仅距几十公里。这次世界大战虽以协约国的胜利告终,但在战争中,法国绝非欧美军事强国,名次仅列于二等。及至第二次世界大战爆发,法国输得更惨,在希特勒的进攻下,几乎不堪一击,迅速崩溃,沦于纳粹德国的占领之下,直到美英等盟国军队在法国北部诺曼底登陆后才获解放。二战之后,尽管法国在联合国也取得了五大国的地位,但相当长一个时期里是靠马歇尔计划才消除了战争创伤,此后,一直在世界事务中的作用与影响,远远屈居世界超级大国之后。

一个多世纪的时运不济,国力疲软,境况尴尬,力不从心,对于一个曾经辉煌一世、君临一切、唯我独尊、举世瞩目的民族来说,当然是一种强烈的反差，巨大的失落，深切的遗憾。在这种状态中，自会产生怀古的盛世情结与现实的弥补需求。巴黎的卢浮宫、凯旋门、枫丹白露的一景一物无时无刻不唤起法国人盛世的回忆，提醒法国人记着本民族在现实中的尴尬与失落，刺激法国人自我突破的憧憬与尽可能对某种弥补方式的追求。在这种心理情结的长期作用下，法兰西在20世纪越来越清晰地呈现出一种复式的精神结构、人格组合，其表现形式不妨略列数端：

其一，在自我疲软无力，尴尬艰难的现实境况中，愈是追求与显示自我精神上的硬度与坚挺。这种复合的自我状况，不仅被现代法兰西充分加以展示，甚至被提升到美学的层次境界。抵抗文学的名著《海的沉默》就是突出的例子，德国占领军已经住进了自家的园子宅第，老弱幼小的祖父孙女，长期在与占领军军官亲近的、朝夕的相处中，面对着对方的强势、权威、命令以及亲善、通情达理、文明礼貌、修养风度、个人魅力的进攻，始终保持着坚硬的沉默，这种沉默被比喻为有力量的深不可测的海。

其二，只要是在某种关系中，处于次要的、二等的、从属的、依存性的、跟随性的、受惠性的地位，自我总要特别显示出格外独立不羁、格外倨傲不凡、我行我素的姿态，爱作独立秀、唯我至上秀，这种精神素质与人格结构集中体现在戴高乐主义中，其成分包括独立、骄傲、尊大、说不、威严、固执、顽强、无畏。众所周知，戴高乐主义力图以第二流的国家实力扮演第一流大国的角色，对盎格鲁-撒克逊世界的摈拒与抗衡，特别是对美国霸主地位的挑战，都是举世闻名的，对于一个从少年时代起就爱读拿破仑的《圣赫勒拿岛回忆录》的人来说，成为这种主义的创造者、身体力行者，就是很自然的事了。

其三，愈是在事态已经不可逆转的情势下，自我明确意识到了某种颓势，却在姿态上往往都不认可、不认输，撑着、抗着，颇有一股犟劲，这种复合的精神心理在对英语的态度上就相当明显。法语曾经是世界的"大语",不仅在国际交往中广泛使用,而且曾经是国际上正式的法律语言,甚至在19世纪欧洲一些国家的宫廷中与贵族沙龙里,人们均以讲法语为时尚、为风雅。到了20世纪,法语在全世界流传与使用的范围越来越小,通用的程度越来越低,沦为了"小语种",原来的流传与使用的优势越来越被英语所取代。不久前,又传出消息,本来与英语同为国际奥委会工作语言的法语,在明年雅典奥运会上却面临"失踪"的危险。面对着越来越占压倒优势的英语,法国上至官方政府下至平民百姓几乎都是自觉地参加了"法语保卫战",官方长期大力在世界各国推广法语,如强烈要求所在国的电台、电视台举办法语节目,对当地推广法语工作有成绩的教师授勋,勋章级别之高往往出人意料,等等,而法国外交人员与巴黎的出租汽车司机,会讲英语而偏不讲英语的"节操",也是相当有名的。

　　要在不尽如人意与尴尬的境况中保持盛世怀恋、拿破仑情结,并力图有所表现,有所舒展,这是很有难度的事情,因而,也就必须讲究技巧,追求行为艺术。正是在这种条件下,长期以来,法国人练就了一种技巧,一种艺术,那就是以自我有限的实力发挥最大的作用,花最小的代价造成最大的影响,乃至轰动效应的技艺,这种技艺在法兰西很多公众人物的身上都可以看到。且看,萨特1964年获诺贝尔文学奖时,他却宣布拒绝领奖,来了一个"缺席","此时无声胜有声",他的拒绝在国际文化界所造成的轰动与影响,远比他获奖一事来得更大,带给他更大更好的名声。且看,当今的国际舞台上,美国领导人劳民伤财,到伊拉克去输出民主自由,结果不仅"无人喝彩",反而身陷泥潭,狼狈不堪,倒是法国的政治家未付任何代价,只动动言词、摆摆手势,却赢得了全球的关注与重视,抢尽了风头,在整个局势中发挥了举足轻重的影响。

五、大仲马移葬的文学匠心

大仲马的移葬，正是在以上法兰西精神心理背景上导演出来的，历史的发展将证明，此举是法国人借用低成本，甚至可以说是零成本而取得世界性轰动文化效应的一次典范之作，特别是把它放在近20年来法国文学发展的背景上，更是可以看出这一葬礼的"匠心"。

从20世纪80年代以来，法国文学发展的势头渐入低谷，当时，就有不止一个文学权威作这样的感叹：法国文学在马尔罗、萨特、加缪这些巨人之后，已经是处于低潮了。虽然从50年代起，法国的"新小说"席卷西方，具有全球性的影响，但在1985年克洛德·西蒙获诺贝尔奖后就完全画上了句号，法兰西将近30年的这一大笔文学积累报了一次总账，舱底也就没有多少有分量的"硬货"了。从80年代以后，法兰西几乎再也没有推出世界性的思潮、流派，再也没有推出巨匠式的作家，世界性的头条文学新闻往往也不是来自巴黎。将近20年，法国作家跟诺贝尔文学奖一直无缘，与上半个世纪法国作家屡屡获诺贝尔奖的频率相比形成强烈的对照。这种冷寂的局面怎么能发生在塞纳河畔？这里一直是世界文学新思潮的发源地！世界的目光怎能不投向巴黎？这里一直是世界文学的心脏！巴黎的声音应该在世界上空远播，巴黎的景观应该吸引全世界的目光，巴黎的才人应该得到举世的景仰。于是，请出了大仲马，把这位通俗作家推到庙堂高位，于是，法国又成为世界性的头条文学新闻，而进行这一运作却是零投入，低成本。

大仲马的移葬，反映了法兰西的脾性，也表现法兰西的机巧，法国经常会有惊人之举，经常会出人意料。对法兰西这样一个重要的国家，对法兰西这样一个朋友，中国人有必要更增多一些了解，更加深一些认识。

2003年11月

雨果的美文与"新潮派洋八股"

何谓美文？

这不是文艺学理论上关于文学类别的一个概念，而是一个与审美阅读效果相关的一种称谓，说得直白一点，美文者，即写得漂亮、写得精彩，叫人一读就感受到美感吸引力的文章也。

这也不是外国的标准与尺度，在外文中根本就没有"美文"这样一个名词，只有"散文"、"随笔"这种标明文学形式类别的中性词，不带有任何质地、品格的含义。虽然外国人也讲求把散文、随笔写得尽可能美、尽可能有魅力，但毕竟还没有把这作为一"高人一头"的另类。中国人对文章的理想与追求，自古以来，就有"文章千古事"一说，达到千古传诵，是为最高境界，而其单位则往往是"篇"，这种理想实来自《醉翁亭记》《滕王阁序》《荷塘月色》这一类名篇所构成的传统，于是，古今凡是类似这些典范的文章，就聚合为我们文化生活中这个特定的族类，它是佼佼者的族类，是散文中的贵族。

以这个中国式的尺度与标准来衡量外国作家，堪称美文家者、算得上是美文者，恐怕会有不少人、会有不少作品要落选，且将专门从事诗歌、戏剧或小说的作家除外，仅以写有大量散文作品的作家而言，落选的就不乏声名显赫的大人物，上溯古希腊罗马有亚里士多德，下至近现代，亦有巴尔扎克、托尔斯泰、萨特……因为外国作家往往以成部头的书论成败，而不像王勃那样靠单篇文章就逞雄青史。

当然，堪当此美称的作家作品也为数甚多，但在所有的美文家中，成就最为突出的，劳绩最为丰厚的，也许就要算雨果了。

雨果是法国文学史乃至世界文学史上的一位"全能冠军"式的人物，作为诗人，他达到了辉煌的民族诗人的高度，他同时也是文学史上最伟大的抒情诗人，还是文学领域里罕见的气势宏大的史诗诗人。作为小说家，他是长存不朽的，足以与世界上专攻小说创作并取得了最高成就的最伟大的小说家媲美。在戏剧创作方面，他结束了一个时代也开创了一个时代，是一个缺了他欧洲戏剧史就没法写的重要人物。散文写作虽然在他整个文学创作中占据次要的地位，其数量亦甚为可观，计有散文游记三部，政论作品三部，文艺评论作品两部，大型文学纪实作品一部，见闻随笔集四大卷。

一个作家具有这样广阔的创作面，具有如此丰厚的精神容量，就如同一个辽阔深邃的海洋，从这里，必然会不时卷起一个又一个壮观的波涛，激起一阵又一阵闪亮的浪花。雨果的美文颇有不胜枚举之势，正是他这种深广丰富内涵气象万千的一种外观表现，何况，仅仅是散文笔耕的创作量就已经如此巨大，有量才有质，质从量中来，从这样巨大丰厚的基底中，精美绝伦的妙文、气势磅礴的鸿篇才可能纷纷脱颖而生，挺拔而出。金字塔层层而上的部位与高耸的尖端，不正是建立在宽广阔大的基座上的吗？

更为重要的原因是，雨果主要是诗人，基本上是诗人，诗人是他的本质，诗的才能是他与生俱来的素质，诗的色彩是他的底色，诗是他几乎所有文学创作的精髓与元素。请看，在雨果的浪漫剧中，人物大段大段的台词与独自，不论是爱尔那尼对爱情的向往与绝望，不论是吕伊·布拉斯忧国忧民的思索，本身不都是一首首感人肺腑的诗？请看，他《悲惨世界》中主人公的故事经历不就像人道主义长篇颂歌？他笔下雄伟的海洋景观，古战场今昔的描述，硝烟弥漫的街垒情景，不都蕴含了诗情画意，怀古幽情与慷慨情怀，无不都有诗的精气神在其内核？即使他的政论，他的历史事件纪实作品，也都充满激越与义愤，如同竖琴上的青钢之弦。总之，在他的非韵文的背后，总有着诗情诗韵，总有着一个隐隐若若的诗人身影。

这样说，倒不是认定诗比散文更高级。它们各有特征，各有优势。但是毫无疑问，于语言的推敲上，诗情的感受上，立意的凝练上，诗是讲究得更多的，在哦吟中深受历练的人，写起散文来当更为如鱼得水，轻松自如。精于诗韵的雨果为诗，已有如呼吸一般自然平常，难怪不得写起非韵文作品时，就下笔如有神助，洋洋洒洒千言，毫不费劲。如15岁时，3个星期就写成了一部中篇小说；举世公认的杰作《巴黎圣母院》也只用了6个月就完工。如果他在散文写作中有令自己欣然命笔的感受与目的，又启动自己的激情，投入他诗情画意（事实上也的确是一个很出色的素描画家）的素质，运用他遣词造句的技艺，何愁美文源源不断？这便是美文家维克多·雨果。

在中国文学史上，韩愈的散文，主要是说理性散文，享有"文起八代衰"的美誉，比较起来，雨果的《〈克伦威尔〉序》的作用与影响，似有过之而无不及。这是一篇洋洋洒洒、气势奔放、锐气十足、文采斐然的大文，虽仅为一文耳，在文学史上的分量足抵得上好几部杰作。它是勇者、革命者的为文，全为打破伪古典主义的独霸统治而发。古典主义此种封建色彩十分浓烈的意识形态，从17世纪就统治法国的文坛舞台，到18世纪、19世纪更蜕化变质为"伪古典主义"，并得到当时复辟王朝的官方支持，使得整个文学、戏剧领域死气沉沉，陈腐不堪。雨果挺身而出，振臂一呼，发出檄文，掷出投枪，给了伪古典主义毁灭性的打击。此一宏文，此一壮举在欧洲批评史上也就成了任何史家都不能不大书一笔的历史事件。这篇"序言"也是创新者的为文，它以丰富的形象例证、生动的语言全面阐述了新文学的主张理想与典范，树起了新型浪漫主义文学的大旗，成为法国文学史上一个新时代的标志。它也是美文家的为文，文气充沛，奔放恣肆，感情色彩浓厚，布局谋篇完善，行文灵动，辞章华美，这哪里像是说理文，简直就是抒情文了，它提供了甚至在文学史上也要占有一席地位的说理美文的范例：一篇文学论争文章，居然可以写得如此之美，连唯美主义的诗人戈缔叶后来也这样赞道："《〈克伦威尔〉序》在我们眼里发出灿烂的光辉。"

的确，文学评论文章写得漂亮，这是雨果作为美文家的一个强项。《〈克伦威尔〉序》仅仅是最重要最有影响力的代表作，与此同一类的，还有他论司各特、拜伦的评论文章，悼念巴尔扎克、乔治·桑的演说词以及他的大部头专著《莎士比亚》，这些佳文力作见地独辟，颇有启迪性，情词并茂，甚富感染力，至今仍很耐读。

19世纪20年代至30年代初，是雨果散文写作的第一个丰收期，以《〈克伦威尔〉序》为代表的一些重要的文艺评论文章就是这时期的成果，此后一个时期他忙于写浪漫剧、小说与诗歌，直到1842年他才又出版了一个散文集《莱茵河之游》，使他又多了一个新的品种——旅游散文，同属这一类型的是日后出版的另外两个文集《阿尔卑斯山与比利牛斯山之游》与《法兰西和比利时之游》。这些游记基本上都是记述他与自己的终身伴侣朱丽叶旅行途中的见闻与感受，反映了他优哉游哉的生活的一面，自有一番潇洒神韵。

《莱茵河》是一部极为出色的游记，它以流畅的文笔，优美的记叙风格，生动而丰满地展现出了莱茵河流域的壮阔风光。雨果在游记中，不仅有敏锐的自然审美情趣，而且还有广阔的历史视野，较之于景物美色，他似乎更注重莱茵河流域的人文风物，从古老的教堂与城堡到历史的博物馆与坟墓，他以此掘悠久历史的内涵，发追昔思古之幽情，成功地表现了莱茵河有一种悲壮的、惊心动魄的、史诗般的性格，从而使游记具有了一种和谐而深邃、优美而雄浑的美。还值得注意的是，雨果在游记的最后加了一篇说理的洋洋大文：《结论》，他有意识地针对法、德两国的深刻民族矛盾，力证"莱茵河应该是团结两国之河"，并且提出了他自己的方案，其宏大的理想、浪漫的胸襟、深刻的思考与精彩的表述，颇具王者的豪气。《莱茵河》出版后深得广泛赞誉，巴尔扎克曾评它"是一部杰作"。

后两部游记虽然不如《莱茵河》那样具有历史内容的凝聚点，同样以完美的新闻报道风格与超凡脱俗的灵感灵性，展现出了这些地区风光风物的五光十色。雨果是一位很出色的业余画家，他多次旅行的记事本上，充满了他随手作出的大量速写画，取景优美，角度不凡，笔触轻灵，情景醒目，颇有伦勃朗的遗风，但渲染的浓墨又如煤烟，并充满了幽深神秘的气氛与浪漫主义情调。这些画均随同散文出版，使雨果的游记成为文学史上少有的图文并茂并出自同一手笔的佳作。

1851年，波拿巴发动政变，雨果流亡国外，直到1870年才回到法国。在流亡时期，他除了不断有新的诗集、新的长篇小说出版问世外，还写出了他揭露波拿巴的政论杰作《小拿破仑》与纪实作品《一桩罪行的始末》。

《小拿破仑》的写作为时不到一个月，可谓一气呵成，一挥而就，实出自一种罕见的爆发力，这爆发力就是作者满腔急不可待、必喷发而出的仇恨与愤怒，这是被欺骗者、被侮辱者、被损害者、被镇压者长期郁积起来的仇恨与愤怒，它像滚烫、炙热的熔浆从十二月事件这个火山口喷发而出，其冲劲实具有雷霆万钧之力，其中挟带着像火石一样足以给对方锐利灼痛感的咒骂、讽刺，但这绝非气急败坏之下而易于语塞或不中要害之作，它是强有力的檄文，是令人折服的起诉书。雨果的《小拿破仑》虽然没有达到马克思论析路易·波拿巴的著作《路易·波拿巴的雾月十八日》那样社会阶级分析的高度，但对波拿巴的人品、阴谋、伎俩作了深刻的揭露与俏皮辛辣的讽刺，是对当时已成为法国皇帝的窃国者的一次毁灭性的抨击。它义正词严,既充满了凛然正气,又是以崇高经典的风格与丰富多样的笔调写成的,在世界政论作品中实为非常精彩的杰作。法国著名作家、法兰西学院院士莫洛亚,就曾对此书作过这样礼赞式的评价:"这是一部十分激动的即兴作品,一份有着伟大的拉丁传统的控诉状,里面有西塞罗的激情、塔西佗的气势与尤维纳利斯的诗意。这篇出自诗人手笔的散文作品,跌宕起伏,抑扬顿挫,洋溢着有节制的奔放激情,这正是诗歌美的所在,语气时而是预言家厉声痛斥,时而是斯威夫特的幽默。"(《雨果传》第八部第一章)

《一桩罪行的始末》是《小拿破仑》的姊妹篇,就其性质而言,则是一部大型的纪实文学作品。它如实地记录了雨果在路易·波拿巴1851年政变中的亲身经历与见闻,从军事政变的突如其来,到反抗起义的失败以至随之而来的大屠杀。在这里,参加了反政变斗争的斗士成了见证者与历史学家,他在愤怒中要把这桩罪行永远钉在耻辱柱上,不愿意有任何遗漏,在他笔下整个事件几乎每一小时的进程始末,每一个重要的场景画面,都详细准确地被记录下来,使《一桩罪行的始末》成为历史事变的一轴时序长卷,一本极为真实并"流淌着当时实况的鲜血"的巨型证书。它也像《小拿破仑》一样,同时具有文学与历史的双重价值。

今天在谈到雨果的美文时,面对当前的文化现象,是否也有值得我们特别借鉴与思考的东西?也许不止一点两点,但我个人认为至少有一点是值得借鉴与思考的,那就是文章风格问题:是否应该把说理文,特别是文艺评论文,也写得有点文采,有点情趣,写得带点感染力、亲和力,至少是写得叫人明白,叫人不坠入云里雾里,叫人不望而却步,不至于不敢去花那份时间去拜读。

不能不看到,近些年来,在文学评论的领域里,流行着这样一种故作高深的文风。在这种文章里，只见满是西方现代主义批评方法的词汇、术语、视角、思维方式，以及转手来的论说，而看不到一篇文章不可或缺的内容：实、意、理。实者，即所论作家作品的具体实际也；意者，即作家作品的意义，社会的、历史的、人文的、心理的意义也；理者，即笔者说明、论述的合理逻辑与线索程序也。至于为文者的个性与灵性、情趣与文采更是杳无踪影，而这些恰巧是文学评论文章应该有的。虽然这种文章令广大的读者望而却步，见而生厌，虽然早在十几年前，就有不止一位德高望重的学者对这种文章、对专营这种文章的刊物很不以为然，然而，这种文风却依然风行，专营这种文章的刊物不仅照常营业，还经营出了自己的强势，造成了自己就是标准，自己就是高级学术的既成事实，却大大苦了读者与文化界，他们经常要面对这种往往不知所云的新潮派洋八股玩意儿。

在20世纪50年代中期，钱锺书先生翻译发表了海涅的《〈堂·吉诃德〉精印本序言》，那是一篇写得极美的文学评论，可谓美文评论的典范，足以与雨果的美文评论媲美。众所周知，钱锺书先生一生几乎从不搞文学翻译（受命于政府参加毛选翻译除外），他自己主动译出海涅此文，并将它发表，实属破例，这除了因为海涅文章本身的珍贵价值外，恐怕就是出于要影响文学评论文风的用意了，因为，那时文学评论中的党八股、左八股正方兴未艾。

今年是雨果诞辰200周年纪念，如果我们在涉及雨果的美文评论时，能获若干启迪并有所借鉴，那也是一种很好的纪念了。

2002年11月25日

读短篇小说之王，三十篇足矣！

——《莫泊桑短篇小说精集》后记

我之译莫泊桑的缘由与经过，在《一个被逼出来的译本》一文中已经讲过了，在那之后，作为不同工种劳动的调剂，我又陆续译了一些短篇，积攒下来，篇幅约比原来那个译本增加了一倍，当即达到30万字的时候，我感到应该"适可而止"了，因为现在是2004年，做一本供一般读者一读的书，该有2004年的"眼力架"才是。

2004年，一片繁忙。就我处的京都而言，二环高速公路上繁忙的汽车长龙只能缓缓地蠕动，而人行道上倒是有汽车飞奔；快餐成了一种不可或缺的生活方式……

物质功利主义的膨胀与急功近利的追求，自然影响到精神生活的压缩，甚至人文精神的滑落。在精神文化生活方面，君不见一轰而聚、一哄而散"闪聚"活动开始出现了：晚报副刊上的休闲文学，一般都不会比一个小巴掌大；著名的大作家写短短几百字的微型小说者大有人在。现代人放书的空间小了，读书的时间少了，而与发家致富、与物质利益攸息相关而必须看的书又太多太多。在这种氛围中，如果将一个作家的短篇小说做得厚厚的大大的，那简直就是在为难读者了。

如果不将文学艺术的重要性强调到不适当的高度，就一个普通的读者来说，要认知某个外国作家，看他二三十篇短篇小说也就足够了,也就要算是颇有文化修养了,即使这个作家是世界级的大作家;如果不是要进行文化史研究、作家研究,不是要写文学史,显然用不着花那么多时间去把某个作家几百篇小说都读个遍。

总之,一般读者个人的文艺阅读欣赏,大不同于社会的大规模的文化积累,用不着那么"大尺寸"、"大型号"的东西,而这个译本就是供一般读者一看一读的。

问题在于如何从莫泊桑300多篇小说中,精选出30篇左右精品组成一个选本。我想,最合理的可取之道应该是紧紧把握莫泊桑的基本面貌与突出特色进行遴选。那么什么是莫泊桑的基本面貌、突出特色呢?照我看来,那便是在几乎是完美无缺的叙述结构中,以清晰而灵动的笔触、鲜明而丰富的色彩,描绘出人性人情千奇百态的微妙状态。以此作为标准尺度,选出来的作品当能呈现"短篇小说之王"的王者风貌,当能使读者在阅读时获得美感享受,实在用不着以求全的标准,去关注哪一部体现了莫泊桑边缘化特色的作品,如,或带有神秘色彩的,或带有先锋性的,或带有实验性的,或追求强烈刺激性的,等等。如果说这个译本的精选有什么原则的话,这就是。

应该说明,也有一部分很出色地体现了莫泊桑基本特色、确有高度艺术性的短篇,这个选本未予选用。这主要是从时事性与时宜性来考虑的:在21世纪的今天,在法德两国已事实上成为欧洲共同体的轴心,德国总理施罗德也参加诺曼底登陆60周年庆典的时代条件下,有什么必要让读者去读那些描写普法战争中的打打杀杀、刺刀见红的名篇?有什么必要去从异国的文学中又经受一次英雄主义教育?有什么必要让读者去读描写普法战争后混乱时局的名篇,坠入19世纪70年代的时事?这就是《米隆老爹》《蛮子大妈》《菲菲小姐》《一次政变》等脍炙人口的佳作被"列队在外"的原因。

至于应该如何进行翻译,众所周知,这是当今翻译理论家与自认为在翻译问题上有发言权有影响力的各种人士，乐于将它作为一个高深的学问来大加评说的问题。在《一个被逼出来的译本》一文中，我自称在这个问题上我是"言未及义"的，现在，我仍然是"言不及义"，无意于进入这个大雅之堂，我只是想表明自己如下的两三点粗浅的理解：一、文学翻译就应该是文学翻译，而不仅仅是语言翻译，它应该有文学性。二、文学翻译最要者就是一个"化"字，而不是一个"搬"字，更不宜将一个个外语砖块硬搬过来就完事。三、各种翻译理论尽可以各抒己见，高谈阔论，但切忌唯我独尊，哄抬自家，贬损异己，应有容忍别人"自行其是"、"各行其道"的雅量。评定一个译本优劣的，是读者，是时间，而不是翻译理论家，更不是硬充翻译问题权威的实体功利代表者。

2004 年 6 月

莫泊桑快餐

有文化的中国人不看《三国演义》，你能想象吗？不能。同样，有文化教养的现代人不看莫泊桑，也很难想象。莫泊桑这个19世纪的法国作家，被称为"短篇小说"之王，把短篇小说的技艺运用到了尽善尽美的极致，是人类文学领域中一个最辉煌也是最流行的名字，在全世界，他家喻户晓。

怎么能不读莫泊桑？他共写了300多篇小说。都得读？那倒不必，读个二三十篇就行了。恐怕也没那么多时间，现在除了做生意赚钱与泡桑拿外，其余一切都得按"快餐"的方式与速度来办。OK，那就按"快餐方式"吧。

这里，安徽文艺出版社为你准备好了一盒"莫泊桑快餐"，虽说是"快餐"，但也有五道精美的佳肴：

《项链》是短篇小说的典范，世界上没有一个像样的短篇小说选本不将它选入，它甚至进入了中学教科书。小说故事真实自然，叙述结构完美无缺，情节跌宕起伏，结局出人意料，语言凝练而又富有表现力，在世界短篇小说中，它是无人能超越的第一号极品。

《月光》集深邃与优美两种品格于一身，写的是两种人生态度，两种人生观的矛盾与冲突，简直就具有人类思想史的深刻性与典型性，最后，居然是月光"把事情摆平了"，"把事情搞定了"。多么美！多么神！其中对月光的描写，朦胧、飘逸，足可与印象派的绘画杰作比美！

《珠宝》亦为令人意想不到的妙品，蛛丝马迹，大雪无痕，底下却埋着一个极为尴尬的人生故事，其字里行间又充满了嘲讽的刺芒……

《羊脂球》与《戴丽叶春楼》都与卖春题材有关，似乎更容易触动人们天生的有色好奇心，但令人感到惊奇的是，在现实生活中甚有恶俗嗜好的莫泊桑，却将这一题材写得那么干净典雅。前者用来表现法国人的普法战争情结与爱国主义情操，是莫泊桑的成名作，它使作者一夜之间蜚声法兰西。后者构成了一幅生动而形象的风俗画，对人性人情的微妙观察与幽默情趣从中盎然成趣。

虽为"简易快餐"，五道佳肴基本上可以使你领略莫泊桑小说"烹调术"的高超，可以使你获得一次愉悦的美感享受，可以使你对文学、对小说、对法国文化拥有些许发言权，至少使你在与友人的聚会与闲聊中，不缺有文化品味的谈资……

五篇够用，五篇必读，这本书未尝不可名为《莫泊桑必读五极品》。

作为幽默小说家的莫泊桑

众所周知,莫泊桑是法国19世纪下半叶的著名作家,在中短篇小说、长篇小说的创作中硕果累累,业绩丰厚,其短篇小说创作,总共有300余篇之多。

在大家心目中,他的短篇以其艺术性的精湛高超而著称,故享有"短篇小说之王"的美誉,世人往往集中关注其短篇小说的艺术性,将他作为小说技巧与楷模而顶礼膜拜,但对他小说的幽默情趣却颇有所忽略。其实,他短篇小说的动人魅力,在相当的程度上是与其幽默性有关的,有些小说,可谓典型的幽默小说,现点击数篇,供读者当作休闲阅读之佳品。

《戴丽叶春楼》

卖春(说得直露点则是卖淫)是人类历史上最古老的一种职业,随着社会的发展,这种职业早已由个体方式又发展出"工场"方式以至产业化方式,这篇小说写的正是这种职业的"工场"方式。

涉及这个题材,历来的文学作品要么是作道德化的处理,表示轻鄙与谴责;要么是作社会化的处理,揭示其作为社会问题的危害性;要么是作悲剧化的处理,表现风尘女子的悲惨不幸。这篇小说截然不同,是作了风俗化的处理,以轻松淡然的笔触素描出这个行当中一个小"团队"的日常生活，别具一格，在世界文学中可谓另类佳作。

摒弃了浓重、强烈、刺激的因素，摆脱了意识形态上的高势与肃穆、情智上激昂与饱满，而保持着平淡与轻松，自然就形成了一片沃土，盛产幽默的沃土。

何况作者原本就是以描写自己对特定生活群体幽默的观察与幽默的情态为目的的。

请看两节绝妙的描写，其一，戴丽叶春楼放假停业，在城里几乎产生了类似"停水停电"的恐慌，引发一批男性顾客无名之火无从发泄而在街头大吵大闹。其二，戴丽叶太太率领自己的脂粉团队到诺曼底乡下旅行度假，被纯朴的乡下人视为纯洁的仙女，她们几行不堪回首的眼泪，却引起了整个教堂里全体信众神圣的宗教感情与号啕大哭。

两个场景的后面都露出了作者温和的嘲讽与幽默的微笑，而且还深藏着他对人性人欲与世态人心的深刻洞察。

所有这一切，使得《戴丽叶春楼》成了虽然没有曲折起伏的故事情节与种种浓烈的作料，但却引人入胜的妙品，成了以媚俗题材为内容但风致高雅的杰作。

《诺曼底佬》

这篇小说的标题，从来的译家都译为"一个诺曼底人"，窃以为译"诺曼底佬"似较传神，因为，一、主人公本来就是个乡下佬。二、他带有几分江湖气，几分兵油子味，不是一个令人尊重的人物。三、这是篇幽默小说，作者对主人公多少有点揶揄、嘲讽的意味。而"人"一词，则太科学化，太无色彩化了。

短短5000多字，把一个乡下佬描写得如此生动传神，引人发笑，殊为可赞，抓住两大个性特征，集中渲染，笔墨酣畅，是为成功之途。最为根本的还是因为这个人物本身就挺"逗"，可笑，可恼，可叹,叫鄙,但绝不可恶,倒有几分可爱。

其贪杯嗜酒而又自作聪明,颇与侯宝林相声中的那个自称能爬手电筒的光柱,只不过不屑于去爬而已的醉鬼,有异曲同工之妙。

至于他贩卖神像的生意,简陋、渎神,既发散出泥巴味又发散出江湖骗术味,颇不合此一行当的"职业道德",着实有点"可气"、"可恼",但还未流于大坏,且确系出于他贫穷农民与顽劣酒徒的自然性格。如果他有意为之,那他不仅是带给了他所在的这篇小说一些幽默情趣,而且他本人就是一位行为幽默的大师了。

《一家人》

虽然小市民的家庭生活是灰色、平庸、卑琐的,但也有其体面、礼数、规范的一面,只是在特定情况下才打破日常的平静与体面。在这篇小说里莫泊桑使用了一个特殊手段,开了一个大玩笑——既是对这一家人,也是对读者看官——打破平衡常态,安排这家的老太太假死了一次,让变故在这个家里引发出计算与争夺、难堪与尴尬,让读者看到了人心人性的种种卑琐与不堪。所有这一切可笑、可怜、可恼、可悲,但都算不上可恶可憎,这正是幽默的分寸,只不过,莫泊桑这个玩笑开得太大了一点,他所描写的这次"假死",在医学上究竟是什么,译者尚不敢妄定。

《瓦尔特·施那夫斯奇遇记》

1870年的普法战争,普鲁士大获全胜,是这个国家在近代史上的一次光荣,但莫泊桑的这篇小说偏偏写了一个普鲁士侵略兵临阵脱逃,一心想当俘虏以保命的经历,其间种种不堪的丑态与卑怯可笑的心理自不可免。作者简直就是拿普鲁士军威来开涮,通篇没有一句对侵略军表示愤恨的激昂慷慨之语,不是在"批判"、"控诉"、"鞭挞"普鲁士侵略者,只是"幽"了侵略者一"默",不是幽默小说又是什么?

《勋章到手了》

一个没有学历、不学无术的家伙,通过色权交易,竟然得到了学术文化的勋章,这无疑是法兰西的一种"学术腐败",令人联想到在我们这边没有什么学术业绩,仅靠权力杠杆也能当上教授、博导的现象,两者颇有异曲同工之妙。应该说,莫泊桑的揭露切中要害,不像我们这边如此温文尔雅,只把北大某教师式的"抄袭"斥为"学术腐败",而从不涉及学术与权力交易中的种种猫腻。

虽然莫泊桑对"学术腐败"的针砭更中要害,却并不如我们这边批判"学术腐败"时那么激昂慷慨,大义凛然。他只作了喜剧化的处理,集中描写了搞"学术腐败"的人那种"勋章拜物教"心理以及其下作、尴尬与难堪,表现出了批判者的幽默风度。

《珠宝》

本篇小说的幽默之趣来自作者的揶揄,他揶揄主人公的迟钝,他多年来对自己妻子背着他接受情夫的大量珠宝而浑然不知,揶揄他姗姗来迟的"恍然大悟"与随之而来的羞耻心理,揶揄他继承了珠宝后由心安理得而到洋洋自得、得意忘形,此人自身毫不幽默,倒是为人所不齿,但作者写他写得幽默。

《烧伞记》

这个家庭主妇平时抠门吝啬,丝丝入扣,已属少见,为了白捞几个法郎的"赔偿款"而故意把伞烧坏,就更为另类了。她这个人,她这桩事本身并不幽默,但莫泊桑使其可笑与可鄙跃然纸上,令人发笑,则是为幽默了。

《小狗皮埃罗》

这是一个生活小故事,讲一个诺曼底乡绅太太养狗与弃狗的过程,像一则生活小品,除了颇合动物保护主义者的口味外,不见得有多少社会意义,也没有反映什么值得一提的社会现实,只是通篇无处不流露出幽默的情趣,确乃幽默风格的佳品。

点击都德的幽默小说

幽默，在现实生活中，已经成了既高雅又大众化的时尚，甚至在不少征婚广告中"有幽默感"也常被列为一个条件，就像"有风度"、"有事业"、"有房"、"有车"这些词一样，成为时尚男女择偶的标准。

君若有意培养点幽默细胞，参考冯小刚的"贫"式幽默，即为一方便法门，但要是讲究些品味，则需要多读点幽默文学的经典佳品，法国作家都德应为阅读对象之一。

都德是一个风格化的大作家，其小说的独特魅力，主要就在于他的幽默情趣，兹举以下数例：

《雅尔雅依来到天主的家里》

这是一篇情趣诙谐幽默的妙作，其情趣来自雅尔雅伊近乎顽童的性格，而这性格只靠两笔就勾画出来了。一笔是他如何诳骗天使，一笔是他如何被天使诳骗，特别是他被诳骗后的那一句"不稀罕天堂"的话。这个短篇作为"普罗旺斯民间传说"，可说是对农民群体意识调皮鬼形象的生动写照，表现了不信宗教不信神的唯物精神。

《教皇的母驴》

在欧洲中世纪，教会对异己者、敌对者、仇家的忌恨、刻毒、迫害、打压是令人谈虎色变的，这篇小说可说是有点影射此种历史现实，有文本的最后一句话为证："教会中记仇心理之强烈，实莫过于此例焉。"

且看这么一个残酷的主题，在都德的笔下表现得多么诙谐、多么淡然，多么慢慢悠悠，显示出作者一种从容的风度。

林语堂说得好："从容出之，遂有幽默。"

《三遍小弥撒》

"酒肉穿肠过，佛祖心中留"，这篇小说与中国的这一诙谐幽默语颇有异曲同工之妙，只不过所描写的是教士，而不是和尚。如果说上述谐语概括了宗教人士"馋"的哲学的话，这篇小说则绝妙地描写宗教人士"馋"的心理，"馋"的劲头，那种心急火燎的劲头与作者慢腾腾的叙述形成对照、幽默的情调恰从中而出。

《菊菊乡的神甫》

都德的短篇小说，很大一部分是采用他故乡普罗旺斯的民间题材，有一些干脆就像民间故事，而民间故事的一个重要特点就是诙谐，这个短篇就是较为典型的一篇。

在这里，诙谐的对象虽然就是嘲讽的对象，但嘲讽的意味几乎让人觉察不出来，似乎叙述者倒是带有几分亲切感，些许同情心。幽默中蕴含着温情，这是都德常见的风格。

《可敬的戈谢神父的药酒》

描写修道院的困境与无奈，戈谢神甫的出格与失态，对于教会来说，是大伤脸面的一件事，针砭如此尖锐，内容如此令人难堪与尴尬，作者的描写又如此淋漓尽致，似可成为一篇火辣辣的作品，但结果并非如此，作者靠的就是幽默语言的"间离效果"。因此，此篇可谓幽默讽刺小说的一个典范。

如果读者对这些富有幽默情趣的小说感兴趣，不妨把浙江文艺出版社"经典印象"丛书中的《都德短篇小说选》找来一读，篇幅都不长，短小精悍，读来既省时间，又可收开心之效。

《巴黎圣母院》导读

一、作者与时代背景

维克多·雨果是世界文学中超级巨人式的作家，他的文学业绩是多方面的：首先是举世公认的法兰西伟大民族诗人，在抒情诗、史诗、政治诗、讽喻诗各方面都达到了顶峰的成就；又是轰动一个时代的戏剧大师，开辟了一个浪漫主义戏剧的新纪元；还是非常杰出的小说家，其经典的长篇名著《悲惨世界》《巴黎圣母院》《九三年》至今在全世界还拥有千千万万的读者；还是一个影响极其巨大的政论作家，其政论著作在法国历史中起过很重要的作用。

雨果生于1802年，逝世于1885年，经历了法国19世纪历史的五个不同的时代。他出生前13年，爆发了1789年的资产阶级革命，他的父亲平民出身，参加了革命军，在作为大革命最后阶段的拿破仑时期，获得了将军头衔。幼年的雨果曾随父亲的军旅辗转欧洲。

1815年，被1789年革命推翻了的波旁王朝，在欧洲封建君主国刺刀的保护下又回到巴黎恢复了统治，其父转而效忠新的复辟王朝，其母本来就是波旁王朝的拥护者，因此雨果少年时期的政治态度是保王主义的，他中学时代就开始写诗，他那个时期的诗作里就显露了这种保守的政治倾向。

1824年，查理七世上台后，政治更为反动，激起了资产阶级自由主义思潮的日趋高涨，在这种背景下，雨果的政治态度有了明显的转变，由保王主义变为自由主义。在文学上，他开始用诗歌缅怀与歌颂拿破仑，并与大仲马、缪塞等组织了浪漫主义的文社，明确反对跟保守政治势力密切相关的伪古典主义文学。1827年，他发表了著名的战斗性的浪漫主义文学宣言《〈克伦威尔〉序》成为新文学运动的领袖，他一系列重要的文学作品在这时期开始相继问世，如批判封建王权的浪漫剧《玛丽蓉·德·洛尔墨》，歌颂希腊民族解放斗争的诗集《东方集》，批判不合理的法律制度的《死囚末日记》等。1830年，他又写作了具有强烈反封建思想内容与新颖浪漫主义艺术手法的《欧那尼》。这个剧本在七月革命前夕的初次演出期间，浪漫主义的拥护者与伪古典主义的拥护者在剧场内外，进行了白热化的斗争，最后，浪漫派大获全胜，演出获得巨大的成功，这就是文学史上有名的"欧那尼之战"，它标志着浪漫主义戏剧的胜利，开辟了一个浪漫主义文学的新时代。从此，雨果不断问世的浪漫剧在法兰西舞台上经历了十几年的繁荣。

1830年爆发了七月革命，路易·菲利普上台，建立了金融家的政权"七月王朝"。1831年，他完成了浪漫主义文学中著名的长篇小说《巴黎圣母院》。在19世纪30年代，他的重要文学作品还有诗集《秋叶集》《黄昏之歌》《心声集》以及剧本《玛丽·都铎》《吕伊·布拉斯》等，这些作品都具有反封建、反教会的精神，对旧制度和对封建统治阶级的批判控诉是这些作品的基调。在七月王朝的前期，雨果保持与当局妥协的政治立场，他自己也顺利当选法兰西学士院院士，还获得"法兰西世卿"的称号。到了后期，雨果在政治上又激进起来，巴黎二月革命之后，他抛弃了君主立宪制的政治态度，而坚决站在共和的立场上。

在1848~1851年期间，雨果在法国政治舞台上非常活跃，他成了国民议会中社会民主派的领袖。1851年，路易·波拿巴发动政变，宣布称帝，大肆进行镇压，雨果与他的政派奋起反抗，但遭到失败，他被迫流亡国外，长达19年之久。流亡期间，他始终对拿破仑三世的独裁政权进行坚决的斗争，义无反顾，拒绝拿破仑三世的"大赦"，毫不妥协。他充满了革命气势的政治讽刺诗集《惩罚集》是他这种斗争精神的产物，当时秘密流传到法国，在人民中有广泛而深刻的影响。在第二次世界大战期间，《惩罚集》也鼓舞过法国爱国志士对法西斯占领的斗争。此外，在流亡生活中，雨果的文学创作再获丰收，巨型史诗《历代传说》、诗集《静观集》与长篇小说杰作《悲惨世界》《海上劳工》等等都是这个时期的成果。

1870年，拿破仑三世垮台，雨果结束了长期流亡生活，凯旋式地回到巴黎，受到巴黎人民的热烈欢迎。普法战争爆发后，雨果以激昂的爱国主义热情投入斗争，鼓舞人民的斗志，他报名参加国民自卫军，他捐款铸造抗战的大炮，其中一尊就以"雨果"命名。晚年，他仍参加政治活动，坚持写作，并不断有佳作问世，如诗集《凶年集》《做祖父的艺术》。他逝世时，法兰西举国志哀，巴黎举行了规模宏大的葬礼，他被安葬在先贤祠，这是法国历史上极少的一些伟人才能享受到的哀荣。

二、内容提要

故事从1482年1月6日这天开始，这个日子既是主显节又是愚人节，主显节是耶稣显圣的节日，愚人节则是民间狂欢的节日，在这个双重的节日里，民众可以狂欢到捉弄人、放肆胡闹的程度。这天的巴黎自是好一番热闹，几乎在全城的每一个场所都有庆典、欢聚、娱乐与游行。在小说里，雨果一开始就带领他的读者进入15世纪巴黎熙攘的人群之中，见识各种喧嚣嬉闹的场面。

他带读者去的主要场所是司法宫大厅,在这里进行的两项节日活动都甚为热闹。一是演出圣迹剧,一是选愚人王。圣迹剧的演出是由巴黎的青年诗人比埃尔·甘果瓦负责张罗与主持,圣迹剧演的都是圣徒的业绩,宗教说教气氛浓重,今天的读者是不会感兴趣的。比较有趣的倒是选举愚人王,这实际就是带有庆典形式的起哄与瞎闹,果然,选出的愚人王是巴黎圣母院的敲钟人伽西莫多,他是巴黎城里最丑陋的怪物:头上长着红毛,鼻子像一个方块,嘴巴呈马蹄形,一只眼睛上面长着浓密如茅草的红眉毛,另一只眼睛完全被一个大肉瘤遮住,牙齿东缺一块西少一角,赛过城墙垛口,一颗像象牙一样长的獠牙伸在长着厚茧的嘴唇上;身材也难看极了,两个肩膀之间隆起一个驼背,罗圈腿,大脚掌……在巴黎,谁见了这个怪物都吓得就跑。这天起哄的民众推选他为愚人王,给他戴上桂冠,穿上袍子,用一台花轿,由12个大汉抬着他到巴黎全城游行。

一天过去了,甘果瓦张罗完圣迹剧后,在夜色中走出司法宫大厅,他穷困潦倒,食不果腹,无家可归,在巴黎街头溜达。经过格雷沃广场时,他见广场上燃着篝火,人群围绕着一个正在跳舞的妙龄吉卜赛少女。她亭亭玉立,身材窈窕,舞姿优美,是一个神奇的美人儿,和她一道表演的是她的一只可爱的小山羊,它雪白、光亮、敏捷、机灵,通人性,会跳舞,会玩杂技。吉卜赛少女与小山羊表演极为精彩,人群看得如醉如痴,但在观看的人群中,有一个秃头的中年男子,他身上发散出一种肃穆、神秘而又阴森森的气息,他紧盯着吉卜赛少女的舞姿,目光里迸射出情欲之火与阴险的神情,不时对吉卜赛少女的表演发出阴阳怪气的指责。这时,巴黎民众浩浩荡荡的游行队伍来了,他们抬着愚人王伽西莫多,一路上喧哗嬉闹,但那令人可怕的伽西莫多一见那秃头男子就赶紧跳下轿来,向他跪下赔不是,而那秃头男子则掀掉他的王冠,折断他的权杖,撕破他的道袍,然后就把他带走了。原来这秃头男子就是伽西莫多的主人,巴黎圣母院的克罗德·孚罗洛副主教。

广场上的人群散了，甘果瓦对那吉卜赛姑娘甚为好奇，决定冒险跟踪她。街道愈走愈荒僻，他看见在远处的一个街角，吉卜赛女郎遭到了两个人的劫持，一个是伽西莫多，另一个则是指使者克罗德·孚罗洛副主教。少女大声呼救，恰好有一小队王家近卫军在附近巡逻，及时闻讯赶到，伽西莫多被巡逻队抓住上了绑，克洛德则赶紧溜掉。巡逻队长叫弗比斯·德·沙多贝尔，是一个轻薄的青年军官，当时就想趁机对那吉卜赛少女有非礼之举，但害羞的她在夜幕下逃脱了。

甘果瓦无家可归，继续在巴黎城迷宫般的街道里瞎闯，无意闯进了巴黎有名的圣迹区，那是大量乞丐、流氓无赖、小偷盗贼、流浪汉聚居的地区，是个无法无天的世界，统治着这个区域的是"黑话王国"。甘果瓦落进了他们的手里，眼见即将被绞死，这时来了个救星，就是那个吉卜赛少女，她也是黑话王国里的一员，她的同胞们都热情地称她为"爱斯梅拉达"。根据黑话王国的规矩，一个外来的闯入者如果被王国里一个女性成员接受为丈夫，即可得到赦免成为王国中的一员，爱斯梅拉达用这个办法把年青诗人救了下来，以摔罐为誓的形式与甘果瓦结为夫妻，但因为爱斯梅拉达已倾心于那个英俊却轻薄的青年军官，而她认领甘果瓦仅仅是为救他于危难，所以只与他行了一个徒具形式的婚礼，两人保持一种朋友关系。

第二天，因拦路劫持而被抓的伽西莫多在司法宫受审，审他的法官是个聋子，伽西莫多因为每日敲钟耳朵早已被震聋了。聋子审聋子，还以为自己审的不是聋子，结果是牛头不对马嘴，笑话百出，最后伽西莫多糊里糊涂被判鞭打一顿，并在广场上示众两个钟头。示众的时候，烈日当空，伽西莫多口渴难熬，他痛苦的呻吟与嚎叫只引起了围观人群的嘲笑与叫骂，副主教克洛德眼见此景此情，袖手旁观，唯恐引火烧身，赶紧溜走了事。这时，一个少女走上了行刑台，伽西莫多一见是爱斯梅拉达，以为她是来报他前晚劫持之仇，没想到她取出一个葫芦，把水送到伽西莫多干裂的嘴边，这时，奇丑的钟楼怪人的独眼里，滚出了一大颗眼泪，他想去吻少女的手表示感恩，爱斯梅拉达却惊恐地把手缩回去了。

几个星期过去了，春光灿烂的三月里，一天，巴黎圣母院前的广场上人群熙攘，爱斯梅拉达带着她的小山羊在翩翩起舞，年青英俊的军官弗比斯也在贵族露台看热闹，他的目光被爱斯梅拉达所吸引，就主动唤她相见。一个是惯于调情与玩弄女性的纨绔子弟，一个是早已对青年军官一见倾心的少女，两人相遇相见，很快就情意绵绵，擦出了爱的火花。对此，在旁留心关注、密切观察的有两个人，一是对爱斯梅拉达爱慕崇拜得五体投地的伽西莫多，他看得又羡又妒；一是对吉卜赛少女充满了强烈占有欲的克洛德副主教，他看得更是狂妒陡涨，仇恨骤生，心里开始酝酿着阴险恶毒的念头。

克洛德通过卑劣的手段与诡秘的打听，对爱斯梅拉达的情况了如指掌。他刺探到弗比斯已与爱斯梅拉达将要在一个屋里幽会，他事先埋伏在一旁，把弗比斯与爱斯梅拉达两人温存亲热的情景全看在眼里，他妒火中烧，狂怒不止，拔出了利刃，猛然向弗比斯刺去，弗比斯受伤倒下，克洛德逃之夭夭，爱斯梅拉达则被当作嫌疑犯逮了起来，但她念念不忘的却是弗比斯的死活，而不顾及自己的安危。

审讯变得对爱斯梅拉达极不利，宗教迷信、法律黑暗与民众的愚昧造成了这样一个荒唐离奇的冤案：爱斯梅拉达被认定是一个女巫，她那有灵性的小山羊竟成了旁证，正是她"串通了地狱的势力，凭借魔法与非法手段"，伙同一个后来不见踪影的"妖僧"，刺杀了一位王家的军官。对此，爱斯梅拉达坚决拒认，法庭就对她动用了可怕的酷刑进行逼供，最后屈打成招，爱斯梅拉达被判绞刑。

爱斯梅拉达被关在黑暗、阴冷、潮湿的地牢里，等待刑期的到来。某一天，牢房里来了一个阴森森的黑衣人，正是克洛德神甫，他对爱斯梅拉达充满兽欲，占有不成就恶毒加以陷害，由于他在背后的控告，少女才被当作女巫被判死罪。此时，他竟无耻地向少女谈情说爱，表示只要爱斯梅拉达顺从他的要求，他就可以设法救她出牢，与她一同逃到某一个地方共同生活。爱斯梅拉达彻底认清了他邪恶阴毒的本质，宁死不屈，坚决拒绝，予以怒斥，克洛德恨恨退去，威吓说誓要把她送上绞刑台。

　　行刑那天到来，看热闹的人群拥挤在巴黎圣母院前的巴尔维广场上，青年军官弗比斯也来了，原来他被刺伤势不重，并未丧命，他早已听说爱斯梅拉达的冤案，但他怕有损自己的面子与身份，明哲保身，不去为少女昭雪。这天他也在广场上，正与自己的未婚妻卿卿我我，爱斯梅拉达被押解上来，他仍然袖手旁观，冷漠相对。爱斯梅拉达见此，精神受到严重的打击，大大加重了她赴刑时的痛苦，而前来送她上绞架，为她做临终法事，要求她进行忏悔的，恰巧又是陷她于绝境的仇人克洛德神甫。只有那个丑怪的敲钟人伽西莫多，从巴黎圣母院的楼廊上爱慕地盯着爱斯梅拉达，并紧张地关注事态的进行。绞刑开始了，只见他攀住一根粗绳，迅飞而下，打倒绞架上的行刑者，把爱斯梅拉达解救下来，一闪就跑进了圣母院，奔跑中不断狂呼着："圣地，圣地"，谁也不敢追进去，因为根据教会与王家法律，巴黎圣母院是任何人都不能进犯的圣地。

　　伽西莫多把爱斯梅拉达安排在巴黎圣母院的钟楼上住下，悉心照料她的衣食与生活，无微不至，就像侍奉一位主人。他充满了警惕性，日夜在附近守卫这位少女，为她的睡眠站岗。他因丑陋而自惭形秽，不敢出现在爱斯梅拉达的面前，他绝望地无言地爱慕着、崇拜着她，就像面对一位高不可攀的天使。他看到爱斯梅拉达仍然在思念弗比斯，就卑微地主动为她去找那位负心的轻薄青年，传递口信，却反倒被对方斥退。他未敢把狼心狗肺情人的态度告诉少女，默默为她承担着全部的痛苦。在伽西莫多的呵护下，爱斯梅拉达在圣母院的避难生活安全而宁静，她感到幸福与自由，对伽西莫多也产生了感恩之情，不再厌恶与害怕他形貌的丑陋。

克洛德神甫得知爱斯梅拉达在圣母院的藏身之地，半夜前来进行强暴，被守卫着的伽西莫多狠狠揍了一顿。伽西莫多原来是个弃婴，自幼被克洛德收养，并在其安排下当上了圣母院的敲钟人，他从来对克洛德都感恩戴德，视若神明，而今他认识了克洛德的邪恶，为了保卫可怜的少女，他开始与这个人面兽心的副主教决裂了，而克洛德则下定了"谁也别想得到她"的狠心，策划了一个歹毒的计划。

穷诗人甘果瓦本来是克洛德副主教的学生，他对这位神甫一直敬畏有加，克洛德在爱斯梅拉达那里碰壁后，便利用甘果瓦作为爱斯梅拉达名义上的丈夫、黑话王国中的女婿的条件，使得把爱斯梅拉达视为姐妹的乞丐、流浪汉与下层群氓，大批大批地前来攻击巴黎圣母院，要解救出爱斯梅拉达。伽西莫多不明真相，在钟楼上进行凶猛的抗击，伤人无数。事态扩大，引发了巴黎民众大规模的骚动，国王路易十一动用军警进行镇压，围攻巴黎圣母院的群众大批遇难。克洛德趁混乱之际，又利用甘果瓦把爱斯梅拉达骗出圣母院，将她掌握在自己手里，再次以死亡进行威胁，逼迫少女屈从他的兽欲，爱斯梅拉达进行了激烈的反抗，于是，克洛德就利用一个疯女人把爱斯梅拉达拖住，自己则去招呼军警前来逮捕少女。

这个疯女人就是爱斯梅拉达的亲生母亲，她本是个妓女，自己的女儿在幼小的时候被流浪人拐走，从此她就精神失常。在此危急时刻，她认出了自己的女儿，但为时已晚，追捕的军警赶到，逮捕了爱斯梅拉达，把她立即送上了绞架。在圣母院的楼上，克洛德眼见这一切，发出了魔鬼般的狞笑，伽西莫多见此狞笑，明白了真相，愤怒地将克洛德推下钟楼活活摔死。最后，伽西莫多来到爱斯梅拉达的墓穴中守在他心爱的少女的尸体旁，也死在了那里。

三、分析与评价

　　《巴黎圣母院》是善良的无辜者在专制制度下遭到摧残和迫害的悲剧。女主人公爱斯梅拉达是一个善良纯洁的少女,她富有同情心,敢于舍己救人。当那个卖文为生的诗人甘果瓦深夜误入巴黎的流浪人和乞丐的聚集所、即将被杀死的时候,她挺身而出,表示愿意与他结婚,把这个诗人置于她的保护之下,虽然她并不爱他。当伽西莫多在烈日曝晒的广场上遭到鞭挞,口渴得发出痛苦的呼号时,只有她对这个丑怪异常且深夜又劫持过她的敲钟人表示了同情。她热情天真,以为世人像她一样纯洁,至死还对负心的弗比斯保持热烈的爱情;她品格坚贞,面对克洛德的淫威而宁死不屈。她是巴黎流浪人和乞丐的宠儿,但自食其力、清白无瑕。雨果把这样一个鲜亮的形象放在中世纪阴森黑暗的背景上,描写那个专制主义统治着的、教会势力极为猖獗的社会,如何像一个巨大的罗网威逼她、迫害她,以令人恐怖的手段把她置于死地。以波希米亚少女为迫害对象的宗教狂热,教会人物为满足卑鄙的兽欲而施展的恶毒阴谋,专制国家机器的野蛮与残暴,所有这些都被雨果以浪漫主义的笔法描写得像噩梦一样可怕。作者通过这样的描写表现了封建专制主义社会的黑暗,突出了作品的反封建的主题。

　　在小说里,雨果十分自觉加以揭露的封建罪恶势力首先是教会。教会的化身就是克洛德副主教。他外表道貌岸然,内心毒似蛇蝎,表面上过着严肃、清苦、刻板的生活,标榜高尚的德行,摒弃世俗的生活,甚至对节日的狂欢也表示反感和厌弃,内心里却贪求女色,对享乐充满妒羡,对世人满怀恶意。雨果不仅用他惯用的对照法表现这个人物虚伪的禁欲主义和他淫邪本质的矛盾,而且把他作为一个神职人员在实际生活中所起的罪恶作用无情地加以揭露。他像一个幽灵,藏在他那像"魔窟"一样的房间里,酝酿着一些恶毒的阴谋。他煽起宗教狂热，制造迷信，散布对波希米亚流浪人的偏见，爱斯梅拉达在巴黎被视为"以妖术害人的女巫"，就是他一手造成的。他还严密监视人们的精神生活，控制司法，与官府沆瀣一气，经常伙同王家检察官制造"巫术案"，陷害良民百姓，任意加以逮捕，送上绞架。他作恶多端，抢劫妇女，预谋凶杀，对爱斯梅拉达进行诬陷，操纵法庭把她判处死刑。雨果对这个人物的外貌、行动和心理作了十足的浪漫主义的夸张和渲染，突出了他作为教会恶势力的社会本质。作者还力图深刻揭示这个人物的矛盾性，他描写这个人物对自己人格的二重性有明确的自觉意识，他为自己对少女的欲念以及因此而"荒弃了多少德性"，为这种欲念与自己神职人员身份的矛盾而感到痛苦与疯狂，他在这个少女面前为这种欲念辩解，并归结为普遍的人性。雨果主观上是想用这种描写来说明克洛德作为人也是禁欲主义的牺牲品，最深的祸根还是谬误的违反"人性"的宗教。然而，作者这几笔却恰巧冲淡了小说的批判力量。

《巴黎圣母院》揭露的矛头还指向中世纪封建专制的国家机器。雨果在小说第八卷和第十一卷中，通过对爱斯梅拉达被审和被官兵追捕、最后上了绞架的描写，集中表现了封建统治的黑暗与残暴。法官们审理案件完全以残害平民为目的，以宗教迷信为根据，以惨无人道的严刑逼供为手段，对无辜者进行诬陷，制造千古奇冤。作者在这一卷里，把法官称为"黑猫"，把法庭录事称为"野猪"，把王家律师称为"鳄鱼"，并借一个人物之口称法院的开庭就是"法官们吃人肉"，这个开庭的场面通过爱斯梅拉达天真、惊愕的反应而被描写得荒谬绝伦、阴森可怕。当少女陷进这可怕的罗网，眼看就要被吞没的时候，她发出了绝望的呼号："这真是地狱呀！"特别具有讽刺意味的是，爱斯梅拉达屈打成招被判死刑后，法律还向她宣布"要付给官府三个金里尔作为招认费"。作者通过这样的细节，把封建法院暴虐的本质揭露得淋漓尽致。最后一卷对爱斯梅拉达的被捕的描写也是用来加强揭露力量的篇章，刑庭长对无辜者那种追捕的狂热表现了封建统治的迫害狂。雨果在这里以浪漫主义的手法，安排了爱斯梅拉达的生母终于找到了自己的女儿这一十分戏剧性的情节，母女欢乐的重逢立刻变为悲痛欲绝的死别，这个因多年失去自己女儿而几乎疯狂的母亲又眼见无辜的孩子被送上绞架。作者以人道主义的思想描写了绝望中的母爱，更加激起读者对残暴的封建统治的憎恶。

为了使作品反封建的主题具有更鲜明的针对性和彻底性，雨果在小说里描写了路易十一的形象。雨果以历史学家的态度对待了这个为法国统一和专制主义奠定了基础的国王，尊重了他在历史上应有的地位。在他笔下，"这个瘦小病弱的国王穿着普通市民的服装，戴着用最坏的黑布缝成的旧而脏的帽子"，他紧紧控制着他的国家和宫廷，对一些细小的案件也亲自处理；宫廷每一项开支他都要过目，他为了封建统治的根本利益，也想杜绝财政上的漏洞，不许手下的王公贵族掏空国库；他一心维护中央集权，和分散割据的封建势力进行不倦的斗争。雨果这些描绘又都始终不脱离人物作为封建专制国家最高统治者的残暴本质。他住在戒备森严的城堡中，很少到巴黎来，"因为他觉得他周围的暗门、绞架和苏格兰的射手都还不够多"，他一到这里，就住在阴森可怕的巴士底狱以避免不安全。他标榜节俭，但为了增加国王的威严，不惜耗费巨资豢养一大批猛兽；而为进行残酷镇压，又不吝大量钱财用于设立绞架、制造关人的笼子和为刽子手购置刑具。他对臣民残酷无情，任意处死，正是在他的统治下，城市里"泛滥着可怕的刑法和残酷的裁判权"，巴黎街头不时有无辜者被送上绞架或煮死。爱斯梅拉达的悲剧只不过是其中之一，它的最高的裁决者就是路易十一。小说第九卷第五节对这个封建统治者有一段深刻的描写，当有人向他报告巴黎的流民袭击法院院长的时候，他抑制不住自己的狂喜，倾吐了对这些分散了国王权力的封建势力的积怨："这些把征税人、法官、封地采邑的权力擅自归于自己、在我们之中称孤道寡的大人先生是些什么东西？……我很愿意知道是不是除了国王之外，还有另一个统治者，除了国会之外，还有另一个法院，除了我之外，这个帝国里还有另一个皇帝？应该让法国只有一个国王，一个君主，一个法院，一个斩首人，就像天堂里只有一个上帝一样……好，我的百姓们做得好！打倒这些冒充的君主，打倒他们，杀他们，绞死他们，推翻他们。"但是，当他终于弄明白暴动并不是反对分散的封建领主，而是反对圣母院，矛头指向了国王的权威时，突然，他"脸色狰狞可怕"，"由狐狸变成了狼"，"深陷的眼里露出凶光"，在狂怒中发出了"把平民斩尽杀绝，把女巫绞死"的命令，造成了小说最后血染巴黎的大屠杀。

随着金融资产阶级七月王朝的建立，1789年以后资产阶级与封建贵族阶级争夺政治统治的斗争至此告一段落。《巴黎圣母院》是在这种历史条件下对封建时代的再批判，也是雨果自己对青年时期保王态度的一次总清算，它体现了19世纪30年代资产阶级反封建思想的最高水平。它把残暴的封建统治者、"冷酷而毫无怜悯心"的贵族太太小姐、弗比斯式的玩弄女性的贵族子弟所组成的上层社会，与卑贱者、平民、流浪汉的下层社会作出鲜明对照，对后者表示了同情与赞赏。伽西莫多就是这样一个低贱者的代表。这个弃儿出身的敲钟人又聋又哑，是一个被人当作笑料的丑怪的畸形人，但作者却赋予他高尚的心灵，他对那个无辜少女在衷心的感恩和诚挚的同情之中，又有着在恶浊社会里极为难得的纯洁的柔情。他被克洛德抚养长大，从不敢稍有违抗，但克洛德的丑恶行径终于擦亮了他的眼睛，恶人的残忍更激起了他的反抗，正是他结束了自己主人的狗命，在那暗无天日的社会里，总算伸张了些微的正义。作者还着意描写了巴黎最下层的流浪人、乞丐群，他在他们褴褛粗野的外表下，表现出一种阶级互助、舍己为人、勇于斗争的精神，正是他们，为了营救自己的患难姊妹，敢于向封建的国家机器挑战，并进行了英勇的战斗。雨果通过表现这次暴动的宏大声势，显示了蕴藏在人民之中的强大的反封建力量。这次暴动虽然被残酷镇压了下去，但雨果在小说中安排了这样一个情节：当路易十一对自己的专制主义的统治表示有充分信心的时候，佛兰德的使者提醒他说："那是因为平民的时代还没有到来"，并且对国王指着巴士底狱的堡垒，预言它将"在喧哗声中倒塌"，而国王也会"很快听到敲响了平民时代的钟声"。雨果让一个袜子商人出身的外国使者，在三个世纪以后将被人民攻陷的巴士底狱前作出这个预言，具有深长的意味。雨果在小说中写的虽然是中世纪封建专制主义的时代，但他自己是大革命后的一代人，而且经过了一段弯路之后毕竟跟上了自己的时代。因此，在小说的这段描写中，作者站在七月革命以后历史发展的新水平上，对过去的时代赋予了资产阶级民主主义的诗情。

雨果在说明自己的小说时这样写道："这是15世纪巴黎的图画，是反映在巴黎的15世纪的图画。"他在小说里以浪漫主义色彩浓烈的笔调出色地描写了巴黎城市的壮丽图景和中世纪阴暗生活的风貌，把读者带进一个充满绚烂色彩和奇特声响的世界，使他们看到高大的哥特式的建筑、此起彼伏的屋脊的海洋、纵横交错的街道、散布在街头的刑场绞架、阴森的巴士底狱和流浪人聚居的神秘的怪厅这一片奇特的景象。雨果还以不少的篇幅描绘了巍峨壮观的巴黎圣母院，它是建筑术的奇迹，"好像是巨大的石头交响乐"，"每一块石头都生动地表现出艺术家的天才加以修饰了的、用于百种形式表达出来的劳动者的幻想"，它那雄伟的整体带着难以数计的繁复的人与兽的浮雕，高踞在中世纪的巴黎之上。雨果用生动细致的描写把它加以拟人化，写它像是一个肃穆庄严、壮丽而又神秘的有生命的存在物，俯视和见证了历代的生活和眼前的这个悲剧。这更加重了小说的浪漫主义气氛。小说的情节也是典型浪漫主义的，充满了现实生活中所不可能有的巧合、夸张和怪诞，例如伽西莫多一个人在圣母院上的抵抗、爱斯梅拉达母女在绞刑之前的重逢、伽西莫多与爱斯梅拉达两个可怜人的尸骨一被分开就化为灰尘，等等，完全都是作者奇特想象的产物。但由于作者对自己的故事充满了一种热烈的激情，运用了巨大的浪漫主义的艺术力量，这一切仍具有引人入胜的效果。

四、重要章节提示

《巴黎圣母院》是一部规模宏大的长篇小说，内容丰富，人物众多，故事复杂，线索纷繁，情节曲折跌宕，为了完整而准确地掌握小说的基本内容，以下的这些章节是特别值得同学们注意的，从这个意义上来说，它们是构成小说的第一层面的重要章节。

第二卷第二章《格雷沃广场》、第三章《以爱来对待打击》、第四章《夜间在街上跟踪美女的种种麻烦》，这三章写的是夜劫爱斯梅拉达，可以说是小说故事的真正意义上的开端，也就是说主要人物从这里有了实质性的行动，因而也就成了故事线索的由头。这三章，也是主要人物的关系纽结，他们在夜劫的一场中都集中登场，并形成了他们之间的格局与矛盾，这格局在下文中铺展开来，就逐渐形成他们的命运。

第六卷第一章《公正地看看古代司法界》、第四章《一滴眼泪换一滴水》，写的是伽西莫多因夜劫而受审受罚，聋子审聋子一章，内容荒诞可笑，是对中世纪封建国家司法界辛辣的讽刺。爱斯梅拉达在广场上给伽西莫多解渴一章，则是继她救甘果瓦性命之后的又一观音菩萨式的慈悲之举，显露出她美貌中的天使心肠，将有助于同学们认识这位可爱的女主人公。这一章的故事也给她与伽西莫多之间关系奠定了非常人道主义的基础，由此就发展出伽西莫多对她那种刻骨铭心、顶礼膜拜的深情，导致他最后与她同死共葬。电影编导从来都乐于对广场上的这场戏大肆渲染，只不过把小说中的格雷沃广场改为电影中巴黎圣母院之前的空地，这倒无可厚非，编导有这种权力。

第八卷第一章《银币变枯叶》、第二章《银币变枯叶续篇》、第三章《银币变枯叶续完》、第四章《抛掉一切希望》，雨果花这么好几章来写爱斯梅拉达的冤案是怎么制造出来的，可见他着力揭露封建司法当局黑暗残酷的一番用心，其中充满了激愤的控诉力量，中世纪的司法如此惨无人道，骇人听闻，加上控制着这一切的黑衣人克洛德副主教的身影，则更为阴毒可怕。这几章可以说是整个小说反封建批判精神的一个重要支柱。

第八卷第六章《三人心不同》，这章写爱斯梅拉达被押上广场受绞刑时，与她有感情纠葛的三个男人的态度，青年军官漠然旁观，冷酷之至，副主教前来行刑，凶恶阴险，而敲钟人冒生命危险劫了法场。在同一场合，在同一件事情上，对待同一个与自己有密切关系的人，三人形成强烈对照，是雨果著名的对照描写法的一次运用，对此法，雨果曾在其浪漫主义文学的宣言中大加宣扬，奉为法典，同学们不可不有所关注。

第九卷从第二章《驼背，独眼，跛脚》，直到第六章《红门的钥匙续篇》，在这五章里，作者对爱斯梅拉达在圣母院的避难生活，特别对伽西莫多的深情做了动人的描写。一个美若天仙，一个丑如怪物，这样的爱情一般是很难得到读者的认同的，但雨果艺高人胆大，他偏要做难以做到的事，他花了好几章的篇幅写伽西莫多丑陋不堪的形貌下那颗金子般的心，他对爱斯梅拉达是爱慕、珍惜、膜拜、侍奉、护卫，无微不至，舍己为人，谦卑恭让，克己自律。如果谁要对恩格斯曾经肯定过的中世纪骑士风度有一个具体的认识，从伽西莫多对爱斯梅拉达的态度中即可看到，雨果把这种高尚的风度放在一个丑怪的敲钟人身上，让美的灵魂与丑的形貌形成强烈的反差，是他美丑对照描写法的又一次创造性地运用。

第十一卷第一章《小鞋》、第二章《白衣美人》，写的是最后对爱斯梅拉达的捕杀，她极为悲剧的结局是可以预料到的，但令人难以预料的是临终前的母女相认。这真是令人撕心裂肺的两章,也是把克洛德最后钉在耻辱柱上的两章,在这里他穷凶极恶的面目暴露无遗,与他在小说里最初出场时的道貌岸然形成强烈对照。请注意,雨果在小说里从来没有忘记他的对照描写法。

如果我们只把《巴黎圣母院》视为一部《基督山伯爵》式的情节小说,指出以上这些重要章节就够了,但雨果在这部小说中并不满足于做一个曲折故事情节的叙述者,他要成为历史学家、思想家,他做到了这点,他献出了一些颇为深刻隽永的篇章。在此层面上,兹举二例:

第十卷第五章《法王路易的祈祷室》,给法国历史上这位起过重要作用的君主绘制了一幅很生动精彩的画像,通过故事中巴黎下层群众营救爱斯梅拉达这一特殊事件,对15世纪法兰西王国中封建王权、封建教会与法院以及人民群众的复杂阶级关系作了十分深刻的分析与描述。

又一例是第三卷第一章《巴黎圣母院》,这是全书中很有分量的一章,没有历史学家与思想家的功力是写不出来的。巴黎圣母院不仅是小说里那场悲剧的见证者,而且是法国历史的见证者,是时序的见证者,它像一个活的生命,也像一个象征,它给我们以无穷的启示,而且这一章对这样一个古建筑文物的描写,真可谓是气势磅礴的大手笔。

在第三个层面上,即在具体描绘的层面上,不妨再看看有什么重要的篇章。雨果是一个善于以浓墨重彩进行描绘的浪漫主义巨匠,他在《巴黎圣母院》中绘制了不少中世纪五光十色的生活画面与古巴黎的独特景观,第三卷第一章《巴黎鸟瞰》就是十分精彩的篇章,特别是描写盛大节日的早晨,登高俯视全城、倾听万钟齐鸣的段落,堪称前无古人,后无来者的绝妙文字。

雨果是一个笔端饱蘸感情、文章充满诗情画意的天才,请同学们注意第二卷第七章《新婚之夜》,雨果在这里描写甘果瓦见爱斯梅拉达翩翩起舞时，插进了自己儿时在小溪旁边追踪一只蓝蜻蜓或绿蜻蜓时的童趣感受，清新动人，像散文诗一样美。

五、精彩语段撷英

不过凡是诗人都禀性高尚，不汲汲于一己的私利。假定用数字十来表示诗人的实体，一名化学家对之做定量分析，或者用拉伯雷的说法作剂量测定时，必能发现其中九成是自尊心，私利仅占一成。

诗人如缺少对现实和人类的感情，便无从和大地建立联系。（第一卷第三章）

不吃晚饭就睡觉固然令人扫兴；没有晚饭吃而且不知道去哪儿睡觉就更非快活事情了。甘果瓦偏生落到这步田地，没有面包，没有床铺；他需要应付燃眉之急，更觉得衣食住行实为人生大难。他早就发现一条真理：朱庇特创造人类时必定气儿不顺，所以智者贤人终其一生，命运总跟他的哲学过不去。就他本人而言，命运特别跟他捣乱；他听到自己的肚子咕咕叫，认为厄运利用饥饿攻击他的哲学，施的是下三路的招数。（第二卷第三章）

甘果瓦狼吞虎咽地吃起来。听见铁刀叉和陶瓷碟子碰得叮当直响，你会认为他的全部爱情都变成食欲了。（第二卷第七章）

"你知道友谊是怎么回事吗？""那是像兄妹一般，两个相碰的但并不结合在一起的灵魂，就像手上的两根指头。""爱情呢？""那是两个人合成一个。那是一个男人和一个女人合成一个天使。那是天堂。"（第二卷第七章）

巴黎圣母院可以说是一部规模宏大的石头交响乐。（第三卷第一章）

建筑物大半是社会的产物而不是个人的产物。与其说它们是天才的创作，不如说它们是劳苦大众的艺术结晶。它们是民族的宝藏，世纪的积累，是人类社会才华不断升华所留下的残渣。总之，它们是一种岩层。（第三卷第一章）

巴黎在白天发出的种种声音，是这座城市在讲话；夜晚的声音，是这座城市在叹息；而刚才提到的那些声音，则是这座城市在歌唱。把你的耳朵朝向这些钟的合奏吧，听听那50万人的絮语，那河水的永恒的呜咽，那风的无休止的叹息，那天边山岭上四座森林的像管风琴那样遥远而低沉的四重奏。听听那最中心的排钟吧，它那最尖细的和最沙哑的声音怎样融化成为一种中等的响度。你说，世界上还有什么能比这钟声和铃声的汇合，比这个音乐的大熔炉，比这支在300尺高的云端里同时吹响的石笛，比这座像乐队似的大城市，比这像暴风雨在咆哮似的大合奏更为壮丽、更为辉煌、更为灿烂呢？（第三卷第二章）

自从洪荒时代直到公元15世纪，建筑艺术一直是人类的大型书籍，是人在各种发展状况里的主要表现形式，它可以是力的表现，也可以是智慧的表现。（第五卷第二章）

印刷术的发明是最重大的历史事件，它是革命之母，它是人类完全革新了的表现方式，这是抛弃了一种形式而获得另一种形式的人类思想，是从亚当以来就象征着智慧的那条蛇的最后一次蜕变。（第五卷第二章）

在印刷的形式下，思想比任何时候都更易于流传，它是飞翔的，逮不住的，不能毁坏的，它和空气融合在一起。在建筑艺术统治时期它就以大山的形式出现，强有力地占领一个地区，统治一个世纪。现在它变成了一群飞鸟，飞散在四面八方，同时占领了空中和地面。（第五卷第二章）

而且，当建筑艺术已经只是一种像其他艺术那样的艺术时，当它不再是一种艺术的总和、一种统治一切压制一切的艺术时，它便不再具有阻挡其他艺术的力量了。那些艺术便自行解放，脱离了建筑家的掌握，各自走它们自己的路。它们全都有达到了这种决裂的地步。分离在增长，雕刻变成了雕塑艺术，画片变成了绘画，音乐摆脱了经文。那真如同一个帝国在它的亚历山大死后便瓦解了，它的那些省份便都自封为王国一样。（第五卷第二章）

于是产生了拉斐尔、米开朗基罗、若望·古戎和巴来斯特里纳，那些在光辉的16世纪里涌现出来的优秀艺术家。（第五卷第二章）

人类就有两种书籍，两种记事簿，两种经典，即泥水工程和印刷术。一种是石头的圣经，一种是纸的圣经。（第五卷第二章）

天上人间同样不公平，要摧毁这么一个柔弱的人儿，根本用不着那样多的苦难和酷刑啊。（第八卷第四章）

美就是完整，美就是全能，美是唯一的有生命力的东西。（第九卷第四章）

六、阅读后进行思考的问题

1. 《巴黎圣母院》写的故事发生在中世纪，写作的年代则是1831年，小说的内容与思想倾向与这两个时代背景有什么关系？
2. 雨果出于什么目的写这样一部小说？其思想基础是什么？这部小说与他同一时期的创作倾向有何联系？
3. 这部作品属于什么创作风格？你喜欢不喜欢这种风格？小说的内容是真还是不真？其不真表现在哪些方面？如果说它真，是什么意义上说的？
4. 小说中有哪些巧合？巧合得是否可信？巧合得是否有根据？你阅读时对这些巧合有什么感受？你愿意小说中的巧合巧到什么程度？
5. 看过小说后，你除了了解故事内容与人物关系外，对发生故事的那个时代有哪些认识？那个时代的社会阶级关系怎样？王权与教会的关系如何？为什么教会的影响那么大？你想进一步了解欧洲历史中这个问题的发展变化过程吗？你是否想进一步看点西方历史的书籍？
6. 这部作品中哪些部分在"知"的方面最使你感兴趣？哪些部分在"情"的方面最使你感动？故事是好几百年前发生的，小说是100多年前创作的，为什么至今仍对千千万万的读者保持着经久的魅力与影响，原因何在？
7. 小说中最重要的悲剧人物是谁，他（她）承受了哪几种悲剧？
8. 伽西莫多是一个怎样的人物，他身上最闪亮的东西是什么？
9. 克洛德副主教是一个人格分裂、人性扭曲的人物，他是否是一个生来就坏的魔鬼？他变态的人格人性是在什么社会条件下、什么意识形态中形成的，他是否也有其悲剧性？
10. 雨果在小说故事情节发展过程中，两次大肆横生枝节，花了差不多两卷的篇幅写巴黎景观与巴黎圣母院这座古建筑，这是为什么？这两大部分是小说中纯属多余的累赘，还是不可或缺的篇章，为什么？

钱锺书先生的精神遗产

——纪念他诞辰100周年

随着时序的推移，锺书先生在我们这些现已年过古稀，但曾和他有过不少接触，并曾深受他君子之泽滋润的晚一辈人的心目里，越来越像一座经久的、高大的青铜塑像。他的身影已渐隐入历史背景的深处，他文化学术的业绩已进入了历史经典的文库，他的博学、睿智与机敏已深入人心、铭刻在人群的口碑上，他在中国事实上已建立起了"一座非人工的纪念碑"，对于一个人文学者来说，在一个个性几乎完全被主旋律与群体意识消融、掩盖的时代里，这简直就是一个奇迹。

这座"非人工的纪念碑"，既非恩赐、也非赞助，而是建立在他丰厚的学术文化业绩上，是他卓越的精神力量浇铸而成的。他在学术上的创建与他为人为学的人格精神，对于后人来说，都是极为宝贵的遗产。

在学术文化上，锺书先生是一位跨学科、超领域的巨擘，我们很难仅仅以单一的文学家、哲学家、语言学家、历史学家等等名号来概括他，即使是国学大师或西学大师这样的称谓也表述不了他的全面的治学领域。他是学术文明史上罕见的全才、"通家"，这种旷世奇才在中国、在世界的历史上都寥寥无几。他在对数千年中华文化与两三千年西洋文化都有通透精深的研究的基础上，又进行了比较的、综合的、互通的研究，他的学术研究领域是特别高难度的领域，我们姑且暂称之为"通学",不具有多语种多文化的深厚功底者,是无法靠近的,而他在此所取得的成就,可以说在文化史上少有古人,看来今后也很难有能超越他的来者。他的学理、他的学术文化成果,既在全面与整体上达到了令人称奇的广博,又在文化理论与文化史的一个个具体范畴上,达到了令人叹服的精深程度,其专业水平往往使得以毕生之力耕耘"一亩二分地"专业田的我辈也深感自愧不如。他能达到如此的高度,既得益于上天所赐给的博闻强记、过目不忘的天赋,也是他勇于攀越、勤于攀登学术高峰的结果。仅以他的外文字典而言,其中密密麻麻书写着他所作出的修正、校订、补充以及新见语例,就足见他治学之勤,一个极具语言天赋的人在语言的积累上如此下功夫,实在令人敬佩。他在学术文化上的攀越精神永远是后世学人光辉的楷模。

在文学创作上,锺书先生是写知识阶层生活状态与精神状态的大师。他的学识、睿智与幽默使他的小说作品具有一般作家所难以企及的高品位,成为五四以后新文学史上名副其实的经典作品。作为中国知识阶层的优秀代表,他的作品写这个阶层人物的笔触是冷峻的、讽刺是无情的,这只能用马克思所说阶级的思想家与一般成员的关系来加以解释。他是站在知识阶级意境的制高点上、以知识阶级理想化的标准,来冷峻地观察这个阶级的芸芸众生,来衡量这个阶级的人生百态,来评述他们在困境中的尴尬、无奈、状态以及选择,在小说中是方鸿渐、赵辛楣,在小说外,则是李鸿渐、张辛楣……他的述说与点评或许过于冷峻了一些,这也许会在书内书外引起不适与不快,但他这是出于更高的对人、对知识人物的理念理想,他是在完成自己作为知识阶级优秀思想家的职能,在这个意义上,他是知识阶级的反思者、把脉者、拷问者,是本阶级的"良心"。正如鲁迅作为中国人的优秀代表、作为中国人的良心,严峻地剖析中国人的国民性一样。一个阶级、一个群体有自己的良心是绝大的好事，这可以保证它有自省力与反思力，如果没有必要的自省力与反思力，一个阶级、一个群体的前景则是令人担心的。作为小说家，作为世态观察家、世态点评者的钱锺书所具有的积极意义，是很值得世人思考的。

在中国，锺书先生已经是社会主义文化殿堂上一尊受人敬重的偶像，他以自己高度的学术声望与权威的外语技能赢得了一般人文知识分子难以得到的重用与礼遇，他为翻译毛选做出了巨大的贡献，在知识分子中，其对社会主义国家的重要性，也许只有钱学森发展中国导弹技术可以与之同日而语，他被任命社会科学院的要职是自然而然的，这对该院也起了添光增色的作用。

在这种境遇中，一般人是很容易会有相应的变化。但众所周知，面对着境遇的惯性，锺书先生却令人印象深刻地保持了人文知识分子的真我与本色，以我等能比较就近仰视他的晚一辈的人的所见而言，他显然杜绝了官本位主义所派生出来的种种习性与俗气，这些习性在这个时代已蔚然成风，大有成为一种社会亚文化形态之势。与他在学术文化上要求自己尽可能地高不同，他在处世为人上却显然要求自己尽可能持低调谦退的姿态。他虽显赫于朝堂之上，似乎仍怀有"采菊东篱下，悠然见南山"的心境，这才使他在中国当代士林中具有一种少见难有的隐逸风度，他是大隐隐于市、大隐隐于朝的真正的雅士。我相信，他的高雅人格对后世将永远发散荷莲的清香。

毋庸讳言，锺书先生晚年所得到的高等礼遇与尊崇，对他来说，其实只是一种"苦尽甘来"。从20世纪50年代起，他可没有少遭遇过逆境与困境，在历次"兴无灭资"的运动中，他多次被当作批判对象、冲击对象、需要拔掉的"白旗"，即使是在没有运动的"和平时期"，他超人的才力也没有得到充分地施展。而在"史无前例的无产阶级大革命"中,他更是受到了猛烈的冲击与批斗,承受了丧失家庭成员的痛苦、干校生活的困顿以及后来受人挤对、不得不搬出家宅的尴尬,最后还有"白发人送黑发人"的伤痛。所有这些都是生活中难以承受之重,锺书先生却都承受了下来,坚挺了过来,这不能不说表现出了一种卓绝的坚忍精神。这种坚忍精神,背负着、承受着不公正与伤害委屈而仍然工作着、创造着的坚忍精神,正是中国当代知识分子的优秀高贵的品质,社会主义中国终能安定、稳固、发展、繁荣至今,其中就有绝非愚昧与无为的中国知识阶层以其坚忍精神所做出的独特贡献。

锺书先生另一深具感召力量的人格魅力是他的仁者胸怀,这明显地表现在他与晚一辈学人的关系上。这一些学人大都是建国后从大学毕业的青年人,这是"被耽误的一代人",他们在业务进修、学术发展、职称、职务、工资待遇、学术荣誉等等多方面都"时运不济"、"生不逢时",身上的束缚、头上的紧箍咒实在多多,有幸得遇锺书先生之时,正艰难地在学术阶梯上攀登。锺书先生以近乎悲天悯人的胸怀,一直关怀并促进他们的发展,即使他与一些人并无直接的学术行政关系,只要你在学术文化上敬业努力,他关注的视线一定会投射在你身上,他迟早总会肯定你、嘉许你,给你精神上的鼓励,你受到压抑与敲打时,他也不忌讳为你说公道话,给予关怀的温暖。至于他在百忙中为青年学子们审阅成果、给予指导、提供建议,更是常事。如果你有幸参与他所主持的科研项目,即使你只做了微不足道的一点点事情,他也会以"礼贤下士"的态度待你,甚至在学林人士特别在意的署名问题上,也予以提携照顾,几乎达到了过于慷慨的地步。而当他发现青年学子有经济困难时,他则常常解囊相助,"雪中送炭",颇有信陵君之风。他是我所见的学术庙堂中的一位真正的仁人君子。

锺书先生已经进入了文学史、当代中国史，他的学术文化业绩与精神人格将永载史册，这就是他的非人工的纪念碑。在中华大地上，人工建造的神碑与神像，我们看到的已经够多了，我想，在以人为本的社会里，是否可再添加一尊人工建造的人之纪念碑、人之塑像呢？这个人是学术超人，是高人雅士，是仁人君子。

写于年届七十六周岁之际

纪念翻译巨匠傅雷

在中国知识文化界的心目中,傅雷有三重令人敬仰的身份:他创制了卷帙浩繁的二十卷译文集,是名副其实的翻译巨匠;他以高境界的父爱书写出《傅雷家书》,是历史上实施艺术人格家教的成功典范;他以自己的生命维护了知识分子的人格尊严,是一位勇敢的殉道者。而他最核心、最重要的价值还在于他丰厚而优秀的翻译业绩。

将近20年前,我曾在一次电视节目中说过,傅雷是一两个世纪也难得出现一两个的那种大翻译家。今天,在21世纪的中国,根据一个时期以来人文精神、人文文化的状况与趋势,我个人认为,在一两个世纪以内已经完全没有可能再产生出傅雷这样卓绝的翻译大师了。也许在未来相当长的一个历史阶段里,傅雷所创造的翻译业绩将会像米洛的维纳斯那样成为不可逾越的极品。

今天,谈论傅雷,就是谈论他的译事成就所凝现的翻译经验,所启示的翻译正道、翻译通途。

傅雷的译事成就首先就在于他业绩的丰硕。中国是个翻译大国,从事文学翻译者甚众,足以成军,事业有成就者亦不在少数,我不敢说像他这样有六七百万字译品业绩者唯他一人,但与他等量同级者却极为罕见,他如此大劳动量所显示的执着与勤劳,即足以赢得巨匠的称号。特别值得注意的是他选译作家作品均极为精当,绝非任意逮过来一部就译,也绝非出于政治或经济功利的驱使,出于低层次时尚或趣味的需求,而是以高品位的思想标准与艺术尺度选出真正的文学精品译介给国人,如对罗曼·罗兰,他选择了人道主义精神高昂的《约翰·克利斯朵夫》,而放弃了陷于"左"倾说教的《欣悦的灵魂》,就是明证。再如,他对巴尔扎克,虽然他并未去译被认为是最有政治经济学意义的《农民》,但这位作家那些社会历史真实性与艺术性结合得最好的作品都是他译介的重点。因此,傅雷成为最有文学史家的价值辨析力与艺术鉴赏力的一位译家,成为优秀文化遗产一位真正品味纯正的继承者与传播者,这在左潮涌动的时代条件下是很难能可贵的。

傅雷不仅译得多,而且译得好,这是他作为翻译巨匠最直白的涵义。译事是一门高难度的技能与艺术,信、达、雅是中国人对译事的一种最高的理想追求。从林琴南以来,虽然译事道路上行者络绎不绝,译品浩繁、以箩挑运者大有人在,但真正达到这一理想境界的却为数寥寥,而傅雷则是攀登上这一高峰成就最为突出者。我们不能说,在"信"与"达"上,傅雷与其他译者有天壤之别,但在译文表达的"雅"上,在译本汉语之精练、之优美上,傅雷的确明显优于很多译家。他的译本的汉语水平本身就达到了文学语言、艺术语言的高度,这是他将一种外国语言艺术转化为本国语言艺术的结果,是他反复锤炼、精益求精的结果,这使得他摆脱了硬译的匠气,而有了造化的灵性。他的译品在传达出原著本有的精神价值、艺术价值的同时,又具有了自己独立的文学性、艺术性,可以说,他既是文学翻译的大师,也是翻译文学的大师。

傅雷的翻译,于他本人,是值得自豪的一己业绩成就,于社会,是值得传承的一笔文化财富，于译界是值得弘扬的一种经验。今天，在傅雷所开辟的道路上，已开始出现前者呼、后者应的景象。我相信随着社会文化的繁荣发展，傅雷的译事经验将得到更深入的总结，傅雷的道路将有更大的开拓与发展。

2008 年 5 月 10 日

傅雷翻译业绩的启示

傅雷先生是我国现代文化史上最杰出的文学翻译大师,一两个世纪也难得出现一两位的翻译大师,他的地位,概而言之就是如此。这个地位是建立在厚实的译品业绩上的,虽然也曾遇见过挑战与叫板,但至今仍坚如磐石。

傅雷先生的翻译业绩昭示着翻译工作的一条正道,也验证了译事中的一条至理,那就是文学翻译必须是有文学性、有艺术性的再创造,译文本身就必须是文学作品,本身就必须具有文学性、艺术性。

任何一部文学作品的翻译,实际上都具有双重的文学性、艺术性。一重是作家本人赋予它的,包括作家的艺术构思、意蕴内涵、人物塑造、场景描绘、气氛营造、风格表现以及语言表达,等等。另一重文学性、艺术性则是需要译者来创造、来提供,我们常说的信、达、雅就是对译者的再创造的一种至高的理念。不信、不达,会严重损害原作固有的文学性、艺术性,甚至意蕴内涵;不雅,则会使得译品失去对读者的吸引力、亲和力与艺术魅力,直接妨碍译品进入读者的鉴赏活动。而雅,说得简单化一点,就是要译得流畅,译得有文采,译得有艺术性,译得像一部真正的文学作品。

傅雷在这方面提供了成功的经验,成为译事"信、达、雅"的高水平实现者,特别是他译品的"雅",更值得我们注意。我不能说,在信、达,也就是对原作文本的读解上,傅雷与其他的译者有天与壤区别，但在译文表述的"雅"上，在译本汉语之精炼、之优美上，傅雷的确明显地优于其他一些译家，他的译本的汉语水平本身就达到文学语言、艺术语言的高度，这是傅雷的译本长期以来深受读者喜爱欢迎的一个重要原因，是他的译作经得起时间考验的重要原因。看得出来，傅雷对他的译文是作过反复修订、反复锤炼的，多费功夫，雕琢出精品，这也许就是傅雷的成功之道。

在翻译中，要完满地达到译品双重的文学性、艺术性，除了准确解读原著外，最大的难题就是克服两种语言之间的间隔与壁垒，翻译的学问，翻译的"艺术"基本上就是在这个层面上。法语与汉语是两种迥然不同的语言文字，各有不同的特点、语法规则与习惯用法。如果说，在通读与理解原作这方面，必须精通原文并充分尊重原文，那么，在移译成汉语的时候，那就必须充分尊重并顺从汉语的规律与特性。不论以什么神圣的语言学名义，要去硬搬、硬译或基本上去硬搬、硬译都是不明智的，至少不能收获到优良的汉语译文，鲁迅的硬译、死译早已失去了读者群就是明证。

傅雷精通他所涉及的两种语言文字，他对待两种语言文字之间的间隔与壁垒采取了一种明智的高明的态度与办法，他不是搬，更不是硬搬，而是化，将原作的文字语言，转化为有文学性与艺术性的汉语。要作这样的转化，当然不能完全拘泥于原著的语言，势必要有句型的变化，词序的重组，词性的变通，有时要有所简练、弱化，有时则又要有所增补与强化。再者，外国作家并不总是神，在遣词造句上也有粗疏简陋的时候，这时，你最好替他打打补丁，润色润色，修饰修饰，傅雷对巴尔扎克就是这么做的，以至《高老头》的汉译本语言之老道卓绝，较巴氏的原著原文实有过之而无不及，这不能不说是翻译史上实现双重文学性艺术性的一例典范。

傅雷的翻译业绩已经在我国社会文化生活中占有很可观的份额，在所有的翻译家中，他拥有的读者群数量最大，他的翻译经验也深得译界有识之士的赞赏与信从。今天在傅雷所开辟的翻译道路上，已经形成了前者呼后者应的盛况，傅雷翻译的传统后继有人。然后，应该看到，傅雷经验、傅雷传统一直受到不公正的挑战与贬损，若干年前，傅雷就曾被有的人斥责为"洋场恶少"，今天与傅雷译风接近的《堂·吉诃德》的译者被穷追不舍地遭到责难，师从傅雷并卓有成就的译者不止一次被人扫上一笔两笔，被刻意贬低，另外一方面，却出现了称颂一句法文十个词译成一句汉语十个字为翻译极品的高论，这样亲疏有别，很不实事求是的文化现象，实在令人难以熟视无睹、无动于衷。

现今的时代是一个多元化的时代。文化学术领域更应该是一个多元化的领域，少林武当、峨眉衡山当和平并存，各得其所。各种风格、各种流派的成品，只要是有认真劳动的含量、对社会文化积累有所添加的，就该得到必要的尊重。不应该以己之长攻人之短，更不应该以己之短攻人之长。自己存在，也要允许别人存在，这应该是学术文化界的行业道德底线。对译品长短优劣的评说，历史自会作出结论，读书界自会作出选择。窃以为最好是把自己的精力与才能用在社会文化积累与高质量文化产品的制作上，用在耕作自己的园地上，Il faut chltiver votre jardin，而实在不值得浪费在对其他耕作者进行呵责与抨击上。让我们共同努力来营建百花盛开、百舸争流、和平共处而又生气勃勃的学术文化的局面，这对学术文化的发展只有好处。如果说得大一点，再往大的方面挂靠挂靠，也未尝不可以说是建立和谐社会的一个组成部分。

2006年9月25日于上海南汇

傅雷与《傅雷家书》

今天，有傅聪、傅敏二位出席的《傅雷家书》珍藏本座谈会，是一个很有意义的文化活动。

《傅雷家书》已经发行了100万册以上，这是一个不大不小的奇迹。为什么一本朴素的家书，一本三联书店从未炒作过的书，取得了如此大的成功，成为当前一个重大的文化现象，这是一个令人深思的问题。

原因很明显：因为它的"含金量"高，因为它是傅雷的家书。

傅雷是一两个世纪也难得出现一两位的大翻译家，他的翻译量大，十五卷厚厚的译文集，就是巨大才能建造起来的一块了不起的丰碑；他的翻译质量高，可以说他是中国真正达到了"信、达、雅"这个最高境界的第一人，他的译品是形神兼备的再创作；他翻译的见识高、品位高，他翻译的作家作品在法国文学以至世界文学中都是首屈一指的，如伏尔泰、巴尔扎克、泰纳、罗曼·罗兰、莫洛亚，他是非经典作家不选、非经典作品不译，这就是他的品位，就是他作为翻译家的 Dignité，说得白一点，就是他的派。我觉得称傅雷是著名翻译家还不够，应该称他为翻译大师、翻译巨匠。

傅雷又是一位难得的艺术史家、艺术批评家、艺术鉴赏家，他具有非凡的学识、深刻的思想见解与精微的鉴赏力，他在绘画与音乐方面留下的论著是一份重要的文化遗产。

傅雷还是一位杰出的音乐教育家,他以高超的艺术通感对音乐有系统而深刻的见地,并且在自己的"希望工程"里进行了长期的实践,他在这方面的杰出成就,既然今天已经有了国际著名钢琴家傅聪先生在座,就用不着再作任何评说了。

最后,超出文化艺术意义的是,傅雷先生以他宝贵的生命维护了人文价值与人格尊严,诠释了骨气这样一种对中国知识分子极为重要的精神。

《傅雷家书》就是这样一位文化大师的家书,它展现了中国文化界一位杰出人物的学识才具、精神境界、艺术经验、人生的阅历,它本来不是为写给世人看的,它没有修饰,没有装点,没有矫情,它的风采与魅力都是融化在亲情中自然流淌出来的。它是一本丰富多彩的书,也是一本朴素自然的书,它已成为一本世人爱读的书,广泛流传的书。

我相信,《傅雷家书》将像一股清泉一样,长久地滋润着一代又一代中国读者的心田。

1999 年 12 月 18 日

一部有生命的书

——李健吾著《福楼拜评传》序

在我的心目里,李健吾先生的《福楼拜评传》是一部很有学术生命力的书。

在半个多世纪前的学生时代,我就见过此书在建国前的商务印书馆版,开本较大,在那时要算是印制得比较精良而有气派的了,一看就是作为一部有分量的学术文化精品出版的,还记得它好像是得到了一个高层次的外国文化基金的资助,显然,它的学术质量得到了出版者的肯定与礼遇。不过,在看到这本书的时候,我还没有进入李健吾先生的这个学术领域,未及时拜读,只是翻阅之下,感到了它论述之灵动与资料引证之丰富。

建国后,政治运动频仍,外国文学领域屡受冲击,后来的"十年浩劫"更是一场对文化的巨大灾难,不言而喻,早在1934年出版的《福楼拜评传》一直未逢再版的际遇。直到20世纪70年代后期,随着实践检验真理的讨论,迎来了改革开放的春天,文化学术出版开始活跃,这本书才进入了出版界有识之士的视野,于1980年,得以在湖南人民出版社出版。据我所知,这家出版社当时涵括了后来的湖南文艺出版社,正由一位有见识、有魄力的出版家黎维新担任领导,该社当时雄心勃勃,曾一度筹备编译出版《巴尔扎克全集》,仅仅因为被告诫有可能与另一家大官商出版社"撞车"而不得不主动让路。26

年后的今天，广西师范大学出版社从旧有的文化资源中又挑选出这本书予以再版，既显示了出版家的慧眼，又再次证实了李先生此作的学术生命力。

《福楼拜评传》的学术文化价值，首先在于它在中国20世纪涉外文化史上的地位与作用。

20世纪的中国可以算得上是一个翻译大国。从五四时期开始，外国的文学作品以及文化学术成果源源不断被译介进了中国。虽然在不同的历史时期，由于中国的社会历史条件的变化，侧重点颇有不同，在前半个世纪，以西方的为主，在建国后则以苏俄的为主，而在改革开放以后，西方的又恢复原有的势头。不论怎样，在这个世纪里，外国的文学作品、学术文化成果得到充分大量的译介，以至可以说，几乎没有一个重要作家、一个重要流派在中国没有或多或少的译介，这就是20世纪中国作为翻译大国的含义。

与此同时，应该看到，既作为翻译大国，却又是研究上的"小国"。虽然译介的规模甚大，但是对所引进的外来文化却很缺乏系统的、深入的研究，虽然译介的品类甚多，数量不少，研究的成果却少得出奇。就以在中国进行得最热闹的法国文学译介这个学域而言，从20世纪二三十年代到40年代，出现了一批像梁宗岱、傅雷、黎烈文这样富有才情的译家，他们留下的译品在信、达、雅上达到了很高的水平，就其文词之精，风格之雅，足可与原创文学作品的艺术性比美。他们的名字在20世纪文化史上是不可磨灭的。然而，不可否认，他们对外国文化基本上都停留在译介、引进的层面，而没有或很少进入系统思考、学术研究的领域，其中只有李健吾一人向学术研究的高峰进发、攀登，并有了显著的业绩。他不仅是19世纪现实主义大师福楼拜一系列文学作品的出色译者，而且是一部有分量、有深度的学术著作《福楼拜评传》的作者。在今天，我们回顾20世纪中国文化史时，竟然发现这部书几乎可说是中国三四十年代西学领域中唯一一部国人有独创性的学术力作，至少在外国文学研究领域，迄今仍无同类佳作出其右。

作者写这本书的时候，只有二十七八岁，正当他刚从法国留学归来之时，在很需要年龄与"厚积"的学术界来说，可谓一头"初生牛犊"，使人感到惊奇的是，它却表现出与作者的年龄不甚相称的成熟。这是一部扎实、凝练、丰富、灵动的书。它以翔实的资料为基础，作者饱读了国外有关的文学史与文学评论的论著，青年学者的这种勤奋保证了本书见识的广阔与下笔的准确，不至于产生国人论述外国文学时经常难免的"外行话"。它以福氏的全部创作为归依，作者对文本进行了深入的研读与解析，在这里，他保持了自己独立自主的主观精神，富有渗透力的感受，独特的视角与精辟入微的见解，并全悉表述在潇洒的文笔与灵动而特个性化的语言中。它论析的重点是福氏创作的内涵与精神，而不是福氏的似水流年，作者用来完成这一任务的佐证却又经常直接引自福氏长年岁月中积攒下来的书信，这书信集有数十卷之多，从来都是福学大家深入挖掘的巨型富矿，萨特晚于李健吾《福楼拜评传》数十年的福楼拜巨型传记《家庭中的低能儿》，也是旁依着这座巨矿而建构成的。总而言之，这本书是勤奋、学识与才华的结晶，而其内在的原始发动，也许是一个青年学者喷发而出的创造性活力以及他对法兰西文学的倾慕与新鲜感。

在《福楼拜评传》问世之后，李健吾才以刘西渭为笔名活跃在中国当代文学批评的领域，其《咀华集》与《咀华二集》以其鲜明的主观色彩，独特的视角视点与洒脱灵动的风格而蜚声文坛。建国后，李健吾又写作了大量短小精悍却精彩纷呈的剧评。这一切构成了李健吾作为中国20世纪文学史上一位杰出批评家的主要业绩，显而易见，他的《福楼拜评传》正是他全部批评业绩的精彩开篇。

  时光的冲击与磨损是无情的，它不断地使得存在过、出现过的事物消失在历史的迷雾中，泯灭在尘封之下。精神文化产品更是如此。唯有有生命力者方有长存的可能。即使如此，为佳品力作经常掸拭时光的尘埃，加以重温追忆仍属必要，这就是文化传承，文化积累。为这件事贡献力量的出版人士，是值得我们记忆，值得我们感谢的，特别是在人文精神滑落、文化学术出版萎缩的今天。

2006 年 3 月 10 日

值得关注的努力

友人推荐一本书让我看，书名怪怪的，颇为费解，但又很花哨：《夜无虚席——与文学大师相爱》。略加猜度，觉得它也许是跟着茅盾的《夜读偶记》来的，因为它实际上就是一本读书随笔集，读的都是文学大家、文学名著。

浏览之后，得知作者张永义是一个刚出学校门不久的青年人，从小酷爱读书，尤其是外国文学，据出版者介绍，他所藏存的外国小说就有5000册之多，而从这本书数量多多的一则则随笔来看，他阅读量之大、涉猎之广是使人很感惊奇的，特别是对20世纪的欧美文学来说，他的知识面显然已经达到了相当高的专业水平。

随笔的灵魂是其见解与感受。没有见解与感受的随笔是没有看头的，特别是文学随笔。这个青年人的书值得一看，就因为它有。则则均言之有"物"，非人云亦云，而且还有一些颇为闪光的思想与新颖的视点，看得出来，这不仅是一个热爱读书、勤于思考、长期坚持不懈的青年，而且是一个感受敏锐、思维灵动的青年人。

从阅读感觉而言，这是一本叫人读得下去，乐于读下去的书。这种效应来自它的灵性的表述与流畅生动的文笔，这种文字显然要比那种故作高深，充斥着新潮派批评夹生费解的词汇、术语、视角，往往不知所云的"高级文学评论"，读起来叫人舒服一些。我相信，在思想文化传播的领域里，这种文字的"脚力"更为硬朗，可以走得更远，走得更久。

张永义的第二本书《旷野面纱——欧洲大师情趣文选》，仍保持了前一本书中的个人特色，包括同样也有一个费解而花哨的书名，只不过是以编选为主，他个人的评说为辅，显然是在西方文学艺术与中国文学艺术之间，找找"情趣通感"，颇有要在比较文学殿堂里有所作为之势。

在我们当今的社会生活中，物质功利主义高扬，人文价值贬损，人文精神失落，人们都忙于急功近利，忙于用各种各样的手段去发财致富。难得有一个青年积攒了5000册人文书籍，并怀着巨大的热情去阅读、去思考、去比较、去用最为清苦的爬格子的方式进行自己的人文探索，人文积累。他这份长期的执着与辛勤的努力，很值得肯定与赞赏，值得读者关注。

他的书是认真严肃的劳动结晶，是勤奋加才情的结晶，我相信，它们将会受到文化读书界的欢迎。

2004 年 7 月

《巴黎漫步》序言

这是一部抓拍巴黎景象的书，艺术地捕捉其五光十色风物的书。

本书的作者是一位行者。他从江南走出，足迹遍及大江南北，他从中国的腹地一直走到中国的西部及至偏远的西藏，又走出了中国去到了欧洲。这不仅是地理上的"行万里路"，而且是人世沧桑中的经历，现实社会中的行走。

他是一位行家。自学成材，学得影相技艺与绘画艺术，不在话下得靠其执着与顽强，也许更重要的得靠其悟性与天赋。他的作品屡屡走出国门，赢得了声誉。他以艺术的创作获得了行家的资格与价值，最后他自己也走出了国门，在以才人云集而著称的巴黎，找到了自己的地位。

他是巴黎的居民。这是他安身立命之地，他长年累月与巴黎五光十色的生活景象为伴，他每天都要体味着巴黎生活的滋味，感受着巴黎生活的微妙。这是带一本旅游指南在巴黎待上几天甚至几十天的人远远比不上的。

一本书出自这样一位作者的视角与技艺，自会有其特色与风貌。

果然，它不同于一般的巴黎指南、旅游画册，此类书之多足以称其为一种"产业"。它所展示的景观不同于那些书上的巴黎风光"标准照"、巴黎文物"标准照",而有它自己的内在视点与特定风格。就我个人的感觉而言,它似乎有意疏离了巴黎的纯美,巴黎的浪漫,巴黎的幻影,不致力于优美化、诗情化,而是致力于真实感,致力于展示巴黎的实在、巴黎的日常。在这里,也许少了些明丽与豪华,却毫无疑义给人以现实的厚重感与历史的积淀感,如果作者本人不具有沧桑感、超脱感以及幽默情趣,他是做不到这点的。

作者将他的图景分成几个类别,实际上是他作为巴黎人对巴黎生活的归纳。巴黎在近代以至现代的人类生活中的作用,是否一定归纳为革命、散心、求学、吃喝玩乐、浪漫一把这几个方面,暂且不作定评,但这毕竟是一个巴黎人、一个对巴黎景象滚瓜烂熟的人的认识与体验,有助于中国读者了解与理解这个世界名城的灵魂。知性与美感的统一,从来都是严肃艺术家所追求的目标,本书的作者显然作出了可贵的努力。

曾年先生与我素未谋面,上海书店出版社与Dragonimage图片社合作,拟出版他的影文集《巴黎漫步》一书,两出版单位的负责人不远千里,来电约我为此书作序。于摄影一道,我只限于摆弄傻瓜照相机的水平,仅作为一个与法国文化有些关系,也写过一两本关于巴黎的书的摄影门外汉,写了以上一点感言,作为对曾年先生此作的推荐。也未尝不可以说我们要算是"同行",因为都是为中法文化交流这一共同的目的而工作。

2005年8月6日

"盗火者文丛"序

鲁迅曾把从事西方文化研究、翻译、介绍工作的人，称之为普罗米修斯式的"盗火者"，对这类人来说，这无疑是一种荣誉。

在此称谓中，其行为性质之有益、目的理想之崇高与行为方式之尴尬、之被侧目而视，虽成强烈的反差，但其所具有的悲怆性是不言而喻的。不过，以平常心观之，而不加拔高与崇高化的话，那么，应该说，这种悲怆性与其说是完全来自这种工作与事业本身的内在价值，不如说在很大的程度上是侧目而视的时代环境、条件所造成的，是"时势造英雄"的结果。

说到"火"，人们常常很容易联想到"星星之火可以燎原"的那个"火"，那"革命之火"，其实，这是一种偏狭的理解。"火"在人类的发展过程中，远远并非"革命之火"、"斗争之火"、"造反之火"，并非我们曾亲身感受过其炽热度、其灼伤度、其毁灭性的那种"火"，而是人类从野蛮状况走向文明状况的第一个标志、第一个牵动力。对于人类而言，它首先意味着光亮，意味着温暖，意味着熟食，它代表了文明，代表了进步，代表了工艺，代表了科学，代表了光明，代表了思想意识的飞跃，代表了可持续的社会发展与确确实实的社会进步。

以此观之，在20世纪中国的条件下，这"火"，概而言之，就是科学与民主,是人文主义、人道主义,就是新观念、新思维、新视角、新方式、新方法。在泱泱古国里,这些东西有多少根基,有多少存货,我们不必妄论,但至少可以说是不够用的,于是,就有一个引进的需要。而引进者不过就是古丝绸道上的贩运者、驼队,就是在大江阻隔下的摆渡者而已。鲁迅所指不外如此,并无惊天动地之意,只不过由于中国社会积习甚深,惯性甚大,反倒常常容易引起"侧目而视",甚至阻力重重,引进者、摆渡者反倒成为"盗者"。

在20世纪的中国,不论引进的通路是否崎岖,不论摆渡的航道是否曲折,这条道上之人倒是络绎不绝的,完全堵塞的时日毕竟有限。在这条道路上前者呼,后者应,行者不绝于途,即使也有彻底杜绝、被根除的时期,但"春风吹又生",后继者仍踽踽前行不止。于是,一个世纪下来,在中国就形成了一种特定的文化景观,盗火者景观、摆渡者景观,这一景观就像古丝绸道上的行者与驼队的景观,值得后人念想,值得后世留存,哪怕只是若干浮光掠影、"断简残篇"。

这便是编选"盗火者文丛"的初衷与立意。

20世纪,在中国,致力于研究、翻译、介绍西方文化并有突出业绩的人士,多如满天繁星。当然,其中更对跨学科文化有广泛兴趣,更对社会现实有人文关切,并常发而为文,产生了社会影响,形成了学者散文此一特定文化景观的才人,其数量相对会较少一点,即使如此,为数亦很可观。以这一景观为编选对象,本应是一项巨型的文化积累工程,然而,在物质功利主义大为膨胀的条件下,人文出版殊为不易,加以版权壁垒的限定更增加了难度。幸有中央编译出版社,特别是其负责人韩继海先生出于无私的人文热情,大力予以支持,得以出版目前的 10 种①，权作为抛砖引玉，以对社会人文积累略作奉献，以期待更有希望的来日。

最后，对各集作者与作者家属的合作表示衷心的感谢！

2004 年 8 月

---

① 这 10 种书是：冯至《白发生黑丝》、李健吾《咀华与杂忆》、卞之琳《漏室鸣》、梁宗岱《诗情画意》、萧乾《旅人行踪》、许渊冲《山阴道上》、绿原《寻芳草集》、高莽《心灵的交颤》、蓝英年《历史的喘息》、柳鸣九《山上山下》。

诺贝尔奖作为一种价值标准

——"全球诺贝尔奖获得者传记大系"总序

古往今来，在世人的头上，曾高悬着各种价值标准，而种种名义的荣誉，从爵位勋章、圣徒称号到奖状奖金，则为价值标准的最高物化体现。价值标准连同它们的"绶带"，如巨光吸引着芸芸众生竞相追求，舍命飞扑，造成了历史的与人生的五光十色的景象。价值标准是人制定出来的，绶带奖章是人制造出来的，人又以自己的造物为理想为目标，人是奇妙的上帝，他自编自导自演了规模宏大、壮丽非凡的追求奇观。

每一种价值标准，不论是政治法权的，宗教道德的，社会文化的，学术技艺的，都曾力求保持自己的庄严崇高的"仪表"，都曾声称自己的绝对与永恒。然而历史是无情的，它总要把各种价值标准召唤到它的审判台前来加以检视，让它们辩明自己继续存在的理由，它严格地精选出符合人类发展方向、有助于历史进程、适应广大人群的利益与需要的那些价值标准，让它们成为支撑人类永恒精神文明建构的有力支柱，而汰除掉那些出于谬误观念、狭隘利益、偏激需要的价值标准，不论它们是以何种神圣的名义而显赫一时，且具有不可抗拒的威严。

1888年的一天早晨，艾尔弗雷德·诺贝尔醒来，竟读到了他本人的讣告。这是新闻界报道失误，去世的原来是他的哥哥。这则讣告把他盖棺论定称为"甘油炸药大王"，给他提供了一个身后的视角来认识自我，他看到了自己在世人心目中的形象，不禁感到了震动。正是这个原因，促使他立下了遗嘱，用他的巨额财富设立奖金，以奖励对人类和平进步事业以及创造性精神劳动做出杰出贡献的人士。

诺贝尔所发明的甘油炸药因带来大规模杀伤性的战争，而常遭到诅咒，只有当人们需要开山劈岭时才想到它的益处。然而，诺贝尔终于以诺贝尔奖的设立而更著称于世。人对抗自己，人也可以弥补与重建自己。诺贝尔提供了一个范例。

从1901年起，诺贝尔奖分物理、化学、生物、医学、文学与和平六个方面开始颁奖，1969年，又增设了经济学奖。每年颁奖一次，至今获奖者已达到数百人之多，在价值标准如林、奖章奖杯奖状何止千万的20世纪，诺贝尔奖无疑已成为影响最大、涵盖面最广、最为崇高、最受人景仰的一种殊荣。诺贝尔奖获奖项目已成为本世纪人类创造性精神活动与进步事业的集中展现，而摘取了诺贝尔桂冠者已形成了本世纪人类真正精英的一支大军。

在20世纪这样一个各种意识形态、各种制度、各种民族国家利益、各种思想观点尖锐对立、激烈撞击的时代，诺贝尔奖历年各方面的颁奖对象，并非从未引起过任何异议。这是不可避免的，是很自然的。但比起各种偏激狭隘的标准，诺贝尔奖毕竟更具有广阔的视野、博大的胸襟、公正的态度、合理的取舍，毕竟是为地球上更广大的人群所认同、所推崇，毕竟更经得起历史的检验，而它之所以能保持这种全球性的崇高地位与长存性，就在于它的价值标准中有一最简单然而也最可贵的精髓，那就是提倡为全人类的进步而有所作为。

有所作为，是人存在的真谛。虽然中外均有不少彻悟出世、超凡脱俗之士曾提倡过无为的人生，但所幸从者甚少，且亦难以做到，若人群皆以无为为本，人类恐怕还处于茹毛饮血的原始阶段。正是人的有所作为，推动了人类的进步，而且，个体人的有所作为，不见得就是迷途入世而未达到彻悟，最深刻、最有力的彻悟，是西西弗推石上山的有所作为性的彻悟。个体人在推石上山时所要付出的艰辛,足以使他内心感到充实。当然,西西弗推石上山也有不同的境界与层次,当其理想目标、坚毅精神、艰苦奋发达到了促进人类进步的境界与层次时,其人生即为充实的人生,即为超越于死亡之上的不朽的人生。

诺贝尔奖获奖者,就是西西弗式的巨人,他们的人生是充实的、不朽的人生。

诺贝尔奖得主的昭示

——"诺贝尔奖获奖者传记中学生读本"总序

2001年是诺贝尔奖创建100周年。

瑞典的大化学家、大实业家、炸药的发明者艾尔弗雷德·诺贝尔,于1895年11月27日亲笔写下了他的遗嘱,把3300多万瑞典克朗的巨额遗产交给一个基金会管理,基金每年的利息与收益用来奖给全世界范围内对人类的科学与文学、对世界的和平事业做出杰出贡献的人士,物理奖、化学奖、生理学奖、医学奖、文学奖均由瑞典皇家科学院评选与颁发,和平奖则由挪威议会中的一个五人委员会评选与颁发。

这就是诺贝尔奖的由来。

1896年12月10日,诺贝尔与世长辞。诺贝尔奖于1901年正式颁发。从1969年开始,在原来四个奖项之外,又增设了经济学奖。各种奖项每年颁发一次,至今不衰。

100年过去了,诺贝尔奖以其崇高的目的、高严的学术标准、全球范围的涵盖面、严谨的评选规则以及巨额的奖金,成为最有权威、最有声望、最高不可攀、影响也最为广泛深远的世界第一大奖,各个领域里最高层次的杰出人物均以获得此奖为荣。

在本世纪,诺贝尔奖获奖者已达数百人之多。他们无疑都是一代聪明才俊之士,但他们的成功,与其说主要得益于天资禀赋,不如说是更得益于高尚的人生目标与坚持不懈的刻苦努力,他们以执着、坚毅的精神，像西西弗推石上山一样，在自己的领域里进取开拓，达到了芸芸众生、凡夫俗子可望而不可即的高峰。他们的成功，绝非昙花一现，过眼烟云，而是以其高度的创造性将在人类文明史上刻下永不磨灭的印记，将要润泽来时，流芳后世。

诺贝尔奖已成为20世纪人类文明事业宏伟的金字塔，数百名诺贝尔奖获得者是20世纪名副其实的人类精英，他们辉煌的业绩与精彩的人生，对21世纪人类将是一种昭示与激励。

榜样的力量是无穷的。在人生的攀登中，取法于上，永远是不争的至理。长春出版社曾经以丛书的规模来一一展示若干位诺贝尔奖获得者的巨人式的人生，展示他们作为超人的光荣与伟大，作为凡人的复杂与矛盾，对于我们的时代与社会，显然具有多方面的积极意义。在诺贝尔奖创建100周年的时候，该社不顾人文图书市场严重疲软的困难，又决定在原有的基础上，推出专门给中学生阅读的普及版，这无疑是有益青年一代的善举。我衷心祝愿普及版得到青少年的欢迎。

2000年10月

为了咀嚼与消化

——"法国当代文学广角文丛"总序

法国20世纪文学眼见就要走完它全部的行程,即将在世界面前整体地呈现出自己的形象与风貌。改革开放后才真正对外打开眼睛的中国人,将不无惊奇地看到,它的独特、丰富与辉煌,似乎并不亚于一直被视为难以企及高峰的19世纪文学,它作为不止一个新思潮、新流派之摇篮的世界性影响,更是人所共见的明显事实。

然而,由于长期以来苏式意识形态的导控与闭关锁国的状态,我们对本世纪西方文学,当然也包括法国文学的译介,实际上只是从20世纪70年代末80年代初才开始,而且,还不时要被"批判"、"清除"之类的事所中断。至于刚刚起步的对法国20世纪文学的研究评论,更是深受影响。

当然,也应该看到,从20世纪七八十年代以来,不到20年的时间,在我国法国文学工作者的坚持努力与通力合作下,法国20世纪文学的译介工作仍取得了显著的成绩,国内唯一一套当代外国国别文学丛书"法国二十世纪文学丛书"(七十卷)的完成与出版,就是一个标志。但由于意识形态领域里气候时暖时寒,本学界理论基础薄弱,并存在重翻译而学术研究风气不浓的倾向,我们对法国20世纪文学的研究评论始终处于一种不充分、不发达的阶段。

中国是一个有悠久历史文化的世界大国,熟悉当代世界文化,并持有成熟的见解,是世界大国地位要求必须具备的一种文明化条件。对于法国这样一个在世界上以其文学艺术的魅力而著称的国家,我们不能完全满足于客观的译介,我们不仅应该知晓它的文化艺术财富,而且,还应该有切实的较深入的研究。值得注意的是,在我们这个学界,从事译介的人,事实上远比从事研究、评论的人多,而且,虽然已经有了若干研究评论,但 20 世纪 80 年代以前,往往难以摆脱苏式意识形态的模式与日丹诺夫论断的阴影,而从 80 年代起,在外国形式主义、结构主义文艺理论大引进的高潮之后,又存在着简单地搬用外来的话语词汇、逻辑推理、结构定论的倾向,一种"主体意识匮缺"倾向,远远没有做到建立自己的感受,自己的鉴定,自己的思辨,自己的认识体系,自己的审美情趣。

当然,对外国文学的译介工作,总是先于梳理、研究与总结工作的,而且,前者的总体工作量会比后者大得多。即便是对外国文学的梳理研究、鉴赏评论,也还需要鉴赏、参考外国的研究成果、理论学说。但是一个外国作家、一部外国作品放在你面前,就必须由你自己来感受、体验、思考、鉴赏、评说,这是你自己的事,本社会、本民族的事,是不能由外国的理论家、评论家来越俎代庖的。

以一个民族、一个社会的文化行为而言,对外来文化如果只停留在单纯的译介阶段,民族的社会文化接受过程与积累过程,实际上只进行了一半,甚至只是一小半,只经过了单纯译介这一道工序的外国文化,在本民族的文化建构上,不过像漂浮在水面的一层油,并未溶于水。只有对国外文化作了一番鉴别、研究、解析、诠释、评论,真正经过咀嚼进行了消化,外来文化的精华才真正作为一笔财富,一种滋养融入本民族文化积累机制。只有完成了这样一个全过程,才是民族之间、国家之间真正意义上的"文化神交"。

为了促进、提倡对法国 20 世纪文学的研究,我们几年前就有意在中国法国文学研究会的范围里创办一套文丛,然而,由于近些年来，学术出版甚为困难，这个意向一直未能实现，法国驻华使馆文化处出于对中法文学交流的热情，继大力赞助"法国二十世纪文学丛书"的出版之后，又对本项目予以支持，才使这个文丛得以问世。

这个文丛虽然是中国学人的一块小小的园地，但我们希望它有广阔开放的精神空间。它之广阔开放，意味着科学无禁区；意味着以实事求是，不带成见的态度对待法国20世纪文学领域里一切思想倾向与意识形态；意味着不囿于固有的美学标准，不局限于狭隘的美学趣味，不把美学上的任何一种主义、任何一种方法、任何一种形式尊奉为至高无上、君临一切；意味着批评方法的多样化，视角视点的多元化；意味着各种意见、各种观点、各种倾向的共存共处；意味着文体与风格不拘一式。

正因为"文丛"是在对法国20世纪文学研究不够充分的基础上起步的，所以我们不敢对它的水平与作用持过分的奢望，只要它能起到一些倡导的作用、积累的作用、推进的作用，就算是完成了我们创办的初衷。

"文丛"期待着本学界同道的合作，期待着读者的支持。

1997年11月1日

"法国当代文学广角文丛"小祭

学术出版已经越来越成为一个艰难的课题。至少是将近10年以来,高等院校与重要科研机构中的科研成果、学术论著的出版,几乎无不靠各个级别的出版基金进行补贴,一部论著要出版,首先要通过申请获得一定数额的出版补贴金,少则一两万元,多则三四万元,甚至十来万元,视篇幅大小而不同,补贴金交出版社后,论著方能出版。这就充分反映了学术出版缺乏一种自身的、内在的、自然而然的启动力,尽管还有这么一种外在的助动力,但能获得补贴资助的项目或论著,毕竟是很少数,而且一旦涉及"申请"与"批准"这类问题,它又要受制于补贴条件、评审过程、评审委员会的构成与倾向以及复杂、微妙的人事因素,这些事情在中国从来都是很复杂的,正构成了学术出版的另一种困难。

"法国当代文学广角文丛"就是在这种背景下诞生、发展,终于走到尽头的。

事情是从"文丛"的第一本书《超现实主义导论》开始的。作者老高放原是中国社会科学院研究生院的研究生,毕业后分配到外国文学研究所工作。到研究所后,他继续他当研究生时的研究课题:法国超现实主义。这个课题也正式列入了研究所的科研计划,最后,他完成了《超现实主义导论》一书,但他还没有来得及找到出版的机会就出国了,后来,长期未归。作为他的研究生导师,也作为他参加研究所工作之后的学术行政"领导",面对他这本未出版的论著,我始终感到有一种应承担的义务。在他出国后几年之内,我曾多次向各出版社推荐此书,但皆因这类学术性论著属于"赔钱书"而未被接受。我也曾多次向研究所主管出版基金的负责人提出希望,要求给这本书若干出版补贴以使它能够出版,但也一直未获批准。虽然这本书的水平比好些获得批准的书有过之而无不及,本单位不给出版补贴的理由倒也十分明白:因为作者出国未归。但是,要知道,作者写作此书、完成此书时还是本单位在职的研究员哩,此书的写作也是列入了本单位正式的科研计划的。

孩子中总有得宠的与不得宠的之分,科研成果、科研人员何尝不是如此,凡涉及官方的取舍,就会有这种或那种"倾斜",因而不被倾斜的,甚至不公正被摒拒的显然就不止上述的这一本书、这一个人。我自己就曾在有的问题上尝过这种苦涩的滋味。但失宠的孩子、被摒拒者总得存活下去,好在我们现在生活在一个多元的世界,路不止一条。

为了另开辟一条路来,便于本学界的有价值的科研成果、学术论著或评论文集能比较顺利地出版,我向法国驻华使馆文化处提出了编辑出版"法国当代文学广角文丛"的计划,希望得到他们的支持。法国驻华使馆文化处一贯资助法国文学作品在中国的翻译出版,这是法国政府传统的外交文化政策,只不过资助出版中国学者关于法国文学的科研成果似尚无先例。但在当时法国使馆文化参赞段路易与文化专员柯蒙德的友好帮助下,我们很快就正式签订了一个为期4年的协议,每年由文化处资助两本论著的出版,4年共8本,每本1万法郎,作为支付给出版社的补贴,以弥补其出版亏损。

学术文化读物,如果销售量不大的话,1万法郎是不足以弥补出版亏损的,还得有不计利润、热心于学术出版的出版社的合作才行。正好我碰见了社会科学文献出版社的谢寿光先生,他那时上任当社长不久,曾经要我为他的出版社"主编一套东西"。双方一拍即合,水到渠成,于是开始了在这一套"广角文丛"上的合作。当时,我满怀天真的希望,期待"文丛"将来能有第二个"四年"、第三个"四年",我且先开个路,以后的第二个"四年"、第三年"四年"则有待于比我年轻的同志,于是,我拉了吴岳添同志与我一道担任"文丛"的主编,他是老高放的师兄,也是从中国社会科学院研究生院毕业的。

4年来,"文丛"完成了原定的8本书的规划,这些书,我不敢说有多高的水平,但都是内容扎实,言之有物,有益于读者的,其中不乏甚有新意创见,论析颇为深入之作,如杜青钢的《米修与中国文化》、史忠义的《20世纪法国小说诗学》、涂卫群的《从普鲁斯特出发》以及《超现实主义导论》等。除了由法方补贴出版的这8本外,谢寿光同志还另外添加了两本书的"名额"给我个人,他说:"你提供两本你自己写的书给我们出,不要补贴。"这就是后来继三联版《凯旋门前的桐叶》之后的两个续集《塞纳河畔的桐叶》与《枫丹白露的桐叶》。谢寿光同志比我年轻许多,过去并无交往,他这种学术出版的热情使我深为钦佩、感念难忘。

这样,"文丛"就形成了10本书的规模,在那些巍峨寺庙、广宇大厦之间,倒也不失为还有点绿意的苗圃花坛,只不过,到了眼前这第十本的时候,"文丛"已经面临着不可避免的"穷途末路"了。整个学术文化出版,特别是人文学科图书的出版越来越举步维艰,广大读者愿意看的多是炒股、化妆、交际、口才之类的实用书籍,在这种大背景下,有多少人会愿意购买你这些关于法国文学的研究与评论,社会科学文献出版社为这套书亏了不少本,最后只能收场,这是谁也无可奈何的事。

至于"文丛"的最后这一本,在内容上倒也巧合了"终结"之意,是站在世纪之交的门槛上对法国20世纪文学作回顾的最后一瞥。我本来想要把它做成一本总结性的概述,现在,它虽然还没有达到一部简史那样的在结构上的统一性、全面性,而是一本专题论文合集,但对20世纪文学的方方面面与若干重要问题还是勾画出了简明清晰的轮廓,对于关心文化的读者,是可以起到文学地图作用的。

……

事隔一个月,第十本书就交稿了,它名为《法国二十世纪文学鸟瞰》。正当我虽然感叹"文丛"的末路,但对它最后能以"十本书的规模"收场不无庆幸之感时,从出版社来了一个通知:由于亏损太多,且出版社书号紧张不够用,实在不能承担这本书的出版,即使将来能获得1万法郎的出版补贴……

人文书籍的出版,何其困难乃尔!一个小小的句号,看来也划不成了。呜呼!

此文与其说是"文丛"一篇"小记",不如说更似"小祭"也。

2001年9月

文化积累的一种最佳方式

——"外国文学名家精选书系"出版说明

外国文学的译介进行到一定阶段,精选集的出版便成为迫切的社会需要。精选集是社会文化积累的最佳而又是最简便有效的一种形式。为了同时满足阅读欣赏、文化教育以至学术研究等广泛的社会需要,为了便于广大读者全面收集与珍藏外国文学名家名著,兹编辑出版"外国文学名家精选书系"。

每种以一位著名作家为对象,务求展示该作家的文学精华,成为该作家的一个全貌缩影。

书系以"名家、名著、名译、名编选"为目标,分批出版,每批10种。

本书系在已经出版了40种的基础上,计划总共达到80至100种,以期构成一个完整的人文经典文库。

对译者、编选者以及有关出版社的合作与支持,兹表示深切的谢意。

2003 年 1 月

"名家点评外国小说中学生读本"十二卷总序

不论是算20世纪最后一年,还是算21世纪最初一年,反正是在这年的2月份,《北京晚报》以引人注意的大篇幅,连续作了"孩子读什么"的追踪报道,其标题像是一个急切的惊呼:"学生读啥,社会着急!"(《北京晚报》2000年2月3日第一版)

这一惊呼的缘由是:"个体书店老板首次道出了内幕",所谓"道出内幕",即透露了书摊上的营销情况。原来,在书摊上大量出售的是《损人大全》之类的厚黑书与刺激性的"黄书"。这一报道与惊呼当然就引起了"众多新闻媒体的极大关注"。对此,中央电视台的记者进行了"大量的调查",据称,又"发现青少年的阅读能力正在萎缩,甚至有些大学生对中国古典四大名著的阅读水平仍停留在小人书的程度"。

放在这个背景上,我们做这一套"名家点评外国小说中学生读本"的目的就无需再多加说明了,只不过,我们这项工作是在这一报道发布之前就已经着手进行了的。当然,这绝非说我们有先见之明,早有呼吁、早有动作的有识之士实不乏人,因为,给中学生提供什么读物,从来都是一个值得人们严重关注的社会问题、文化问题。

对中学生有益而必需的精神"营养品"当然不止一种,文学仅为其一,而外国文学又只是文学中的一个分支,我们不必,也不应该把外国文学阅读对中学生的必要性与重要性强调到不适当的高度,但是,不可否认,外国文学阅读对于中学生而言,要算最寓教于乐的一种阅读了。这里所说的"教",不是指狭义的思想品德教育,而是指广义的文化教育、精神教育,其内容包括各国历史、人类社会、异域景观、人情世态、生活哲理、阅历见识、艺文美趣等等。这里所说的"乐",则是引人入胜的故事情节、真实生动的人物形象、鲜明活脱的性格特征、栩栩如生的风光描绘、五光十色的生活画面、丰富多彩的风格、独特喜人的情趣等等。不妨说,外国文学的阅读,有如精神上跨越国界,作环球旅行,亦有如进入时间隧道,来往于不同的世纪,可以在潇洒休闲、审美鉴赏的愉悦中达到扩大眼界、增长见识、提高品位、启迪智慧、滋养精神的效果,开卷有喜、开卷有益,岂不比沉醉于"戏说"、迷幻于"神侠"为佳?

这里,我不禁想起我第一次阅读外国文学作品的经历与感受。

直到初中二年级,我在精神上还是懵懵懂懂的,当然,从来都没有读过什么外国文学作品。清寒的家境与周围灰色的社会现实,使我不可能在课外有什么像样的文化生活,除了瞎玩,就是瞎闹。当时,我唯一的"课外阅读",就是放学后跑到租书铺子里去"看站书",即站在书架前,在书店老板的白眼下看上一两个钟头,看的几乎全是武侠神怪小说和一些不入流的通俗小说,每次从书铺出来时,一方面老板的白眼使得心里很不是滋味,另一方面,则害怕回家遭家长责备。脑子里呢,又并未因看了两个钟头"站书"而感到愉悦与充实,倒像是一片混沌、一片空白……所以,如果要说我有什么阅读生活、精神生活的话,那就只能说是浑浑噩噩的。

那个学期,我上的学校是重庆求精中学。当时,班上几个女同学,大概是以一个姓黄的学习干事为首,张罗起一个"图书馆","忽如一夜春风来,千树万树梨花开",她们不知从哪里突然搞来一大批书，绝大部分都是崭新的，封面一般都素净大方，装帧美观，记得不少是文化生活出版社出版的，第一眼就给人以高雅之感，像我这样跑惯了低级租书铺子的俗子，真好像是匹普次初见到艾丝戴拉，眼睛为之一亮。那些书都是文学作品，其中许多是外国文学名著，有狄更斯、托尔斯泰、左拉、巴尔扎克、屠格涅夫、高尔基、梅里美等的作品。这些书是从哪里弄来的？不久就听说是班上一个姓宋的女同学捐献的。那位女同学娇小、白皙、文静，不引人注意，当时只知道她是一位国民党将领的女儿，在班上没有待多久就离校了。

面对这样一个"图书馆"，我多半是为了要在那位学习干事面前充"上流人"，竟大为"附庸风雅"起来，非常热心地借阅这些书籍。说实话，开始是囫囵吞枣，有些书并没有看明白，有的书干脆看不懂（那时如果有点评本就好了），有的书倒的确印象很深，如高尔基的自传作品中那种"出污泥而不染"的上进心对我很有启迪，又如屠格涅夫的《春潮》那半是缅怀半是忏悔的故事，半是柔情半是哀愁的情调，不知为什么竟那么深地感染了我、浸透了我，还有梅里美的短篇，洛蒂的《冰岛渔夫》……这么读着，读着……有一天，在宿舍里，我突然觉得平日习以为常的那些瞎聊瞎闹实在太没有意思了，就一个人跑到学校一侧，坐在那个高坡上，俯视着下方的嘉陵江。如果我现在说当时我对某本书有什么读后感，有什么感悟，思考了什么人生问题，那就是杜撰扯淡；我当时只是坐在那里看江，似乎很想思索点什么，但又什么都无从思索起，什么都思索不起来，脑子里一片茫然，但这茫然却使人感到新鲜，舍不得脱离这种状态回宿舍去……现在看来，那次异样的行为虽然颇有点不自觉的"附庸深沉"的冲动，甚为可笑，但是，人开始要思索，也就开始要上进。在我凡俗平庸的少年时期，那毕竟是第一次，它也许是人开始被书籍的力量从灰色混沌的泥沼中引出时最初的朦胧的反应。

我的外国文学阅读，最初就是从这个"图书馆"开始的。此后的几年中学时期,外国文学作品就一直是我的课外阅读、文化生活中的一个主要内容,从中,我不断得到滋养与教益,包括大大增强了学习外文的兴趣。如果说到我投考大学时,作为一个中学毕业生,在历史、人文方面的知识还算说得过去的话,其中就有得益于外国文学阅读的。正因为自己中学时期有过这么一点经历与感受,所以当山东画报出版社的总编辑汪稼明同志与三联书店的苏林同志策划一套给中学生阅读的点评本外国文学作品选时,我也就很乐意地应邀来做这件事。

做这件事的第一个重要问题,就是选题。首先确定这一套书的内容为小说作品。根据一般的规律,儿童是从看连环画故事书开始阅读的,青少年一开始当然也更习惯于读叙事类作品。人们看《三国演义》《水浒传》的故事,总要比读宋词元曲来得早。作为文化载体,小说作品也比诗歌、散文、戏剧包含有更多更具体的社会、历史、生活、风习以及人文景观的内容,其叙事性则是引人入胜的通道。熟悉外国的历史与文化以及文学艺术的表述方法,从这里开始更为便捷,能事半功倍。这就是这个读本以小说为单一内容的缘由。至于外国文学中的长篇小说名著一概不选,既是因为篇幅过长,无法容纳,也是因为不宜增加青少年课外阅读的负担。而且中短篇小说有"一斑窥全貌"的特点,其知识与智慧的含量绝不见少,其精炼的艺术形式也有利于提高青少年的艺术品位。每个单篇小说,多则两个钟头,少则十来分钟即可阅毕,既符合普遍的休闲式读书时尚,又"立竿见影",即时收到开卷有益之效。当然,在题材内容、思想倾向上宜于青少年阅读,也是我们的一个编选原则,凡思想消极有害、情绪偏狭狂热、不宜于花季年龄段阅读者,那都是要拒之门外的,不论其在文学史上有什么地位。不过,在这里凡入选者,却又无一不是外国文学史上的精品名篇。在编选上,我们多少照顾了世界一些重要国家的文学系统性,以便于中学生对外国小说有一个总体印象。

另一个重要问题，就是点评。点评是特别灵活、特别便于与读者交流的文评样式，在我国是古已有之的，金圣叹点评《水浒传》与《西厢记》，就是闻名遐迩的先例。现今的社会科学、人文科学以及文学理论、批评方法都比金圣叹的时代有了长足的发展，这种文评样式当被注入新的营养而焕发新的生命力。以中学生为对象，给外国文学名著作点评，不是凡能写字作文者皆可为的，对社稷之未来的饮食，"必须名厨料理"。对此，我们可不敢轻慢，特邀约了中国社会科学院、北京大学、中国人民大学、北京师范大学、浙江大学、四川大学等一批单位"外学"的著名学者、教授与翻译界一些著名的翻译家命笔，还特别邀请了王蒙、刘心武、张炯、张辛欣、刘世德、何西来、楼肇明等对外国文学有较深修养的著名作家、批评家参加。他们怀着关心青少年课外文化生活的热情，通力合作，玉成其事，在这里，我对他们表示衷心的感谢！

最后，为了把这套书做得尽可能精美一些，我们还组织了一些插图，对此，中国社会科学院图书馆的邵小鸥同志的协助也是值得感谢的。

2000 年 2 月

"外国文学经典名著丛书"总序

壬辰年开春后不久,寒舍来了河南文艺出版社的两位来访者。近几年来,陋室门口一直张贴了"年老多病,谢绝来访"的奉告,但来访者以热忱与执着而敲开了家门者,亦偶尔有之,这次河南文艺出版社的两位就是一例。这是因为他们几年前出版过我的《浪漫弹指间》一书,说实话,该书的装帧与印制都很好,精良而雅致,陈列在北京各大书店的架子上,相当令人瞩目,比起名列前茅的出版社的制品,有过之而无不及。这次来访者中正有一位是我那本书的责编,虽说我们从未见过面,也从未通过话,总也算是故交老友吧,我岂能做"忘恩负义"的事呢?何况,他们两位特别郑重其事,还持有一位与我曾经有过愉快合作的长者屠岸先生的介绍信,我岂能不热情待客?再说,他们也没有像一些来访者那样提着烟酒上门,正撞了我这个烟酒不沾者的忌讳,他们提着的一包河南土特产铁棍山药,迎面扑来一种质朴的乡土气息。

他们的来意很明确:河南社过去不搞外国文学作品的出版,现今决心从头开始、白手起家,而且,不是零敲碎打地搞,而是要搞得成一定的规模,一定的批量,不是随随便便草率地搞,而是要搞得郑重其事,搞出一定的品位。经过社内各方面各部门协同的反复考量与深入论证,决定创建一套"外国文学经典名著丛书",为此,他们特来征求我的意见,特别是寻求我的帮助与支持。当然,他们还作了其他方面的准备,如聘请美术高手设计装帧与格式,请艺术史家提供插图与图片……

这便是这套书最初的缘由。

全国的粮食大省,中华大地上的主要谷仓,现在要推出新的文化产品、精神食粮了,这是很令人瞩目的一件事。我当时一听到河南文艺社的这一宏图便这样认定,我认为,特别难能可贵的是他们的精神品位追求与人文热情,是他们进行开拓领地的勇气与坚挺自我价值观的执着精神。

他们要致力于外国文学名著的出版,其精神品位追求与人文热情是显而易见的。众所周知,世界文学从荷马史诗至今,已经经历许多世纪的历史,积累下来无数具有恒久价值的作品与典籍。这些作品,是各个时代社会生活形象生动、色彩绚烂的图画,是各种生存条件下普通人发自灵魂深处的心声,是各个社会发展阶段人类群体的诉求与呼唤;这些作品承载着人类的美好愿望与社会理想,富含着丰富深邃的人文感情与人道关怀。所有这些,只要人类社会存在一天、发展一天,就具有无可辩驳的永恒价值,何况,这些典籍还凝聚着文学语言描绘的精湛技艺,可以给人提供无可比拟的高雅艺术享受。不言而喻,作为在文化修养上理应达到一定水平的现代人,饱读世界文学名著,是不可或缺的人生一课。

可以说,致力于外国文学的出版,是一项具有全民意义的社会文化积累工程,是导向理想主义的思想启蒙工程,是造就艺术品位、培养美学趣味的教化工程,是提供精神愉悦与阅读快感的服务工程,这就是为什么在我国,特别是改革开放以来,外国文学读物一直受到广大文化公众热烈欢迎的原因,是外国文学出版一直得到高度重视、高度关注并在整个出版事业中占有较高位置与较大份额的原因。外国文学的编辑出版工作是一项令人刮目相看的事业，致力于出版外国文学作品而闻名的几家大出版社往往得到了更多的社会关注与文化推崇，在出版外国文学作品方面所取得的成功，不仅给这些出版社带来了高度的文化声誉，而且还有巨大的经济效益，有的出版社因此而建起了漂亮的办公楼，令人羡慕的员工宿舍，有的书商则靠外国文学出版而完成了令人咋舌的原始积累。河南文艺出版社何以过去忽略了外国文学的出版，我不清楚，但"亡羊补牢"，犹未为晚，河南文艺出版社这次进行新的开拓，必将给河南的出版事业带来若干新意，如果运作得好，也会带来精神文化与物质经济的双效应。

应该看到，2012年毕竟不是改革开放伊始的1978年，社会条件与文化环境已经有了新的发展与变化，外国文学的出版在这些新变化面前必然遇到新的挑战与困难。举例说，当前一片书店倒闭声就是人们所未曾料想到的，书店是任何出版物面世的展台，更是销售流通的平台，书店纷纷倒闭，对出版业绝不是利好的消息，当然，传统的书店萎缩了，网上书籍销售的业务却火了起来。真正的对外国文学出版形成冲击的是：物质主义文化的盛行与人文主义文化的滑坡。在社会的物质现实急速发展的某个阶段，物质主义文化与人文主义精神的失衡，是带有某种必然性的。在这样的阶段，现代人群都很忙碌，可自主支配的时间有限，即使是要阅读求知，急于去读的书可多着呢！炒股的书，烹调的书，化妆美容的书，为出国要学的外文书，一时可顾不上世界文学名著，且不说还要为影像视听文化奉献出大量的时间呢。也正因为现代人群生活节奏忙碌紧急，浮躁心理容易趋向粗俗低级的消遣休闲方式：媚俗文化、恶搞文化、搞笑文化、无厘头文化、"看图识字"文化等等大行于道，颇有将经典高雅文化艺术趣味挤压在旁边之势。对于外国文学出版而言，以上这些社会因素都导致外国文学读者的锐减，导致社会人群对经典文学读物兴趣的淡化，具体来说，就是外国文学图书市场的萎缩，这对于外国文学出版事业的冲击是显而易见的。

正是在外国文学出版不甚兴旺、不甚景气的条件下，河南文艺出版社却投身于这一个部类文化的出版，其热情是令人感动的，其勇气是令人钦佩的，既突显了河南文艺出版社开拓进取的锐气，也突显出其坚挺经典文化价值观的执着精神。正是感于这种精神，我义不容辞地接受了他们的委托，也正是感于这种精神，我在译界的好些朋友闻讯后都纷纷献出了自己的高水平译品，而不计较稿费标准的高低与合同年限的长短。

虽然外国文学目前面临着一定的困窘，但远非已陷背水一战的绝境，而仍然有希望在前方。首先是因为世界文库的经典名著，都如奇珍的瑰宝，其价值永世不会磨灭，事实上，它们已经经历了千百年的时间考验，甚至经历过黑暗的、强暴的摧残而顽强地流传下来，绵延不断如一道神泉之水，一直洗涤着、滋润着人类的精神与心灵，过去如此，现在如此，将来也如此，永远具有鲜活的生命力，足以使愚顽者开窍，使梦睡者苏醒，使沉沦者奋起，使浅薄者深化，使低迷者升华。对世人而言，修建了蓄水池，蓄了这神泉之水，永远会有它灌溉心灵的无穷妙用，何况，我们的社会正处于蓬勃发展之中，我们的文化也必然经过一个由粗到精、由低级到高级、由平凡到经典的过程，在这个过程中，历史上存在过的那些文学艺术经典将永远有着参照、借鉴、学习、鉴赏、传承的价值。拥有聚宝盆的人，建有神泉之水水库的人，其富足、其主动，是那些不拥有者、未建有者所远远不能比的。特别是，强大的希望之光，已经不远在望，不久前，党中央发出了建设文化大国的号召，要把华夏大地建设成文化大国，该需要有多少典籍的指导，该需要多少神泉之水来灌溉，从这个意义上来说，河南文艺出版社在此刻决定开拓出版领域,致力于外国文学名著的出版,未尝不是有先见之明。

  困顿犹在,愿景在前,现在要做的就是踏实努力,奋发前行,坚持不懈!

步入七十九岁之际

"世界名著名译文库"总序

我们面前的这个文库，其前身是"外国文学名家精选书系"，或者说，现今的这个文库相当大的程度上是以前一个书系为基础的，对此，有必要略作说明。

原来的"外国文学名家精选书系"，是明确以社会文化积累为目的的一个外国文学编选出版项目。该书系的每一种，皆以一位经典作家为对象，全面编选译介其主要的文学作品及相关的资料，再加上生平年表与带研究性的编选者序，力求展示出该作家的全部文学精华，成为该作家整体的一个最佳缩影，使读者一书在手，一个特定作家的整个精神风貌的方方面面尽收眼底。"书系"这种做法的明显特点，是讲究编选中的学术含量，因此呈现在一本书里，自然是多了一层全面性、总结性、综合性，比一般仅以某个具体作品为对象的译介上了一个台阶，是外国文学的译介进行到一定层次，社会需要所促成的一种境界，因为精选集是社会文化积累的最佳而又是最简便有效的一种形式，它可以同时满足阅读欣赏、文化教育以至学术研究等广泛的社会需要。

我之所以有创办精选书系的想法，一方面是因为自己的专业是搞文学史研究的，而搞研究工作的人对综合与总结总有一种癖好。另一方面,则是受法国伽里玛出版社"七星丛书"的直接启发,这套书其实就是一套规模宏大的精选集丛书,已经成为世界上文学编选与文化积累的具有经典示范意义的大型出版事业,标志着法国人文研究的令人仰视的高超水平。

"书系"于1997年问世后,逐渐得到外国文学界一些在各自领域里都享有盛誉的学者、翻译家的支持与合作。多年坚持、惨淡经营,经过长达15年的努力,总算做到了出版70种,编选完成80种的规模,在外国文学领域里成为一项举足轻重、令人瞩目的巨型工程。

这样一套大规模的书,首尾时间相距如此之远,前与后存在某种程度的不平衡、不完全一致、不尽如人意是在所难免的,需要在再版重印中加以解决。事实上,作为一套以"名家、名著、名译、名编选"优质为特点的文化积累文库,在一个十几亿人口大国的社会文化需求面前,也的确存在着再版重印的必要。然而,这样一个数千万字的大文库要再版重印谈何容易,特别是在人文书籍市场萎缩的近几年,更是如此,几乎所有的出版家都会在这样一个大项目面前,望而却步,裹足不前,尽管欣赏有加者、啧啧称道者皆颇多其人。但出乎意料,正是在这种令人感慨的氛围中,凤凰壹力却以当前罕见的人文热情,更以迥然不同于一般出版商的小家子气的真正出版家才有的雄大气魄与坚定决心,将这个文库接手过去,准备加以承续、延伸、修缮与装潢,甚至一定程度的扩建……

于是,这套"世界名著名译文库"就开始出现在读者的面前。

当然,人文图书市场已经大为萎缩的客观现实必须清醒应对。不论对此现实有哪些高妙的辨析与解释,其中的关键就是读经典高雅人文书籍的人已大为减少了,影视媒介大量传播的低俗文化、恶搞文化、打闹文化、"看图识字"文化已经大行其道,深入人心,而在大为缩减的外国文学阅读中,则是对故事性、对"好看好玩"的兴趣超过了对知性悟性的兴趣,对具体性内容的兴趣超过了对综合性、总体性内容的兴趣,对诉诸感官的内容的兴趣超出了对诉诸理性的内容的兴趣,读书的品位从上一个层次滑向下一个层次。对此,较之原来的"精选书系""文库"不能不作出一些相应的调整与变通,最主要的是增加具体作品的分量,而减少总体性、综合性、概括性内容的分量,在这一点上,似乎是较前有了一定程度的后退。但是,列宁尚可"退一步进两步",何况我等乎?至于增加作品的分量,就是突出一部部经典名著与读者青睐的佳作,只不过仍力求保持一定的系列性与综合性,把原来的一卷卷"精选集",变通为一个个小的"系列",每个"系列"在出版上,则保持自己的开放性,从这个意义上讲,"文库"又有了一定程度的增容与拓展。

面对上述的客观现实,我们的"文库"会有什么样的前景?我想一个拥有13亿人口的社会主义大国,一个自称继承了世界优秀文化遗产,并已在世界各地设立孔子学院的中华大国,一个城镇化正在大力发展的社会,一个中产阶级正在日益成长、发展、壮大的社会,是完全需要这样一个巨型的文化积累"文库"的。这是我真挚的信念。如果覆盖面极大的新闻媒介多宣传一些优秀文化,典雅情趣;如果政府从盈富的财库中略微多拨点款在全国各地修建更多的图书馆,多给它们增加一点购书经费;如果我们的中产阶级宽敞豪华的家宅里多几个人文书架(即使只是为了装饰);如果我们国民每逢佳节不是提着"黄金月饼"与高档香烟走家串户,而是以人文经典名著馈赠亲友的话,那么,别说一个巨大的"文库",哪怕有十个八个巨型的"文库",也会洛阳纸贵、供不应求。这就是我的愿景,一个并不奢求的愿景。

2013年元月

"本色文丛"总序两篇

总序一

深圳市海天出版社似乎颇有点"散文随笔情结",前几年,他们请季羡林先生主编了一套"当代中国散文八大家"丛书,效果甚好。于是,他们再接再厉,又策划出新的书系"世界散文八大家"。可惜此时季老先生已经仙逝,他们只好退而求其次,请柳某出面张罗。此"世界散文八大家",召集实不易,漂洋过海,总算陆续抵岸。但书系尚未全部竣工之际,海天又策划了一套新的文丛,以现今健在的著名文化人的散文随笔为内容。大概是因为柳某与海天社已有一次愉快的合作,自己也常写点散文随笔,又身居"人杰地灵"的北京,便于"以文会友",于是,他们又要柳某出面张罗。这便是这套书系产生的来由。

什么是散文随笔?前几年,一位被尊为大师的权威人士曾斩钉截铁地谓之为"写身边琐事"。我曾努力去领悟其要义,但就自己有限的文化见识,总觉得这个定义似乎不大靠谱。就"身边"而言,散文随笔的确多写与自己有关的人或事,但远离自己的人与事入文而成经典散文者实不胜枚举;就"琐事"而言,散文随笔写人写事的确讲究具体而入微,见微知著,以小见大。但以经国大业、社稷宏观、高妙艺文、深奥哲理为内容的名篇也常见于史册。不难看出,对于散文随笔而言,"题材不是问题",任何事物皆可入散文,凡心智所能触及的范围与对象,无一不可成就散文也。故此,窃以为个人心智倒是散文的核心成分。

那么,究竟何谓散文呢?散文的基本要素究竟是什么呢?如果用定义式的语言来说,散文就是自我心智以比较坦直的方式呈现于一定文学形式中,而自我心智者,或为较隽永深刻的自我知性,或为较深切真挚的自我感情。说白了,如果是思想见解,当非人云亦云,而多少要有点独特性,多少要有点嚼头与回味;如果是情感心绪,那就必须是真实的、自然的、本色的、率性的,而要少一些矫饰,少一些虚假,少一些夸张。是的,尽可能少一些,如果不能完全杜绝的话。诗歌中常有的那种提升的、强化的、扩大的感情似乎不宜入散文,还是让它得其所哉,待在诗歌里吧。

至于"一定的语言文学形式",不外意味着两点,一是非韵文的,这是散文有别于诗歌的最明显的标志;二是要有一定的修饰技巧,一定的艺术化,这则是散文随笔不同于公文告示、法律条文、科普说明以及各种"大白话"的重要标志。

这便是我所理解的散文随笔。我在自己的学术专业之外也经常写一些散文随笔,就是按照自己以上的理解来"炮制"的。今天,我被委以主编重任,也是按照自己以上的理解来操作的,至于我在自己的散文随笔中是否完全实践了自己的理念,是否达到自己的理念,在这次主编工作中是否有不合理、不入情的要求与安排,那就很难说了。呜呼,知与行的脱节与矛盾,人的永恒悲剧也。

出版社在策划这个书系的时候,规定约稿对象为当今的文化名家。当今的文化名家种类何其多也:有在荧屏上煽情与讲道的主持人,有靠摆Pose与哭功而大富特富的影视大腕,有靠搞笑与搞怪的演艺奇才……人人都在写散文随笔,这大有成为当今散文随笔的主旋律之势。但按我个人的理解,这里所讲的文化名家不外是两种人,即具有作家文笔的著名学者与具有学者底蕴的著名作家，这两者的所长正是我对何为散文理解中所谓的"心智"这一大成分。

由于我自己的圈子所限，这一辑的约稿对象全是上述的第一种人，即具有作家文笔的著名学者，而且基本上都是弄西学的学者或游学国外多年的学者[①]，多散发出一点"洋味"的人。

学者写散文似乎有点"不务正业"，有点越界，侵入了文学家地盘。但对于学者来说，特别是对人文学者来说，却完全是性之所致，是一种必然。他本来就有人文关怀、人文视角、人文感情，这种心智状态、心智功能，一触及世间万物，就莫不碰撞出火花。只要有一点舞文弄墨的兴趣、冲动与技能，自然而然就可以产生出有点意思的散文随笔了。虽说舞文弄墨也是一种专门技能，需要培养与操练，但对于弄西学的人文学者来说，整天在世界文库里打滚，耳濡目染，这点技能是可以无师自通的。况且，人文学者于散文更有自己的优势，毕竟，他的知性是向全人类精神文化领域敞开的，他的目光是向全世界各种事物投射的。其散文随笔的题材，自是更为丰富多样，投射观察的目光自是更为开阔高远。而得益于世界各种精神文化的滋养，其可调配的颜色自是更为丰富多彩：说不定，也许我们这个时代有意思的散文随笔正是出自学者笔下呢，学者散文实不容当代文学史家忽视也……

所以，我有理由相信，这一套"本色文丛"多多少少会给文化读者带来一点不一样的感觉。

2012 年 5 月

[①] 本辑的八位作者及作品分别为：许渊冲《往事新编》、叶廷芳《信步闲庭》、刘再复《岁月几缕丝》、柳鸣九《子在川上》、张玲《榆斋弦音》、高莽《飞光暗度》、屠岸《奇异的音乐》、蓝英年《长河流月去无声》。

总序二

"本色文丛"的缘起,我已经在前序中作了说明。只不过,在受托张罗此事的当时,我只把它当作一笔"一次性的小额订单":仅此一辑,八种书而已,并无任何后续的念头与扩展膨胀的规划。于是,就近在本学界里找了几位对散文随笔写作颇感兴趣、颇有积累的友人,组成了文丛第一辑共八种。出版后不久,我正沉浸在终结了一项劳务后的愉悦感之际,海天社出我意料之外地又提出了新的要求:要柳某把"本色文丛"继续搞下去,且不排除"做到一定规模"的可能……看来,我最初的感觉没有错:海天社确有散文情结,不是系于一般散文的"情结",而是系于"文化散文"的情结。而且,也不仅仅于此一点点"情结",而是一种意愿,一种志趣,一种谋划,一种努力的方向,一种执着的决断。

果然,最近我从海天社那里得到确认,他们要在深圳这块物质财富生产的宝地上,营造出更多的郁郁葱葱的人文绿意,这是海天社近年来特别致力的目标。

在物欲横流、急功近利、浮躁成性、人文精神滑落、正能量价值观有时也不免被侧目而视的社会环境中,在低俗文化、恶俗文化、恶搞文化、各种色调的(纯白的、大红色的、金黄色的)作秀文化大行于道、满天飞舞的时尚中,在书店一片倒闭声中,有一家出版社以人文文化积累为目的,颇愿下大力气,从推出"世界散文八大家"丛书再进而打造一套"本色文丛",这种见识、这份执着、这份勇气是格外令人瞩目的。

海天出版社要的文化散文,不言而喻,即文化人的精神文化产品。关于文化人,我在前序中有过这样的理解:主要是指有作家文笔的学者与有学者底蕴的作家。如果说"本色文丛"第一辑的作者,基本上是前一种人，第二辑则基本上都是第二种人[①]。这样，"本色文丛"总算齐备了文化散文的两种基本的作者类型，有了自己的两个主要的基石，形成了一个初步的平台。

不论这两种类别的人有哪些差别，但都是以关注社会的人文状况与人文课题为业。其不同于以经济民生、科技工艺、权谋为政、运营操作为业者，也不同于穿着文化彩色衣装而在时尚娱乐潮流中的弄潮者，也可以说，这两种人甚至是以关注人文状况与人文课题为生，以靠充当"精神苦役"（巴尔扎克语）出卖气力为生，即俗称的"爬格子者"。他们远离于社会权位与财富利益的持有与分配，其存在状态中也较少地掺和着权谋与物质利益的杂质，因而其对社会、人生、人文，对自我、对人生价值也就可能有更为广泛，更为深刻，更为真挚的认知、感受与思考。

在时下这个物质功利主义张扬、人文精神滑落的时代环境中，且提供一些真实的，不掺杂土与沙子的人文感受、人文思考，为我们这个时代留下一份份真情实感的记录，留下一段段心灵原本感受的再现，留下一幅幅人文人生的掠影，这便是"本色文丛"所希望做到的。

2013年4月于北京

[①] 本辑八位作者及作品分别为：王春瑜《青灯有味忆儿时》、刘心武《神圣的沉静》、李国文《纸上风雅》、何西来《母亲的针线活》、邵燕祥《坐看云起时》、肖复兴《花之语》、谢冕《花朝月夕》、潘向黎《无用是本心》。

提倡提倡幽默

——《外国幽默讽刺小说选》总序

这本书名为《外国幽默讽刺小说选》,虽然是按照通常惯例,将"幽默"与"讽刺"并列合用,但是说实话,这就有点像在同一个水果摊上摆着红橘与甜橙两个品种,看起来,两个品种在外观、颜色上都颇为相像,有时甚至难以区分,不过在熟谙幽默此道的行家里手面前,在爱好思考、喜欢较真的读者面前,我们还是应尽点义务,说清楚这两者在色调上、味道上、成分上的微妙差别。

我们且先从幽默说起。

在思想文化史上,幽默是睿智才俊之士喜欢亲近、喜欢品味、喜欢玩赏与展示的一种精神风采。而在现代社会里,幽默也早已经成为一个广为流行的概念名词,它普及到了这种的程度,甚至在不少征婚广告中,"有幽默感"也常被列为一个条件,就像"有风度"、"有事业"、"有房"、"有车"这些用词一样,成为时尚男女择偶的标准。

因此,对这样一个名词概念,既容易说明,也不容易说明。

幽默是什么?应该首先指出,这是一个外来的名词概念,就像"汉堡包"一词一样都是舶来品,后来才本土化的。先贤对它曾有不少论说,时俊亦颇多发挥,仅举其中两位的经典定义为例。一位是中国20世纪文学中的散文巨擘林语堂,他最先将Humour一词译为"幽默",享有"幽默语言文学大师"的美誉。他说:"幽默是一种人生观,一种对人生的批评","是一种从容不迫、达观的态度"。在他看来,"从容"、"超脱"、"悲天悯人"都是"幽默"中的要素:"从容处之,遂有幽默","超脱而同时加入悲天悯人之念,就是西洋之所谓幽默"。另一位是对人类精神文化现象、文化心理问题有广博精深的研究,并有"吃了鸡蛋何必去认识下蛋的母鸡"这一幽默妙语传世的学术大师钱锺书,他是这么说的:"古语的滑稽犹今人说的幽默(不同于现代汉语所指的滑稽)。这是一种高卓的机智,是对世事达观、洞悉、心力活跃超越了一般快乐戏谑的表现形式。"

虽然已有大家权威的高论在前,但为了阐明这个选本在观念上的遵循与来由,还有必要讲讲个人粗浅的理解。

首先,与其说幽默是"一种人生观",不如说是在人生中、在现实中的一种视角,一种观察方式、捕捉方式、认定方式。这种视角、这种方式当然都与人生观密切不可分。至于是与什么样的人生观有关,恐怕是因人而异的,但至少可以说,绝不会是源于斗争哲学的人生观、激越尖锐的人生观,倒是一般都与超脱性的人生观、彻悟式的人生观、出世性的人生观更为有关。林语堂先生曾把中国的老庄哲学视为与"幽默"相亲相近的一种人生观,确大有道理。不过,说幽默这种舶来品来源于老庄,那显然就站不住脚了。西方的彻悟式、看透式的人生观倒也不少,萨特的哲学、马尔罗的哲学以及加缪的哲学都可以算得上,但它们却又并不导向超脱与出世,而导向介入与反抗,与幽默南辕北辙。而文艺复兴以后大行于天下的人文主义哲学,则可谓幽默的一大灵泉,因为它贴近人情人性,这正是幽默的本性所在。我们不能说幽默家、幽默者都是人文主义哲学家,但至少在他出语幽默时,总是沾有人文主义哲学的灵气,得到这种精神的些许灵感。

人在世界上,要面临社会的与人性的种种丑恶:暴虐、凶残、权术、阴谋、诡计、算计、虚伪、愚顽、偏执、虚荣、狂妄、自大、卑鄙、猥琐、无能等等,只要有一种合乎理性的人生观,有正常的人生态度,就会有否定性、批评性的反应,就会持有不以为然的眼光与视角。幽默便是否定性的反应中的一种,是不以为然的眼光中的一种。

在人类种种审视性的、否定性的、不以为然的、对立反对式的精神反应与精神表态中,幽默要算是独特的一种。它不同于那些愤怒的、激烈的、革命的、偏颇的、尖刻的、暴虐的、厌弃的、斩尽杀绝的、彻底批判的、同归于尽的……而是一种温和的、贴近的、豁达的、彻底理智的、充分有益的、留有余地的、令人可接受的。如果没有正气作为底蕴,如果没有贴近人情人性的世界观,没有悲天悯人的情怀,没有豁达的哲学家风度,就不可能有幽默。

幽默是以正气为底蕴,幽默更是以睿智为制动力。有幽默感的人,必定是头脑灵活、有丰富的联想力与活跃的通感的人,必定是见多识广、有巨大信息存贮量、有多方面认知能力并善于洞察一切的人,有包容各种状态、各种情势、各种事端的胸怀的人,有理解各种主义、各种原则、各种观点、各种立场、各种情绪的雅量的人,有善于调整自己的定论、自己的意念、自己的表态的明智的人。认死理的人,脑子里只有一根筋的人,单独一个主义绝对至上的人,固守一己私利、死保颜面光彩的人,都是与幽默格格不入,甚至于水火不容的。

幽默总是与时代社会密切相关的,虽然幽默作为某个个别的个人现象可以出现在任何时代、任何社会,但作为一种成规模的风气、一种受推崇的时尚、一种光辉灿烂的精神文化展现,却只能出现在一定的社会历史条件下。这种社会历史条件起码应该是比较宽松的,比较开放的,在其中,非主流的精神文化至少还有喘息的空间,而在思想压制酷烈、精神文化禁锢严厉的时代社会条件下,幽默这一品种是难以冒头、难以存活的。众所周知,在欧洲,封建教会统治下的欧洲,就见不到幽默的身影,幽默发生发展成为一种屡见不鲜的精神文化现象,只可能在文艺复兴、人文主义思潮开辟了温暖的精神之春之后。近代的幽默即由此而来,而薄伽丘的《十日谈》就是这种幽默第一次集中的、淋漓尽致的大展现。它开了个头,在它之后,《十日谈》式的幽默讽刺之作,《十日谈》恣意型的幽默不仅在意大利屡见不鲜,而且扩张到了欧洲其他国家,16世纪的法国就产生了东施效颦之作《七日谈》。在文艺复兴时期之前,古代也并非没有产生过幽默,但也是在特定的历史社会情势下才有可能,阿里斯托芬的幽默讽刺之作,就正是雅典城邦民主政治开放的社会环境之产物。同样,中国也是如此,林语堂先生指出,颇有幽默之风的老庄文化,便是恣行于思想活跃的春秋战国百家争鸣的时代,"竹林七贤"的"涤尽腐儒气味"、"开清谈之风"也与当时特定的社会环境有关。当然,幽默作为一种社会精神文化形态,一旦产生形成,它便有自己独立的生存能力与继承机制,即使在不利的时代社会条件下,它也会在有些地方,甚至是个别地方找到自己的承继者。吴敬梓的《儒林外史》产生于思想统治严酷的雍正王朝,左琴科的幽默讽刺小说写作于令人窒息的斯大林时代,就是明显的例子。

既然幽默具有如此的优质与特点,它必有一番奇特的妙用。作为一种置疑性否定性的精神反应,它有智慧,有人情人性,有悲天悯人情怀,那么在充满了矛盾、对立甚至对抗的世界上、社会里,必然较别的一些精神表态更具有亲和力、渗透力、说服力、消释力、化解力、调和力。任何激烈的、水火不容的、顽冥不化的矛盾冲突,有幽默的参与,必定会有所缓和,有所平伏。中国话说得好,"相逢一笑泯恩仇",这一"笑"至为重要,至为奇妙,遭遇幽默情形与此相仿,面对再尴尬的问题,面对再激烈再尖锐的矛盾,"幽"那么一"默","化"险为"夷"便有可能。林语堂先生曾经幽默地说过:"在第二次世界大战前,如果各国都派幽默高手来谈判,那就可以避免第二次世界大战的发生了。"此语虽甚夸张,却不无道理:如果各国在处理彼此的矛盾时能有一点幽默,局势是会有所不同的。

幽默的奇效,与其说往往是在书籍文章的阅读鉴赏之中,还不如说往往更是发生在人的实际社会交往、人的各种社会活动之中。在后一类范围里,幽默的奇效往往是"立竿见影"的、富有实效的。于是在现代文明的社会与实际生活中,对幽默的重视、崇尚与追求就日渐凸显出来了。学者文人如果没有长幽默的细胞,或者没有幽默学方面的历练而缺乏幽默风度,那倒也作罢了,但那些特别在乎与人群的及时沟通,在乎人群对自己的印象、态度与立场的人却往往不能不特别追求幽默的风度,似乎把这视为自我的一种特别的"公关技艺"与生存优势。据说里根因为自己生性并不幽默,在竞选总统时,为了使自己幽默起来,就每天背一篇幽默故事。时至今日,"幽默的力量"已经成了一个科学命题,一条生活真理,它可以使政治家平添亲和力,使商人、企业家增加成交率,使文化人多具一些风度风采,即使是对凡夫俗子、芸芸众生,据说,也大有增强健康、延年益寿的功效。有的报刊文章列举说,它"是帮助我们消化功能最重要的因素","也有助营养吸收和产生健康的血液","还能防止心脏病、脑血管病变,癌症及其他循环系统所致的病变"等等。功效大矣哉!说它是润人济世、调节社会之良方,似亦可也。

至于"讽刺",它与幽默,两者实颇相似,就像一母所生的两个同胞兄弟。这个"母",可以说就是否定性的精神,持异性的视角,对立性的立场,其两者的相似处就是都具有聪敏与机智,说得俗一点,幽默与讽刺都是聪明机智的不以为然态度。如果有什么不同的话,那就在于"讽"的力度、重度、尖锐度有所不同。幽默仅为"嘲"而已,只是说出来,表达出来就罢了,并不在乎对方感受到没有,更不求将对方完全否定掉、"改造掉";而"讽刺"则要落实在"刺"上,那不只是自己说说而已,自己表述表述而已,而是非要给对方一下子不可,非要在对方身上弄出点感觉不可,如果不是痛的感觉,至少也是不舒服的感觉。总的来说,幽默是温厚的、甘和的,讽刺是尖锐的、辛辣的。而在各自的范围里,又都有从1度到180度的温差。因此，如果把幽默讽刺归为一大类，从其甘和的最低点到辛辣的、致命的最高点，悬殊是可以大得蛮惊人的，这种温差往往在此一大类的不同文学作品中有很鲜明的表现。当然，这两者在效应上的区别，根子并不完全在于着力使劲的不同，不在于是举重若轻还是举轻若重，更大程度上还是在于否定性、不以为然性态度本身之中。持否定性态度与不以为然视角者，如限于悲天悯人，哀其不幸，恼其不争，自然就满足于嘲讽、揶揄、挖苦、"幽默"；而非要使对方遭到损失，或者是不留情地"打落水狗"，或者是要把对方"钉在耻辱柱上"，或者是要使对方遭到"毁灭性打击"，那就必然要讽刺与针砭了。仁者、智者、有脱世倾向的人往往欣赏前者，而战者、勇者、入世者、愤世者则乐于讽刺之道。

以上就是我所理解的作为精神现象、精神表态的幽默与讽刺，两者虽然不同，但毕竟经常为邻为伴，甚至难以截然分割。幽默增几分、过些量、出点格，经常就变成了讽刺；而讽刺往往总要包含幽默这个因素，似乎缺了幽默这个要素，就很难产生讽刺，正像火柴头上没有那一点磷，就很难擦出火花。因此，人们往往总把"幽默"、"讽刺"并列，视为一大属类，视为同科，特别是在文学中更是如此，我想这也是花城出版社约我编选一种"幽默讽刺小说"的原因。

我个人对"幽默"心仪久矣，不时也有"附庸幽默"的冲动，但却从来没有想要编选一本这主题的小说集，几年前花城出版社编辑专程来京约请我来做这件事时，我一时兴起也就答应了。后来因为忙，一直拖拉下来，更是不止一次打退堂鼓，花城出版社却对"幽默讽刺"异常执着，咬定原议不放，坚持要我弄下去，于是，我只好硬着头皮把它弄完。及至选定篇目，不得不就两个有关具体问题再作些说明。

一是不能将一般意义上的幽默讽刺方式与幽默讽刺小说等同起来。前不久见一幽默讽刺家这样说："早在我国秦始皇时代，中国就有人已经熟练地运用幽默技法了……在秦朝500年后，世界上才有个英国呢。"如果在此不作必要的说明,幽默讽刺小说是没法编选的。窃以为作为精神现象,当人类的感受、认知与智慧发展到成熟的时候,自然就可以产生出幽默与讽刺。因此,单句的幽默话与讽刺话想来很早很早就产生了,要不然,在两三千年前的中国是出现不了《滑稽列传》中那些妙言妙语的。而且这种带幽默讽刺意味的妙语、应对与片断,在整个人类历史过程中,在实际的日常生活中几乎可说是俯拾皆是的。如果要收集一些幽默讽刺的片言只语、小笑话、妙"应对"、妙"段子",那无疑可以车载斗量,无法计其数,但在文学中,情况就不同了,文学创作的"举动"要大得多,复杂得多,能产生幽默讽刺作品的可能性自然就要少得多了。

还应该指出,由于作家从事文学创作总自觉或不自觉带有介入社会、干预生活的意图,他们对自己不以为然、持异议态度的人与事,总要以自己的文学描写与意图导向,造成某种实质性的效果,而往往较少地真正游戏文字、超脱人世、采取纯淡化超脱的态度。因此,在幽默讽刺类的作品中,往往是讽刺性明显突出、针砭性强烈鲜明的作品占大多数,而真正纯幽默、绝火辣的作品只是少数,以至在世界文学中,像莫泊桑的《戴丽叶春楼》这样出色的幽默风俗画,都德的《雅尔雅侬来到天主的家里》这样绝妙的幽默性格速写,更是不多见了。

不言而喻,本书作为幽默讽刺小说选,对那些幽默讽刺的只言片语、小笑话、小"段子",都不予收选,而只选用那些著名作家在艺术上成熟的幽默讽刺小说。由于在小说中,某种倾向某种意味都是蕴含在生活形象中的,而生活形象往往又是充分张扬的、酣畅淋漓的,幽默讽刺小说中的幽默讽刺的"味之素"浓度反倒会比幽默讽刺的片言只语、简短应对、小品小笑话有所稀释。但重要的是,小说是艺术品,是蕴含着意味的生活图景,而小说阅读则是作品与读者之间的互动,是两者经过契合而成就的审美活动,幽默讽刺小说中的幽默讽刺意味,是有待读者去体会与发掘的,它不会"不请自来"。因此,读幽默讽刺小说绝不会像看一幅幽默讽刺画那么一目了然，那么轻易省劲，但在信息、形象与意蕴上则无疑要丰富得多，深刻得多。

还有一点需要说明，幽默讽刺小说在一个国家文学中的出现、发展数量与水平，是要受到这个国家的民族特性、社会条件、文学传统等等客观条件的制约的，有的国家的小说，就是幽默不起来；有的国家的小说，就是多些幽默情趣与讽刺意味。这是"蛋糕"的客观情况。我们的编选也就不可能平均照顾，而只能尊重这种客观情况来切"蛋糕"。

当然，一个选本是不可能"囊括一切"、"包罗万象"的，未能选入的，肯定不在少数。对于编选工作而言，挂一漏万，不仅是难免的，而且是必然的、正常的。这个选本，只不过列举一些此类文学的名篇佳作，提倡提倡幽默而已。

2003 年 9 月

学术道路、学术诚实及其他

——答《光明日报》"人物版"主编问

一

"人物版"：您的名字有什么特殊的来历吗？请您谈谈自己的童年往事，以及青少年时期的求学经历。是什么原因，让您走上了研究外国文学及文学理论的道路？您在北京大学时，与老一辈学者的交往中，有什么让您终身难忘的事情吗？在这个过程中，您觉得谁对您影响最大？

柳鸣九：古人有曰："鹤鸣于九皋，闻声于天"，这就是我名字的出处，很抱歉，个性张扬的味道太浓。我的父母都没多少文化，对儿子也没有光宗耀祖的期望，起不出这么一个名字来，据父母告诉我，从前邻居中有一位很有文化的老夫子，听说我生出来有9斤之重，父母给我取的小名是"九斤子"，就给我取了这样一个"大名"，这就是来历。

我的儿童时代，基本上是在逃难生涯中度过的。随着日本侵略军的不断进攻，我们家从湖南长沙逃到耒阳。在耒阳相对安定了几年，又从耒阳逃到广西桂林，再逃到四川重庆。难民生活中的危险与艰苦我都经历过，毕生难忘。这种生活，造成了我强烈的民族主义情绪。后来，在中学学近代史，每当听到老师讲述中国受欺负、被侵略的历史时，我在课堂上总是心潮澎湃，很坦率地说，我成了一个小民族主义者，哪些国家割占过我们的什么领土，什么国家没有割占过，这本账我可记得很清楚，这构成了我的近代史观的基础。我对美国之所以不无若干好印象，仅仅是因为它没有割占过中国的一寸领土，它拿到庚子赔款后，毕竟用在为中国办了一所清华学堂。这是我少年时代思想脉络的一个主要部分。

我青少年时期另一个重要内容，就是我所受到的良好的中学教育。我的父母虽然都没有多少文化，但是他们敬畏文化、仰慕文化，深知文化对一个人生存的重要性。因此，他们尽了最大的努力，保证我受到系统的、完整的、良好的中学教育。尽管我的家庭因为父亲就业地点的变换而辗转各地，但我都进了当地最好的中学，受到了优质的教育，如南京的原中大附中（即今南师大附中）、重庆著名的教会学校求精中学、长沙的重点名校湖南省立一中，经过这些名校的教育与培养，我在1953年才考进了北京大学。

关于我是如何走上外国文学研究道路的，其实并没有任何早慧的根由、任何早熟的理想、任何早有的特定兴趣，只不过是顺理成章的事，是一步步走过来的。从中学起，我的文科成绩比理科成绩好，这注定我要投考北京大学的文科，之所以选定西语系，是因为想多学一门外语、多一种工作技能、多一种职业手段、多一个"饭碗"。恰好北大西语系是以培养西方语言文学研究人才与教学人才为己任的，为了这个目的，该系设置了最完备、最优质、几乎是最理想的课程，我就是从这样一个炉窑里烧制出来的。当然，这个系的毕业生里有各种去处，有留校做助教的，有分配到各种文化机构与外事机构的，我运气甚好，分配到当时属于北京大学的文学研究所，具体是到《古典文艺理论译丛》编辑部担任翻译与编辑工作。之所以能够如此对口，也许跟我四年学业中表现出来的文字能力与思维能力还算比较可取有关。根据工作岗位的需要，我必须做一些文艺理论翻译与西方文艺批评史的研究，这就成了我专业工作的起点，然后就是一步步走下去，一步一个脚印，一步步把事情做好做大。

北大求学生活对我一生影响很大。那时，正值全国院系调整之后不久，北大集中了全国人文学科几乎所有最有声望的宗师与精英，仅以与外国历史文化有关的学科而言，就有朱光潜、钱锺书、季羡林、冯至、李健吾、卞之琳、金克木、杨绛、潘家洵、闻家驷、李赋宁、杨周翰、盛澄华、陈占元、郭麟阁、吴大元、吴兴华、田德望等等。这些大师名家不仅他们的学术文化业绩、传道授业、讲课演说能给青年学子直接教益，即使是他们的气场、风度、轶事、传闻、细节也可给人以示范与启迪。在北大未名湖畔这样一个强大的文化学术气场中，如果善于学习的话，每时每刻、每处每地都可以受到启迪，得到营养，学到东西，兼容并蓄，取各家所长。所幸我从父母那里继承了对文化的敬畏、对文化的崇拜，我自己又像一张白纸并无自以为是、固步自封的定性，因此，还不失为一个善于吸收、善于接受启迪，也肯勤奋致学、兼容并蓄的青年。只要是有营养的，我逮着就吃，不仅朱光潜的丰厚的学术业绩成为我毕生的榜样，他每天坚持打太极拳与慢跑也成为我效仿并坚持了数十年的习惯。即使是北大校长马寅初一开口就是"兄弟我"这样一种不在乎语言时尚、不在乎礼仪规范与不流俗附和的风度，也成为我后来在学术观点上坚持自我、我行我素的最早的启迪。著名经济学家陈贷荪在未名湖畔那种泰然自若、仙风道骨的神态，成为我后来心目中名士风度的样板。著名的物理学家周培源在校园里风风火火骑着自行车来往于行政大楼与教学大楼的景象以及上车下车的麻利动作，成为我后来办起事来颇为雷厉风行、讲究效率的最早启发。总之，北大的四年，我没白白度过，我像一块海绵，做到了全面吸收，兼容并蓄。

二

"人物版"：您翻译的第一本书叫什么名字？它对于您今后的研究道路有重要的意义吗？

柳鸣九：我最早翻译的有两本书，一本是都德的《磨坊文札》，一本是雨果的《雨果文学论文选》。

都德的《磨坊文札》我从大学三年级就开始翻译了，但我并没集中力量来做这件事情，而是断断续续，经常一搁置就是一年半载，甚至搁置三五年十来年。因为我不是把它作为一件业务成果集中力量去做的，而是把它当作一种精神调剂品、情绪调剂品，甚至当作一个解除高压的镇静剂，偶尔为之，慢吞吞地进行，所以成书出版倒比较迟。

都德是我最喜爱的作家，我很喜爱他纯净柔和的风格与幽默的语调，他的《磨坊文札》本身就有一种隐逸恬静的情趣，颇有陶渊明的"采菊东篱下，幽然见南山"的韵味，读起来颇能使人的心情归于平和宁静，这正是我所需要的。说实话，在我长期的学术道路上，经常碰到崎岖与坎坷，经常感到精神压力、烦恼与焦躁，我需要解压剂，我需要镇静剂，碰到这种时候，我就把《磨坊文札》拿来读一读，有时也就译那么一两段、一两篇。因此，我曾经把《磨坊文札》称之为我的精神绿洲、绿色家园。

我出版的第一部翻译作品是《雨果文学论文选》，翻译成书也比较早，因为早在大学四年级我做的毕业论文题目就是《论雨果的浪漫剧》。雨果20多岁的时候便充当了法国浪漫派反古典主义文学运动的领袖，他发表了讨伐古典主义的《〈克伦威尔〉序》，这一篇洋洋洒洒长达5万字的文辞华美的大文，成为西方文艺批评史上的经典文论。同时他又按他的美丑对照原则写出了一批风格全新的浪漫剧。因此，他的浪漫剧与文艺理论是相辅相成的。我写毕业论文必须研读两方面的文本典籍，这成为我后来翻译文艺理论的前期准备。到了《古典文艺理论译丛》编辑部后，我的本职工作就是文艺理论翻译，这样我较早就完成了《雨果文学论文选》一书的翻译。此书本来可以在"文化大革命"前出版的，由于人事原因，一个小字辈的翻译作品竟被无理地压了两年，然后正碰上"文化大革命"的"十年浩劫"，于是，直到1980年才获出版。这些工作作为我后来研究雨果，主编二十卷的《雨果文集》打下学术基础。也许更重要的是，在翻译雨果气贯长虹、文辞华美的大序时，我颇受潜移默化的影响，我喜欢写长序、写大序，实与此有关，我的理论文字被谬赞为具有"理论气势与斐然文采"、"字里行间洋溢着一股浩然之气"，多少也与此有关。

三

"**人物版**"：您在写就《法国文学史》等专著时，有什么人和事值得纪念和铭记？

柳鸣九：数十年来，我的学术文化工作内容虽然不是单一的，但基本上是以法国文学史的研究为主，而写作多卷本的《法国文学史》又是其中的核心，我的其他一些编选工作、主编工作、翻译工作以及随笔散文写作等等，基本上都是从这个核心延伸出去的派生物。《法国文学史》作为中国第一部大规模多卷本的国别文学史，断断续续用了我将近20年的时间，其中当然有很多甘苦，但是学者的书斋生活一般都是没有什么生动的故事、有趣的细节可言，请看歌德的《浮士德》，其中只有很少篇幅写浮士德博士在书斋生活中的灵魂探索。如果一定要讲点值得纪念的人和事的话，可讲的基本上只有两点：一是《法国文学史》是在"四人帮"仍猖狂一时的"文化大革命"后期开始写的，如果要按当时"四人帮"的条条框框炮制的话，那必然会成为一个废品，但当时我和两个伙伴都非常明确、非常自觉地以反"四人帮"的条条框框为指导思想，而坚持以实事求是、科学公正的原则写史，这样才没有走上极"左"的邪道，没有把《法国文学史》写成一个废品。"四人帮"垮台之后，很顺利就得以公开出版，并且于1993年获得国家图书奖的提名奖，那是新中国成立后第一届全国图书评奖，积累了多年，参评的图书共有50余万种之多，故此奖得之不易。

第二点我难以忘怀的是，在《法国文学史》的写作过程中，我得到了可尊敬前辈的鼓励与支持，钱锺书先生帮助我审阅了其中有的篇章，给予了肯定与鼓励。李健吾先生在《法国文学史》上册出版的时候，发表了评论文章，表示了热情的赞赏，这也是我一生中得伯乐赏识、得贵人相助的两个最突出的事例。说实话，这在学术等级森严、学术阶梯漫长的时代，是非常珍贵的。

四

"人物版"：您最推崇哪位作家（国内或者国外）？您在他们身上学到了什么，有何人生和治学感悟？

柳鸣九：有成就的作家是各式各样的，有的作家以精致的艺术使人叹服，得到世人的欣赏；有的作家为社会历史留下了宽阔、真实、有深度的画面，为世人开阔了视野；有的作家以深刻隽永、机智的思想而使人在智慧上受益。这些作家都有这种或那种被推崇的理由，但我最为推崇的是：外国作家中的加缪和中国作家中的沈从文。

这两个作家在艺术上都有很高的成就，这是不在话下的。他们特别值得推崇的是，他们都自有一种精神力量，他们在做事为人上都表现出了不凡的人格。加缪是一个平民草根出身的作家，但他作品至少发出了两道对人的存在、对人类社会有重大启迪意义与聚合力量的智慧灵光：一是人生如西西弗推石上山的哲理，二是人类社会团结抗恶的思想与道路。这两种哲理与思想都基于对人生、对社会看透了的彻悟意识，并都表现出了一种艰苦卓绝、刚毅非凡的精神力量。用我们今天的话来说，就是所谓的"正能量"，这是我特别推崇他的原因。而且还有一点，加缪不是一个书斋学者、书房作家，他是一个投入了社会实践的行为家，在第二次世界大战时期，他就是一个名副其实的抵抗战士。

至于沈从文，我特别尊敬他、推崇他的原因是，他不仅是一位在中国近代文学史上成就最高的作家，而且他身上表现出了中国知识分子难得的坚毅精神。他作为一个著名作家，曾经长期被打入"冷宫"，让他去搞什么管理服饰的事务性工作，这等于把一颗种子扔在一个石头缝里，然而他却偏偏不声不响在这个石头缝里长出了一棵大树——《中国古代服饰史》。这种"石头缝里的精神"正是中国20世纪人文知识分子的可贵品格，至少对我个人很有精神感召作用。

五

"**人物版**"：学者、翻译家、理论批评家、作家等等，在您的这些诸多身份中，你觉得自己更钟爱哪一个，自己最不愿接受哪个？

柳鸣九：数十年来，我的文化学术活动，内容既非单一的，在不同的方面也就都多少积累了若干实绩，也就是说在不同的劳动部类中，从事过不同的劳动方式，有点不同的劳动产品。因此，有时被称为这个，有时被称为那个，得到了不同的名誉与身份，如此而已。

对于名誉与身份称号这类问题，我的态度是："君子好名，取之有道"，只要名誉、名分、身份之下有实质内容、有劳动成果、有"干货"、有"硬币"，那就行了。我且不说什么身份是我钟爱的，什么是我不喜欢的，我只想说：一、我最希望自己成为一个真正学有专长、有所建树、有所创见的学者。二、我最想避免的、最想忌讳的，是沦为一个空头的理论家、批评家，沦为一个不学无术，只靠引证圣贤经典作家、玩弄教条，只靠扣帽子、打棍子的理论家、批评家，我竭尽自己的力量不要成为这种人。另外，我也曾经对翻译家这样一个头衔进行过自我调侃，不是因为别的，而是因为我在翻译方面花费的时间和精力比我的研究工作与写作要少得很多很多，在翻译界我只不过是偶尔客串一下的"票友"，和那些以毕生精力从事翻译的朋友不可同日而语。如今客串的"票友"也登堂入室，使我觉得颇对不起翻译家朋友们，用方鸿渐的话来说："不好意思呀"，但你毕竟有过上百万字的译品，毕竟有几个译本广行于世，人家有时为了方便，简称你一声翻译家，那你就安之若素，自己不必矫情了。

六

"人物版"：《光明日报》这次举办评选的影响中法文化交流的20本书中，您最喜欢哪本书？您对当下的中法文化交流有什么自己好的建议和看法？

柳鸣九：在这些当选书的范围内，我相对更喜欢《红与黑》。正如我曾经所指出的，《红与黑》表现了时代巨变之际，两种价值观在一个特定青年身上的激烈矛盾冲突，而且表现得这样真实、生动、自然，具有极大的心理深度。作者在写这部作品、塑造这个人物的时候，在很大程度上把自己也摆进去了，使作品与人物具有社会典型性。两种价值标准在一个人灵魂深处的矛盾冲突，其实我自己也感受过。前两年有一部电视剧，就写了《红与黑》在一批知识青年中大受欢迎的事实，可见此书的高票当选并非偶然。这部作品在中国受欢迎的程度，还有一个事实可以证明，那就是中国的翻译家都竞相翻译这部作品，有的甚至为了翻译这部作品，还竭力抢占译机。这里我不妨透露一个从未向人道及的"秘密"，我在很长时期内一直想翻译这部作品，并做了相应的准备工作，仅仅是因为听说我的同窗老友罗新璋已动手译《红与黑》，我才放弃了自己的打算，因为这位老同学在本译界是以精雕细琢、精益求精而著称的,我自知我不可能像他那样下大功夫,于是,心服口服,退出竞译场,乐观其成。

对于中法文化交流事务,有大批的文化官员、外事官员操心费力,我不在其位,恕不多言插嘴。

七

"人物版": 您能简单谈谈自己对萨特的理解吗?对于萨特的研究,给您自己带来了什么?对于萨特的理论研究成果,对于当下浮躁的中国社会还会有影响吗?

柳鸣九: 如果撩开萨特哲学体系的术语与概念所组成的厚厚的帷幕,用简明、通俗的话来说,萨特存在主义哲理的核心不外是"存在决定本质"与"自我选择"两大要义,即人的存在在先,本质在后。在现实中,人进行自由选择、进行自由创造而后获得自己的本质,英雄的存在决定英雄的本质,懦夫的存在决定懦夫的本质,人在选择、创造自我本质的过程中享有充分的自由,也承当着自我不可推卸的责任。

不难看出,萨特的哲理是有助于个人主体积极性的启动与发挥的,用今天的话来说,有助于自我启动正能量,在意识形态上是具有积极的意义。至于政治上,萨特更一直是一位老"左",一直是当时的社会主义和平阵营中的大积极分子,但是在中国,一直到改革开放初期,他仍被视为意识形态上的"帝国主义的代言人",而经常受到敲打、批判,我深感对其不公正、不实事求是。于是,我发文章(《给萨特以历史地位》)、出书(《萨特研究》),对萨特进行重新评价,也算是挺身而出、仗义执言、讲些公道话吧,这就是我在萨特问题上的作为。正好萨特的哲理与我的作为投合了当时的社会需要,即释放个体自主能动性的社会需要,因而,一时思想影响很大,《萨特研究》成为一本畅销书。然而,早春的天气乍暖还寒,气候难免波动,一时,《萨特研究》又被视为"精神污染",《萨特研究》也被禁再版。不过,两年之后,气候转暖,有关方面对萨特问题也缓过神来,发现他的哲理并没有那么可怕。于是,雨过天晴,《萨特研究》又得以再版,这就是我研究萨特,在萨特问题上挺身而出的经过。如果要讲我个人因此有什么收获的话,从媒体舆论那里获得了"萨特研究第一人"的称号倒是微不足道,重要的是这段经历在我生命中留下值得纪念的一页,那就是,对自己在学术良知与学术观点上的诚实性、坚守性有了一次检验。而这种诚实性、坚守性对于学者来说就是灵魂,就是生命线,与此同时,我自己也在意识形态的风雨中得到了一次难得的磨练。检验与磨练都成为我人生中宝贵的精神财富。

当下中国社会的浮躁风气,来自物质功利主义的张扬,来自急功近利的利益驱动,来自人文精神的大幅滑落,来自纯正的价值取向的边缘化,而且已经积重难返。要治愈社会顽疾,扶正祛邪,扶正祛躁,应该从根本的社会机理上着手,加以综合治理。光靠某种哲理无济于事。任何哲理都不是灵丹妙药,萨特哲理也不例外,萨特哲理可以起若干良性作用,但实不足以担此济世匡正之大任。

八

"人物版":对于当前中国的翻译界现状,您有什么自己的看法?对于年轻一代从事外国文学研究的学者,您有什么评价和期望?

柳鸣九:"长江后浪推前浪"是自然界的普遍规律,也是学术文化界的既定法则,我所在的这个学界、翻译界自不能例外。不过,后浪的浪头究竟有多高,波浪有多壮阔,内在力量有多深厚,那还得稍待时日(对学术文化发展问题,每作一小结,总得要看够二三十年甚至半个世纪、一个世纪),待看后浪的努力与作为,我乐观其成,乐观其效。

推石上山的脚步

——答北京大学"新中国外国文学研究60年口述史"课题小组问

一

王东亮：柳先生，您好！非常感谢您接受我们课题组的访谈。无论是以新中国成立60年还是改革开放30年为时间段，考察我国外国文学研究方面的学术史，都是无法绕过您本人在法国文学译介和研究方面的作用和贡献的。能否从在北大西语系读书或更早的经历开始，首先介绍一下您是怎样走上法语语言文学这条研究道路的？

柳鸣九：既然你们的访谈问题，基本上是按时序的先后，那我就从我的原本讲起。我的出身条件与我走上外国文学研究的道路，两者之间即使不说是格格不入，也是颇有差距的。我不是书香门第出身，根本没有半点家学渊源，我的父亲是一个厨师，我的家庭随着父亲的谋职而辗转各地。本来我能得到正规的教育就已经很不容易了，但由于我父亲对文化的仰慕，对儿女教育的重视，我居然从初中到高中上的都是当地最好的名校：南京的中大附中，重庆的求精中学，长沙的省立一中，可以说我受到了很完整很优秀的中学教育，这三个学校都有非常好的文化教育的气场。在这样的气场中别说是努力学习，即使只耳濡目染，也可以使一个人受益无穷。是的，我的家庭没有什么家学可以继承，但我从父母那里继承了对文化的敬畏、仰慕与渴求，这倒是一份可贵的精神遗产。有了对文化的敬畏与仰慕，才会有强烈的求知欲，才会有勤奋的求学态度，这样我才考进了北京大学西语系。而且这种对文化的仰慕，可以说使我后来成为一个文化至上主义者。对优秀文化充满了激情与礼赞，也使我比较善于从各种精神文化中发现它的可贵价值，即使它也有一些杂质，只要它是一个真正的精神文化产品就行。谢谢上帝，我的草根出身，使我在文化上没有那种目空一切、恃才傲物、玩世不恭等等毛病，我觉得这对于一个文化人是很重要的。

至于我是怎么开始走上法国文学之路的，似乎没有什么早慧必由的原因，仅仅是因为我从中学起就比较喜欢文科，文科成绩也比较好一点，被公认为是文科生。在中学我就独立办过一份小型的油印的"文学刊物"，也长期是班上黑板报的"主编"，算是我最早的编辑生涯吧。考进了北大西语系，分专业时，因为觉得中学已经学了英文，想在大学再多学一门外文，所以选择了法文专业，这才开始走上了我文化学术的道路，仅此而已。

二

王东亮：经过1952年院系调整之后的北京大学西语系可谓名师云集，1953年经第一次全国统考入学的一届学生更是得天独厚，接受了比较完整的专业训练，为未来的职业生涯奠定了坚实的基础。能否结合当时法语专业的课程设置，给我们谈一谈前辈名家在教书育人方面的一些情况，以及对您个人选择学术道路的影响？另外，北大四年的科班训练，是否有一些可谓受益终身的收获？

柳鸣九：北大四年的生活带给我最大、最具体、最明显的变化，当然要算是把我造就成了一个有专业文化、有专业技能的人，这是我日后获得职业工作岗位、获得"饭碗"的基础，也是我建立并发展毕生志趣、积攒我的精神劳绩与文化成果的最初基础。我在北大学的是西语系法国语言文学专业,其培养目标是法国语言与文学的教学人才与研究人才。应该说,西语系的专业教育还是很成功的,至少是很全面的、完备的。首先,课程的设置是很科学、很扎实的。既然是培养某一外国文化的专门人才,打好该国的语言与文化的基础当为重中之重,因此,我所在的专业,法语课程的分量是很重的,整个四年没有一天没有法语课,每天少则三四节,多则七八节,从语法、语音、精读、泛读、笔译直到口译,授课教师都是当时国内最优秀、最资深的语言文化专家,绝大多数都曾长期留学法国,获得名牌大学高学位者比比皆是。一年级,由吴达元与齐香任我们的主课教师,给我们的法语打基础。吴是著名的法语语法家,他的专著《法语语法》一书是国内高校外语系的一本著名的经典教科书,他在课堂上的教学既得法又严格且严厉,"严师出高徒",这大大有助于给我们打下坚实的法语语法基础。而由于法语这种语言具有规律性强的特点,在语法上打下了扎实熟练的基础,也就等于具备了这种语言重要的基本功。齐香是游学海外多年后归国的语言学者。法语语音学与法兰西谈吐艺术是她的所长,其发音之准确、语调之优美,即使是法国人也深感钦佩。跟着他们两位当助手的则是青年教师桂裕芳,也就是后来译有《追忆似水年华》与《变》的著名翻译家,有他们三位每天对我们进行法语强度锤炼,整整一年下来,坚实的基础也就打下了,虽然在课堂上没有少见吴达元先生严厉的脸色,但学生的确是获益良多,终身受用。

从二年级到四年级,法语主打课是精读,读的全是法国文学名著中原汁原味的经典篇章,授课的分别是三位对法国语言文学有专深修养的资深教授:李慰慈、李锡祖与郭麟阁。李慰慈的讲课以细腻深入见长,特能加深你对原著原文的深透理解。李锡祖是一位我难忘的老师,他的幽默、他对同学的亲和态度与他天马行空像自由和风一样的讲课,使我觉得他在骨子里最具有"法兰西风格",虽然他老穿一身不起眼的布料中山装,而不像吴达元那样从来都是西装笔挺、头发严整油亮……李老师长于词汇学，每讲一个词，他总远远地从词根讲起，直讲到由此而来的种种结构上形态上的变化、延伸以及时代历史所增添的内容，如此根茎蔓延、枝叶恣长，一个个词就成了一簇簇文化景观，深使青年学子受用。郭麟阁则学养深厚，绝活多多，他写得一手典雅的法文，他用法文写过一本《法语文学简史》，可惜时运不济，迟迟未能出版，出版后又影响不大。他的迻译本领也甚是了得，善于把中国的成语译成法文，北大西语系的《汉法成语词典》就是在他的主持下编写出来的。他在课堂上还有一绝，能闭上眼睛随口就背诵出法国古典主义名剧中大段的篇章，其记忆的功力使我等深感叹服……除了主打的精读课始终贯彻四年外，到了三、四年级又增加了泛读课与翻译课。精读课以提高同学们对外语准确的理解力与精微的语言修养为目的。而泛读课则是培养与锻炼同学快速的阅读能力，当然所读的全是有一定难度的文学原著，而且愈到后来愈难。教这门课的是法国语言文学界的资深教授曾觉之，他以渊博的文史学识见长。翻译课则是三、四年级的重点课程之一，专门培养与锻炼学生的翻译能力与技艺，前后由陈占元与盛澄华两位教授分别执教。陈占元是中国翻译界的元老，曾参与鲁迅与茅盾创建中国第一家文学翻译杂志《译文》的工作，早就有不少译作问世。盛澄华则是著名的纪德专家，卓有成果的译者与研究者，在法国文学界以其富有才情、成名甚早、风流倜傥而闻名。此外，还有口译课，由陈定民教授主持，他更是一个鼎鼎大名的人物，新中国成立初期，他一直是国家领导人会见外宾时或政府涉外高级会谈中的首席法语口译，但可惜的是，他因为政治外交出访任务出差而经常缺课。

  既然是以培养外国语言文学的教学人才与研究人才为目标，西语系的教学设置中当然有很大一部分文学史专业课程。首先，文学史课程从一年级就开始有了，一直贯穿到四年级，头两年是全系各专业都要学的欧洲文学史课程，讲授者是李赋宁教授，后两年则是各专业自己的国别文学史课程，我们法文专业学的是法国文学史，授课老师是闻家驷。李赋宁与闻家驷都是西语系的名教授，享有很高的声誉。李赋宁既是造诣专深的英美文学学者，又对整个欧洲各国文学有广博的修养，他毕生最主要的学术成就是他所主编的三卷本《欧洲文学史》，在新中国成立后半个多世纪里，这要算外国文学研究领域里最令人瞩目的一部学术巨制了。闻家驷作为西语系资深教授的名声当时似乎不及他作为闻一多之胞弟的名声那么大，他后来则以雨果诗歌的译者与《红与黑》的译者而享有盛誉。他们两位都是高水平的文学史教授，讲课很是精彩，叙述准确，评论中肯，剖析精到，立论稳当，颇有经典论述之风。同样是为了给学生打下专业文学史有深度的基础，还设有另一门课程，那是陈占元教授的巴尔扎克专论，安排在四年级，每周也有两节课，课时篇幅不小，把巴尔扎克这位法国文学引以为骄傲的作家放大加以呈现与评析。由于陈占元曾游学巴黎多年，在法兰西文学氛围里浸染已久，学养深厚，他的视点、评叙、材料与阐释都透出那种文学原汁原味的自然气息，而不同于新中国成立初期在外国文学领域里占主导地位的苏式庸俗社会学的观点与论述。这三门课都是我当时特别感兴趣的，学得也很用心，也很努力，这肯定对我多年后的工作是有所影响的。在今天看来，我毕竟在编撰法国文学史方面还算得上"有所作为"，我应该怀念我的先师、先行者对我的启蒙与启迪。

  在冯至系主任的主持与领导下，当时的西语系为了培养出一批批既有国别语言文学的精良专业水平，又具有广泛的文史学科基础与修养，真正能适应、胜任研究与教学工作的人文学科人才，的确在课程的设置上下足了功夫，至少是作出了最全面、最周全的安排，似乎是要在把这批学生送出校门之前，使他们得到最完整的装备，真正"武装到牙齿"，除了以上两大板块的专业课程外，还设置了不少配合性、补充性的课程。众所周知，文学的产生与发展都是在一定的历史框架里进行的，因此，历史不可不学，不仅要学专业语言文化所在的国别史，如法国史，而且还要学中国历史，这大概是为了防止西语系的学生产生"言必称希腊"，甚至"崇洋媚外"的倾向。再者，不同的文化是需要加以对照比较的，特别是从事外国语言文化工作的人，面对外国的语言文化，需要有本民族的文化知性与文化意识，为此就要学中国文学史，特别是五四以后的中国新文学史。还有在中国从事外国文化工作必须经常通过自己本民族的语言文化的技能与修养，因此打下良好的汉语写作能力至关重要，汉语写作、汉语修辞课程的设置也就很必要了。总之，我们也有幸享受了应有尽有的文史大餐的服务。当然更不能忘记的是，西语系要培养的是"有政治觉悟"的"又红又专"的人才，而不是"白专"人才，于是，政治课就成了贯穿四年的一条"红线"，每年都有一门重头课。马列主义哲学课是为了培养学生有唯物主义的科学的进步的世界观；政治经济学是为了使学生们通晓从剩余价值学说到阶级斗争学说的政治社会理论；新民主主义革命史与党史则着力教育学生牢牢树立"只有共产党才能救中国"的理念，促使学生树立感恩、报恩的责任感……总而言之，西语系的课程堪称全面、丰富、周到、稳妥、经得起推敲。这份课程设置与教学大纲显然是一批既精通中西语言文化又尊崇社会主义革命路线的教育专家煞费苦心的杰作，为了将青年学子喂大喂壮，他们不仅设置丰富如"满汉全席"般的佳肴大餐，而且让每一道大菜都由技艺高超的名师掌勺，中国现代文学史由王瑶，汉语修辞写作由杨伯峻，中国历史由田余庆……早在20世纪50年代，他们也都是北大著名的教授了。

有如此明确的培养目标，如此周全扎实的教学内容，如此强大高质量的师资队伍，西语系培养出来的外国语言文学人才，一般都具有这样几个强项：外语阅读理解能力较强，特别是文学阅读与理论阅读的能力强；笔译水平较高；历史社会与人文文化知识较为丰富。因此，以就业而言，往往在教学研究、编辑出版与文化交流等领域占有明显的优势，其中不涌现出一些优秀出色的文化工作者那才是怪事呢。

至于北大对我学术道路的决定性影响，说来不好意思，我是在北大这个强大的气场里面，形成了根深蒂固的成名成家的志向与决心。上北大使我倍感骄傲自豪的是，它作为中国精神文化的摇篮，曾经汇集了我所崇拜的思想文化先贤：从蔡元培到胡适到陈独秀……他们已经构成了近代中国文化学术史上的光辉一页，而从我们进入学校的第一天起，又发现自己的眼前就是当代中国学术文化难得一见的群星闪烁的风景。开学典礼的那天，学校的领导与各系的系主任都列坐在民主楼大礼堂的主席台上，被一一介绍给入学的全体新生：校长马寅初，鼎鼎大名的经济学家；副校长汤用彤，著名的国学大师；教务长周培源，国际著名的物理学家；还有一批系主任，经济系的陈岱孙、化学系的黄昆、地质地理系的侯仁之、历史系的翦伯赞、中文系的杨晦、西语系的冯至、东语系的季羡林、图书系的向达……无一不是闻名遐迩的学术权威、文化大家。坐在台下的我，翘首远望，目不转睛，盯着台上一个个现实的活生生的名家大师，的确有些心潮澎湃……于是，这一场开学典礼，对我来说，就成了一场洗礼、一个激励、一次升华，它在我凡俗的躯体中，点燃了星星的一点"圣火"，立志成名成家的"圣火"。我之所以夸张地称之为"圣火"，是因为它在我此后的生命中，毕竟带来了一点"光"、一点"热"，如果我的作为，有些还算得上是"光热"的话。

从我入北大后的感受来说，名家榜样的激励远远不止于入学典礼上，它几乎无处不在。一进入到系里，高年级同学就津津乐道向我们新生介绍本系的名学者、名教授的阵容，在我的印象与比较中，我们西语系似乎比其他系更为"星光灿烂"，除了冯至外，还有朱光潜、田德望、杨周翰、李赋宁、吴达元、闻家驷、张谷若、吴兴华、盛澄华以及原本属于西语系、即将调入文学研究所的钱锺书、卞之琳、杨绛、潘家洵……这些人在青年学子心目中之所以闪闪发亮，要么是曾经在国外的名牌大学里获得了高学位,要么就是在著书立说、传学布道上已有令世人瞩目的劳绩。从这些活生生的榜样里,我开始形成了这样明确而凡俗的人生观:成名成家是最有价值的人生之途,而成名成家的核心就在于要有自己过硬的"本钱"。何谓"本钱"?按我的理解,那就是文化学术实绩,就是一本本论著,就是一部部作品,就是"本本"。在燕园如此强大的名家名师磁场中,我不仅很快确定了自己的人生努力方向,而且几乎无时无刻不感受这磁场的魅力与感染。在未名湖畔,我经常看见陈贷荪绕湖散步,他轩然不凡的气宇,清高矜持的神情,悠然自得的状态,使我对名师名家的精神意境有了具体的感受,产生了执着的向往;我也经常看见骑着自行车的周培源风驰电掣在办公大楼与各个教学楼之间,特别是他上车与下车时的快捷麻利动作,使我对名家的高效风格有了最初的概念与榜样;我也经常看见朱光潜,不是夹着书本去教室讲课,就是在体育馆附近慢跑或打太极拳,总是一身布衣,一点也不引人注意,但他那种布衣大师的形象,一直刻印在我的脑海中,成为日后仿效的参照……现在看来,这是我最初对名家风度的感受,从这些感受出发,我才有对名家风度的向往与仿效以至自己身体力行。从我起初在未名湖畔、在燕园之内的感受里,我至少把脱俗不凡、潇洒清高、高效有为、布衣低调认定为名家风度的基本元素与模仿目标,而没有把抽烟、喝酒、熬夜、高谈阔论、写诗、着洋装或有意不修边幅视为名士风度的入门课,就像北大那时有些天才少年那样……我对名士风度这样粗浅、朴素的认定与选向,使我终身受益不少,至少我从朱光潜那里学来的慢跑习惯,坚持了数十年,总算到78岁还有精力为出版社主编两大套书系……

北大燕园是一个丰富而神奇的气场,不同的人可以从这里吸收到不同的精神营养。在这里有的人立下了报效国家的壮志,有的人形成了服务社稷民生的宏愿,很不好意思,我只形成了成名成家、做一个学者的志愿,思想境界不高,现在80岁了,也没法再拔高自己了,我讲的是大实话。

三

王东亮：大学毕业之后，您先后在蔡仪领导的文学研究所《古典文艺理论译丛》编辑部和文艺理论研究室工作。1964年中国社会科学院外国文学研究所成立后，您调入外文所西方文学研究室，从文艺理论研究转到国别文学研究。这期间有哪些比较难忘的经历？是否可以说，在文艺理论研究方面的积累和实践，也为您后来善于从全局和整体的层面开展文学研究提供了某种准备？

柳鸣九：由著名美学家蔡仪主编的《古典文艺理论译丛》，创办于1955年，以翻译介绍外国文艺理论经典的名著名篇为任务，编委基本上都是搞西学的大学者大名家，如朱光潜、钱锺书、季羡林、杨周翰、冯至、田德望、陈占元等，可谓名家荟萃，至于译者也都是高水平的专家学者。这是一份学术性高，具有开创性、开拓性与系统性的刊物，创办后，就在学术文化界理论界深受欢迎，成为20世纪五六十年代影响巨大的刊物，每一期的出版都使读者翘首以待。大学一毕业就分配到这样一个单位工作，是我的幸运。我负责欧美篇的联系工作与编辑工作，每一次与编委及译者联系工作、打交道，都是我受教益的机会，这份工作对我来说就是学业上、业务上的进修。不仅如此，我在文艺理论翻译方面也得到了很好的锻炼。我身在《古典文艺理论译丛》的编辑岗位上，蔡仪所允许并鼓励的翻译实践当然只限于古典文艺理论的翻译，他深知此类名篇巨制的读解之难与迻译之难，要求译文必须忠实准确、精益求精。正是在他的允许与鼓励下，我翻译了不少古典文学理论名篇，如费纳龙的《致法兰西学院书》、莫泊桑的《论小说》、斯达尔夫的《论莎士比亚悲剧》、达文的《〈人间悲剧、哲学研究〉导言》、左拉的《论小说》、雨果的《论莎士比亚的天才》等，并且都在《古典文艺理论译丛》上发表了，当然，这些译文都是按蔡仪的规定、经由该刊专家编委严格的审校后才获准发表的。不论怎样，这成为我最初的学术平台，在这里，我最初得以在理论文化界"混了个脸熟"。也正是在蔡仪麾下的几年中，我还完成了以理论名篇《〈克伦威尔〉序》为重要内容的一部译稿《雨果文学论文选》，算是我进修西方文艺批评史的答卷之一，只不过这部译稿被压了两年后又遇"十年浩劫"的阻隔，直到1980年才被列入了著名的"外国文艺理论名著丛书"得以出版。

  这时期我也向理论文章写作这个领域踏出了第一步，事情是这样的：那是在我走上编辑工作岗位仅半年的时候，正值《古典文艺理论译丛》1958年第二辑出版问世，这一辑集中译介了西欧18世纪的美学理论，主要有狄德罗的《美的根源及性质的研究》与《论戏剧艺术》、康德的《美的分析论》、黑格尔的《论美为理念、即理性与感性的统一》以及菲尔丁的《关于现实主义创作的理论》等在美学史、文艺批评史上赫赫有名的理论名篇。这一辑以其厚重的分量立即引起学术理论界的关注与重视，《人民日报》直接与蔡仪联系，希望他提供一篇对该辑的评介文章，篇幅不少于4000字。蔡仪没有把任务交给我的两位革命老大姐，而是交给了我。这文章不好写，要把这一辑中理论名篇的价值与意义写出来、写准确，你至少得研读得比较深透。我总算交了卷，文章很快就发表在《人民日报》理论版较显著的位置上。稿费也很快就到手了，天下第一家党报毕竟气派大，付酬标准相当高，足比我两个月的工资还多。我揣着这笔丰厚的额外收入走进中关村新开的一家西式饮食店，在一个清雅的角落要了一杯牛奶、两块美味的点心，算是对自己的犒赏。这是我生平第一次喝到的一杯奶，点心也特别甜美，总共却只花了不到一元钱，我走出这个饮食店时，心满意足，觉得自己真是"幸福的人"……对这件事，我一直保持着一份美好的记忆，要知道，一个穷小子二十四五岁生平上的第一杯牛奶绝非"小事",其来龙去脉、与之相关的人与事,他是不会淡忘、不会"忘恩"的……总之,我在《古典文艺理论译丛》编辑部得到了蔡仪的提携与重用,有了很多实际锻炼的机会,在实践中摸爬滚打,而随时又得到名家的指点与教诲,现在想来真胜过念了两年研究生。

还有一个特殊性,那就是《古典文艺理论译丛》编辑部是从属于蔡仪所领导的文艺理论室,我实际上是属于研究人员的编制,除了我要做一部分编辑工作外,蔡仪还给我规定了研究工作的专题方向,那就是西方文艺理论批评史,因此,我得以在这个方向下进行了比较系统的进修与积累。在文艺理论室好几年里我这个专业方向一直没变过,这对我后来的文学史研究工作也是一个基础,因为搞清楚了文艺思想、思潮的发展变化,很有益于对整个文学史过程的掌握。

这期间,另一段比较重要的经历是,我参加了蔡仪的《文学概论》的编选工作,这本书是当时周扬领导的全国高等学校文科教材编选工作的一部分,我独立负责了其中一章的编写。全国高等学校文科教材的编写工作都集中在中央党校进行,为期长达两三年,工作条件与生活条件都很优越,对我来说,这既是文艺理论的全面进修,也是理论批评工作的实践。正如你们所言,这一段工作对我后来善于从全局或整体的全面开展文学研究提供了重要的准备,当然,我在理论思维、理论概括、理论表述的能力上也颇有增进。

四

王东亮:1978年10月在广州召开了全国第一次外国文学工作会议暨中国外国文学学会成立大会,您被邀请做了关于西方20世纪文学艺术总体评价的长篇大会发言,引起了很大的共鸣和反响。那篇发言的具体题目和大致内容是什么?是在什么样的背景下酝酿和产生的?从"新中国外国文学研究60年"这样的范围考察,它发挥了什么样的作用？对我们今天从事外国文学研究工作有哪些启发意义？

柳鸣九：1978年对中国来说是一个重要的年份，这一年发生了"实践是检验真理的唯一标准"大宣传大讨论，可以说这是中国改革开放的舆论信号。我还不算太愚钝，从大讨论一开始我就处于亢奋的状态：一是我觉得它从根本上动摇了个人崇拜式的思想桎梏，中国很多事情也许就会有转机。二是我明确感觉到这场讨论对我个人来说完全是一次真正的机遇，一次可以有所作为的机遇。既然这是意识形态领域里一定程度解冻的信号，而我又在这个领域里摸爬滚打了很多年，当然就会得到施展一番的空间与余地，至于施展什么，几乎与此同时，我就已经胸有成竹了，我决定在西方20世纪文学的评价上有所作为，具体针对的目标就是苏式意识形态的日丹诺夫论断。

日丹诺夫是斯大林时期的意识形态总管，在位多年，权威很大，在他一个著名的政治报告中，对20世纪文学进行了全面的批判，斥之为反动、腐朽、颓废。由于日丹诺夫在苏共中央的权威地位与他这篇政治报告的重要性，更由于我们新中国成立后一开始就"向苏联一边倒"、"向苏联老大哥学习"的政治路线，他这篇演讲很早就译为中文，被当作思想文化工作的指导原则，在中国获得了"准文件"的经典地位。当年在研究所里，领导印发给我们大家的"文件汇编"、"学习资料"中，就常见它赫然在目。在涉外文化工作中，日丹诺夫的敌视立场得到效仿，日丹诺夫的戒律与准则得到了虔诚的遵循，日丹诺夫的批判语言，广泛得到了重复与引用，日丹诺夫论调还不时得到人们自觉的阐述与发挥，当然是作为恭恭敬敬的"学习心得"。于是，直到上世纪七八十年代末期，西方现当代文化有生命力的"蒲公英"种子虽然在世界各个地域已经广为传播，并且得以生根发芽，但在中国只发现了坚硬如花岗石的土地。在这里，有政府的意识形态部门以及文化出版机构的严格掌控，西方现当代先锐、先锋的理论思潮被拒之门外。西方20世纪种种时尚的文化产品完全被禁止引进，西方现当代经典的文学艺术作品不允许翻译出版,即或偶尔有所出版,也仅仅只是作为"供分析批判的反面教材"或"内部参考资料",并且往往加上了批判性的按语或说明,如某个很有声誉的出版社翻译出版了萨特的《存在与虚无》,出版社就没有忘记在"前言"中宣称作者是"帝国主义的代言人"。当然,全国仅有的两家有权出版外国文学作品的官方出版社也翻译并公开出版过一些"外国文学作品",但都是当时社会主义阵营中一些文化活动家半是时政宣传、半是文学的作品,或者是少数有文学成就的左翼作家如阿拉贡、亚马多等人政治色彩浓厚的社会主义现实主义的作品,而真正具有广泛社会影响与经典地位、将进入文学史的作家作品则几乎无一入选……这便是当时闭关锁国的文化状态,而其理论形态与理论指导原则就是日丹诺夫论断。

我从古典到现代,对西方20世纪文学认知得更多以后,就对日丹诺夫论断深不以为然,早就心存反意,我深感如果不把日丹诺夫论断这只拦路虎请走,西方现当代文学研究是没法搞下去的。"实践检验真理"的讨论开始后,我觉得时机到了,就开始着手要做一篇"翻案文章",重新对西方20世纪文学作公正的评价,于是,我就闷头开始做这件事。当时,我既是外国文学研究所西方文学的一个研究室的主任,也是全所性的研究刊物《外国文学研究集刊》的实际操作者,因此,我在写"翻案文章"的同时,也利用《外国文学研究集刊》这个平台,组织了其目的性一目了然的重新评价西方20世纪文学的笔谈。我做这一切所领导都看在眼里,实际上也得到了他们的默许,那时他们正在中宣部与社科院的领导下,以外国文学研究所的名义,准备在这一年的10月召开全国第一次外国文学工作会议,并借此成立全国性的外国文学学会。将近9月的一天,所长冯至招我去他的办公室,交给我一个任务,在这次大会上作一个关于西方现当代文学的重点学术发言。这无疑是大大的重用,对我来说,是一次极为重要的机遇,我可以把向日丹诺夫冲击、重新评价西方20世纪文学的这一件事做得有声有色。为此，我进行了充分的准备。

第一次外国文学工作会议于10月在广州召开，这是新中国成立后外国文学界前所未有的一次全国性的盛会。

会议开得很有气派、很隆重。虽说是由外国文学研究所出面，但上有中宣部与中国社会科学院的大力支持，从旁协作的又有：对外友协、作家协会、外文局、各出版单位以及各重点大学的有关院系，主办单位与协作单位阵容如此强大，实为后来国内单一议题的文化学术会议所罕见。意识形态领导部门的大员纷纷莅会到场，也证明了这种支持与重视，而且来的都是学者型的高级领导，记得有：中宣部的首脑、文艺批评权威周扬，中央编译局局长、资深翻译家姜椿芳，中国社会科学院副院长兼秘书长、著名小说《钢铁是怎样炼成的》的译者梅益，等等。我之所以特别没有忘记他们几位，是因为他们的文化学养的确与这次学术盛举很是靠谱，相得益彰，而不是常见的那种领导"内行"的"外行"。

会议规模甚大，与会者约有300人之多，文化学术会议达此规模者，似乎只有全国作家代表大会曾经有过或有过之。除了少数工作人员与新闻媒体的列席人员外，全是来自全国各地的外国语言文学工作者，不外这样几种人：研究机构的学者，高等院校的教师，编译机构与对外文化交流机构的工作者，以及报刊编辑、出版机构的从业人员，等等，浩浩荡荡，洋洋大观。中国有这样一支齐全的涉外文化大军，不失为一件值得自诩的事。

特别令人瞩目的是，在与会的人群中有声望的名流专家比比皆是，他们基本上都来自一些著名高等学府与权威的学术文化机构：来自北京大学的有朱光潜、季羡林、金克木、李赋宁、杨周翰等，来自社科院研究所的是冯至、李健吾、罗大冈、戈宝权、陈冰夷、叶水夫等，来自南开大学的有李霁野等，来自中山大学的是梁宗岱、戴镏龄等，来自中央编译局的是杨宪益、叶君健等，来自复旦大学的有伍蠡甫、杨恺深等,来自北京外国语大学的有许国璋、王佐良等,来自上海译界的有草婴、辛未艾、吴岩、方平等,来自山东大学的是吴富恒、陆凡等,来自人民文学出版社的有楼适夷、孙绳武、绿原等。除了这些文化学术界的高端名流外,则是各单位、各高等院校的党政负责同志与已经在学界文坛崭露头角的业务骨干。名家聚首、精英荟萃,其密集程度如此高者,在我所见识过的全国性的大型人文文化活动中,唯有作家代表大会稍有过之……

任何高规格的会议都少不了郑重其事的仪式性的程序,内容不外是主办单位的开幕词,各上级机构领导同志的讲话以及地方有关方面、有关机构的祝词贺信等等,广州会议自不例外。不过,会议的组织领导不愧是学术文化工作的行家里手,这些讲话都相当短小精悍,并非长篇累牍的大报告,安排得也很紧凑,因此,整个仪式部分只占用了半个上午的时间。仪式走完之后,次日上午便开始大会发言,这是广州会议的主体部分。大会发言并非自发性的,而是高度有组织有准备的安排,但一共只安排了三个。一个是人民文学社总编辑孙绳武汇报新中国成立后人文与上海译文出版社外国文学作品的情况,因为直至当时,国内只有这两家官方出版社有权从事外国文学的出版,它们所曾经出版过的外国文学作品也就是国内这个方面出版工作的总和。第二个发言是当时的华中师范学院《外国文学研究》的主编周立群汇报部分高校文科院系举办的一次"资产人道主义问题"学术讨论会的情况。第三个发言就是柳某的"重新评价西方现当代文学的几个问题"了。孙的发言基本上是对外国文学出版物分门别类的概述与有关的统计数字,周立群的发言则基本上是一次客观的学术动态汇报,两个发言的篇幅都不长,加在一起也只占用了半个上午的时间。剩下来的足有一个半上午约五六个小时的时间都给了第三个发言,难怪冯至先生在最初布置任务的时候就允许我的大会发言可以"讲得充分些"。实事求是地说来,广州会议的"重头戏"就是这第三个发言了。

整个发言共分五大部分。

第一大部分是提出问题,一开始就尖锐指出了这样一个不合理的文化现象:在中国,现当代西方文学被视为"一个陌生而可怕的领域","不能公开出版,图书馆里很难找到,大学讲坛上更是从不讲授",而其原因,发言者则归于日丹诺夫论断,虽然也扫了一扫"四人帮"文化专制主义的余孽。对立面明确之后,以下四五个小时就完全是对它进行辩驳与冲击了。"名不正,言不顺",如此不客气的发难当然需要有大理由,理由多着呢,而且都十分堂正,《共产党宣言》中的"世界文学"论、毛泽东的三个世界划分论、"国际统一战线"论、"四个现代化需要引进借鉴"论、"外为中国"论、"知己知彼"论、"无产阶级在文化上有世界胸怀"以及"中国在当今世界事务中的地位"等等。以所有这些名义来请走日丹诺夫这只拦路虎,当然是马克思主义大雅之堂上的正经事、义举。

第二大部分是对日丹诺夫论断中"反动"说、"腐朽"说、"颓废"说的一一反驳,是对西方20世纪文学艺术的社会性质、社会意义与社会作用的全面评析与认定,是对西方20世纪文学艺术的总体评价与总体认识。发言者深知,日丹诺夫论断难免没有以"帝国主义是资本主义的反动垂死阶段"这一著名学说为衣钵,既然这一学说属党国要事,发言者自然要小心翼翼,不予触犯,但总可以大谈马克思在《政治经验学》导论中所提出艺术生产与一般社会发展不平衡的规律吧,总可以特别强调要以马克思主义关于"一分为二"的辩证方法来对待西方20世纪文学吧,这就足够揭示出日丹诺夫论断的偏颇与谬误了。如果发言仅止于这些抽象的理论,也搞不定日丹诺夫论断,当然也没法吸引面前济济一堂的饱学之士、学界精英听下去,所幸这位发言者操持过《二十世纪欧美文学大纲》的编写工作,也开始主编了多卷本的《法国文学史》,他的演讲卡片里装了大量的文学史史料,何况,他一直有心成为一个通晓文学史的学者,而告诫自己不要成为只靠马列主义经典作品的引文吃饭的"空头理论家"。

他先从"20世纪西方文学领域中作家的社会活动、政治表现"开论。既然中国的社会主义文艺学从来都特别讲究"政治标准第一",在他看来,政治上、社会活动中有"良好的"进步的表现的作家简直就"成批成军",不胜枚举。他索性上溯到无产阶级登上了历史舞台的19世纪后期,为那些一直被否定被批评的"恶魔诗人"、"颓废派诗人"也讲了些好话,又为后20世纪的现代派诗人在政治上正了名,还为那些曾经作为"同路人"的一大批欧美作家如马尔罗、萨特、加缪等等评功摆好,至于很多对资本主义社会持传统批判立场的现实主义作家更是"功不可没"了。在他看来,革命导师恩格斯早在19世纪后期就已经对这种批判倾向表示了感谢。

为什么在资本主义制度下能出现如此多的"贰臣逆子",而不像社会主义制度下几乎全都是歌功颂德的臣民?发言者又深入到"从作家在资本主义社会的阶级地位来看"这第二个层次,在这里,他免不了要做些社会阶级成分百分比的调查(虽然是大略的统计,但实属言之有据),以众多的实例,指出了出身于小资产阶级甚至社会下层的作家占有大得多的比例,这就决定了对社会制度"冷眼旁观"持批判态度的占"大多数"。讲到这个层次还嫌不够,还需从根本上论述作家在西方现当代社会中的地位变化。对此,发言者考察了18世纪以后稿费制度的发生发展,考察了写作成为社会生活中的一种自由职业,从而可以看出,一方面作家在经济上摆脱了对当权者的依存关系;另一方面相对独立的经济地位也派生出"忠于作家的良心"、"伸张正义"、"捍卫自由"等一系列作家职业道德规范。

从道理上讲清楚大量"贰臣逆子"的必由后,又进到第三个层次,即"从西方现当代文学的思想内容"来做进一步考察,以下就是洋洋洒洒一大篇为西方现当代文学"评功摆好"的赞赏演词了。从世纪之初的反战文学,到稍后出现并长久不衰的批判现实主义文学、30

年代至40年代的反法西斯文学、抵抗文学,一直到战后的存在主义文学、新现实主义文学、"愤怒青年"文学、"黑色幽默"等等,为整个20世纪的西方文学描绘出完全不同于日丹诺夫论断的积极进步的形象,还它以本来的面目,展示出其中蕴含的诸多有助于人类向前发展的社会意义:它对社会弊端的揭示与批判,它主持正义的呼喊,它对社会公正的召唤与追求、对战争与暴力的反对、对独裁与专制的抗议、对自由理想的向往、对纯朴人性的赞赏、对善良与人道的歌颂,等等,可以毫不夸张地说,这一番振振有词、言之有据的论说,恐怕要算新中国成立后学术文化领域中第一次对整个20世纪西方文学全面的推崇性的善评。

长篇发言的第三大部分是"如何看待西方现当代文学思想基础",进一步对文学的精神内核作了深层次的考察。虽然发言者认为20世纪曾产生过若干错误,甚至是反动的社会哲学思潮,并对文学领域也不无消极的影响,但指出20世纪西方文学基本上还是继承了、发扬了人类历史上进步的思想传统,特别是人道主义传统,并闪耀出了新的灿烂光辉,达到了新的高度。对此,他除了对一般层面作出概述外,还特别选择了卡夫卡、萨特、贝克特这三个在思想与艺术上具有现代派特点因而不易被中国读者理解的重要作家进行了比较专深的论述,对他们的代表作《变形记》《审判》《城堡》《存在主义是一种人道主义》《艾罗斯特拉特》《墙》《厌恶》《等待戈多》等一一作了比较深入细致的分析,着力于剥除它们现代派哲学词汇的外衣与荒诞不经的外表形式,而见出其动人的人文主义的光彩。客观地说,如果这位发言者在第二大部分力图展示自己在文学史方面的知识的话,那么在这第三大部分的演讲词里则力图追求精到的论析能力与闪光的思想火花。

长篇发言的第四大部分是"如何看待西方现当代文学的艺术性"。与日丹诺夫论断针锋相对,发言者视西方20世纪文学为人类的又一艺术高峰,它继承了过去时代文学的优秀传统并推进到新的水平,如写实传统因自然主义与心理学的引进而有了新的高度与深度,浪漫主义传统因表现主义、象征主义的贡献而有了新的活力与面貌。他还力挺20世纪文学在艺术上超越传统的创新成就,对荒诞派戏剧的表现方法、意识流小说超时空的描写、表现主义的意象化艺术表现都一一作了正面的论述与推崇。

长篇发言最后一大部分是:"坚持历史唯物主义,掌握正确的批评标准,对西方现当代文学进行科学的评价。"这既是对日丹诺夫偏颇谬妄批评方法的全面批驳,也是对国内一贯过"左"批评论调的系统反思。在这里,发言者对两个批评原则作了比较透辟的论述,即一"应该从西方作家当时当地的历史条件出发,而不应该从我们的主观要求与愿望出发";二"应该把作家当作作家要求,而不应越出作家的职责去加以要求",还对"求全责备"、"晚节不保"、"色情下流"、"颓废消极"等等常见的批评棍棒的不合理性一一进行了论析。

发言一完毕,我就感受到了成功的滋味:从走下讲台那一刻起,整整一两天之内,人们有些上来握手祝贺,有些表示认同肯定,有些表示赞赏称道,有些表示关怀鼓励。使我最为难忘的还是朱光潜当着周扬的面对我的称赞,那是在我发言的第二天,周扬莅临大会与学术名流见面的时候。他进入大厅,仍有昔日王者般的气派与优雅,大家列队欢迎,相当热烈。在这种名士大儒济济一堂的场合,我当然对自己的斤两有自知之明,所以自觉地缩在人堆里,但朱光潜看见了我就主动地把我拉出来,向周扬介绍说:"这是柳鸣九,他昨天在会上作了一个很好的学术报告。"只不过,周扬当时对此没有任何反应……

之所以成功，除了因为这的确是一个有主见、有理论、有史料、有系统、有爆发点的报告外，恐怕主要是它讲出了在座很多有识之士想讲却还没敢讲或还没有来得及讲出的话。要知道，他们都没有少受日丹诺夫论断的压抑，因此，乐见有"出头鸟"打鸣，也就不禁报以掌声了。广州会上我所感受到的热情，其实就是一定族群在一定时际的一种宣泄。

几乎是从广州会议的讲台上一下来，我的那篇发言稿就被《外国文学研究》的主编捷足先登、大包大揽地预签了独家发表权。这是当时国内唯一一家外国文学评论刊物，由华中师范学院主办，至今已红红火火办了30年，也算是国内高校系统的一家重点期刊。我从广州回到北京后，将发言成文定型、调整润色为一篇将近6万字的大文，后由该刊1979年的前三期长篇连载。如果说在对日丹诺夫的发难中，广州会上的发言是我射出的第一支箭，那么《外国文学研究》上的这一篇长文就要算是射向日丹诺夫论断的第二支箭，至于我在1978年通过《外国文学研究集刊》所组织的"笔谈"，由于分别刊载的第一、二、三期直到1979年9月以后才陆续出刊问世，倒成了射向日丹诺夫论断的第三支箭了。

也正是在广州会议期间，我与参加会议的上海文艺出版社社长郑镈达成了协议，由该社出版我的第一个论文集《论遗产及其他》，其中的主打文章就是对日丹诺夫论断发难的这篇长文。后来，论文集于1980年出版。初版1.3万册，两年后又获再版加印，达到1.8万册，算是那个时期一本颇受欢迎的书。

这就是1978年我以"实践检验真理"的讨论为时机，针对日丹诺夫论断的所作所为。我不能说，在这一年的广州会议以前，国内完全没有公开的对西方20世纪文化文学的翻译介绍，但从广州会议之后，对这个领域文学的翻译、介绍、讲授、研究、评论方才欣欣向荣、蔚然成风却是明显的事实，毕竟国内外国文学工作领域里的精英,从高等院校的教学骨干到出版社、文化文学期刊的社长、总编、负责人,都在广州盛会上得到了他们所需要的讯息。

但是就在我的"三箭齐发"之后不久,日丹诺夫忠实信仰者的反击与清算就降落在我的头上了。广州会议的第二年即1979年,全国外国文学工作第二次会议,也是外国文学研究所主办的外国文学学会第二届年会在成都召开,规模亦相当盛大,只是气候乍暖乍寒,风向有了变化。在这次大会上,领导上安排了一个革命大批判发言,该发言高调宣称:"批日丹诺夫,就是要搞臭马列主义",其锋芒所指,当然是广州会议上的那个发难者。

在成都会议上,我没有作任何声辩,我深知,此种高调一方面是出于某种个人的"理论利益"、"学术文化利益";另一方面是由于对国门外的文化学术真实状况孤陋寡闻,愚昧无知。因此,我决定:"进一步让事实说话",其具体作为便是开始主编"法国现当代文学研究资料丛刊",进一步提供客观史料,其中的第一集便是由我自己编选的《萨特研究》。

1981年,《萨特研究》出版问世,该书对这位在中国一直被侧目而视的作家作了全面客观的译介与实事求是的评价与推崇,出版后大受欢迎,成了一代知识精英的必读书。

1982年,"清污"风风火火在全国进行,萨特首当其冲,《萨特研究》成为被批判对象并被禁止出版,同时挨批受冲击的还有其他西方现代派的种种文学艺术。在"清污"中纷纷出手的理论家,仍是日丹诺夫论断的老信徒。

1985年,雨过天晴,《萨特研究》被解禁再版重印,"法国现当代文学研究资料丛刊"亦"春风吹又生",我编选的《马尔罗研究》(1984)、《新小说派研究》(1986)、《尤瑟纳尔研究》(1987)得以陆续出版问世。最后,至90年代中,这个丛刊因出版困难而停止,总共出版了十种。

为了对"清污"中被涉及的西方现当代文学思潮流派再一次进行重新评价,我开始主编"西方文艺思潮论丛",该论丛于1987年开始陆续问世,计有《未来主义、超现实主义、魔幻现实主义》(1987)、《自然主义》(1988)、《意识流》(1989)、《二十世纪文学中的荒诞》(1993)、《20世纪现实主义》(1994)、《从现代主义到后现代主义》(1994)、《存在文学与文学中的存在》(1997),一共七大卷。

为了对西方20世纪文学作进一步大规模的"文化积累",我开始主编巨型的"法国二十世纪文学丛书",该丛书的第一批书七卷于1986年出版问世,此后,惨淡经营,坚持不懈,终到1999年出齐十批书共七十卷,成为国内规模最大的一套国别文学丛书,深受中国文学界、文学创作界的重视与欢迎。在此过程中,我撰写了70万字的评论,后结集为两卷集《法国二十世纪文学景观》(《超越荒诞》与《从选择到反抗》)出版……

为了扩大与深化对外国文学的系统积累,我在国内一批学有所长的外国文学学者的合作下,于20世纪90年代又开始主编"外国文学名家精选书系",从1997年问世到2008年,基本上已出版七十卷共约5000万字,其中西方20世纪文学部分占有三分之一强,包括一些在中国曾备受争议的作家,如《萨特精选集》《劳伦斯精选集》《卡夫卡精选集》《里尔克精选集》《乔哀斯精选集》《王尔德精选集》与《阿波利奈尔精选集》等等。特别是我主持编译的四卷本《加缪全集》,要算是此过程中最重要的成果。

1978年到2008年,我走过的历程大抵如此。从某种意义上来说,我在学术文化上相当大一部分作为是从1978年开始的,构成了我学术文化的"近代史"的起点与开篇,其中的重点与贯穿始终的主线清晰可见,那便是对西方20世纪文化的说明与展示。

回顾这30年走过来的道路,难免不深感其不平坦,如果再加上

80年代中到90年代初我前后三次极不公正地被拒在"博导"队伍之外的逆境,那就应该说道路实在是坎坷之极。所幸,从这一趟行程中,留下了一些实实在在的卷帙,对于"会思想的芦苇"这样一个脆弱的个体来说,这也许就是存在意义的唯一了。

五

王东亮:1980年8月您在《读书》杂志上发表《给萨特以历史地位》,1981年您主编的《萨特研究》出版发行,对80年代初中国兴起的"萨特热"产生了直接影响。有媒体称您为中国"萨特研究第一人",您自己喜欢"为萨特办文化入境签证"这样的比喻,我们想了解的是:事过30年之后,您对萨特的理解和评价是否有所改变?我们应该怎样解读当年的"萨特热"?从今天人们的一些文学阅读选择来看,萨特的作品在经典性或永恒文学价值方面看,是否比不上加缪的《局外人》和《鼠疫》?

柳鸣九:我1980年发表在《读书》杂志上的《给萨特以历史地位》与1981年出版的《萨特研究》一书,都致力于对萨特作为思想家、哲学家、文学家与社会活动家作出正面的积极的评价。为了使萨特在思想文化上堂堂正正地进入中国,我讲的为萨特办"文化签证"的比喻就是这个意思。因为萨特在1955年作为统战部的客人就来过中国一趟,但谁都知道统战对象往往并不是思想文化上被认可的对象,事实上我们的意识形态领域对萨特的思想文化一直没松口,还是日丹诺夫式的立场。因为老论断、老思维模式、老语言是现成的,拿来就可以用,用不着自己费力气,更不会有任何政治风险,这是日丹诺夫论断在中国思想文化界根深蒂固的一个客观原因。我要在思想文化上为萨特办"正式签证"就要费大力气,首先自己要吃透萨特的方方面面,然后使他中国本土化,用中国的语境全面准确地展示出真实的萨特，我"给萨特以历史地位"的大声疾呼与全面介绍萨特的《萨特研究》一书基本上做到了这一点，其中最核心的就是给了萨特的"自我选择"哲理及其在他文学创作中的表现给予公正的、正面的、合情合理的评价。我的作为在当时的确有很大的影响，曾被有关方面视为"精神污染"，而在全国范围里面受到了批判，但是萨特的"自我选择"哲理以及我所做的哪怕很肤浅的诠释，却正好投合了改革开放初期人群中个体人自主精神、选择精神的社会需要。试看今日之社会，有几个人不说"自我选择"这句话，不见得这些人都读过萨特的论著与作品，但萨特的"自我选择"的哲理有助于释放个体人的主观能动性的能量，这是不争的事实，一种哲理吻合了社会的需要，这便是"萨特热"的真正根由。我当时不知道影响有这么大，后来才知道在改革开放中崭露头角的精英，很多人都是从萨特的哲理中出来的。至今，我对萨特哲理的评价，特别是对他的核心哲理及其文学表现的评价，没有什么变化，也用不着有什么变化。

不过，我在萨特逝世20周年的时候，曾经指出，世事如沧海桑田，萨特作为一个社会政治活动家，在当时当地的社会政治事件与极"左"思潮中投入得太执着太淋漓尽致，没有给自己留下一个作家最好应该保持的适当距离，没有采取一个思想家最好应该具有的高瞻远瞩的超然态度，倒把自己的阵营性、党派性表现到再鲜明不过的极致程度。因此，当他所立足的阵营与政派在历史发展中露出了严重历史局限性而黯然失色，甚至成为历史陈迹的时候，人们就看到了萨特振振有词、激昂慷慨所立足的基石、所倚撑的支点悲剧性地坍塌下去，看到他在那个地方所投入的激情、岁月、精力、思考、文笔相当大一部分皆付诸东流。萨特的十卷文集《境况种种》中一部分内容就是如此。

至于萨特与加缪的比较，阁下这个问题很有意思，但展开讲很费口舌，我只简单讲两点意思：一、对不同作家与其比较他们的优劣与胜负，不如指出他们各自强有力的方面与各自的软肋。二、虽然我对萨特与加缪都唱过赞歌,但我个人肯定更喜欢加缪为人的格调与他的西西弗哲理,喜欢西西弗哲理中的坚毅精神与悲壮情怀。

六

王东亮:由您担任主编和主要撰写者的三卷本《法国文学史》是中国外国文学研究学术史上具有里程碑意义的著作,我们"新中国外国文学研究 60 年"项目组负责外国文学史研究子课题的同事会专章讨论它的价值和意义。您把这三卷本文学史与《法国二十世纪文学史观》称作"我的主课作业",我们很想了解您个人对自己"主课作业"的理解和评价。

柳鸣九:我把文学史工作作为我的主课作业,一是因为它在我一辈子的业务工作中所占的比重很大,最早我在文艺理论研究室的几年,明确的业务进修方向是西方文艺批评史,调到西方文学研究室,我参加了《欧美二十世纪文学发展史纲》的编写工作,这项任务是当时周扬交给外国文学研究所的,强调为"研究所生死存亡的大事"。整个项目由卞之琳挂帅,我作为史纲编写组的学术秘书,协助卞之琳操持常务工作,这个项目后来由于"文化大革命"的到来而中断,只完成了一个六七万字的纲要,但给我打下了认知西方 20 世纪文学的基础。再后来,就是"文化大革命"后期开始的三卷本《法国文学史》的编写了,我虽然是主编和主要撰写者,但还有郑克鲁、张英伦等同志参加合作。更后来的两卷本《法国二十世纪文学景观》,则是由我一个人撰写的。总之,文学史的工作在我一辈子的学术研究活动中一直贯穿始终,这是我把它称之为主课作业的第一个原因。第二个原因就是文学史的研究工作一直是我业务活动的基础,很多事情都是从这里派生出去的,有了文学史研究工作作为基础,我主编一大套一大套的丛书就是得心应手、轻车熟路的事了。我对日丹诺夫论断发起的冲击，没有文学史研究工作作为基础，那是不可想象的。

　　文学史的资料与文本浩如烟海，我面对着这样一个大海，深感个人能力的有限，个人写下的关于文学史的文字，虽然有好几本书，但只不过是一份作业、一份答卷，且留待后人评说吧。如果一定要我自己说点评价，我只能说因为是多卷本国别文学史，论述的范围是全面的、细致的，论述的深度也算"还行"，最主要的是所言都是自己的看法与分析，没有编译外国人论著的痕迹，而是中国人自己独立的总结与评述。没有辜负钱锺书、李健吾等先贤的鼓励与首肯，三卷本《法国文学史》于1993年获得了国家图书奖提名奖，那是新中国成立后第一届全国图书评奖，积累多年，参评的图书共有50余万种之多，故此奖得之不易。

七

　　王东亮：除了《萨特研究》之外，您也主编策划了多种作家选集和大型丛书，并亲自参与具体章节的翻译和撰写，而且选题范围也并不局限于法国文学。这是些造福学界和读者的重要工程，主编的威望、影响、号召力在其中固然发挥着重要的作用，但是从选题策划到出版发行通常是一个漫长艰巨的过程，需要付出很多的心血和劳动。能否结合某套具体的丛书比如七十卷的"法国二十世纪文学丛书"（"F·20丛书"），跟我们分享一下作为主编的辛劳和喜悦？

　　柳鸣九：在文化界我也算是一个著名的编书匠，的确编了很多选本、文集、丛刊以及大型丛书，多得叫我自己也感到不好意思，但是这些编书工作其实基本上都是我的文学史研究工作的派生物、副产品。没有文学史研究功底的人，要编这些书是不可想象的，选什么作家、作品以及如何归类、概括，对他来说都是难题，但对研究、撰写文学史的人，情况就完全不一样，他把整个文学史都摸透了，对作家作品都了然于心，编起书来自然得心应手、水到渠成，只要加上独特的视角与闪光的切入点，再加上组稿约稿以及具体编辑工作，一个选集、一套丛书就可脱颖而出。这就像是做好了一个大蛋糕之后，要把它切成不同的块片，再摆成一个个拼盘，相对来说也就是一件比较容易的事了。当然，独特的视角与闪光的切入点是灵魂。

但是，从编书的意图来说，只有很少数的编书项目是我自己主动要搞的，如"法国现当代文学研究资料丛刊"十卷与"F·20丛书"七十种，是为了再一次证实我的反日丹诺夫论断的文学观，是为了提供出颠扑不破的文学经典与有代表性的文本。有些编书则是为了表现我独特的学术见解与别具一格的知识性，如：我主编的《世界心理小说》十三卷、"撒旦文丛"多卷与"盗火者文丛"十卷。其他大部分丛书、丛刊，包括《雨果文集》二十卷、《加缪全集》四卷、"世界短篇小说精品文库"十八卷、"外国文学名家精选书系"八十卷，基本上都是应出版社的聘请邀约而主编的。既然人家对你有充分的信任，把你当作一个"知名品牌"而诚邀固请，那何乐不为？何况我作为一个布衣学者、草根学者，在社会地位上与经济上都没有清高摆谱的本钱，说得坦率一点，这也是我编书的利益驱动。不过，我不同于一般"编书匠"的是，我比较注重编书工作中的学术含量，除了要求选题的全面、准确与精当外，还特别要求必需冠以有分量的学术性的编选者序，因此，我编的书在口碑上"还行"，共有四项先后获得了"全国图书奖"与"中国图书奖"。至于阁下提到的"F·20丛书"，的确是一套很有开拓性的丛书，影响也比较大，特别受到了中国文学创作界一些名家才人的重视。我断断续续花了10多年，才完成了七十卷的，个中有很多辛劳和喜悦，辛劳主要是在选题上，主编要先行一步，先搞清楚要选择介绍哪些作品，这件事就得靠笨功夫，饭要一口一口地吃，书要一本一本地读，选题才能定下来。另一种辛劳，则是写序，七十种除了极少数的几种外，全部的序都是出自主编之手，写得有些苦，不仅在内容上要言之有物，有助读者对法国20世纪文学有较深层次的了解与认知，而且在文笔上也追求行云流水的风致，我个人的才情并不高，如此勉为其难，也是自作自受。

八

王东亮：我们注意到，您也翻译了一些重要的法国文学作品，在选题上有些个人偏好吗？您对文学翻译有哪些个人体会？对时下比较热门的翻译学有什么看法？

柳鸣九：在学界，我要算是弄翻译相对较少的一个，原因很简单：能量守恒，在这方面花的精力与时间较多，在那方面能投入的也就较少。对于天才也许例外，至少对我这样的智力平平的人完全如此。

到如今能够勉强构成四五个"点"的，只有雨果、都德、梅里美、莫泊桑与加缪，总共100来万字。雨果我只译过一本文艺评论集，都德、梅里美、莫泊桑、加缪也只是各一两个小说集。

翻译这些作品都有当时的具体原因，有的甚至是被逼译出来的。真正我所喜欢的作家与作品，那就是都德的《磨坊文札》，我喜欢他那种平和自然的风格，富有感情与情趣，而又蕴藉柔和、不事张扬的笔调。在我未译过的作家作品中，我最喜欢的是卢梭的《忏悔录》，我喜欢它面对人世的坦诚态度与因人世变化的苍凉感，我多次动笔翻译，都因为时间不够而放下，但它的面世态度对我自己的为人做事一直颇有影响。当然，加缪的《西西弗神话》更是我心仪赞赏的作品，我尊崇其中那种执着而悲壮的精神境界，我立志做一个推石上山者，我知道，我也只能是一个推石上山者。

我没时间多搞翻译，更没有时间与精力去研究翻译学，我觉得我在翻译方面只是小打小闹，敬奉信、达、雅三个字就足够了。

九

王东亮：您担任过十几年的法国文学研究会会长职务，我们至今还记得您任期内非常有创意的那次"'六长老'半世纪译著业绩回顾座谈会"以及2002年那场规模宏大的"首都文化界纪念雨果诞辰200周年大会暨雨果文学创作学术讨论会"。以您的经验看，这样的学术团体究竟应该发挥怎样的作用？它的领导者应该在哪些方面有所作为？

柳鸣九：谢谢你还记得上述两次活动，这两次学术活动情况很不一样，前一个座谈会只有清茶一杯，没有摄像留影，没有隆重的宴会，原因很简单，法国文学研究会很穷很穷，得不到什么经费，但也不能无声无息、毫无作为。因此，那一年我就设计出了"'六长老'半世纪译著业绩回顾座谈会"，说实话，任何物质条件都没有（清茶一杯，也只是普通茶叶），只有我的一份敬老尊贤的诚意，创意就是来自诚意，诚意只要真挚，朴素清淡的会议形式也能打动人。当然主持者也得拿出一份亲切动人而非官样文章的开幕词，因此，用自己的心去写一篇礼赞文章，成为我唯一要下功夫去做的，不过，平时早有敬意、早有诚意，写这样一篇开幕词，也无需下什么特别大的功夫。雨果纪念大会则不同，规模宏大，排场豪华，但同样也是法国文学研究会囊中羞涩的另外一种结果。恰逢一个伟大作家诞生200周年这一个"节气"，法国文学研究会总该有动作、有表示吧。法国文学研究会虽然有自己的挂靠单位，但挂靠单位的经费僧多粥少，在分配上，还有这个倾斜，那个讲究，法国文学研究会从未得到过眷顾，想在一个像样的场所举行一次雨果纪念大会，只好自己去凑钱，这就不是简单的诚意能解决问题了，那就得多打电话、多跑腿、多调查研究、多费口舌、多下笨功夫，最后总算联合起20来个单位共同来举办，场面当然是"大大的"，在国际饭店的宴会厅举行，参加的不仅有法国文学界的著名学者，而且有不少首都文化界的名流。总之，挂靠单位并没有拨多少款,经费全靠"化缘"解决,只不过要放下身段,使出"全身解数",也可以说功夫不负苦心人吧。

我在会长任内10多年,基本上就是这么惨淡经营过来的。在人文精神滑落、物质功利主义张扬的社会条件下,办人文科学的研究会是很不容易的,要办得有影响有口碑就更难,只能靠自己的诚意、创意与下苦功来进行坚守,这是我的体会心得。我坚辞法国文学研究会会长一职已有10多年了,为了不给后来者添乱,我再也没过问过研究会的任何事情。对于"学术团体应该发挥怎样的作用"、"领导者应该在哪些方面有所作为"这样的大问题,请恕我这个退休老头不再说三道四了。

十

王东亮:整整30年前,上世纪80年代初期的时候,国内大学法语专业的学生在研习着您的《法国文学史》,学术界在热议着您的《萨特研究》,而文学青年和更多的读者在争读着您的《巴黎对话录》。从文化传播的角度看,学术散文覆盖的范围更为宽广,影响更为深远,但不是每个学者都有作家的文笔,写出的文字被广大读者所喜爱。就我们所知,学术散文、文化随笔在您的工作中占有相当的比重,几个文集将近百万字,且多与外国文学有关,深受读者欢迎。能否给我们介绍一下这方面的情况,顺便谈谈与读者的互动?

柳鸣九:中学时,从语文课本中读到了徐志摩的《我所知道的康桥》,在此之后,它那种精致的文化内涵、潇洒的神韵与绝美的文笔就一直不断地"润"着我那混沌初开、尚未脱离愚顽、智商不高的悟性,它慢慢地营造着一个人的精神向往与文化追求。我后来心仪国外的文化,投考北大西语系,实与此多少有关,其时,居然形成了一个朦胧的人生理想:但愿能获得如此这般的文化修养,将来能写出些许如此这般的文字……

徐志摩的青春年华是在康河上泛舟度过的，而我的则是在高音喇叭声中度过的，其后的岁月还更为酷热，更似"惨不忍睹"。直到1981年，我年已46，都一直关在国门之内，还没有见过心仪已久的国外文化文物一眼。如果是愚昧无知，倒也罢了，心里没有饥渴的对象，就不会有饥渴之苦了。但我在大学里的专业，恰巧是外国的语言文化……在那么漫长的岁月里，我辈同龄人充满了向往与期盼的精神文化生活，往往都是望梅止渴的，比如，在阅读中沉醉，从背诵贝多芬第六交响乐的第二乐章的优美旋律中自得其乐，等等。

终于到了1981年秋，根据中法双方关于学者互访的协议，我得以第一次去到向往已久的文化之都巴黎。于是在短短的三个月里，我如饥似渴、狼吞虎咽地享用着法兰西文化大餐：到处参观访问，手里握着一支笔，拿着一个笔记本，背着照相机，不断地观赏，不断地记录，不断地拍照，街上没有一个游客像我这般贪婪、如此功利……我那毫无半点观光者潇洒休闲劲的样子，着实有些可笑。

1981年出访巴黎的时候，除了要为写文学史收集资料外，的确怀有我的"徐志摩康桥情结"，想写点关于名胜、文物、景观的东西，这便是《巴黎散记》一书的来由，但我要求自己不要限于"到此一游"式的浮光掠影、舞文弄墨，而要写出一点有历史感、有认知深度的东西，如：关于巴黎圣母院、罗丹博物馆、卢浮宫、圣女贞德广场的文字，写得倒还"言之有物"，有实感，有哲思，也有一两篇曾经荣幸地被选入了中学语文教材，但说实话，有学者的实诚，而无诗人的灵性，也少画家的色彩缤纷。总之，少了徐志摩那份才情，在他跟前，我只是一个文化散文写作的"矮子"。

至于我的《巴黎对话录》（又称《巴黎名士印象记》）则不是我预订计划的结果。由于法国外交部文化技术司接待我的礼遇甚高，愿意主动安排与一些知名作家与文化人的见面，我本着机会难得、何乐不为的态度来做这件事。我所见到的的确都是上个世纪后半叶仍健在的大作家，如西蒙娜·德·波伏瓦、玛格丽特·尤瑟纳尔、埃尔韦·巴赞、阿兰·罗伯-葛利叶、娜塔丽·夏洛特、米歇尔·布托、米歇尔·图尔尼埃、索莱尔斯、皮埃尔·加斯卡尔等，幸亏我在见他们之前也算是一个"有准备的人"，毕竟写过文学史，为了西方20世纪文学对抗过日丹诺夫论断，身上也有点故事、有点时间积淀，如《萨特研究》事件等等。因此，在他们面前，我还勉强算得上是个对话者，对他们有一定的认知，能提出比较在行的问题，且不乏自己的见解可发表，双方有讨论问题的自由空间。总而言之，这些对话都还算是"言之有物"，与他们的见面也就不仅仅流于简单的、仰慕性的礼节性拜访。而且，大概是得益于我对心理学的兴趣，也由于我在现实生活中喜欢当一个"静观者"，多少有些观察力，因此，在这些时间并不长的会面中，我对对方的性格总有一定的敏感与洞察。何况法国人喜欢自我表现，由此，我的访谈文章中得以有若干有趣的性格观察与描绘，这是真正属于我自己的东西，出于这个原因，我后来把这本书称为《巴黎名士印象记》。

我的学术散文与文化随笔中还有一大部分是写国内西学界的名士大儒的，如：朱光潜、钱锺书、李健吾、冯至、卞之琳、杨周翰、梁宗岱以及吴大元、郭麟阁、闻家驷等等。从我求学与工作的环境来说，我几乎可以说是在这些名士大家中间泡大的，几乎每天都感受着他们的气场与磁场，我很熟悉他们，从他们那里我得到的教诲多多、启悟多多、感慨多多，正如有人所评"更识大儒真形态，皆缘身在学林中"。这些人文领域中的名家，既有自己鲜明的个性，也有时代社会的典型性，我觉得自己既然有就近直接观察与见证的条件，那么，把这些人文知识分子代表人物在特定条件下的存在状况、文化作为、精神心态、言行方式、性格表现等等记述下来，就是我应该去完成的"一桩精神文化的使命"，这就是《翰林院内外》一集与二集的由来，我没想到的是，这两本书给我带来的读者远超过外国文学界的范围。

十一

王东亮：在我们所访谈的学界前辈中，您是为数不多的在理论探讨、文学史撰写、专题研究、丛书编辑等多方面都有重大建树的学者。我们知道一个人的精力有限，要完成您到目前为止所完成的那些工作，需要非凡的毅力、体力和创造力，我们很想知道您的秘诀是什么，这一切是怎样成为可能的？面对正在从事或有志从事外国文学研究工作的青年一代，您有哪些希望和期待？

柳鸣九：我没有什么成事的秘诀，说得简单一点，就是要舍得下笨功夫，舍得投入时间，我的劳绩基本上都是用劳作与时间堆出来的，我这一辈子几乎没有度过一个完整的假期，没有作过一次纯粹的旅游，基本上没有节假日没有星期天，几乎每天都在工作。说实话，我的生活质量是极其极其低下的，但是为了保证我的身体能正常地运转，使我不至于被神经衰弱、低效所拖累，我每天都要花一定时间去进行体育锻炼，基本上做到了风雨无阻，在这方面我还算是一个有毅力的人。当然，我做事也比较讲究效率与得法，久之也就熟能生巧，不过，毕竟是一辈子劳动强度不小，而且，还要应付多次不公正待遇与意外打击而形成的沮丧与难受，血肉之躯怎能不受损伤？因此，时至今日，我已经是白发苍苍、老态龙钟了，在我身上老年病可谓"应有尽有"，而我的同龄人满头青丝、健步如飞者比比皆是，所幸我离老年痴呆症似乎还颇有距离，至今还能凑合应付若干精神劳务。

访谈地点：北京市劲松九区 902 楼柳鸣九寓所
访谈时间：2013 年 4 月～5 月
访谈人：王东亮、罗湉等

治史三长、学者散文及其他

——答《湘水》访谈组问

一

访谈组：唐代史学家刘知几提出治史要有三长：才、学、识。您研究过法国思想和文化史，怎么理解"才、学、识"在治史和治学中的作用？"才、学、识"是不是可以引申到做任何事情？

柳鸣九：在所有学术研究工作中恐怕都需要才、学、识这三个条件，文学史、文化史的研究当然也不例外，对这三者的次序我不妨做个小小的调整，学、识、才。首先"学"是认知层次的事，其次"识"是判断定论层次里的事，其三"才"是表述、阐释、应用、举一反三层次的事。这个次序符合人的认识规律与实践规律。

按我的理解，在文学史、文化史的研究中，你首先要知晓与掌握关于客观对象的大量情况，比如说文学史的实际发展过程，有哪些文学事件，有哪些文学思潮、流派，有哪些重要作家作品，当然还有当时的历史、经济、社会、思想文化的相关背景，这些都是客观事实的范畴，你要认知与掌握所有这些，就得阅读大量有关的典籍、资料与文本，通过学习而获得学问，这是我理解的"学"。

"识"是面对大量客观材料所采取的视角、见解与研判，面对着同样的事实、同样的材料，"识"有高低优劣之分，结论、评判自然就有精彩与平庸，甚至正确与谬误之别。

"才"主要是运用领域里的事,如何把你所掌握的课题情况与你所研识的见解与定论表述得更好、呈现得更好,以及如何把外国的东西加以本土化,如何结合社会的需要,阐述得更好、运用得更好。我所理解的治史所需要的三长:学、识、才大体就是这样。

二

访谈组:您主编过一套很另类的"盗火者文丛",专门选编学者散文,《湘水》也倾向于选登学者散文。请问您对"学者散文"如何界定?"学人散文"与"文人散文"有什么不同?

柳鸣九:我从上世纪 80 年代起就开始写些散文随笔,《巴黎散记》《巴黎名士印象记》与《米拉波桥下的流水》就是最初的三个集子。后来我从鲁迅那里得到启发,鲁迅把研究译介外国文化的学人称为"盗火者",因此,我在 2004 年、2005 年主编了一套"盗火者文丛"共十卷,收集了梁宗岱、冯至、卞之琳、李健吾、萧乾、绿原,还包括我自己等 10 位外国文学著名学者的散文随笔,每人一卷,这是我与学者散文关系的开始。两年前,我应深圳一家出版社的邀请,为他们主编了散文随笔丛书"本色文丛",所选作者对象仍然是学者,不过,不限于外国文学领域的学者,已经出版了八卷,今年还有望再出八卷。我与学者散文的关系大体如此。

何谓学者散文,我的解释很简单,有作家文笔的学者所写的散文,就是学者散文。在我看来,学者在散文写作中是具有一定优势的,如果他也有胜任的文笔的话,因为散文随笔的精髓、灵魂、核心是心智与心性。一篇散文,如果有隽永深刻的自我知性,有深在真挚的自我性情,那就有了精髓,有了核心,有了灵魂,而心智与心性正是学者的所长。我特别要说的是自我知性是学者散文的一个重要标志,与其抽象笼统作一般说明,不如举出具体的例子。我有两篇散文都不止一次选入了不同地区的高中语文教材，一篇是《巴黎圣母院，历史的见证》，一篇是《在思想者的庭院里》。我写这两篇散文不是为了记述"到此一游"的过程，以及摄下视觉的印象观感。对巴黎圣母院我是产生了深远的思古幽情，在罗丹博物馆，是对罗丹的造型艺术有了强烈的感悟，以至于非写不可，不写不行。于是，把对巴黎圣母院的现实观感与历史缅怀，与思古幽情结合起来，构成了自己独特的知性，把罗丹博物馆中琳琅满目的艺术品，与罗丹本人的艺术思想与见解结合起来，也构成了为我自己所持有的知性，算得上是两篇很言之有物的游记散文。

至于学者散文与文人散文有何不同，我以为，学者散文有作者的深厚学养在，自然比较言之有物、厚实内敛，其深邃、隽永、优美、典雅、情趣、幽默往往是自内渗透而出，具有一种难以模仿的内在美。文人散文的特点往往在于功夫外露：感情宣扬、词汇铺陈、色彩渲染、舞文弄墨、妙笔生花，明显具有外在美与形式美。但应该看到，文人作家中有一些是具有深厚学养、具有丰富的学者底蕴的，这种作者就兼有学者散文与文人散文的长处。

三

访谈组：萨特说："人是自我选择的。"请您结合自己的经历，谈谈对这句话的理解。都说人生多歧路，您对湖湘青年在人生选择上有什么建议？

柳鸣九：关于萨特"自我选择"的哲理，我理解它其实就是对个体人主体意识的承认、尊重与强调，说白了就是提倡自主意识、提倡自我做主精神。自主意识与自我做主的精神，在人的行为中本来就是自然的、必然的，谁都要选择适合于自己的、有利于自己的事物对象、行为方式与发展道路，实际上世人莫不如此，我当然也不例外。

我记得第一次大的"自我选择",是年轻的时候关于要走什么路、做什么人的问题。在历史上众多先贤的范例面前,要做个"大丈夫",可选择的道路不外有三:立功、立德、立言。为民族为国家为社稷立功我做不到,立德当"圣贤"、当道德的楷模我也做不到,还是立点言,成名成家当个学者算了吧,我人生的第一个选择就导致我现在这个样子。就"自我选择"而言,当然也有准则与标准问题,那就是要看是否适合并有益于自我,更重要的是要看是否有益于人群与社会,这就是萨特所说的"英雄的选择"和"懦夫的选择"之别。当然,"自我选择"还要看是否符合客观的形势,是否为客观规范所能容。1978年我对日丹诺夫论断的揭竿而起、连发三箭,说实话就是我深思熟虑,充分考虑了客观形势与客观规范后所做的一次重大的"自我选择"。是否能为客观规范所能容这一点很重要,如果不能容的话,"自我选择"就会碰得头破血流。在我们这个社会里,清醒认识这一点是很重要的。

对湖湘青年在人生选择上有什么建议,我实在不敢当,我不熟悉、不了解当代青年人,我不是青年导师,不敢去做分外的事。

四

访谈组:在求精中学,您最初接触外国文化、广泛阅读外国文学作品,您高考的第一志愿是北京大学西语系。很多人选择专业时其实对自己所学专业不甚了解,有的误打误撞入了行,有的最终转了行,而您却从事了一辈子。您当初为什么会选择西语系?为什么会选择法国语言文学?

您在北大求学期间,每天都跟上了发条一样,节假日也基本如此,而且寒暑假也极少回家探亲,更没有旅游度假一说。这描述的是您所在院系的情况还是整个北大的情况?

现在北大的情况跟以前大不一样了，没有规定的起床时间，没有规定的自习时间，也没有规定的体育锻炼时间，北大人以"自由"、"散漫"自居。另外，寒暑假学校则倡导社会实践，寒假有返乡实践，暑假有去全国各地的考察实践。您对这些现象怎么看？青年学生应该如何处理"钻研本业"和"读万卷书行万里路"的关系？

对于您在北大因劳累过度所遭遇的危机我也有过切身体会，那就是因熬夜过多而头疼，像您一样我也通过休息而调整过来了。那次危机之后，您是否还有工作强度过大的情况？现在您手头还在做一些事情，是准备"活到老，学到老，干到老"吗？

柳鸣九：关于我是如何走上法国文化研究之道的，正如我所讲过的那样，并没有什么早慧必由的缘由，只不过因为我中学时比较喜欢文科（包括外语），也就投考了北大西语系。考上了西语系后，分专业时我被分配到法国语言文学专业，于是就走上了后来的专业之路。至于北大四年的生活，的确如我所写过的那样，像是上了发条，在学习上真可谓是分秒必争，非常努力，这不仅是我个人的情况，西语系的同学与其他系的同学大多都是这个情况（也许我要算是更为用功的一个），也就是说当时的学习气氛很浓，因为当时学校里时尚的口号就是"向科学进军"，这种时代氛围使我们这些学生扎扎实实地读了几年书，打下了比较坚实的业务基础，不像后来，国内政治形势越来越"左"，学生不断被拖进政治运动，到了"文化大革命"更是发展到了"停课闹革命"完全荒废掉学生的学业。

我在专业道路上走了这几十年，到了退休年龄，我的领导唯恐我太累了，非常非常及时地给我办了退休手续。但60岁退休之后我做了很多的事情，直到今天仍退而未休，这是因为我一辈子摆弄书，退休后仍有摆弄的惯性，好在面前有书任你摆弄，不像走仕途的人退了休后虽有摆弄权的愿望与惯性，但已经无权可摆弄了，我正是在退休后的惯性之中摆弄出了不少书。另外一个原因，是因为社会的需要，虽然退休了，但虚名在外，不断有出版社来请你帮忙，既然人家对你重视有加，把你当作他们所谓的一个"品牌"，其盛情我实在难却，虽然我有时也有求清高清闲的冲动，何况，看着一本本、一套套散发油墨清香的书陆续问世，也是老年的乐趣，得了稿费也可以补贴家用，让生活过得滋润一点，纳了相当高额的所得税之后带着小孙女出去撮一顿，实为布衣人生的小乐趣。总之，退休后的所作所为，我想得很实在，做得也很实在，并没有无产阶级革命家那样的"活到老学到老"的革命哲理。

五

访谈组：请您详解一下如何坐冷板凳，把冷板凳坐热的心理过程。

柳鸣九：我在我的文化自述中，不止一次谈到坐冷板凳的问题，"坐冷板凳"其实就是指不顺心、不如意、不被承认、碰到挫折、遭到打击等等这些逆境。这种情况在人的奋斗过程中是经常碰到的，对此，智慧而坚强的态度就是镇定、继续努力、坚忍不拔、自行其是、我行我素、坚定不移地继续走下去，直到"柳暗花明又一村"，我讲要把"冷板凳坐热"就是这样一个过程。这其中最重要的是对自我作为的准确判定，有了准确的判定后，再需要的就是自我信心与坚持不渝。

六

访谈组：您谈过法国文学界学人的三种"脾性"：一、聪敏易感，具有语言天分和人文才情、具有某些自我优越感与自命不凡；二、有明确的目的与志向，要在业务上有所作为，终极目标是成为强者、胜者、闪光者；三、由于法国文化崇尚自我独特性、个性自由，入行者或多或少有自行其是、特立独行的味道。您也坦言自己身上也有这些"细胞"。一个领域可孕育一种脾性,一方水土也养育一方人,作为湖南人,您对湖南人的性情有怎样的体会?

柳鸣九: 我是湖南人,但我又长期不呆在湖南,这有助于我有湖南人的自省意识,也使我有"冷眼旁观"的方便。在我看来,湖南人的性格至少是有这么几个方面:一、自主意识强,很有主见。二、有魄力。三、有"霸蛮"精神。"霸蛮"是湖南人的说法,意思是有勇气去做多少超乎自己能力的事情。这几种特性在一些湖南人的身上都有体现。谭嗣同、毛泽东、刘少奇、彭德怀都是典型。有这几种特性的人,一般都是创业型的人才,开拓性的人才。但据我陋见,湖南人也容易头脑发热,头脑一发热,就容易冲动,容易异想天开,容易过"左",这是需要警惕防止的。

七

访谈组: 现在出国留学、定居乃至加入外国国籍都已成为一种风潮,您却很少出国访问,坚守着自己的园地,即使家人在国外。除了为了专心工作,这是不是与您的家国情怀有关?研究了法国文学乃至外国文学,您怎么认识中国文化的特性?

柳鸣九: 我出国的次数的确相当少,但每次的收获却是很扎实很沉甸甸的,见到了不少我想见的名士大家,收集了不少我想要的学术资料,后来,写成了《巴黎名士印象记》与《米拉波桥下的流水》以及《巴黎散记》三本书。但和很多人相比,我出国的次数的确很少,这似乎与我从事西学研究的专业不合拍。主要原因是这样的:我有这样一个认识,研究外国的历史与文化最重要的是要掌握它大量的典籍、文本与资料,国内的有关机构与图书馆在这方面储量已经很充足很丰富了,社科院文学所与外国文学所的外文图书,是在钱锺书、李健吾的主持下购置的，这就足以叫你皓首穷经了。但如果要经常出国，就得经常花很多时间去经营与使馆的关系、与国外的关系、与领导的关系，与其多花费这些时间还不如去多读些原著、多读些典籍，对学术研究更有实实在在的助益。我眼见有些人经常来来往往于国内外，花费了大量时间，而在学术上却收效甚微，甚至毫无成果时，我就深感这种热衷于出国的方式对我不合适。在国内倒是另有一个现成的杰出典范可供效仿，那就是钱锺书先生，如果我没记错的话，新中国成立后他只出过一次国，但他对西方的研究却远远地超越了那些在中外文化交流道上忙忙碌碌、风尘仆仆、风光十足的学术活动家。

八

访谈组：虽然您没有经常谈及"自由"，但是您在1978年对日丹诺夫论断的"揭竿而起"却是反抗权威，追求自由的典范。"思想自由"、"言论自由"在治学中处于怎样的地位？有人说现在言论不自由，您怎么看待言论自由的现状？

柳鸣九：在学术研究中，思想自由是一条绝对的准则，是学者应该达到的理想状态，只要愿意的话，也是可以达到的，如果自己要束缚自己，那别人也没办法。只有达到了思想自由，才能做到学术无禁区，才能接近与达到学术真理。"思想自由"也用不着老挂在口头上，重要的是要付诸行动。至于"言论自由"这不是学者管得了的事，我不想对此多嘴，我只希望"言论自由"也与时俱进。

九

访谈组：您经历过爬学术之梯之艰辛，也受过文化高压之苦。时至今日，稿费标准仍然低，而且图书销量日衰。我国正在提倡构建

"软实力",在"深化文化体制改革",促进文化产业繁荣。您认为应该如何促进文化发展,提升我国的文化地位?

柳鸣九:关于构建软实力的问题,软实力,按我的理解主要就是精神文化力量、文明化力量,就是国民素质、就是民族魂。如果要清点我们在这方面的家当的话,中国人的勤劳聪明要算是一项,这一点在世界上是有公认的。孔子的儒家学说显然也要算一项,现在我国在世界上到处兴建孔子学院,其实就是把它当作一个软实力在使用。当然值得当代中国人骄傲的还有不少的事情,如奥运会的开幕式,但坦率地说那实际上就是安排得特别巧妙的巨型团体操,在外国人看来是中央集权政体下的文化形态。

与此同时,我们也应该清醒地看到我们的软实力中也有一些很负面的东西。现在中国人有钱这不假,中国有大量的人可以出国旅游,仅这一点就受到了各国的重视,可以说是一种富裕型的软实力、富裕型的文化消费方式,但中国旅游者在国外的喧哗,随地扔垃圾,随地吐痰,狂购高档商品,在名胜古迹上留下"某某到此一游"等等不文明的行为在国外也已经很有名了。还有一些人到境外抢购奶粉,想方设法把孩子生到美国、生到澳洲,等而次之,生到香港等等,所有这些足可以再写一本《丑陋的中国人》,这些丑陋已经引起其他国人的侧目而视,这对我们的软实力是一种负面的抵消。这需要反思与自省,如果没有必要的自省力与反思力,一个阶级,一个群体,一个民族的前景是令人担忧的。

这个问题从根本上来说是国民性的提升与重塑,对此,思想文化建设应该起重要的作用。但是,在这方面,我们注意到现在社会的物质生活与精神生活中有不少使人忧虑的事:物质功利主义高扬,人文精神滑落,贪污腐败难以根除,假冒伪劣泛滥成灾,急功近利,浮躁成性,道德底线丧失,在文化领域里,低俗、媚俗以及恶搞文化大行其道,而图书销量日见萎缩,书店纷纷倒闭,所有这些情况,不能不引起我们的警觉,要改变这种情况,真需要痛下决心,使大力气而为。

学者在其中当然是责无旁贷,不过说实话,人文学者现在是弱势人群,甚至连话语权也不多,只能做好本职工作,为民族文化积累与社会人文建设添一点砖加一点瓦而已。引领潮流、移风易俗还得靠为政者、靠操持话语权的影视台与媒体。

我不知道政府所谈论的"深化文化体制改革"包括一些什么宏图巨举以及哪些丰富的内容,但至少可以先把一些明摆着的,不难解决的问题、不难做到的事情先做起来,比如说,给民营书店适当的补贴,至少像给国营新华书店那样的优待。书店是灵魂的窗口,一个城市没有几家像样的书店是件很丢脸的事情,其实扶植书店也用不了国家几个钱。再如,提高稿费标准,我国稿费标准之低是众所周知的,而稿费纳税比例之高,却使人感到惊奇,且不说这对于提高人文精神的创造力是否有利,至少表现了一种对人文精神创造的轻视的态度。

十

访谈组:您说自己并非出身于书香门第,没有半点家学渊源。那您与文学结缘,小时候与文学有过哪些亲密接触吗?

柳鸣九:现在在儿童教育问题上,有一个著名的认定或口号:不能输在起跑线上。前几年,起跑线是指小学时期,这两年起跑线提前到了胎教时期。根据这个口号,自然就派生出一种潜认定,凡是有所作为的人,必然曾经有不平凡的童年,因此,我多次碰到有人问我童年时期接触过一些什么外国作品,对此,我很想用哈姆雷特的一句话回答:"亲爱的霍拉旭,很多事情是在你的哲学之外。"事实上,我小学时从来没有接触过外国文学作品,直到初三我才开始读了一点外国文学作品,因此,我多次说,我学这个行当,没有任何早慧的缘由。如果说,我在这个专业上有了一些作为,那完全是后来从中学到大学,又在长期的工作中慢慢学习、勤奋努力的结果。如果要把我当作一个案例的话,那似乎可以说明:一个在起跑线上几乎精光得一无所有的人,只要后来努力,也不见得就会输。

十一

访谈组: 您对"文学式微"这种说法有什么看法?文学对一个国家、社会的意义是什么?您可以从法国文学说起。

柳鸣九: "文学对一个国家、社会的意义是什么",这是一个大问题,我想这个问题其实不用我多说,既然允许我"可以从法国文学说起",我且举出一个明显的事实,那就是法国18世纪文学中的启蒙主义思潮,对法国国家与社会的发展的重大作用。众所周知,没有18世纪启蒙文学思潮,就不会有法国18世纪的大革命,至少那场革命不会具有那么完备的理论形态,不会进行到那么彻底的程度,这是现代史的ABC问题。在美国,谁都知道《汤姆叔叔的小屋》这本书对美国的南北战争起了重大的影响,但是我注意到中国作家莫言得了诺贝尔奖之后,说了一句很引人注意的话:"文学没用"(大意),一个21世纪的中国作家为什么这么讲,值得深思。

十二

访谈组: 前些年网上曾曝出"最牛翻译",一个人翻译几十部不同语种的名著,粗制滥造之余,译者查无此人其实只是一个代号。您在翻译外国文学时是怎样的工作程序?您觉得现在的翻译界有哪些问题?怎么办?

柳鸣九: 虽然我也翻译了几部文学名著,共有100多万字,但我只是凭兴趣做了这点翻译,我远远没有把翻译当作我的主业,我更不研究翻译理论与翻译界的现状。翻译界有哪些问题？怎么办？恕我难以回答。你所讲的粗制滥造的事例的确触目惊心，这在一个弄虚作假成风、到处都有假冒伪劣的社会氛围里一点也不奇怪，这正是人心浮躁、急功近利风气的表现。

2013 年 8 月 3 日

文学的角色、文学的地位、法国文学的影响及其他

——答《今日中国》"法文版"主编问

一

"法文版"：您为什么选择学法语？在您读大学的时候，中国的文学市场是怎样的？法国文学当时在中国处于什么样的情况？

柳鸣九：1953年，我考入北京大学西方语言文学系，那时候该系有英、德、法三个专业，我因为在中学学过英文，想再学一门外语，多一种工作技能，多一种谋生手段，所以就选了法语。当然对于法国丰富灿烂的文化，我久已有深刻的印象，心中有所仰慕，也是一个原因。我读大学的时候，正是中国向苏联一边倒，热衷学习苏联的时代，所以当时中国的文学市场上到处都是苏联的翻译文学作品，法国文学作品出版相对要少很多。总之，中国的文学市场当时色调比较单调。

二

"法文版"：毕业之后，您出于什么样的原因选择以法国文学作为研究对象？

柳鸣九：在我大学毕业的50年代，中国还是计划经济时期，那时是工作岗位选人，而不是人选工作岗位，大学生都是通过服从组织

分配走上工作岗位的，我被当时的一个文学研究机构选中，具体是在一个翻译与编辑外国古典文艺理论为工作内容的编辑部供职，这样我便走上了致力法国文学研究的道路。

三

"法文版"：您是把萨特引入中国的第一人，当时中国的社会处于怎样的背景下？中国读者对萨特的接受经历了哪些曲折？

柳鸣九：关于萨特，确切地说，我不是把萨特引入中国的第一人，而是挺身而出，为萨特讲公道话的第一人。我于1980年发表在一家重要杂志上的文章《给萨特以历史地位》，在中国是公正评价萨特、肯定他历史功绩与文学成就的"第一声"。我也要算把萨特比较全面、比较系统介绍给中国的第一人，我于1981年出版的《萨特研究》一书就是这样一本书，它当时在中国影响很大。在我之前，萨特有的作品已经介绍到了中国，如他的《存在与虚无》《恶心》等，但当时中国由于受到了苏式意识形态的影响，根据日丹诺夫的论断，把萨特视为"帝国主义的代言人"，同时，也把萨特的自我选择的哲理视为社会主义、集体主义思想的大敌。我的工作总算起了一点作用，有助于中国人认识了萨特作为一个有成就的作家与社会活动大"左"派的各个方面，也有助于中国人发掘出萨特哲理中在社会主义条件下能"为我所用"的因素与成分，我因此受到过"批判"，《萨特研究》一书曾被禁止再版。但萨特的自我选择哲理，正投合了改革开放后中国人要求释放与发挥自我主体能动性的群体精神需求，因而，在当时大为流行。当时中国知识阶层的精英，几乎无人不读萨特，而且，改革开放后的中国毕竟开始有了自我调节机能，能够进行自我完善，因此，不久后《萨特研究》又获得了再版的待遇。这个曲折起伏的过程，可以说是中国改革开放中最有趣、最后也最令人感到欣慰的一个

"意识形态故事"。

四

"法文版"：您认为，法国文学对中国文学和中国社会有哪些实实在在的影响？在几十年前和今天的中国，这种影响有变化吗？

柳鸣九：这个问题有关过去时的历史事实。法国文学对中国的影响确实存在过，而且有些影响，应该说是法国思想文化的骄傲。这里我且举出几个历史事实：如法国18世纪启蒙思想家就曾在中国的历史进程中扮演过相当重要的历史角色，早在19世纪后期，孟德斯鸠的《法意》翻译介绍到中国后，一直是清末改良维新派的政治启示录、教科书，其中三权分立国家学说成了他们的政治理想。卢梭的《社会契约论》介绍到中国后，其"天赋人权，主权在民"的民族主义政治学说在中国产生了更大的反响，辛亥革命时期成了资产阶级民主革命派的理想，对后世有巨大的、深远的影响。到了民国时期，法国文学对中国社会的影响更多地表现在文学领域，很多中国作家都是在法国文学的哺育下成长起来、成熟起来的，有些中国作家思想风格与创作方法的形成，是与法国文学影响分不开的。卢梭《忏悔录》中坦诚的人格力量就感召过不止一个中国文学大师，如巴金、郁达夫；蒙田的《随笔集》就影响了好几代中国散文名家，如周作人、梁宗岱等；至于左拉的自然主义的创作思想也直接启发了茅盾等一批作家。改革开放以后，萨特的哲学令人惊奇地影响了中国的一代知识精英。至于今天有什么重大的影响，那得再过一个时期进行回顾总结，在我个人看来，现在处于影响的低潮时期，原因当然是多方面的，但与当今法国文学中没有出现强有力的思想家和极富艺术魅力的作家有关。

五

"法文版"：您觉得文学应该对社会起到什么样的作用？在您经历的这些年中，文学在中国扮演的角色有哪些变化？

柳鸣九：文学应该对社会起到什么样的作用，不同的人会有不同的看法，政治家、文化官员会有他们的政治标准，道德家会有他们自己的道德标准。可惜我既不是政治家也不是道德家，我也分身无术，不能从不同的立场与角度提出什么标准答案，我只是一个文化学者，我只能按我的文化本能希望文学首先是要自我完善化。什么是文学的自我完善化，那就是有思想深度，有表现社会现实与人性真实的巨大真实性，甚至是惊世骇俗、发人深省的真实性。文学在中国，现在扮演了什么角色，我应该实事求是地说，政治家、文化官员在很大程度上已经按他们的政治标准把文学主流塑造成他们愿意看到的形态，在这一点上他们做得很成功，对此，他们有理由深感满意。

六

"法文版"：您去过几次法国？对法国的印象怎样？您跟法国的文学领域的专业人士有交往和合作吗？

柳鸣九：我这一辈子，从来没有享受过公费出国的待遇，不论是留学、进修、官方交流、公费出差，从来都没有我，所以我出国的次数少得可怜，和那些频繁来往于中法旅途上的学术活动家、官员、官派文化工作者都不能同日而语。我只去过法国两次，一次是1981年根据中法学者互访的协议，得到法国外交部文学技术司的邀请与接待，为期三个月。第二次是1988年得到法国人文科学中心的邀请而去的。我在巴黎的两次学术访问都得到了法方提供的优厚待遇，他们为我创造了很好的学术访问条件，安排了我与法国当代一些最重要的作家进行了学术会见与谈话,这些闪闪发光的名字有:玛格丽特·尤瑟纳尔、阿兰·罗伯-葛利叶、娜塔丽·夏洛特、米歇尔·布托、西蒙娜·德·波伏瓦、埃尔韦·巴赞、米歇尔·图尔尼埃、皮埃尔·加斯卡尔、索莱尔斯、罗杰·格勒尼埃、皮埃尔·瑟盖斯等等。我不仅与这些文学大师、文化名人有了友好愉快的见面,而且进行了有一定深度的学术性对话,因为当时我在对法国文化的认知上还算得上是一个有准备的人,我毕竟研究过法国文学史,已经有过文学史专著问世。这些会见是我学术生涯中特别令人愉快的一页,多有教益的一页,值得我珍惜的一页。我去法国虽然次数不多,时间都不是很长,但收获却是丰硕的。两次访法,使我写了三本有关的书,一是《巴黎对话录》,后又再版为《巴黎名士印象记》,第二次再版则改名为《我所见到的法兰西文学大师》;第二本书是《米拉波桥下的流水》,内容与性质大致与第一本相似;第三本则是《巴黎散记》,记述了对巴黎名胜古迹、文物风土的观感与思考。这两次访法对我主编"法国二十世纪文学丛书"也有很大的帮助,这套书共七十卷,翻译介绍了法国 20 世纪几乎所有的文学大师与文学流派的代表作与创作精华。七十卷的完成花了我将近二三十年的时间,我做得很认真,七十卷的序言,几乎全部出自我一人之手,而且都力求有一定的深度,在中国要算是一套很有影响的书。一个国家对另外一个国家当代的文学做出如此及时、如此全面系统的翻译介绍,这在当前国际上也是不多见的。

七

"法文版":您希望,文学在中国应该是以什么样的地位存在?您觉得未来会实现吗?

柳鸣九:阁下提出的这个问题既大又严肃,无异于要答者发表某种文学主张,但我实在不想发表什么主张,如果一定要回答的话,我只能说我所愿意看到的文学状况是什么样的。中国俗话说,"萝卜白菜,各有所爱",我所讲的,只不过是"萝卜白菜"式的个人兴趣而已,不论讲得是否有道理,均可一笑置之。我所愿意看到的文学状况是什么样的?那就是文学以其不断自我完善的状态,自然而然地、自在自如地存有于社会现实之中,给人提供社会现实与人生人性的真实观照,给人提供心智上的启迪,给人提供艺术观赏上的美感享受,既不被委以兴邦治国、经世济民的重任,也不经常被置于被批判、被训导、被严加整肃的位子,更不被轻易地扣上"精神污染"的罪名。总而言之,让文学自在自如地过自己的"小日子",不断优化自己、不断完善自己地过着自己的"小日子"。

八

"法文版":从上次评选出的影响中国的十部法国书籍和影响法国的十部中国书籍来看,其中大多数都是年代相对久远的著作,近作很少。造成这种结果的原因您认为是什么?

柳鸣九:影响往往是与时间有关系的,时间长远必然有助于影响的积累,上次评选出的影响中国人的十部法国书籍和影响法国人的十部中国书籍,之所以大多数都是年代相对久远的著作,其主要原因恐怕是在这里。何况在长期的历史中所出现的大思想家、大文学家确实要比当前的为多,而且,恕我直言,不论在法国还是在中国,当下都没有出现惊天动地的大思想家和大文学家。以法国而言,自从马尔罗、萨特、加缪、尤瑟纳尔、新小说派、新寓言派,这些强有力的人物离去后,法国文坛再也没出现相似的思想泰斗与文化强人,要选拔出与《悲惨世界》《红与黑》等这些杰作相匹敌的书很不容易,我们当然不能仅为了赶时髦而一定要在矮子中拔出两个将军。这恐怕就是最主要的原因。至于评委本身是否也有"仁者见仁,智者见智"的局限性,那也是不在话下的。

九

"法文版":做文学方面的研究可能很清苦,总结您之前的经历和著述,您怎么评价自己在文学研究领域取得的成绩?

柳鸣九:在学术文化园地里,我还算是一个勤奋的耕作者,写了一些书,作了一些翻译,留下了一些成绩,至于对这些成绩作何评价,还是留待后人去做吧。但有一点我很清楚,在历史长河中,我只是一个微不足道的耕作者,像我这样的文化学者,其影响能超过一二十年、二三十年之久,就难能可贵了。要知道,在时间的面前,一切都是速朽的,人生本来就如西西弗推石上山,重要的不是终极结果,而是不断推石的过程,而是享受这过程中的坚毅、勤奋以及每一步进展所带来的愉悦与欣慰。

十

"法文版":能谈谈您两个小孙女的故事吗?她们现在都在干什么?

柳鸣九:我有两个小孙女,一个是与我有血缘关系的小孙女,是我儿子的女儿,但她出生在美国,一直生活在美国,成长在美国,我只见过她极少的几次,加起来的时间不能按天计算,而只能按小时来计算。但她成长得很好,身心健康,信仰基督教,学习成绩优秀,会弹钢琴,能踢足球,在绘画方面颇有才能,现在已是一个初中生了,我希望她将来成为一个画家。

另一个小孙女与我毫无血缘关系,她是一对农民工夫妇的女儿,但出生在我家,一直在我的身边长大成人,我和这个没有血缘关系的小孙女倒是朝夕相处,弥补了我缺失中国人所崇尚的天伦之乐的遗憾。我和我的夫人共同努力，使这个小孙女在北京完成了优质的小学教育与中学教育，并把她送到美国完成了大学学业，她已成长为一个优秀的姑娘，现在正准备在美国考研究生。坦率地说，这个无血缘关系的小孙女，使我老年颇感自我欣慰，虽然我不是一个基督徒，但我以基督精神对待这个小女孩，毕竟我熟知冉·阿让善待珂赛特的故事，我也很赞赏《无神论者做弥撒》中那个巴黎挑水夫的感人精神。在这个意义上，我没有白研究法国文学。

2014 年 6 月

为了一个人文书架

——答《生活》杂志记者问

在文化领域里，引进外国的学术文化、文学艺术是一个范围甚大的"行当"，它至少包括研究、介绍、翻译、编辑、出版等等不同的"工种"。对于这个行当里的从业者，已有了种种赞誉性的称谓，如盗火者、摆渡者、外国文化研究家，而今《生活》杂志又美称为"执灯的使者"……

人们一般都求方便与简单，将这个行当里的从业者都统称为"翻译家"。既然这是一顶笼统的帽子，难免就不完全切合每个人的头型与尺寸，当我经常被称为一个"翻译家"的时候，我就有点戴了不合尺寸的帽子之感。

我在翻译方面，也做过一些工作，但并非我的主业，从严格的意义上来说，我的译品数量并不多，除掉一些零散单篇外，主要只是几个作家几本书，都德、雨果、莫泊桑、加缪等等。

早从大学时代我就开始译都德，我很喜欢他的《磨坊文札》，这本恬静动人的散文小说，曾寄托了我的"绿色向往"，也是我生活中的一剂"绿色清凉剂"。

我走上工作岗位，先是在《古典文艺理论译丛》编辑部任编辑与翻译，译了不少西方古典文艺理论的名篇，特别是系统集中译出了雨果的文艺理论，雨果鸿篇大文《〈克伦威尔〉序》的雄浑气势与斐然文采对我颇有潜移默化的影响,影响了我后来评论文章的文风,以至有人调侃笑称我为"小雨果"。

我喜欢译莫泊桑,在致力于传译这位作家优美而纯净如水的风格中,我自己得到很大的美感享受,我认为如果把莫泊桑译得疙里疙瘩,那简直就是对莫泊桑的糟蹋。

我还译过加缪与萨特的名篇,这是我深入而系统研究过的两位作家,我乐于译出他们的名作名篇,以作为我自己理论阐释的佐证。

这几本书的翻译,在我的整个工作中只占很小的比重,原因就在于我自己职业行当的主要内容并不是狭义上的翻译。从北大一毕业,我就分配到科学院的外国文学研究所工作,顾名思义,研究所是要出研究家与学者,其典范如钱锺书,而不是要出译者、出翻译家,如傅雷。在我们这个"本职工作"中,单单弄些翻译还交不了差,而必须拿出研究成果、学术著作,才能在职业阶梯上"往上爬"。不仅事关"安身立命"与"饭碗",偏偏我又特别有兴趣,特别酷爱研究与表述。试想,"本职工作"就是整天凌波于外国优秀文化的海洋之上,直接与那些不朽的典籍、文本打交道,阅读、体味、鉴赏、比较、思考,然后由自己来"立言",弄得好还可以"传世",如果你学有积养,真正有感于心的话……这种美差、这样的席位、这样的乐趣,在现代文化教育尚处于起步阶段的中国大地上,哪能有多少?有了酷爱,也就有了执着与勤奋,我也就兴味盎然而又勤奋用功地伏案,爬格子……但这一片海洋实在太阔大浩瀚了,在它面前,个人的精力微不足道,即使你倾注全力,亦不过如愚公移山的一铲土,于是,这几十年下来,我便"挖山不止",几乎没有正式过过一个假期,几乎从没有"法定的星期日"。

当然,除了酷爱,还有一个动力,往大说点,就算是"理想"吧。要知道,我们这一辈人,是"共和国自己培养出来的第一代知识分子",这一代人所受到的爱国主义教育、理想主义教育,恐怕比哪一代都多，而且，还正是在这种教育最能在青年人心里生根发芽的新中国成立初期。这是经常心潮澎湃、充满了报效献身冲动的一代人，他们之中不少人每经过天安门，每听到《人民日报》社论，往往就会热泪盈眶。热情、天真、憨厚、老实，甚至有点傻乎乎……其中有幸到了研究所里的，竟把对那红彤彤、光艳艳的遥不可及的共产主义社会主义的理想，与对人类那些已实实在在存有的优秀文化成果的理想结合成为一种带有乌托邦色彩的愿景，建设一个人文精神高扬的现代文化大国的愿景，而总不愿意清醒地认识到在共和国的历史中，这两大板块其实经常是格格不入，甚至激烈碰撞的。在这两大板块的夹缝中受"考验"（如果用"煎熬"似嫌沉重了些）了若干年之后，在社会的变故与沧桑把热情与天真磨损得精光之后，身上只剩下"为了一个人文书架"这么一个简单的局部的小小的愿望了，但这样一个愿望就足以使一个人仍然伏案爬格子，没有星期天……

虽然我20世纪50年代走上工作岗位以后就陆续做了不少翻译介绍与研究评论的工作，较早在本学界，用当今的俗话来说，"混了一个脸熟"，但我真正在文化学术上有所作为，基本上是"十年浩劫"之后，特别是改革开放之后。

我最初做出的一件要事是撰写并主编三卷本的《法国文学史》，我动笔是在"文化大革命"的末期，当时，我怀着对四人帮"无产阶级专政"的强烈逆反情绪，决意反当时的思想标准而行之，坚决破除"四人帮"对待外国文化遗产的"彻底批判论"。在这种"特立独行"的主导思想指导下，《法国文学史》的上册也就因为没有多少"四人帮"的烙印而在"四人帮"倒台后不久就胜利出版了，而很多其他人写于那个时期的论著都因为有明显的烙印而成了"废品"。经过10多年的笔耕，三卷本《法国文学史》终于在1991年全部完成，在第一届国家图书奖评奖中，从50余万种图书中被选拔了出来，获了奖，它迄今仍是国内规模最大的外国国别文学史。

在70年代末80年代初，我做的一件有全国性影响的大事，就是对日丹诺夫论断发起冲击。日丹诺夫是斯大林时期苏联的意识形态总管，他对西方20世纪文化艺术全盘否定、一棍子打死的论断，在中国长期被奉为经典，影响很大，不破除这一大块坚冰，外国文学的研究与翻译根本就无法前进。我深知攻坚之难，便借"实践检验真理"大讨论的东风，对日丹诺夫论断"三箭连发"：在全国外国文学工作会议上作长篇学术报告，重新评价西方20世纪的文学艺术；在当时全国唯一一家外国文学研究刊物上发表同一论题、长达五六万字的论文；在我主持工作的《外国文学集刊》上组织笔谈，参加的有卞之琳、朱虹、李文俊、高慧勤等等著名学者、翻译家。坚冰既破，于是在80年代初期，中国就出现了西方20世纪文学大译介、大普及的新局面。

理论突破之后，还应该有正面的文化积累与学术建设，在一个伟大民族的开放时代，文化摆渡与文学译介当然应该有一定的规模。单靠个体翻译家艰辛地爬格子是远远不够的，而必须把这种个体劳动提升为一种上规模的工程与事业，这是一个历史使命，这使命必然落在对外国文化的历史与现状有系统研究、有深刻见解，而又熟谙翻译之道的学者的肩上，也只能由具备这种条件的学者来做。我适应这种社会要求与文化学术规律，从80年代初期以来，陆续主编译介了一些关于外国文学，特别是西方20世纪文学的大型的作品丛书与理论丛刊，以构成社会文化积累，主要有"法国二十世纪文学丛书"（七十卷）、"西方文艺思潮论丛"（七卷）、"法国现代文学研究资料丛书"（十卷）、《加缪全集》（四卷）等等，既可以说是开拓性的、上规模的文化工程，也可以说是对我的理论突破的一种佐证，其中有不少种书在社会上曾引起热烈的共鸣，产生了深远的影响，《萨特研究》就是最为突出的一种。

到了90年代后期，我又将这种大规模的文化积累工作扩大到整个外国文学领域，创办并主编了"外国文学名家精选书系"，这一套大型翻译编选丛书以"名家、名著、名译、名编选"为特色，成为我国外国文学领域中高品位、高质量的文化品牌，每一种都是一位世界名作家的全貌缩影、一部小"百科全书"。至今已出版了60种，并力争达到80到100种的规模，以期构成一个巨型的、完整的人文经典文库。

如今，我年已过"古稀"，由于多年的惯性，每天仍要爬爬格子，不过，精力日衰，闲坐在沙发上悠然出神、茫然发呆的时间逐渐多了。沙发的对面，正有两个大书柜，两个书柜共有六大格，都竖立着出自我手的书。第一格是我自己的专著、翻译作品、评论集、散文集，原创的与再版的共四五十种；第二格是我主持编译的"法国二十世纪文学丛书"共七十册；第三格是我主持编译的《雨果文集》二十卷与《加缪全集》四卷；第四格是"世界短篇小说精品文库"十八卷；第五、六格则是"外国文学名家精选书系"六十卷……这些书有多种均已获得国家级图书奖，装帧精美，色彩缤纷，与我那水泥地、白粉墙的陋室恰成强烈的对照……

这两个书柜是我的欣慰，每当我想起这一辈子自己清淡的、无滋润可言的书斋生活，想起自己作为一介寒士的"存在"，想起生平那些被压制、挨敲打、遭阻击、受批判的种种不爽时，我只要往这两个书柜前一坐，就会感到释然，甚至还有些怡然自得……

2006年3月

《"大师书架"世界文学典藏》序

北京燕山出版社是我熟悉的一个文化机构,在它的旗下,已经推出了不止一个令人瞩目的图书项目,现又创设世界文学典藏的"大师书架",是一件可喜可贺的事情。它要我援手一序。既然事属严肃的社会文化积累,责无旁贷,我当尽力而为。

世界文学从荷马史诗至今,已经经历许多世纪的历史,积累下来无数具有恒久价值的作品与典籍。这些作品,是各个时代社会生活形象生动、色彩绚烂多彩的图画,是各种生存条件下普通人发自灵魂深处的心声,是各个社会发展阶段人类群体的诉求与呼喊。这些作品承载着人类的美好愿望与社会理想,富含着丰富深邃的人文感情与人道关怀,所有这些,只要人类社会存在一天、发展一天,就具有无可辩驳的永恒价值,何况,这些典籍还凝聚着文学语言描绘的精湛技艺,可以给人提供无可比拟的高雅艺术享受。不言而喻,作为在文化修养上理应达到一定水平的现代人,饱读世界文学名著,是不可或缺的人生一课。

不可否认,现代人都很忙碌,可自主支配的时间不多,即使是要读书学习,急着要读的书可多着呢:炒股的书、烹调的书、化妆美容的书、为出国要学的外文书……一时可顾不上世界(包括中国)文学名著,且不说还要为电视节目奉献大量时间呢。很坦率地说,这是当代文化的一种悲哀,这种情况继续下去,将影响下一代人的人文素质与知性修养水平,是值得全民族严肃关注的一件事。

的确，这里存在一个问题，一方面可支配的时间不多，但另一方面各个时代留下来的文学典籍又几近浩如烟海，如果要成为一个知晓世界文学的有教养的现代人，面对如此的文山书海，如何选读，的确不是一个简单的问题。现在，"大师书架"替读者节劳省劲，作出遴选，分批分辑推出，确不失为一件大有裨益的事情，其社会文化积累的意义也就在此。

在若干年前，当电脑尚未在中国普及的时候，一位有远见卓识的老人就曾精辟地提出：电脑普及"要从娃娃抓起"。其实，很多有意义的社会善举何尝不是如此，人文教育、世界文学名著的推广与普及亦不例外。值得注意的是，"大师书架"就是按此思路行事，先从青少年版开始，这无疑是一个好的构想，用心良苦的构想。

好啦，现在就等着人们把"大师书架"搬进自己装修一新的居室。屋不在大，有书则灵，如果在自己的柜台上、书架上有一套"世界文学典藏"，或者哪怕只有那么几本，居室的文化品位即会高出一两个档次，足以胜过彩色的瓷砖与装饰。

我们常听到很多人对自己的影视偶像说："我们是看着您的影视作品长大的"，这话尽管热忱，显露出来的文化见识实在不高。但愿以后我们能听到更多更多的人这样说："我是读着'世界文学典藏'长大的"，若能如此，对中华民族的文化意义也许要大于举办一两次大规模的世博会。

2009 年 7 月 2 日

"文学温暖童年"是综合的人文精神建设工程

主席,尊敬的挪威贵宾,朋友们,同志们!

我们今天的论坛有一个温馨而美好的主题:"文学温暖童年",这个命题不仅温馨而美好,而且具有普世价值,也就是说具有全世界全人类的意义,远远超出中国与挪威两国的范围。理由很简单,文学是全世界全人类共有的精神形态,而全人类的每一个成员都有自己的童年。

真理往往是最简单最明白不过的,但往往被人们所轻忽、被人们熟视无睹。世界上有很多种文学,有为各种各样目的、各种各样人群的文学,有辅佐为政者的文学、有为道德大声疾呼的文学,有为丰功伟业树碑立传的文学,有给芸芸众生娱乐的文学,有为记录历史真实与社会现实的文学,有宣泄个人情感的文学,有描绘人性人心的文学。在人类文学总体中,以孩子为专门对象、以温暖童年为首要目的的文学似乎所占的份额并不大,甚至可以说是相当少。这是一个不能不使人深有感慨的事实。当然,其他种类的文学只要是好的、优秀的作品,一定包含有能够滋养儿童的心智,能够温暖童年的营养成分。

说实话,我以上这些议论,其实只是一种夸夸其谈,因为我虽然在文化界安身立命已有数十年,但只是儿童文学的一个门外汉。说来惭愧,我自己就很少关注温暖童年的使命与责任,我今天之所以勉强列席于这个论坛,仅仅是因为我做了一点点很有限的事。我写过若干篇关于小孙女的散文,但是那些文章与其说我想去感动孩子,不如说我是被孩子感动了才写出来的。也许正因为有些感动，所以被认为是我的散文代表作。我不是用我的劳动去温暖童年，而是我自己被儿童温暖了，如果可能会温暖我的写作对象小孙女的话，那也得等我的孙女到了懂事的年龄才能谈得上，因为她现在刚上小学。

我与儿童文学多少有点关系的，是我曾经翻译了法国作家圣爱克·苏佩里的《小王子》。听湖南少儿出版社说，这个译本"票房"甚好，在票房至上的今天，这似乎给我添加了一点点成就感。不过又得说实话，《小王子》这本书其实带有相当多的成人思辨，是一本很值得成年人，也就是圣爱克·苏佩里称之为大人的读者去研读的一本书，其奇妙处就在于作者写得特别富有童趣，而这些成人思辨又正是孩子们长大成人之后面对社会、地球与宇宙诸多问题的时候所必然要思考的，这正是这部作品经典意义的所在。而作者对小王子、对地球人那种悲天悯人的怜爱情感放在作品中辽寂的宇宙背景上，足以不仅使孩子，也使成人会潸然泪下。

归根结底说来，温暖童年的工作是需要成年人来做的。将成年人的温情、热力与儿童的稚嫩心灵结合起来，将成年人的深邃的心智与儿童的天真遐想结合起来，将成年人的深沉复杂的感受与儿童纯净的情趣结合起来，也许就是圣爱克·苏佩里所提供的温暖童年的可贵启示与经验。温暖童年既需要圣爱克·苏佩里式的创作者，也需要为政者、社会工作者、教育工作者、出版编辑工作者的共同努力，对于一个提倡以人为本的社会、以和谐为理想的社会，温暖童年是一个系统工程，是一项综合的人文精神建设任务。今天，我们一些有识之士、一些有志者已经在这方面做出了一些贡献，湖南少儿出版社出版的"全球儿童文学典藏书系"就是一项可贵的努力。据我所知，还有不止一家出版社也在做这方面的工作。但是应该看到他们的这种努力在当前的社会现实中却碰到了若干困难与挑战，物质功利主义的张扬与人文精神的滑落，形成了不可忽视的阻塞。在社会中，存在着太多太多比"温暖童年"更耗人精气神的诱惑，以写书、做书、推销书、卖书而言，炒股的书、烹调的书、化妆美容的书往往把人文精神建设的书挤在一个角落里。很坦率地说，这是一种文化悲哀，这种情况继续下去将影响下一代的人文素质与知性修养水平。

在若干年前，当电脑尚未在中国普及的时候，一位有远见卓识的老人就曾精辟地指出，"电脑普及要从娃娃抓起"。其实很多有意义的社会善举何尝不是如此，值得注意的是，"全球儿童文学典藏书系"一类的工作就是按此思路行事，先从青少年开始，从"文学温暖儿童"开始，这无疑是一个有使命感的构想。

今天的我们这个"文学温暖童年"的论坛，无疑是一次非常有益的讨论与探索，也是一次文化界进行总结与反思的机会，更是一次敦促与召唤，敦促与召唤有心者、有志者更多地关注人文精神的建设，关注"文学温暖童年"的使命，并且以自己的才华与劳动推进这一崇高的事业。

谢谢大家！

2009 年 10 月 15 日深夜

对麦田守望者的祝愿

最近,一位朋友告诉我,安徽文艺出版社很快就到建社 20 周年了。"是吗?才 20 年?"我有点惊讶,在我的印象里,此社好像是一个年头久远的老出版社了,没有想到竟才成立 20 年。

我之所以有此印象,是因为安徽文艺出版社已经做出了很多有意义的事情,硕果累累。我所记得的就有《傅雷译文集》《朱光潜美学论著集》《李泽厚美学文存》《李泽厚哲学文存》《张爱玲文集》,这几套书都是大部头,多卷本,堪称大型的人文积累项目,而且在出版的当时即受到了文化界、读书界的欢迎与重视。其中十五卷本《傅雷译文集》就曾在 1992 年获得了第一届国家图书奖的提名奖,我有幸参加了那一届图书评奖,投票时,该书是以高票额当选的,其中也有我所投的一票。

"举贤不避亲",即使与我自己的工作有关,我也应该特别指出,安徽文艺出版社还曾有一大建树:参与出版了"法国二十世纪文学丛书"。它规模宏大,共有七十卷之多;它具有国内外国文学出版物少有的开创性与开拓性,所译介的作品都是法国 20 世纪文学中的名家名著,而且几乎全部都是在国内首次得到翻译;它的编译质量高,参加编译工作的,都是国内该学界的精英人士。事实上,这一套丛书要算是新中国成立后迄今为止国内规模最大、档次最高的 20 世纪外国文学丛书,它无疑具有社会文化积累的价值与文学史基础建设的意义。在这一整套书的出版中,安徽文艺出版社唱了重头戏,其功绩可谓大矣,这在上个世纪中国的出版史上,是应该写上一笔的。

一个出版社年头不长而干出了这么一些大事,就像是一个人英年有为,创业有成,年纪轻轻,就挣出了一份丰厚的产业,实在可喜可贺!

我与安徽文艺出版社可说是老朋友,我与它的合作前前后后已经有10多年了,主要是跟文艺编辑室的徐海燕同志进行的。我们双方的合作真可谓"君子之交淡若水",我至今只与徐海燕同志见过一次面,时间相当短暂,甚至连一次饭局也没有,但我们的合作至今仍在进行,并已经做成了一些好的成果。徐海燕同志是以她的文化品位、专业见识、诚心诚意、主动热情来建构合作关系的,又以准确的理解力,平易的亲和力以及认真负责、积极肯干、讲求效率来完善完成双方的合作。这种编辑是真正的作者之友,与当前某些编辑老爷,特别是年轻的编辑老爷有天壤之别。一个出版社有此种高层次的编辑,何愁不有所作为?

我与安徽文艺出版社合作的这些年,也正是社会风气中人文精神不断滑坡,物质功利主义高度张扬,大肆风行的时期。人们都在追求发财,上上下下,圈内圈外,甭管用什么手段。人文图书不好做了,人文图书不好销了。我亲眼看见了安徽文艺出版社以及其他一些有志于人文出版的出版社,惨淡经营,勉强支撑,实为不易,像麦田守望者,抱着真挚的信念,苦待着风调雨顺,丰收来临。我自己已经到了"七十古来稀"之年,很可能看不到好时日的到来,比我年轻的麦田守望者当能看到。

愿上苍保佑他们!但他们究竟什么时候才能等到戈多呢?

2004 年 8 月

再为中学生办一次事

——一次非纯学术的学术经历

在"且为中学生做一件事"之后,也就是在应邀完成了"名家点评本外国小说中学生文库"的主编工作之后,又一件为中学生办的事也落到了我的头上,这是我没有料到的。

几十年来,我也做过一些教学工作,但对象都是大学生、硕士研究生,我没有为中学生上过一堂课,家里也没有中学生(儿子是在国外念的中学),跟这一个广大的族群,跟为他们服务的那份可敬的教育工作,我一直是少缘的。只是在1986年,由于《中学语文教学》编辑部的同志要我就中学的外国文学教学讲点什么,我写过一篇对中学语文课本中20世纪外国文学选目提意见的文章,主要意见是说,20世纪的中学生不能对本世纪的西方文学毫无所知,语文课本中这方面的作品不能一篇也没有。那篇文章发表后如石沉大海,毫无反响。当然中学语文课本也依然故我。本来嘛,饭要一口口吃,路要一步步走,就像民主吧,谈早了不但无益,反而会有意料不到的后果。最起码的村民选举虽然姗姗来迟,但终归不是来了吗?

中学生的语文教育总算有了新意,事情是由素质教育新观念的树立与拓展开始的,由此,在语文教学中才有了教育部开列的中学生课外文学名著必读三十部的书目,这无疑是一个突破,毕竟是用亚"正式文件"的形式把中学生必须读些外国文学名著的问题法定化了。虽然外国文学部分的书单并非尽善尽美,有的选目是值得商榷的,但总算把 20 世纪文学包括进来了，当然"包括进来"得十分精心巧妙，共有三部作品，一部属于社会主义阵营，是红色的，一部属于第三世界，是蓝色的，另一部倒是产自发达的西方国家，但与西方 20 世纪的社会现实毫无关系，是贝多芬、米开朗基罗等古人的传记。看来，书单所体现出来的对 20 世纪西方社会意识形态的警惕性还是蛮高的。

指定书目一出，自然就会有一系列的连锁反应。首先是出版过这些名著的出版社大获商机，只需在这些名著的封面上加上"中学生必读文学名著"的字样即可，甚至"内包装"都可以原封不动，不用加上中学生就读时所需要的辅导说明与有关资料，不止一家出版社都是这么做的。据说，库中的存书或销售一空，或所剩无几，官方指定书目所拉动的经济效应由此可见。而且一石投水，骤生出来的波澜是绝不会止于一圈的，我碰到的正是第二圈。

9 月份的一天，我家来了两位客人，是一家颇有名气的出版社的总编与他的助手，都是我以前不认识的。他们的来意是：该出版社决定出版两本中学生必读中外文学名著 20 种的导读文集，"撰稿者的层次要高，最好全是博导"，"该书的两个主编要请两位影响较大、较有号召力的著名学者出任"，中国文学方面想请北大教授严家炎，外国文学方面，他们则决定请柳某担任，"希望柳先生大力支持，玉成其事"等等。

过去，我对这家出版社颇有好感，它出版的几套外国文学书籍给人印象颇深，这位总编又是一位温文尔雅的先生，他本人是个作家，身上没有"商家"那种可怕的气息，何况他把"为中学生做点事"，强调到了"功德无量"的高度，而我又正处于前后两个大项目之间的空隙，还有点时间可做做别的事。从合作对象的条件与我个人的可能性而言，似乎都没有什么理由去拒绝。

但是，有一个前提是很原则性的，我完全可以把它作为拒绝的理由，至少我觉得必须作出严正声明，于是我当即就这样表示："贵社要找的是博导,我可不是博导。"客人是来同仁堂买药的,我这家店铺不叫同仁堂,我总不能默认我就是吧,在我看来,这是个"商业道德"问题。

正像在这个问题上我曾经多次碰到惊讶不解的反应一样,我这次澄清也使得对方深感意外,总编先生当即郑重表示,他们是慕名而来,认为柳先生理所当然是博导,如果真像柳先生所言,那么肯定是因为柳先生从未申请过博导的资格。我既然不屑于去默认、冒领与窃取博导的桂冠,当然,也用不着去冒领与默认自外于博导行列的那份钱锺书式的清高,何况,我怎么能抹杀我所领教过的那个最高评定委员会不可一世的威严呢?"不,我申请过,申请了三次,被否了三次",我不得不又作出第二个"澄清"。作了这两个澄清,我觉得很对得起博导这个尊称了,也很对得起那个最高评定委员会的权威性了。只是觉得说到这里为止,对自己倒有些不公平了,于是我不得不对自己的连续三次被格外"青睐"做了一点说明。

虽然博导是一个纯学术的称号,但这三次被格外"青睐",却都是由于非学术的原因。上世纪80年代末,此人第一次参加申请,最后,最高委员会评审的结果却使人大为吃惊,凡申请者均得到通过,唯独被普遍认为最有资格、学术成果最显著的此人倒被否决,令人难解,但细究其原因,事情倒也简单,盖因此人得罪过委员会中两个有权有势的关键人物,可见学术界有些人玩起"煮豆燃豆萁"之道,下手之凌厉、之无所顾忌是令人吃惊的。第二次则是在90年代初,最高评审委员会评审结果的格局与第一次完全一样,不过,这次此人无怨无悔,因为当时特别强调政治标准,谁要你刚在风波中竟然顶风动了两下子?第三次则是在此人刚满60周岁之后才几个月的1994年,那时,少数几个重点大学与重点科研机构都获得了自行审批博导的权力,重点大学趁此机遇大大发展了一批博导,以扩充了本校的博士点,唯独中国社会科学院当时的科研领导当局制定了"六十岁一刀切"的文件,自断其臂,活活切掉了相当一批在学术上生机勃勃的博导候选者。于是,一个曾经成功培养出近20名硕士研究生的此人,就被彻底拒于博导这个"殿堂"之外,在中国开了三次"不第"的纪录。物以稀为贵,这总算也是一种并非人人都有的另类经历。而中国社会科学院在几年以后,不止一个分支学科,则因博导人数不够,而得到"撤消"若干博士点这样一个"硕果"。

听了"澄清"与说明,对方也许是出于加以安慰的善意,对社会上普遍流行的那种我且称之为"博导拜物教"的思想观念发表了一点看法:"博导"绝不是唯一的学术标志,更不是绝对的学术标志,并非博导的大学者与文化名人比比皆是,社会上一些人把这个称号看得过高,是一种"低俗之见",这次出版社就"囿于这种低俗之见",但是,之所以专程登门拜访,确实是看重学术影响与社会号召力等等。

话说到了这个份上,如果我再把"澄清"作为拒绝的理由,那就未免扭捏作态了,对方如此热情恳切,我也就对主编一职当仁不让了。

我知道出版社在图书市场经济条件下,要出这么一本导读,必然会碰到其他出版社类似的读物的激烈竞争,为了使自己的出版物得到更多的市场份额,"名牌效应"当然是最佳的法子,在这种考虑下,出版社求助于博导这样一个带有社会主义法权性质的尊称,是完全可以理解的。但"名""实"不符,当今已遍地皆是,假冒伪劣则已蔚然成风,"特殊材料的人"、"革命家"、"马列主义者"、"领导干部"中尚有此类,何况博导乎?不过"君子有成人之美",敝人虽不敢以君子自命,但"成人之美"的那份善良倒是从来都不缺的,既然出版社有此博导情结,我也就请他们放心,我会多请一些头有光圈的博导到这个非博导主持的小庙里来。因为这并非难事,不说故旧同事中博导比比皆是,就是自己过去所带过的硕士生中,如今也有了不少。

事情不难,但也不如我想的那么容易。必读书中外国文学作品占十五部,只需撰写十五篇文章就行了。约请博导参与,老和尚比小和尚好请,与我同辈的,这边一约,对方就应,本来就是大哥二哥,有事好商量。新生博导有些就不那么好说话了,虽然是我辈"亲眼见着长大的",而且也是曾实实在在做过一些扶持与烘托的。在"虚位以待"的客观条件下过惯了的人,难免养成挑挑拣拣的习惯,而且挑拣的手法特别细腻,正像在糖水里泡大的人,口味自然特别讲究。何况,近几年来,在学术机构中,人为强化的新陈代谢机制,特别是大力推进的跨世纪学科带头人培养规划,使得学术文化领域中这一个层次与板块在地位、身份、经济待遇各方面都大大地、迅速地隆起突出,地貌的变化如此之大,周边关系与位置距离都会有相应的变化,至少在隆起突出的板块上看一切,自然就会有居高临下的态势,为中学生做点"功德事",为普通读者做点编选工作,等等,当然就远不在考虑之列了。因此,我要为导读本约请博导新贵参与撰写时,也碰过钉子,这就是导读本并非全是"博导文"的一个原因,虽然并非最主要的原因。

最主要的原因则是与纯学术的标准有关,因而,也是最实事求是的。虽然在高等学校里,凡博导就高人一等,工资待遇要比非博导高出一截,即使在中国社会科学院这样的单位,凡博导就可以推迟退休或者不退休。当然这种政策性的待遇不可能不是一种政策的结果,而一旦非学术的机制人为地运转下去,就与纯粹学术游离而产生明显的脱节,尤其是审视范围扩充到全社会层面,这种脱节就更为明显,突出表现出博导远非一个绝对的学术标准,在一些学科与学术课题上,正如市场经济中的那句格言所说:"最好的并不一定最贵,最贵的并不一定最好。"虽然生活中有"博导满街走""博导成把抓"之类的顺口溜,但这支精锐远远没有占领学科的大部分制高点,即在该学术业绩与学术水平上不一定占有优势,或者说占领了制高点的恰巧很多都是非博导,至少在我所熟知的本学科是如此。因此,在导读本中不止一个课题上我不得不避免邀约博导参与,而约请非博导的著名学者参加,如像《哈姆雷特》是请方平先生作评的,他是中国莎士比亚学会的会长,新版《莎士比亚全集》的主编,译有莎士比亚名著多种,并著有莎士比亚研究评论集三种,可谓中国莎士比亚学的真正权威;又如《歌德谈话录》是请著名学者高中甫作评的,他是国内在歌德研究上最有实绩的一人,译有歌德的作品多种,撰有论歌德的专著两部;再如,《大卫·科波菲尔》是请薛鸿时先生作评的,他长期以来专注于狄更斯的翻译与研究,早有译品与专著问世,等等。如此一来,非博导文在导读本中竟占据了不止"半壁江山",基本上没有满足出版社的博导情结,对此,我就只好表示抱歉了。

出版社对导读本提出了一系列规格,要求每一篇导读文章必须具备:作者简介与时代背景、内容提要、分析与评价、重要章节提示、佳句撷英与思考题目这六个部分,每一部分都有具体要求,如内容提要部分要求把小说完整地讲出来,而且要讲得生动,有声有色,等等。显而易见,像这样的一篇导读,与其说是一篇完整的评论文章,不如说是一份辅导材料,一份类似教案式的东西。

应该说,出版社提出这些规模与形式是很有道理的:按我个人的理解,中学生文学阅读能力相当有限,又是第一次读这些外国名著,其中好些品种都是三四十万字的大部头,别说中学生阅读,即使是大学文化程度的成人阅读,也不是没有困难。因此,导读本必须具备一种"把着手教","牵着手引导"的态度,必须充分照顾中学生的情况,贴近中学生的要求。居高临下,故作艰深,炫耀水平,卖弄文笔,搬用国外文论的思维逻辑与术语词汇,大玩符号学、解构主义批评的智力游戏……所有这些当今批评精英所折服、认可、崇尚、追求、热衷的玩意,在这里就没有多少用武之地了,如果一定要用,那就像西装革履上足球场,不合时宜。

对我来说,这是第一次担任自我主体性程度如此低的主编。过去我担任多种大型项目的主编,从创意、选题、规模、形式直到总序、分序以及有关文学说明，都是由我自己考虑、决断并亲自动手的，这种主编自我主体性的酣畅发挥，我一直把它视为"自我存在"的一种乐趣，也是我经常引以自诩的。而这一次，十几本书的选题是官方定的，规格形式则是出版社定的，主编发挥作用的空间就相对小了许多，说实话，对此我倒有点不习惯了。我也曾有过加上点创意的冲动，但基于对导读本性质的认识，对贴近中学生这一基本要求的理解，我明确地感到，脱离这种基本性质与基本要求，再去添加什么，那就纯属多此一举，吃力不讨好，因此，明智的办法就是把自我主体性缩小到尽可能低的程度，一切以时间、地点、条件为转移嘛，"此时无声胜有声"，何乐不为？

不仅只有我要面对一个自我调节问题，参加导读本写作的诸位学者也都如此。他们首先要从时间上、工作安排上作些调整。虽然由于本单位旺盛发达的新陈代谢机制，他们之中很多都像我一样早已被一刀切割在现职编外，但社会文化学术事业对他们的需求却仍然未减，而他们的学术生命力也处于"夕阳无限好"的上佳状态，无一不是手头都有"重要的活"，且都是出版社、读者、文化学术界翘首以盼的活，而今要为一篇普通的导读文章让路，如果不是出于"且为中学生做一件功德事"的热情，他们是不会接受承担的。

更重要的是写作方式、写作规格上的调整。对于长期从事文化学术的学者专家来说，写作的目的往往是对高学术层次的追求，是自我学术品格、批评个性的实现，是独特见解与创造性的发挥，是个人魅力与词章才华的展呈。在长期学术文化生涯中，所有这些实际上已经或多或少成为其写作的方式与习惯，成为其写作的自律与规格。但在导读文的写作中，学者个性的专业化的一些东西就不可酣畅发挥了，而必须从中学生的知识水平、理解水平出发，贴近他们的要求，作一些普及性的ABC性的解释与说明，而且六个固定的栏目与固定的标题，就像是六个贴好的标签的口袋，你得分别往里面装满土豆、西红柿、地瓜……什么一气呵成、起承转合、华美妙文等等，都得搁置一旁……显然，由那一种写作到这一种写作，需要调整是不言而喻的，特别对学术个性比较强的人，更是不得不经过一个"磨合"的过程，不止一位撰写者不得不对其个性化十足的初稿进行较大的返工与"手术"。这的确太难为他们了，至今我想起来还颇感歉意。但这种"磨合"都在我们"为中学生当一次辅导员"的共勉中顺利解决了，全书的合作者的确都表现出了"且为中学生做一件功德事"的真正热忱。不过话又说回来，虽然我们有此种主观真诚，但毕竟与中学生颇有距离，对他们的水平缺少切实的了解，更没有给他们教课、做辅导的实际经验，因此，这些辅导文究竟是否完全符合他们的需求，是否能受到他们的欢迎，还有待时间的检验。

如果说导读本的性质要求我等作些自我调整的话，那么在市场经济激烈竞争的条件下出版社所采取的短平快战术，就使我等不得不自我挤压了。出版社约稿时，我对此书出版的市场背景没有太关心，只感到出版社要求的交稿时间较急。不过，在我看来，每人写一篇一万多字的导读文章，一两个月足够了，于是也就签订了约稿合同。我做事从来追求效率，何况也不想让这个"小插曲"影响我后头的工作，因此赶前不赶后，但没有想到我刚好把各篇导读文约定，好不容易将这种我等并无经验的教案式辅导文的写法与各位撰写者达成了一致，出版社就通知我，他们已经提前做出一本虚拟的导读本"模型"在图书征订会上进行了征订，他们之所以决定这么做，是因为获悉已有好几家出版社在制作同样的导读本，非采取这种做法不可。使他们感到高兴的是"名家主编"的路线，甚为奏效，已获两三万册的订单，为了使这几份订单不至于作废，出版社必须在11月底把印制好的书交货给发行部门，因此，"只好请各位专家提前交稿，不胜感谢"等等。

这个通知使我清楚地意识到我等这一批"老兵"，已经被载上了出版社的战车，为它短平快的战术而冲锋陷阵。

过了河的卒子，没有退路。只好硬着头皮与这些老朋友进行协商，争取按时交稿。应该说，对于一个驾轻就熟的专业人士，如果全力以赴，赶出这样一篇导读文章，时间还是绰绰有余的，问题在于事不凑巧，有一些特殊的情况发生了：有二位正在国外，他们回到国内，倒好时差离交稿时间就只有三四天了，有的同志则因为夫人突发重病而要全力跑医院……这些突发情况就有点像地震，带来了急迫、紧张与忙乱，于是紧张的"抢险"工作开始了，一直持续了两三天：与外地的长途电话来来往往，甚至还打到了美国、意大利……写好的文章用电传，而且写好一节电传一节……说实话，这么一忙，我血压升高了不少，当然，承受压力更大的还是赶文章的几位，有的先生80高龄，为这样一篇文章而日夜兼程，有的先生则开了两个通宵的夜车，有的先生文章中有些段落是在其夫人病榻旁写就的……这一批退伍老兵的劳动强度比起那些昂立在第一线岗位上的精兵犹有过之而无不及……最后奇迹般地打赢了"抢救仗"。

在我所从事过的一些项目中，这一项在内容上最为简单，但围绕着它的一些问题却恰好并不单纯，对我来说要算是一次"新的经历"。它使我颇有感触的一点是，纯学术性的事似乎是越来越少了，我辈实不能"以不变应万变"，看来得学着适应，学着应对，这也许就叫活到老，学到老吧。

2000 年 12 月

学界繁荣20年

——法国文学研究会厦门会议开幕词

我们这次学术会议，离21世纪只有几个星期，是一次名副其实的世纪之交会议。

站在世纪之交的门槛上，这不是人人都有幸能享用到的时空机遇，特别是本研究会同仁济济一堂，更是百年难逢。在此时刻，面对新世纪，请允许我对本学界在本世纪最后一个时期的行程略作回顾。

法国文学研究会成立于20世纪70年代末80年代初，走过了本世纪最后的20年，这正好是思想解放、改革开放的年代。本学界的这一代人没有错过这个时代，大有所为。他们首先在整个外国文学领域，正面地、有力地冲击了统治着中国文学界达三四十年之久的斯大林－日丹诺夫论断，坚冰被打破，对西方各国20世纪文学的科学评价与大规模译介出版才蔚然成风。当然，学术的解冻也并非毕其功于一役，在此之后，关于萨特的论争，关于对自然主义与左拉的重新评价，关于对萨特的重新评价，都很令人瞩目，并在思想文化界、外国文学界产生了广泛的影响，在这几个问题上，本研究会的学人们所作出的贡献是显而易见的。

这20年是本学界成果大丰收的20年。翻译方面的业绩令人惊奇，法国古典名著与现当代名著、高难度的作品与篇幅特别巨大的作品（如《追忆似水年华》），在中国都已经有了译本，其中不少名著还有多种译本，20年的翻译量已远远超过从林琴南到傅雷的近一个世纪。译界的才人辈出，高手如林，欲与傅大师试比高者比比皆是。特别是一些巨型项目，如"法国二十世纪文学丛书"七十卷、《巴尔扎克全集》三十卷、《雨果文集》二十卷、《杜拉斯文集》二十卷、《莫泊桑小说全集》十卷的完成，更具有文化积累的重大意义。20年来，理论研究方面也硕果累累，仅由本学界学者们所著述的、有分量的法国文学史，就已经有好几种，这是其他学界所没有的。翻译理论研究也有了长足的发展，且达到了很高的水平。

从各方面来说，本学界都可以算得上是一个学术活力强旺、学术生态繁荣、学术影响深广的学界。到目前为止，本研究会学有所长、学有所成的理事就有60人之多，其盛况宛如群星灿烂；本研究会的学者、翻译家在各种重大图书评奖中屡屡获奖，人数之众，令人称羡，在整个外国文学领域，实为首屈一指，反映出社会对本学界业绩的认可与尊重。

走过了这20年的行程，本学界有理由以更大的信心面对未来的21世纪，特别是因为不断有新一代的才俊之士，有饱学归来的洋博士充实我们这个学界，他们比年长的一代人有更好的条件，当可大有作为。同样，在不远的将来，法国文学研究会亦将由年轻一代的同志来主持工作（我们这次会议实际上就是由常务副会长吴岳添同志筹办的），我衷心祝法国文学研究会将来更上一层楼。

近期，我们每年仍将举行一两次中小型学术活动，我们的这次学术会议，就属于此一计划，这次会议得到了厦门大学的大力支持，由厦门大学外文学院承办，对此，我代表法国文学研究会致以衷心的感谢！2002年是雨果诞辰200周年，法国文学研究会将联合一些重要的文化学术单位、著名的高等学府，举行隆重的较大规模的纪念活动，筹备工作即将在下个月开始。我们希望届时的纪念大会将成为21

世纪本学界第一次盛大的聚会。

最后,祝本次学术会议成功!由于杂务缠身等等原因,未能赴会,敬请原谅。谢谢!

2000 年 11 月 12 日

困境中的执着与机巧

——对《世界文学大师的短篇故事》书系的感言与祝愿

科技出版社推出《世界文学大师的短篇故事》书系，要我为它写一篇总序。写总序，不敢当，对此事的感言与祝愿倒还有一点。

今天，科学技术界人士有兴趣涉足人文领域并有所作为，在我看来，似乎不失为一件"新鲜事"。现在的中国，科学技术得到了迅猛的发展，受到了崇高的礼赞，这无疑对改变中国面貌是很有意义的好事。但对于一个成熟而完善的现代社会来说，科学技术的发展与人文文化的发展无疑需要有一定的平衡与协调，如果有所失衡，必然会出现技术至上、物欲横流、精神滑落、人文萎缩的弊端，终归对社会、对民族的可持续的完善发展是不利的。科学技术领域里的有识之士与高人，从来就非常重视人文文化的协调发展。我们知道，中国科技界的权威钱学森就一贯对文化艺术有热切的关心与不衰的雅兴，至于人类文明的黄金时代那些百科全书式的巨人达·芬奇、歌德、狄德罗，无一不都在人文文化与科学技术两个方面都达到了高度的成就。总之一句话，对于人类社会的可持续发展、人自身的全面完善发展，科学技术与人文文化是两大不可或缺的营养。在这个意义上，我觉得科技出版社推出这个书系的立意颇为可取。

世界文学是人类一个珍贵而丰富的精神宝库，这里有着成千上万件稀世珍宝，在人类文明传承过程中，在人类文化艺术欣赏活动中一直占有极为重要的地位。出版界甚至包括一些非文艺的专业出版社不断从这宝库中提取珍品精品予以推陈出新,正是一个国家文化欣欣向荣的标志之一,科技出版社以自觉的意识参与进来,并力求有点系列化,是一件可喜的事情。在"系列化"的问题上,他们显然费了一些心思,简单说来,那就是四个字:"选大取小"。

他们的"选大",就是入选的作家均为世界文学的大师级巨匠,托尔斯泰、屠格涅夫、莫泊桑、契诃夫、都德、马克·吐温、杰克·伦敦等10个作家,无一不是人类文学史上熠熠生辉的名字。他们"取小",就是选这些大家的"小作品"——短篇故事。要知道,这些作家各自都有自己的"鸿篇巨制"、"皇皇大作",出版社要想求全,一是规模过大、编选的全面难控,一是制作起来要"大投入",要投入大量的资金与大量的人力。因此,应该说,科技出版社的"选大取小",此举是颇为聪明、颇为机巧的,值得欣赏。

还应该看到,"小作品"也有其特定的优势,小中见大、小中有大,其社会的、历史的、现实的内涵容量并不小,特别因为要在短小的篇幅中容纳更多更深的内容,也就更需要集中、概括、浓缩、锻造,因而在艺术形式上也就更为精炼、精致,这正是艺术精品创作的根本之道。现在,陈列在读者面前的,就是这样的精品,而精巧的东西,如同钻石一样,更耐看、更经久、更值得玩味,我相信它们会得到世界文学老读者群与新读者群的喜爱。

当然,在我看来,科技出版社的聪明与机巧,恐怕也是环境与情势所决定的。不可否认,由于电视与网络的迅猛发展,人们的文字阅读的地盘已经大大地缩小了,何况在人们的文字阅读中,如何炒股、如何应聘、如何烹调、如何美容之类的书还要占去相当大的份额,人们阅读有深度的人文作品、大部头文学名著的时间越来越少,而且,"看图识字"的趣味又在一部分读者中间越来越明显。物质功利主义盛行,人文精神滑落,大环境如此,出版社面向市场与读者,势必要采取机巧的策略,选取文学中的"轻工业品"提供给书市上的"上帝",谁都知道"轻工业品"比"重工业品"回收资金要快。我想,如果人文书籍市场的客观环境更好一些,出版社举事的规模与力度,一定也会更大一些。

"选大取小"既是一种人文执着与出版机巧,也是一种无奈,是人文困境中的坚持与智慧,值得对它说一声:"一路走好"!

2009年9月

困境中的拼搏

在物质功利主义张扬的氛围中,在追求物质生活、物质享受的热潮中,人文精神相对颇为失落,其中的一个表层现象,就是人文文化书籍、严肃文学书籍受到挤压与挑战,似乎尤其以外国文学书籍为最。

在中国,有阅读能力、有阅读习惯的人群,其绝对数量并不为少,如果都有兴趣阅读人文文化书籍、严肃文学书籍,哪怕只作为一种休闲方式,那么,中国的人文书架一定是世界上最巨大的、最奇迹般的人文书架。然而,在物质功利主义的氛围中,在发财致富意志的驱使下,人们忙于追求各种物质利益,忙于谋职跳槽、炒股中彩,忙于应付职业营生中种种问题,忙于奔波在旅途、饮宴在厅堂,还有卡拉OK、打台球、泡桑拿……现代时尚人忙得很啰,对不起,实在"无暇读书",即或有点时间,那也得读如何入市炒股、如何应试谋职、如何美容包装、如何操练种种职业技能的书籍。剩下一点闲暇时光,那就得轮上文娱性的小报或画刊了,生活太紧张,需要放松减负,松动筋骨……哪怕是些许文化、一星半点精神,也成了一些人物质功利主义生活中的"不能承受之轻",何况是分量厚重的《神曲》《浮士德》《人间喜剧》?……此外,购置了这些大部头文学名著,往家里什么地方存放?中国人的居住空间本来有限,难得容下书柜书架,虽然好多人已经先富起来了,甚至已经暴富起来,有了别墅式的宽裕空间，但先要用来布置流线型的家具，摆放巨型的电视机，此外，还要给宠物腾地方，阿狗阿猫，鱼缸鸟笼……总而言之，现代中国人很少再有空间容得下莎士比亚、雨果、狄更斯、加缪……

经济生活的状况与进程，决定文化生活的面貌，这就是几年来人文文化、外国文学图书市场疲软的根由。人们很容易就能注意到，一部外国文学名著经常只出版五六千册，很少有上万册的，而且往往滞销，这就必然给出版社的经营带来负面的影响，在经济上形成拖累。对一个有十几亿人口的大国来说，一部有价值的文学作品往往只能出版数千册，这不能不说颇具讽刺意味。本来，严肃文学、外国名著在中国是具有一个相当大的传统市场的，上世纪七八十年代，一种外国文学名著往往能出版上万册，甚至十几万册，而且累累重印，那样的"黄金际遇"，如今只有在影视圈里已经混得"面熟"的"作家"写的书，才得以享有矣。这种文化现象发生在改革开放之后的二三十年，是值得深思、值得研究的。

在此种情势下，刘硕良先生推出他所主编的"世界十大文学名著书系"，不能不说是一种充满了人文勇气的壮举。

刘硕良先生是国内名声卓著的出版家，他具有充沛的人文主义精神与社会主义文化积累的热情，并不止一次以其大手笔而谱写出颇有气势的大文章，他在主持漓江出版社期间推出的"诺贝尔文学奖丛书"一百种即为最显赫的例子。他也是我个人的老朋友与合作者，我所主编的"法国二十世纪文学丛书"七十卷的前35种也是在他的支持下问世的。这次他意欲在文化出版事业的领域大有所为，并以"世界十大文学名著书系"为其先声之举，当然令人格外瞩目。

这个书系显然承继了刘硕良先生作为出版家一贯的人文热情与社会主义文化积累的强烈意愿，在市场疲软的条件下，在各个出版社都各有自己的"名著书系"的周边环境下，此举不仅要具有敢于竞争的勇气，而且更要有坚定的人文信念与文化的远见卓识。要相信世界文学名著是人类无比珍贵的文化遗产,是永远说不尽的精神瑰宝,才能有这份毅力坚守在这份瑰宝的旁边,怀着崇敬之情去悉心加以照料。是的,这份遗产,它也许还有一段时日会被卷入物质功利主义潮流中的世人忽视、怠慢、擦身而过,但要坚信,随着改革开放的深入发展,人文文化的价值与重要性将来必定会大有提高,世人也必定会有一次精神上的重新发现。"世界十大文学名著书系"的推出者肯定是怀着这种符合科学发展观的预期与坚信,如果没有这种信念与远见,是不可能步入这个目前尚困难重重,足以叫人举步维艰的领域,君不见,国内好些以人文书籍为己任的出版社无一不是在惨淡经营。

既出自理想主义的社会文化积累热情,也有现实主义的务实态度。"书系"的创办者并没有把摊子全面铺开,以求有鲸吞全部优秀的世界文学遗产之势,而是采取一种凝练内敛的态度,自我限定为"十",仅仅为"十"。这体现了对目前阶段市场状况的了如指掌与适应顺从,也体现了对读者目前阶段狭小书架空间的理解与配合。它不给人以压力,不给人以负担,它只伸出一只攥成拳头的手来,手心里肯定握着读者所需要的、所乐于接受,也有能力接受的东西,而且,它还可以放开、伸展,预示着放射、扩张与发展。这"十"颇有讲究,它是中国人喜闻乐见的数字,视为完整、吉祥的数字,以"十"为框架,大有营销心理学上的讲究。更为重要的是,它意味着遴选、比较、精挑。作为选家,他充满了自信,显示出他的见识与眼光以及由此而来的某种拍板定案的权威性,而作为出版者,他充满了服务意识。他为读者做好了选择,免去了忙碌的读者在世界文学巨大的国度里探索道路、辨认方向、寻找目标的劳顿与周折,他为读者准备好了一切,安排了一切,使读者有充分的信任感、放心感,使读者在它面前享受现成的阅读愉快。

不言而喻,十大名著的入选名单因人而异。不同的选家就会有不同的选法,十个选家很可能就会有十个名单,十种组合。甚至可以说，每个读书人心里都有各自的"十大名著"。文学创作是一个绝对个性化的领域，同样，文学鉴赏、文学评价也是一个非常个性化的领域，文学观点不同，价值取向不同，欣赏情趣不同，足可以决定这种多元化的纷繁各异的选择。

那么，我们现在所面对的这份十大名著名单，有什么特点、有什么色彩、有什么倾向？

应该说，这一份十大名著名单是带有某种程度的经典性。"经典"一词过去只能用在最神圣不可侵犯、最正确、最完美无缺的人物或事物上，其实，它不过就是得体、稳妥、有理、适度、全面的一种综合状态与综合效应，而且，也不可避免带有一定的相对性。说"书系"的经典性正是在这个意义上说的。具体来讲，它不猎奇、不偏激、不怪异、不矫情作态、不故作深沉、不"语不惊人誓不休"。在内容与形式上，在社会历史内涵、人文价值与艺术价值上，它力求兼顾平衡，在思潮流派、艺术风格上，它力求兼容并蓄。我国传统文学批评对进步思想内容的尊崇，显然是"书系"的标准，对艺术成就、艺术价值的重视，也是"书系"选择取向的原则，特别是它更着眼于一部作品在人物形象的描绘上、典型性格的塑造上达到了何种精彩深刻的程度。因此，读者可以在"书系"中看到世界文学画廊中那些最为著名的人物：哈姆雷特、堂·吉诃德、浮士德、于连、高老头、冉·阿让、安娜·卡列尼娜，等等。"书系"也注意囊括人类文学中最为辉煌的历史过程与推出了杰作巨著的思潮流派，从16世纪到19世纪，从文艺复兴人文主义到浪漫主义以至现实主义。当然，我们注意到了一个显而易见的欠缺，那便是缺了20世纪与现代主义文学的代表作，但是，看来这欠缺是在当前版权壁垒坚厚而稠密的条件下出版操作的困难所造成的，而不是由于"书系"创办者在见识上、认知上的疏漏。

"书系"在低迷的市场大环境问世，在各种条件的制约下，在众多出版社激烈竞争中走出。应该说,它的前途还是会充满光明的,而道路却不一定会很坦荡,但愿它一路走好,但愿它欣欣向荣,我也深信它是会欣欣向荣的。

2004 年 10 月 23 日

杨武能的道路与贡献

五短身材，衣着讲究，多为西式休闲装，一看便是位西学人士，至少是位有西方文化情趣的人；讷于言，或者更准确说是相当寡言少语，出语谨慎；待人接物，态度谦和，老成持重；办起事来，内敛低调，不动声色，但从他面部细微的表情与颇有内涵的眼光来看，这绝对是个很有主见的人、想法颇多的人……

杨武能，从1978年他当研究生时我认识他开始到现今，他在我心目中的形貌一直便是这个样子，只不过，在这形貌外表之下，实在内涵却有了绝大的变化、有了巨大的发展。

"十年浩劫"之后，中国社会科学院在胡乔木、邓力群的主持之下，创办了研究生院，并率先于1978年招收了第一批研究生，因系国内首创之举，又以"天字第一号"意识形态机构的名声与优势地位，此次招生吸引了国内大批社会科学与人文科学中的青年才俊。他们都在"文化大革命"前就完成了大学学业，并在文教领域里已经有了好几年工作的经验，但一直怀有继续深造、欲在学术文化上更有一番大作为的志向。社科院就像磁石一样把他们吸引了过来，他们之中的精英与尖子几被一网打尽。由于其"老大学毕业生"的资格，更由于其资质与成色确实较高，在社科院被统称为"黄埔一期"。事实上，日后从他们之中确也涌现出不少学界的名家名士，武能即是其中的一位佼佼者。

那时，武能所在的研究生院外国文学系，其实就是社会科学院的外国文学研究所，不论是研究所还是外国文学系，其学术首脑都是冯至先生，研究所少数几个已做了多年研究工作的中年业务骨干，也荣幸地兼任"硕士导师"，本人亦为其中之一。既然同在一个研究生工作系统之内，我与武能也就多多少少有了"数面之缘"，不过，他与我不是一个专业，实际上并没有什么联系。只是在1978年秋，我受所长冯至之命，要到即将召开的全国外国文学工作会议上就20世纪西方现当代文学作一重点发言，我决定在这个发言中对统治了我国外国文学工作已有数十年之久的苏式意识形态日丹诺夫论断"揭竿而起"，发起一次大规模批驳。为郑重其事，我在赴会宣讲之前，先作了一次"实战演习"，对外国文学系英、德、法三个专业数十名研究生作了一个题为"20世纪西方现当代文学重新评价问题"的学术报告，当时我想，如果在眼前这批研究生中引不起共鸣，那么到大会上去宣讲其结果肯定不妙。幸好，如我所估计的那样，研究生们给了我首肯的反应，报告后，他们至少有几位上前表示赞赏与认同，如果我没有记错的话，其中就有武能，仅就这一点，就足以构成我们之间友谊的基础。虽然从他当研究生的时代起一直到他成为一个大译家，我跟他的交往实在甚少，但我很早就认定我与他可算是一个同声相应的"同路人"。特别是在后来，我因为《萨特研究》一书挨批，遇见了若干世态，有的遇我绕道而行，有的抓紧时机写文章表示革命的批判立场，有的以公允与中庸之术装点其"左"态，但当我与武能偶尔相遇时，至少从他面部读到的是理解与同情。

在进社科院当研究生以前，武能最主要的经历是从南京大学外语系德文专业毕业，而后在高校当助教。南京大学的德文专业也是国内德语文学教育的重镇，集中了这个学科中的元老教授如张威廉等，其水平与声誉几乎可以与名望正隆、拥有大名家冯至与田德望的北大德语系不相上下，而毕业后分配到高校当助教，一般也是高材生才能得到的待遇。他来到社科院当研究生，无疑是进行第二次"锻造"，同时也是面临着自己业务道路、文化形态、学术特色、精神人格的选择、形成、确立与定型，说得简单一点，就是面临着"自我选择"。那时，正是中国改革开放的初期。改革开放，其实对于个体的人来说，就是有了自我选择的空间与余地，几乎每个人都可以进行不同程度的自我选择，只不过，领域不同、层次不同而已。我个人仅仅是在70年代末80年代初就萨特的评价问题大声疾呼过他的"自我选择"哲理而荣幸地被人们所记得，并得以与一代知识精英息息相通。其时也，刚进入研究生院的"黄埔一期"，当然也在忙于发现自我、选择自我、积攒自我。有的在开始向钱锺书式的"通才"、"通学"方向努力，有的志不仅在学者文凭，而且更在于文学创作实绩，以徐志摩、卞之琳、冯至为追随对象，有的崇尚社会理论的抽象思维，很可能是在以成为未来的启蒙思想家自勉，有的热爱文采飞扬的艺文评论，希望成为挥斥方遒的大批评家，有的则以文学翻译为其基石，心目里肯定有傅雷的影子，当然，也有人在忙于夸夸其谈、卖弄炫耀、跳来蹦去，似乎准备当下就成为令人倾倒的名士……总之，在那个自我选择的新时期里，"黄埔一期"的每一个人皆尽显各自的禀能与勃勃生机，而杨武能的基调与特色，便是开始以文学翻译为根本，以谋发展，求成大器……

看来，文学翻译是杨武能由来已久的志趣。一般说来，外语系的高材生往往都很早就开始走上这条道路，这是自然而然的共律，当年北大西语系三年级的少年才俊罗新璋与傅雷通信论译道，便是一著名佳话。同样，杨武能早在大学期间，就已经是发表有译作的青年译家了，进了研究生院当然更步入新阶段，毕业后又继续留在北京工作，并多次出国进修，这一切既增加了学养，打开了文化视野，还有冯至、卞之琳等译界大家就在面前可以直接就教受益，又靠近《世界文学》与《译林》这样的楼台，而拓宽了发表译作的渠道，从此，他充分利用了这些条件，埋头苦干，执着努力，日积月累，翻译劳绩益增，到他结束"北京时期"被调回母校四川外国语学院任副院长时，他已经成为国内著名的德语文学翻译家了。特别不容易的是，在他仕途顺畅、已获高位之后，一旦感到因此倒影响了他的翻译宏图时，便毅然辞去了副院长职务而到四川大学去当一名教授，又专务起他的文学翻译来。时至年届70，他已出版了多达十四卷的《杨武能译文集》，其中包括《浮士德》《少年维特之烦恼》《歌德谈话录》《格林童话全集》《海涅诗选》《茵梦湖》《魔山》等数十部经典文学名著，成为我国一位高产优质的翻译家。2000年，他荣获联邦德国总统颁发的"国家功勋奖章"，2001年又获联邦德国的终身学术成就奖洪堡奖金。

武能出身于研究生院，也作过不少理论研究与评论工作，并有好几部论著公行于世，如《歌德与中国》《走近歌德》《三叶集》与《德语文学大花园》等，有此一番劳绩，在中国学术文化界也并不多见，试看不少端坐在学术庙堂之上、行走于学术屏幕之前的仕途化的学者，有几个人有几部像样的论著？虽然他的理论研究成绩亦颇为可观，但比之于他的文学翻译，则是小巫见大巫，他的专长显然是翻译工作，他的劳绩主要是翻译作品。今天，如何衡量他的文学翻译成就呢？十四卷译文集，在现今译界、在中国翻译史上"是个什么概念呢"？在译界尚健在的翻译家中，有十几卷译文问世者，目前他是第一人，而在翻译史上，据我所知，似乎只有规模更为宏大的二十卷本《傅雷译文集》可居其右。

如果武能的学术文化生涯从大学毕业的1962年算起，至今正好50年，50年创造出了这样厚重的业绩，实在是令人感佩。这样一份业绩当然是靠长期不懈的艰苦劳动才能创造出来的，是靠日积月累的"爬格子"爬出来的，他自己不止一次提到他的"苦译"，是的，精神劳动者的"活"的确苦，君不见巴尔扎克常自称为"精神劳役"，罗丹的思想者苦思冥想时全身肌肉是那么紧绷。要长期不懈坚持这种很艰辛的劳动，没有强大的精神力量的支撑是难以想象的。特别是遇见困境时，更是如此。如每遇思想政治气候变化时，他只能把已成的译品压在抽屉里，毫无出路；如在研究单位里遇上了"翻译作品不算科研成果"的清规戒律时，面临不同的规范要求，他不能不费神费力去进行选择调配。也许是歌德的名言"理论是灰色的，生命之树常青"影响了他的倾向与方向，而在数十年漫长的"苦译"岁月里，指引着他前行、激励着他奋进的，则肯定是自我文化大作为的志向、对人生高价值的自觉追求、对民族的社会文化积累的献身热情。他有自己的理念，有自己的抱负，有坚韧的毅力，于是，在被视为"阳光大道"的仕途上少了一个五六品文化官员，而中国的文学翻译领域里有了一个劳绩厚重的巨匠。

在武能学术教育工作50周年的时候，他的弟子们准备为他组织出版一个纪念文集，收入他师友同事的一些评说与回忆的文章，以及他的学生们的文章和他自己的自述，这无疑是一件很有意义的工作。展示了劳绩与成就，总结了道路，彰显出精神，的确是一种高雅的纪念方式、珍贵的纪念方式。

这种方式必须具备两个前提条件，一是被纪念者应该是真正劳绩卓著、价值非凡的人士，二是举办纪念的"东家"真正具有尊重人才、珍爱人才的伯乐精神。这两个前提缺一不可，方能成事。不具备前者，必然成为虚张声势、乱吹乱捧、劳民伤财的闹剧。缺了后者，则是千里马的寂寞与被冷落。非常难得的是，这本纪念集的这两个方面都到位达标，两者相得益彰，完美结合，堪称样板。

我与武能其实是同一辈人，我只痴长他四岁，仅仅因为他在研究生院时与我有数面之缘，后来我主编大型书系与作家专集时，曾和他有过几次愉快的合作，他一直谦虚称我为"老师"或"柳公"，而且并不随着他自己地位的提高与业绩的增长而改口。说实话，我一直受之有愧。我知道，他谦谦君子的风度，正是他虚怀若谷品德的外现，就像钱锺书在给青年学子的信札中经常称兄道弟一样。不久前，他来信希望我为这个文集写一篇序。为这样一本文集写序？我实在不敢当，不过，在他学术活动 50 周年之际，表示我的感佩与祝贺倒是我自己的心愿与责任。

2012 年元月

几点浅见

首先,谢谢作家协会"中国当代文学对外译介座谈会"的盛情邀请。由于我个人的职业行当与这项工作只有一点微弱的间接的关系,曾经辞谢了两次,但均未获批准,现提出几点浅见,谨供参考。

随着中国的民族管弦乐团与宋祖英的山歌进入维也纳金色大厅,中国电影在国际影展中频频获奖,中国文学界的确面临着这样一个越来越迫切的问题:如何扩大与增加中国文学精品的向外译介与"对外出口"。

一个民族崛起、一个国家强大之后,自然更迫切需要在精神文化上向外部世界更多地展示自己,使其精神风采能与其力量、与其地位相称,而力量与地位的变化,也使得其精神文化更易于受到外部世界的关注与重视。法国17世纪的古典主义并不是魅力十足的东西,但得益于路易十四的国威,竟成为欧洲一些国家一个时期的文学时尚;中国的龙舞与狮子舞是由来已久的玩意儿,但在改革开放以后才能舞到了巴黎的香榭丽舍大道。

从另一个方面来说,精神文化成就也是一个国家、一个民族的一种毋庸置疑的软实力,这种实力被运用得恰到好处,往往可以发挥令人意想不到的奇效。有智慧的民族与国家,常常是成功运用这种力量的高手。我们的战略伙伴法国人,就是经常自觉运用这种实力的佼佼者。不久前,法国政府以移葬大仲马一举,将一笔老掉牙的文学资源动用了一下,就在世界文化领域里制造出了轰动性的新闻,吸引了全球的注意,再次确认自己民族在精神文化上的巨大影响力。

不言而喻,作协现在着手的"百部文学作品对外译介工程",显然是一个很有智慧的政府行为,是一个很有战略抱负、很有战略眼光的举措,其意义远不仅仅在于对外文化交流。

我记得过去我国曾有过类似的一项工程,外文出版局组织翻译出版的"熊猫丛书"。"隔行如隔山",我对这套书不大了解,粗略的印象是,它做了一些有益的工作,起过一些积极的影响,但与投入的人力物力财力而言,似乎其效果与影响并不尽如人意,显而易见,这一头"熊猫"在全世界远不如我们真正的国宝熊猫那么受欢迎、得青睐。考其原因,不外是在观念上、在运作方式上、在译文质量上都有若干必须总结的经验教训。

这是一项文化工程,而且是对外文化工程,要把它做成功,达到预期的效应,就必须遵循文化工作的规律,而且是对外文化工作的规律。虽然在我们的文艺理论经典中,在长期的传统中,文学从来都是从属政治,从来不可能脱离政治的,但是在这个项目中,也许最纯粹的文学才可能是最好的政治,比较纯粹的文学才会使政治效果成为可能,否则,只会是"欲速则不达"。理由很简单,因为这个项目是要进入一个纯粹市场的国际文化环境,它的受众完全不同于国内的受众,如果以高亢的声调强买强卖,反倒会无人问津。

核心的问题是向外推出一些什么样的文学成品,而其关键则是入选标准。窃以为有两条至关重要:一是尽可能宽松的思想标准,二是尽可能高精的艺术标准。

尽可能宽松的思想标准,是最大公约数,是能为外部世界广泛受众接受的东西。不外是最人性化的内容,最人文关怀式的内容,最富有理性透析力与睿智性的内容,最富有历史时代宽容性的内容,而切忌激烈、狂热、偏狭、专断、功利、伪善之类的内容,这些东西只会把人吓跑，或者只会使别人对你抱敬而远之的态度。

尽可能高精的艺术含量包括哪些东西，在座的都是行家，就用不着我来啰嗦了，不过，我觉得警惕我们常见的那种伪浪漫主义的东西、伪超前性的东西（如孟京辉式的艺术），倒很必要。

中国当代的文学作品，我读得很少，没有研究，但有些留下了时代印痕的作品，如《绿化树》《大林莽》《白鹿原》等，有些贴近生活的作品，如《贫嘴张大民的幸福生活》《家有九凤》《找乐》等，有些探索人性的作品，如《废都》等，都曾给人留下深刻印象，我想国外的读者对这些作品可能会有兴趣。

至于这项工程应取的途径与方式、方法，因为涉及选题、译文质量以及推广发行等诸多问题，因此，完全走过去的老路是行不通的，引入文化市场的机制是不可避免的，好在我国已经有了演出公司在国外的活动、出版社在国外合作出书的项目，他们的经验都值得借鉴，即使是在座的学者、翻译家，有的也已经在英美等国翻译并出版了多部中国当代文学作品，其经验也不妨听取。

以上浅见，见笑见笑，谢谢大家！

2006 年 2 月 12 日

梅里美文学创作中的双璧

如果要问在梅里美的文学创作中,最精彩、最出色、最有魅力的作品有哪几篇?答曰:当推《高龙巴智导复仇局》与《卡尔曼情变断魂录》。《高龙巴智导复仇局》写于1840年,《卡尔曼情变断魂录》写于1845年,虽然距离他1870年逝世还有不少年头,但是这两部作品之后,他就再也没有写出过重要的文学作品了。从这个意义上说,这两部作品可以说既是他的巅峰之作,也可以说是他文学创作的"晚期"之作。"晚期"与"巅峰"倒也不无联系,到了晚期,思想积淀与艺术积淀自然更多更深厚,产生更为成熟、更为精彩之作也是很自然的。

这两部作品之所以在梅里美的文学创作中特别精彩出众,有一个共同点,那就是都塑造了栩栩如生、性格突出、色彩鲜明的女性形象,高龙巴与卡尔曼。这一艺术成就决定了两部作品的精彩与不朽,使他们足以在气象万千的世界文学宝库中,也闪闪发亮,占有一席重要地位。如果说主要是它们奠定了梅里美与司汤达、巴尔扎克、福楼拜这些19世纪文学大师比肩而立的文学地位,那也并非夸张之词。

这两个人物在19世纪法国文学史中的独特性都是显而易见的,纵观19世纪法国甚至整个欧洲的文学,不难发现主人公几乎都是贵族沙龙或资产者沙龙中的男女,而梅里美的这两部作品打破了原有的惯性与既定格局。他的这两个主人公都出自完全不同的生存环境,属于完全不同的人群,高龙巴其实是科西嘉岛上的一个乡姑,虽然她在当地也算是名门闺秀。卡尔曼则来自流浪民族吉卜赛人群体。两人都不属于文质彬彬、温文尔雅的上流社会，都是充满了野性的"化外之民"。科西嘉岛位于法国南端的地中海，山峦纵横，民风剽悍、仇杀成风，是一个半蛮荒、半开化之地，吉卜赛人素以野性放荡闻名，生活中充满了种种不符合文明社会的道德规范、不合法的行径与活动。这样两个人物的行为自然就会呈现出各自母体所赋予的属性，一个在家族世仇的矛盾纠葛中，演出了一场扣人心弦而轰轰烈烈的复仇大戏；一个则在无拘无束、放浪不羁的生活中率性而为、情变无悔而付出了生命的代价。如此浓烈富有刺激性的题材、人物，无疑是下了一道猛料的佳肴，给以上流社会为主要题材的法国19世纪文学大大提了味，使人口感一新。

毫无疑问，这两个人物身上都有明显的野性，甚至有些许邪性，高龙巴虽然是科西嘉岛上殷实大户的一个闺秀，看来明事理、知分寸，但在布控家族复仇大计中，在引导其兄走向家族复仇的过程中，却充满了狡黠的算计、无诚实可言的小手段，以及对仇家心狠手辣、赶尽杀绝的冷酷。如果说"眼睛是心灵之窗"，那么梅里美在小说的最后明明白白地告诉了读者，这位科西嘉岛上的大家闺秀长着"一双毒眼"，这一细节描写可谓是对高龙巴这个人物的画龙点睛，这一句话也可以说是整个作品之"眼"，表露出整篇作品的精神之眼。卡尔曼作为一个下层的流民，更有不少贪图钱财、小偷小摸、欺诈行骗、谎话连篇的行径，从其作为看，说她是个下流女人实不为过，梅里美毫不回避、毫不忌讳地描写出她们身上的不道德、不文明，乃至弱点、恶习、污点，既符合她们的地域环境属性、所属族群的共性，也符合她们在各自的生存条件下，在各自所处的具体境况中，面对着各自所遇到的情势、纠葛、矛盾以及挑战，产生自然反应的人性逻辑与心理逻辑，这就使两个人物成为栩栩如生、有血有肉的真实艺术形象。

然而，至此，梅里美还只走完了他艺术创作行程的一半，他的终极目标是要把这两个人物塑造为正面的形象,有闪光点的形象。他要点石成金,他要化凡俗为神奇,他的确做到了。在《高龙巴智导复仇局》中,他努力把女主人公描写成一个具有复合性格的形象:虽然尚未完全开化,野性犹存,流于剽悍,但却明明白白具有正面性格,她不仅聪明、美貌、富有智慧,甚至有即席吟唱、出口成章的才情,而且遇事有头脑,办事知进退,行动果断敏捷、有勇气和气势,并非男人却胜似男人,并非军人却胜过她那曾在拿破仑军队中磨炼了多年的哥哥,更具军人气质与大将风度,她的自然野性与激烈感情所针对的是上流社会的"体统"与是非标准,更是当权统治者的法纪权威,这就使得她不同于那些深受贵族、资产阶级文明熏陶的人物,而生气勃勃、果敢大胆地在现实生活中导演了一出惊心动魄的戏剧。她终于成了一朵灿烂的花,一朵带有野性的科西嘉之花。

至于对卡尔曼,梅里美塑造复合性格的技艺更是达到艺高人胆大的高度。他对这个带有明显邪恶习性的"化外之民",竟赋予一种闪闪发光的东西:自觉地站在社会的对立面,对统治阶级的规范和法纪表示公开的轻蔑,并以触犯它为乐事。她是一个社会叛逆者,以"恶"的方式反抗社会;她又是一个独立不羁性格的典型,不愿忍受社会的任何束缚,她最珍视的是个性的自由,即使是在死亡的威胁面前,也不肯放弃。于是,以整个生命为代价忠于自己,就成为这个人物最突出、也最吸引人的特点。梅里美将这个自由、粗犷的吉卜赛人的典型置于虚伪、苍白的文明社会对立面,把她的非法活动、惊世骇俗的生活态度与统治阶级的道德法律对立起来,让她以勇敢的忠于自己的死超越于文明社会之上,让这个"恶"的精灵在那社会的凡夫俗子面前闪闪发光。卡尔曼这个艺术形象就像一朵带有毒性但却鲜艳无比的罂粟花,是一朵名副其实的"恶之花",成为世界文学人物画廊中的一大奇观。

这便是我把《高龙巴智导复仇局》与《卡尔曼情变断魂录》视为梅里美文学创作中的双璧的原因。

莫狄亚诺的魅力

莫狄亚诺何许人也？他怎么得的诺贝尔文学奖？不少人这样问。

在法国不止一种著名文学史书籍中都可以看到这样一张照片：1978年9月15日法国一档著名的电视节目中，有三位嘉宾出席，一位是当时的总统密特朗，另两位都是著名作家。密特朗是一位爱文艺、懂文艺、在文艺界有不少好友、自己也能写一手好散文的总统。他亲莅这样的文化活动，并非寻常之举。与他并列而坐者，一位是儒雅老者，一看就是文化界的大家。另一位却是个年轻人，30岁上下，生气勃勃，英俊潇洒，看似一名体面的普通工作者，可他却是与总统并坐的嘉宾。谁？他就是莫狄亚诺，时年33岁，已是当时法国的"一线作家"。

他不到20岁就开始写作，23岁因《星形广场》获尼米叶文学奖而成名。此后，成功之作不断，法国国内的龚古尔文学奖、法兰西学院小说奖等文学奖，他都拿过。他今日荣获诺贝尔奖，君且莫惊奇意外，人家是从小奖到大奖，从国内奖到国际奖，一路拿过来的，可谓水到渠成。

他是凭什么作品获奖的？答曰：是凭他一集束作品群获奖的。不难发现，莫狄亚诺的一些主要作品，都具有某些共性与相似特点，在思想上、意境上相互映照，相辅相成，相得益彰。至于哪些是他的代表作品，在我个人看来，恐怕还要数他上世纪末以前那些具有某些共性的作品所集成的一个作品群,包括《夜巡》《魔圈》《星形广场》《凄凉别墅》《一度青春》以及《往事如烟》等等,而这一集束作品的核心当属《暗店街》这部作品。"暗店街"是直译,如采用更有表现力、更能标示其内涵的意译,则为"寻我记",我个人更偏爱后者,因此,我所主编的"法国二十世纪文学丛书"于1992年推出莫狄亚诺的第一个专集时,采用了《寻我记》这一译名。

莫狄亚诺成名甚早,历久不衰,自有其独特魅力。进入他的小说,首先感受到的是语言的魅力,特别洗练精简,却很有含量、弹性、表现力,且十分传神。比如,他这样描述战争时期萧条的巴黎:"街上空空荡荡,是没有巴黎的巴黎",他这样形容极其糟糕的乐队演奏:"乐队正在折磨着一首克里奥尔的华尔兹"……这语言,既展示出锤炼的功力,也闪烁着诗意的才华。

莫狄亚诺的小说还具有一种使你拿起来就放不下的情趣魅力。考究其因,也许是某种近似侦探小说的因素在起作用,他的小说里老有某桩不寻常的事件、某种紧张气氛与压力,老有个笼罩一切的悬念在等着你,令你急于一探究竟。但是,他的悬念显然与柯南道尔、克里斯蒂这些侦探小说大师的悬念不同,在侦探小说家那里,悬念是具体的,只关系到一个具体事件与具体人物的某个行为真相,而莫狄亚诺的悬念却是巨大的、笼统的,往往关系到一个人的生存状态(《星形广场》《夜巡》),或者关于一个人的真实本质(《魔圈》),要不就是关于一个人某段生活经历甚至全部生活经历(《寻我记》《户口簿》)。而导向悬念结果的,则总是一个个平常细节、平淡场景,绝不会有枪声、血迹、绳索、毒药瓶,只在寻常中,飘荡着当事人自己即自我叙述者本人充满感情色彩的思绪,甚至发自内心深处的呼声。由此,他的小说就有了评论家所指出的那种"紧扣人心弦的音乐般的基调",而到最后,与侦探小说中的悬念都有具体答案的结局截然不同,莫狄亚诺小说悬念的答案仍是一个巨大的问号,这让小说的结局具有一种强烈的揪心的效果,还有耐人寻思的徐徐余韵。于是,莫狄亚诺不仅有使你要一口气读完作品的魅力,或许更有使你在掩卷之后不禁深思的魅力———一种寓意的魅力。

从作品的历史背景来说,故事几乎都是发生在第二次世界大战中法国被德国法西斯占领的时期。莫狄亚诺出生于二战结束的1945年,他毫无二战时期的生活经验,也并无从二战时期摄取生活场景的意图,他不过是满足于使用这个时期的名称与这个时期所意味的那种沉重压力。这种压力,直到战后很久还像梦魇一样压在法兰西民族的记忆里。于是,二战的背景,在莫狄亚诺小说里,所具有的意义就只是象征主义的,而非现实主义的,而象征,正是最能蕴藏寓意的构架与形式。

从小说的人物形象来说,莫狄亚诺几部主要作品的主人公几乎都是犹太人、无国籍者或飘零的流浪者,他们无一不承受着现实的巨大压力,作家从德国占领时期那里支取来的象征性的压力,狠狠压在他们身上。了解了莫狄亚诺笔下人物的存在状态之后,我们就逐渐接近莫狄亚诺的寓意。面对着黑沉沉的令人不安的压力,面对着自己的存在难以挣脱魔影这一可怕的现实,这些人物无一不身陷缺少存在支撑点、存在栖息地的恐慌,无一不渴望寻求解脱、寻求慰藉、寻求支撑点,无一不呈现向往"母体"的精神倾向,仿佛尚未满月的婴儿难以忍受这人世炎凉,眷恋自己的胞衣。尤其是,母亲、父亲、祖国以及象征着祖国的身份证与护照,代表了他们憧憬的方向和追求的目标,然而,这些憧憬与追求最终都坠入了失败的深潭。这些人物们的遭遇,共同揭示了人在现实中得不到确认的悲剧,或者说,现实不承认人的存在的悲剧。

更惨的是,得不到自己的确认。莫狄亚诺继续深化自己的主题,在表现人物寻求支撑点、栖息地的同时,还刻画了人寻找自我的悲剧,使他的小说具有了又一种深刻的寓意。而这也许是20世纪文学中最耐人寻思的寓意之一。

在《寻我记》中，寻找自己的主题演绎到更明确更清晰的程度，在这里，叙述者"我"几乎丧失了全部的自我：真实姓名、生平经历、职业工作、社会关系。"我"是一个无根无底的人，一个没有本质、没有联系的飘忽影子，一个内容已完全泯灭的符号。而"私人侦探居伊·罗朗"这个符号，仅仅是他偶然的得到，他真实的一切都已被在浩瀚无边的人海深深埋藏，他要到这大海中去搜寻一个个已然散落的零星线索，其艰难似不下于俄底修斯为了返回家乡而在海上漂流十年的经历。在这个意义上，莫狄亚诺创造了一部现代人寻找自我的悲怆史诗。

事实上，寻找自我这一深邃的悲剧性课题，不仅摆在莫狄亚诺小说中那些人物的面前，也摆在所有现代人的面前，也正因此作家才把为人物写一部寻找自我、确定自我的传记，视为一件需要"足够勇气"的事情。

在莫狄亚诺的作品里，确认自我、显现自我、寻找自我之所以特别艰巨，就因为在现代社会里，人都经受着自我泯灭与自我消失。在社会生活过程中，在"流通过程"中，不仅有严峻的政治、经济、社会等种种原因促发了这种不以人的意志为转移的自我泯灭与消失，而且，复杂的社会流通过程、喧嚣的现代生活方式也促进着自我的泯灭与消失。正像《寻我记》中的"我"所感受到的："人们的生活相互隔离，他们的朋友也互相不认识。"于是，在开放性的现代社会里，纷繁复杂的社会交往竟成为这样一种情景："千千万万的人，在巴黎纵横交错的街道上川流不息，就像无数的小弹丸在巨大的电动弹子台上滚动，有时两个就撞到一起。相撞之后，没有留下任何踪迹，还不如飞过的黄萤尚能留下一道闪光。"于是，"他们当中大多数人，即便在世的时候，也不过像一缕蒸气，绝不会凝结成形"。或者，"我们都是'海滩人'，我们在海滩上的脚印，只能保留几秒钟"。莫狄亚诺也像法国 20 世纪文学中杰出的哲人作家马尔罗、加缪那样，有心于在自己的作品里碰触人存在状态中带有悲怆性的课题，力图描绘出自己心目中的人类状况图景。他图景中的寓意，尽管不具有马尔罗哲理那种超越精神，也不像加缪的西西弗神话那样带有坚毅的色彩，反倒有几分茫然若失、悲凉虚幻的况味，但仍不失为一种醒世的寓意。它有助于人认识现代社会中种种导致自我泯灭、自我消失的现实，也启迪人的某种自觉要求与自为意识，以挑战"海滩上的脚印只能保留几秒钟"似的存在。在这个意义上，莫狄亚诺具有他吸引人的思想魅力。

中国人为何赞赏莫狄亚诺

10月9日傍晚,电视新闻节目带来了莫狄亚诺获诺贝尔文学奖的消息,于是,中国的新闻界、文化界、出版社,用中国的一句俗话来说,就像是"开了锅"("一锅沸腾的水")。各个新闻媒体,各大网站的记者,纷纷出动,忙于查询、了解、调查、采访、报导,各个出版社的编辑,纷纷开始探询、了解莫狄亚诺有哪些作品,哪些已经翻译介绍到了中国,还有哪些作品适合于中国读者的口味尚待翻译引进,版权情况如何,有何途径可以购得涉外版权,等等……与莫狄亚诺课题有关的文化人、教授、学者、翻译家都成为采访咨询的对象,我和好几个为中法文化交流做过一些工作的朋友几乎都接到了电话采访,我个人在用晚餐之际接到的这种电话竟有六七个之多。所谓"电话采访",其实是中国的媒体的记者最常采用的一种对他们自己来说是最为简便易行的质询方式,他们通过这种简单问答以得到他们的宣传报道所需要的知识与信息……总而言之,北京的10月9日傍晚,似乎可以说是"莫狄亚诺之夜",不少中国人都在为这个法国人而忙得不亦乐乎……

当然,每年中国人都注视着诺贝尔各个奖项的发布消息,特别是对文学奖项尤为关注,不同作家获奖的消息在中国总有不同程度的反响,前年莫言的得奖引起的关注最为热烈,因为他是中国人自己的作家,但以我个人的观察与感受,今年中国人对莫狄亚诺获奖热烈反应的程度似乎并不下于对莫言。据媒体的正式报道，各个书店、各出版社所存莫狄亚诺的译本已销售一空，不止一家出版机构都在加印莫狄亚诺的作品，一加印就是好几万册，甚至近10万册，这个数字对于近年来外国文学图书在中国销售量已大大萎缩的情况而言，有点像是一个"天文数字"。

为什么对一个法国作家的获奖会有如此敏锐而热烈的反应？在我看来，首先是因为中国人对法国文学传统的关注与喜爱。在中国，众所周知，法国文学所拥有的读者之多，远远超出其他国家的文学，甚至是文学大国英国与美国。传统的倾向，传统的兴趣，传统的爱好，往往是强有力的，甚至是不可抗拒的。至于这种传统的兴趣，传统的爱好是如何形成的，那又有着复杂的历史社会原因以及心理原因。当然归根结蒂，与一个根本的原因是分不开的，那就是法国文学所具有的独特魅力。

莫狄亚诺获奖在中国之所以有如此热烈反响，还因为他早已来到了中国，很多中国人对莫狄亚诺并不陌生，他在中国已经拥有了他的读者、他的"粉丝"，可以说他是中国的"老朋友""老熟人"了，老朋友老熟人有喜事，多放一挂鞭炮不正是自然而然的吗？

莫狄亚诺是在1986年随着他的《暗店街》第一次来到中国的，中国读者开始认识这位41岁的著名法国作家，是在他23岁成名之后18年的事，那时，他早就有了不止一部成名之作，仅仅因为他的《暗店街》获得了龚古尔文学奖才得到中国译者的青睐而被选中介绍给中国人的。在中国文化界的心目中，龚古尔文学奖是有威信的、有名望的"庙堂"，一个作家如果得到了龚古尔文学奖，他往往就被中国文化界另眼相看，就有可能被选中介绍给中国读者。应该承认，当时中国译者的这一选择是准确的，因为直到今天，《暗店街》仍然不失为莫狄亚诺的代表作之一，它为莫狄亚诺在中国征集了第一批读者与"粉丝"，由于这部作品给了人们深刻印象，在中国又连续有了第二个译本第三个译本。到了20世纪90年代初，莫狄亚诺在中国更引人注意地获得了更高的、更轰动一时的"礼遇"，一套在中国文化界、读书界著名的文学丛书相继两次推出了莫狄亚诺的两个小说集，第一集介绍了莫狄亚诺的《夜巡》《魔圈》与《暗店街》三部作品，第二集包括《一度青春》《往事如烟》《凄凉别墅》，莫狄亚诺如此颇具规模、引人注意地得到集中的译介，在中国是第一次，这件文学大事，无疑给中国的读书界、文化界留下了深刻的印象。及至21世纪，不止一个出版社又引进了《半夜撞车》《地平线》以及《缓刑》等小说，因此，莫狄亚诺在获得诺贝尔奖之前，在中国就已经出版了十来部作品，这在莫狄亚诺整个文学创作中所占的比例是相当大的，这说明莫狄亚诺在获得诺贝尔奖这一殊荣之前，就已经在中国得到了高度的重视与欣赏。一个当代作家在自己国度之外的一个国家拥有十来部作品的译本，一方面表现出这个国家对外来文化接收能力之强旺，文学翻译工作之活跃与有生气，当然更显示出了莫狄亚诺本身有吸引中国读者的魅力。

对于中国读者来说，莫狄亚诺的魅力首先是语言的魅力。深受古汉语熏陶的中国读者更喜爱言简意赅、精练而富有表现力的语言，而不大习惯法国20世纪文学中那些著名长句作家，诸如普鲁斯特、布托等人的语言。莫狄亚诺是一个语言高度洗练，但却十分具有丰富内涵与表现张力的作家，他这样的文句，如"没有巴黎的巴黎""乐队正在折磨一支华尔兹序曲"，更对中国读者的口味，更容易得到他们的赞赏。一拿起莫狄亚诺的小说，就走进如此这般的语境，自然会产生舒适的第一感觉。

莫狄亚诺之所以能吸引中国读者，再就是靠叙述的魅力。在这个方面，他再一次对了中国人的口味，中国习惯于传统的叙述方法——有明确的人物、有一定的情节线索、有清晰的故事发展，莫狄亚诺基本上属于这一种叙述模式，比较符合中国的阅读习惯。在这一点上，他比他的两位也得了诺贝尔奖的同胞同行克洛德·西蒙与勒·克莱齐奥要占优势，这两位作家的叙述方法正好是非传统的，甚至是反传统的（如意识流方法），这也就是这两位作家不如莫狄亚诺受中国读者欢迎的原因。莫狄亚诺不仅是在叙述方法上是传统的，而且他还有意识地在故事构思中加进带佐味性、提味性的、侦探小说似的元素，设置了疑团、疑惑的悬念以及求解、寻找、调查等一类的情节，所有这些就造成引人入胜的叙述效果与阅读情趣，类似侦探小说产生的效果，使你一读起来就放不下。要知道，中国大量读者正是柯南道尔、克里斯蒂娜与西默农的"粉丝"，他们顺理成章地成了莫狄亚诺的忠实读者。中国有句俗话，"雅俗共赏"，说的是一件艺术品既得精英人士的欣赏，也得普通凡人的喜爱。这就是莫狄亚诺从"俗"的方面得到了赞赏的原因。

然而，莫狄亚诺的作品恰巧绝不是侦探小说，它与侦探小说有本质的不同，相距十万八千里，莫狄亚诺还另具有更重要的特质，从"雅"的方面深得中国人的喜爱。中国人的确很快就发现了莫狄亚诺在小说中所设置的悬念显然与侦探小说大师的悬念完全不同。在侦探小说里，悬念只关系到一个具体事件与具体人物的某个行为真相，而莫狄亚诺的悬念却是巨大的、笼统的，往往是关系一个人的生存状态的悬念（《星形广场》《夜巡》），或者是关于一个人的实在本质的悬念（《魔圈》），要不就是关于一个人整整一段生活的悬念、全部生活经历的悬念（《寻我记》）。而到最后，与所有侦探小说中悬念都有具体答案的结局完全相反，莫狄亚诺小说的悬念答案仍是一个巨大的问号。由此，小说的结局就有一种强烈的揪心的效果，与读完侦探小说时的那种释然的感觉截然不同，而且，它还留下了好些耐人寻思的余韵。如果说，莫狄亚诺有使你要一口气把作品读完的魅力的话，那么，他更具有使你在掩卷之后又情不自禁要加以深思的魅力，一种寓意的魅力。而文学中的寓意，在中国人审美对象中，正是一种严肃的东西、高雅的东西，令人另眼相看的东西，由此，中国人早在20世纪八九十年代就接受了莫狄亚诺是法国新寓言派作家的这一认定。

　　从作品的历史背景来说，这些小说的故事几乎都是发生在第二次世界大战中法国被德国法西斯占领的时期。他使用了这个时期的名称与这个时期所意味的那种沉重的压力，这种压力直到战后很久还像噩梦一样压在法兰西民族的记忆里。莫狄亚诺几部主要作品的主人公几乎都是犹太人、无国籍者与飘零的流浪者，他们无一不承受着现实的巨大压力，莫狄亚诺从德国占领时期那里支取来的象征性的压力，就是压在他们的身上。对于莫狄亚诺所有这些对历史时代的描写，中国人是很容易理解并能产生共鸣的，因为，他们在第二次世界大战中，也有感同身受的相似经验，他们经历过侵略占领者在中国大地上横行霸道的岁月，体验过那个历史时期的沉重压力，而且，至今仍不免有感于某种历史重演的隐患。

　　正因为有对过去二战时期的共同感受与认知，中国读者对莫狄亚诺笔下的那些人的命运与他们种种摆脱命运的努力，有充分的理解，有深切的同情。莫狄亚诺的人物面对着自己的存在难以摆脱魔影这一可怕的现实，这些人物无不感到自己缺少存在支撑点、存在栖息地的恐慌，无不具有一种寻求解脱、寻求慰藉、找寻支撑点与栖息处的迫切要求，无一不具有一种向往"母体"的精神倾向。引人注意的是，母亲、父亲、祖国以及象征着母体祖国的护照与身份证，成为人物向往的方向、追求的目标，成为他们想要找到的支撑点，但他们的这种向往与追求无一不遭到悲惨的失败。莫狄亚诺小说中这样一个个故事，都集中地揭示了人在现实中找不到自己的支撑点、自己的根基的状态，表现了人在现实中得不到确认的悲剧，或者说，现实不承认人的存在的悲剧。中国的读者如果面对这些人物的命运不是有强烈的同情、不是有充分的理解、有高度的关怀，怎么会对莫狄亚诺如此爱读，如此热衷呢？

在莫狄亚诺的作品里，人物不仅仅是得不到现实的确认，而且更惨的是得不到自己的确认，莫狄亚诺在表现人物寻求支撑点、栖息所的同时，又致力于表现寻找自我的悲剧，这使他的小说具有了又一层深刻的寓意。无疑，这是20世纪中最耐人寻思、最具有深邃悲剧意义的主题，他的代表作之一《暗店街》就是表现了这个主题的一部十分出色的作品。中国读者对这个主题十分有兴趣，对这部代表作特别喜爱，至今已有三个译本问世便说明了这点。中国人正处在现代社会的条件下，物质生活的发展，物质功利主义的膨胀，对人的自我挤压日益加大而使之有了不同程度的变形、扭曲、泯灭，有识之士早已对自我与现代社会生活的关系课题有严肃认真的思考，早已痛感确认自我、把握自我、操持自我的必须与重要，在这个意义上，莫狄亚诺是他们精神上的知音与同行者。

中国是一个大智大贤文化宗师世代辈出的文化古国，中国读者喜爱那些既具有出色的文学描绘才能又具有全人类视野与深邃人文思想的哲人作家，改革开放以后，他们曾热情地接待了马尔罗、萨特与加缪这一类型的法兰西大师。莫狄亚诺也像这几位先行者那样，致力于在自己的作品中在讲故事时也描绘出自己心目中的人类境况的图景，中国读书界看到他这种努力，赞同他这种努力，这便是中国读书界从"雅"的方面对莫狄亚诺的欣赏。一家中国出版机构早在瑞典皇家学院决定授予莫狄亚诺文学奖之前，就已经向法方购买了莫氏的九种作品的版权，此事不正表现了中国读书界对莫狄亚诺的卓越的共识？不难预料，莫狄亚诺热在中国正方兴未艾，在不远的将来，莫狄亚诺先生也许就会收到中国文化机构邀请他来华访问的热情请帖。

2014年11月5日

莫狄亚诺获奖消息传来的那一天

——耄耋纪事

10月9日傍晚，我正在吃晚饭，电话铃响了，因为我家座机号公开的程度连我自己都想象不到，所以，我经常不接电话，但在晚饭前后，朋友们知道可以找到我，这个时段的电话不能不接，于是满口饭菜拿起了话筒。原来是媒体的采访电话，事由是：莫狄亚诺获得了诺贝尔文学奖。记者的问题很"原始"、很简单，但回答起来很费口舌，为什么莫狄亚诺会获得诺贝尔文学奖？满嘴食物要回答这么空泛的问题，着实不易。

坐下没吃几口，电话铃又响了，因为这个时段，我的座机是上班时间，我非接不可。又是一个采访电话，事由又是：莫狄亚诺获诺贝尔文学奖了……就这样，短短的半个多钟头，电话铃响了六七次，每次都是采访电话，事由都是莫狄亚诺获诺贝尔文学奖了。六七个电话来自不同的媒体，不同的网站，不难看出，9日这一天的傍晚，中国的新闻界为了莫狄亚诺忙得不亦乐乎，高度紧张地在探问、在打听、在查询、在采访……我也被拽着顾不上吃一顿正常的晚饭。

其实，纷至沓来的这几个电话采访所提的问题都是简单的、ABC的、起码的、"小儿科的"，如果采访者略微动一下手，去查查基本的资料，他们就不难知道莫狄亚诺是何许人也，他的主要作品有哪些，他的文学风格有何特点，他的文学成就怎么样。对此，不止一个采访者答曰："我们找不到有关的资料啊，很多文化人、作家都不知道莫狄亚诺是何许人呀！"这就奇怪了，采访者都是来自大媒体、大网站，这样的新闻单位、这样的文化机构总应该有一个像样的资料室吧，总应该很容易找到像样的图书进行一点查阅吧。要了解莫狄亚诺其人其作，并非难事，甚至可以说是举手之劳的事。开卷有益，而不去开卷；想要开卷，又无卷可开；或者想要开卷又无开卷之地……于是，采访者、宣传者就拿起电话筒拨通某一个电话，也不管通过电话是否听得真切，就这样以"道听途说"的"只言片语"加以宣传报道，一场热热闹闹的莫狄亚诺新闻节目就将要出台了……什么都图个热热闹闹，什么都图个快，什么都图个急功近利，什么都图个简便省事，这样底气发虚的热闹对一个文化昌盛、文化繁荣的社会来说，总不该是正常健康的吧，照我看来，这便是浮夸、这便是浮躁。

莫狄亚诺，法国当代作家也，1968年发表第一部小说《星形广场》，此后成功之作不断，主要有《夜巡》《魔圈》《凄凉别墅》《户口簿》《寻我记》《一度青春》《初生之犊》《荒凉地区》《往事如烟》等，在法国国内多次获奖，龚古尔文学奖、法兰西学院小说奖等文学大奖他都拿过。用中国流行话说他，早就拿奖拿得手软了。

个人档案：长得帅，风流倜傥，称得上是一个美男作家，年少即登上了文坛，21岁成名。

文学特点：才华横溢，光华外露。文句短促精练，却很有含量、很有弹性、很有表现力、很是传神。小说写得引人入胜，情节往往扑朔迷离，具有悬念，所构设的生活形象，既具情趣，又有寓意，甚至有深邃的、严肃的哲理。这些特点使他成为新寓言派的一个代表人物，与米歇尔·图尔尼埃、勒·克莱齐奥同为这个流派的三大巨擘。

新寓言派，请记住这个名字，它几乎可以说是法国20世纪文学最后一个最出彩的节拍，历史将证明，这个文学流派一定是值得法国人骄傲的一笔精神财富。

他一直是我特别喜爱的作家，我喜爱他在情节框架上对扑朔迷离情趣的追求，在思想内涵中致力于植入空灵飘忽又亲切可感的寓意，欣赏他那种探寻、查找、追求式的叙事构设与人存在悲怆性的哲理的水乳交融，达到现代人寻找自我的悲怆史诗的格调。这样一位作家，既能引人入胜，又有永耐品尝的韵味，当然应该作为重点引入国门，于是，我在自己主编的《法国二十世纪文学丛书》中曾前后两次隆重推出他的作品集共六部代表作小说，一次是1992年的《寻我记·魔圈》一集、一次是1993年的《一度青春》一集，大概要算是最先颇具规模地把这位作家介绍给了国人，从现在的发展看，虽然不敢说是"慧眼识英雄"、"有先见之明"，也许可以说是"认准了"吧。而对于莫狄亚诺，早在20多年前，他的代表作就已经在中国得到了礼遇与赞赏，也不失为一件值得欣喜的事。

中国的文化精英，对莫氏引人注意地随"法国二十世纪文学丛书"来到中国一事，大概是"记忆犹新"的，因为，"法国二十世纪文学丛书"是一套知名度比较高的书，有文学修养的人士几乎都知道它、熟悉它。这套书有一个缩写名："F·20丛书"，从1986年到1999年历时12年出版了七十卷，是少有的一套规模宏大的丛书，几乎将法国20世纪文学中所有重要的作家作品都推上了自己的展台，既有开拓性，又有系统性，其选目选题的准确精当又显示出较高的专业学术含量，译文水平的整齐则显示出整个法语翻译界精英的集体合作精神，而全部的译序写得都很用心，有特色，且几乎出自主编一人之手，反映出主持其事者的诚意与认真态度，这些也都得到业内人士的首肯。

事隔多年，每当我遇见文化学术界的精英，甚至是特别重要的文学大人物，我都当面听到他们对"F·20丛书"的怀念与溢美之词。然而"F·20丛书"老碰见一个致命的克星："不赚钱"以致"赔钱亏本"。由于这个克星，它在20世纪90年代末，由第一家出版社出了三十五卷后停办，所幸它又得到了第二家出版社的青睐，但出了三十五卷后,又于1999年被迫停办,于是"F·20丛书"就永恒地定格在七十这个数字的框架内。又事隔一些年,直到2008年春夏之交,我接待了两个来访者,他们是上海译文出版社的黄昱宁女士与冯涛先生,此二位是该社的中坚业务骨干,能文、能译、能编,是全能型的才俊之士,我过去和他们从未见过面,更没有任何业务关系,他们此行的来意有二:一是要再版我主编的《加缪全集》;二是表示愿意重新推出整套的"F·20丛书"。为此二者希望与我合作,在我看来,这两个建议不仅有巨大的经典文化积累的热情,而且在出版经营上也显示出了难得的品位与罕见的精明,建议如此美好,当然一拍即合。于是,"F·20丛书"变身为"法国二十世纪文学译丛"由上海译文出版社出版了,我把这喜称为"F·20丛书"的"凤凰涅槃"。从2010年一直到前不久,新的"F·20译丛"出版了三辑共二十一种,每一辑出版的时候,我都收到沉甸甸的一箱样书,书出得很美观雅致,赏心悦目,令人爱不释手,构成了我老年生活的一大愉快。

时至2014年10月9日上午9时,我收到了一封电子邮件,是责编发来的,他向我告知了几个月前已做出的一个决定:"F·20译丛"出版到第三辑为止,今后不再继续出版了,原因很简单,销路不好,不止一种书印刷了8000册,却只销了不到3000册,不仅没办法赚钱,肯定要赔钱亏本。据称,出版社领导做出"绝不考虑再出版"的决定是在年初,责编先生十分好心地想在第三辑最后一种出齐后再通知我,才对我"封锁消息"了好几个月,仅仅因为我在国庆节前,仍在一厢情愿地安排"F·20译丛"的继任者,他才不得不立即通知我,让我明白"凤凰涅槃"已被判终止。责编先生的邮件写得很有感情,他最后这样说:"我是这套书的编辑,论感情虽然没有您那么深切,但感觉也像是自己的孩子一样。"

责编先生已经做了最大的努力,他面对各方面的职责与义务,都做得很好,很周到,很到位,我过去感谢他,现在感谢他,将来仍然感谢他。至于出版社的领导,在我看来也情有可原,值得理解,作为一个企业,要自负盈亏,要上缴利润,还要纳税,怎么能不讲究经济效益?亏本的买卖当然不能做下去……于是到了最后,在一个耄耋老翁脑子里只留下了一个问题:是否所有的文化建设项目都应该赚钱?如果赚不了钱,是否就没有继续存在的理由?……当然,还有一个重要的问题:对于一个文化繁荣的社会而言,书店纷纷倒闭,人文书籍读者群日益萎缩,总不应该是自然而正常的事吧?对此,总不该熟视无睹吧?……

带着这个问题,到了这天的晚饭时分,老头子就迎来了纷至沓来的采访电话,对不起,在和媒体记者应对时,这个心情不爽、满口又塞着饭菜的老头难免也带了一点影视人物式的不耐烦与不配合……

2014 年 10 月 11 日

悼念何西来

何西来走了，中国少了一个学养厚实、见识卓越、影响深远的批评家，在国内各种文学座谈会上、各种学术文化活动中，再也见不到他那高大雄健的身影，再也听不见他那声如洪钟的声音。在社科院宿舍区的庭院中，再也不能与他迎面相逢，并停步下来进行短暂非寒暄式的交谈……所有这些，朋友们的若有所失感将是锐锐的、沉沉的。

他走得这样早，没有想到。他，一典型的关中壮汉，人高马大、虎背熊腰，走起路来虎虎生威，讲起话来嗓音洪亮。其形貌、其精气神，活像一具威武雄壮的兵马俑复活。他一直给人这样一个印象：似乎与死亡无缘，至少是与老迈无缘。偏偏是他，不到一年前，就隐约传出身患癌症的消息。但每次遇见他时，并不见他有丝毫病态，更没有听见他谈及过自己的病——至少语气中有所透露——但见他若无其事、满不在乎，仍骑着自行车在社科院的宿舍区驰骋出入，使人觉得病魔肯定是奈何不了他，最后的大限离他还远着呢，甚至遥遥无期……

不久前偶遇时，听他说仍坚持每天步行一两公里，且正准备写一组当前名家名士素描的文章，因为正好与一家大报有稿约作为开头，柳某竟荣幸地被他列为首选对象之一。而后，他还有一项大计划，要写一部《杜甫传》……直到他去世前的一两个星期，我仍在宿舍区大门口见他骑着自行车，采购蔬菜食物回来，只是脸色似乎有点发黑，怎么也没有想到10来天后，他竟离开了这个世界。

何西来最后的时日，既是病魔快速毁人的悲剧，更是人淡定自若、顽强抗争的高歌，在这里，人的精神超越于死亡之上，人的精神力量是傲然的强者。

我与何西来基本上是一辈人，我只长他4岁。我们算不上是很熟的朋友，与他不同校，不同学科专业，不同供职单位，但很早就互相认知，用西来的话来说，"已有半个世纪之久的渊源"。这其实是一种美意的夸张之词，实际情况是，他于20世纪60年代初，就读于中国人民大学文艺理论研究班，这个曾以"马文兵"的笔名叱咤文坛、赫赫有名的科班，名义上是由中国人民大学与当时的社科院文学研究所合办，文学所派了著名美学家蔡仪坐镇。我当时在文学所，是蔡仪领导下文学理论研究室的一名年轻研究人员，室主任蔡仪移师进驻有名的北京铁狮子胡同一号文研班的所在地，研究室内好几个青年研究人员，如于海洋、李传龙、杨汉池与我也簇拥而至"铁一号"，担任文研班的助教职务。其实，我们这几个"助教"只是象征性的摆设，并未起什么作用，也没有跟文研班打成一片、融为一体，倒是由此对文研班的人员情况多有了一些了解。年轻的助教们私下对年轻的学生评头论足、怗斤怗两是常事，也是乐事。我们之中，于海洋年龄较长，阅人较多，并卓有见识，与文研班的接触也较多较早，数他最有发言权。我就听他说过，文研班的才俊中，"要数小何潜力最大"，具体来说：他博闻强记，中外兼收并蓄，对经典名著名篇背诵如流，而且文思敏捷，将来必成大器，云云。于海洋已英年早逝多年，但他对"小何"的评价果然被何西来以后自己的作为所证实。

在文研班，充当了好一阵子"摆设"之后，我们几个青年"助教"就搬出了"铁狮子胡同一号"，虽然在"任期"中与文研班的学员并无多少业务关系，但我却有一个意外的收获，那就是一别多年之后与何西来碰面时，他就称呼我为"柳教授"。这既是明显的尊称，但称呼起来又带有一种善意调侃的语调。我很欣赏他在人际交往中这种教养与谐趣的结合,更欣赏他一经出口、多年不改的大度与雅量。不像有些人曾因有求于人、受惠于人而对对方有应该的尊重,但一旦自己稍有得意,羽翼稍丰,便马上调低尊重度,迅速改变称呼,"阿三阿四"地呼了起来,既缺少教养也颇为势利。

是的,一别多年,在文研班结业后,我就再没碰见过他。他在文学所发展,我在外文所供职,像两股道上的车,"文化大革命"中更没有"串联"到一派。直至1986年我搬到劲松区的社科院宿舍,才与他邻楼而居,成为"街坊"。两幢宿舍楼之间,有一个近200米的庭院,种了不少树木,郁郁葱葱,那是我每天绕圈慢跑与做操的场所,风雨无阻。而那个庭院,也是出入宿舍楼必经之地,所以,我经常会在这里和何西来不期而遇,"低头不见抬头见"。

从那以后,多年来我与何西来一直就保持着偶遇时停步下来聊几句的习惯,除了"非常时期"的激昂慷慨,我们的谈话既是"非寒暄式"的,但也是纯清谈性的,对世事均作壁上观。即使涉及时局社稷,也只流于一般感慨,如感慨人文精神滑落、人文学者已落为弱势人群、人微言轻,等等。如果有什么共同的愿景的话,不外是希望时局稳定、社会和谐、政风清明、官场廉洁。如果说有什么担心害怕的话,那就是担心内耗恶斗、自己折腾、社会动乱,特别是怕社会动乱。我不止一次听他说过,"但愿社会稳定,如果发生动乱,最倒霉的就是我们弱势人群"。由此,社会和谐、国家安定、世事公平就成了我们愿景中的愿景。看得出来,从慷慨激昂到但求安定和谐,到知晓有的事不可行、行不通而断了念想,到淡泊超然,专心回归于自己一亩三分桑麻小园地,这就是我自认为感觉到了的何西来这些年来的心路历程。回顾自己,我的心路历程又何尝不也正是如此?而与我们同此心路历程者,亦为数不少。这使得我不由自主地想起了前几年李泽厚与刘再复所对谈过的"告别"话题,如果我没有理解错的话,慷慨激昂的淡化与搁置,跟"告别说"是同趋温性平和的,两者的不约而同、不谋而合、殊途同归,正是中国人文知识阶层对当代中国前行的一种不显的默然奉献。

我与何西来的庭院交往,并未因为慷慨激昂的淡化而告终,因为,毕竟同在人文领域,互相不无关系,何况,我曾经也弄过一阵子理论批评,于这方面的人与事多少有点关注。对从事这个行当的人,我个人特别敬重、特别赞赏的是两种品格:一是在理论上有识有胆,敢于发表自己不流凡俗的独特创见、更敢于坚持自己被人侧目而视、甚至被人敲打的学术观点。二是在学养上有所持与有所长,而不齿在学养上无所持、无所长、两手空空。在我看来,何西来正兼有这两方面难能可贵的特质。他不同于我们见得很多的那种只唱"向左向左"高调的理论家与只凭教条与棍棒压人的批评家。他既恪守马克思主义基本理论,又实事求是、通情达理、尊重文艺本身的规律,致力于科学评价。既尊奉意识形态的规范与原则,也赏识创作个性的千姿百态。他也不同于那种出口不凡、论事不着边际、表述云山雾罩、满篇都是十分费解的现代主义或后现代主义术语的新潮批评家。他的文风明晓,史实清晰,事理辟透。我以为,他身上的这些长处正是优秀理论批评家所应具备的条件与特质。至于他在学养方面的所持与所长,也很值得赞赏,我不敢说他学富五车、贯通中西,但他在中国历史典籍与中国古典文学方面的学养是富足的、深厚的。当他要阐明证说一则道理时,随口就可以引述经典名著与古典诗词为例。我认为一个理论批评家如果没有某一专业学识为自己的立足点,他的高谈阔论是令人不放心的,难免流于一种空论,最多只是一种概念或一种教条的阐释,这种理论批评家说到底,最多就是一个"空头理论家"。何西来专务中国现当代文学的理论批评,他这个行当里,"空头理论家"不乏其人,但他脚踏专业学识的坚实之地,树立了自己与"空头理论家"完全不同的真正有学养的批评家的形象。

何西来不仅是著名理论批评家,也是写散文的高手,他的散文作品是比较典型的学者散文。所谓"学者散文",简而言之,即为学者笔下的散文,或为至少是有学者底蕴者笔下的散文。于散文的本性而言,于学者固有的条件与素质而言,学者散文必成为文学创作领域中一种自然生态、一道蔚然成大观的风景、一种藏量丰厚的库存。学者有自己的本业,写出来的东西自然有明显的学业内涵,有比较充沛的知性,以实事实感为归依,言之有物;亦可有充沛的智性,以思想闪光为照明,对人有启迪灵智之效。总而言之,实不同于那种纯粹舞文弄墨,俗套应景之作。何西来的散文就有学者散文的优质,我有幸读过他若干散文代表作,开卷有益,启迪良多。他谈人格的文章,敢于讲人文智者的真话,言之有"勇气"。他的《秦皇陵漫兴》《居庸关漫兴》《小亭沧桑》是现代人情怀、历史风物、风土人文与旅游雅兴的完美组合,没有丰厚的学养与精辟的实感是写不出来的。他还有一篇名为《愚人节的感伤》的散文,更是值得赞赏的妙作。文章写的是何西来亲历的何其芳一件往事,是一则值得流传后世的"诗话":20世纪60年代初,何其芳历经"十年浩劫"之后,身衰体弱、老态龙钟,但精神复苏,心情见好。有一天他向何西来等青年朋友出示了一首元人戏效玉溪生体诗《锦瑟》二首,使他们忙乎了一大阵子,遍查现存全部元人集子终未找到此诗的出处与踪迹。细加玩味,此仿效李商隐的两诗,用典较多,含义朦胧,功力非凡,无人不叹为上乘之作;但究竟是悼亡诗还是自伤诗则因诗意隐晦,难以疏解论定,唯有其中不堪回首的凄清感伤思绪令人深有所感。究竟此两诗出自何人手笔?终于由何其芳本人揭晓,原来此是他本人的戏作,而出示此作的日期则是4月1日——愚人节,这是他跟青年朋友们开的一个玩笑。结合何其芳本人大半生难展诗才的遗憾与"文革"中的苦难,此作倒的确是两首自伤诗。

在这篇散文里,何其芳晚年令人叹息的境况、感人的悲剧色彩、老顽童的乐天性格、卓越的诗人才华均跃然纸上,不失为现当代文学作品中对何其芳研究的有价值的第一手材料。整篇文章写得层次井然、峰回路转，颇有故事情节，且文笔灵动活泼，情趣盎然。其中还不乏对李商隐《锦瑟》诗渊源等问题的精要见解，呈现出学识学养的光泽，而对恩师的深沉感情与对"愚人"自我的调侃，又增加了感人的力量。这样一篇文章，在我看来，实应为当代学者散文中的一个极品。

多年来，在与何西来这样一个老熟人的庭院偶遇、驻步浅谈的友谊中，我受益匪浅。这是因为我一直主动带有获益求知的意图与他交往的，这与我自身的局限性有关：虽然我算是作协的"资深会员"，早在上世纪70年代就正式入会，而且还是第一次"作代会"的代表，但我与文学界关系一直相当疏远。而我的职业行当又要求我不能完全闭塞无知，正好何西来是文学界的达人、消息灵通人士，识途老马，是我最理想的咨询师与指点者。我从他那里采的风、拾的"牙慧"着实不少，而且不仅仅是听一听、乐一乐而已，有的还给我的工作带来了明显的效果：如"本色文丛"第二辑的组稿约稿工作就是一例。我之所以主编"本色文丛"，完全是意外落到头上的一块"馅饼"：仅仅因为自己也写过一些散文随笔，为出版社主编过一套"世界散文八大家"丛书，而被出版社诚邀力约，委以主编"本色文丛"的重托。如果说第一辑以我自己这个学界的名士为组稿对象，我还能应付如裕的话，到了第二辑扩大到文学创作界，我就有些捉襟见肘了。在骑虎难下之际，幸得何西来的慨然相助，除了他自己提供一本自选集外，还介绍了文学界的两位名家邵燕祥、李国文加盟，此外还引荐了著名的明史专家同时也是散文高手王春瑜，大大给"本色文丛"第二辑的阵容增色添光。

作为老邻居，我与何西来的来往甚少，近乎"君子之交淡若水"，即使在有限的来往中，我也是受惠者，如他得知我被"帕金森氏"收归门下后，不止一次向我介绍过药方。另有一事，因为我与他都曾受聘为王蒙领导下的中国海洋大学文学院的教授，每年春节校方与王院长都要在北京举办一次精致的雅聚，常客均为在海洋大学文学院讲过课的教授，有袁行霈、严家炎、谢冕、童庆炳、朱虹、舒乙、铁凝、张抗抗、毕淑敏等。雅聚地点多在西郊一个饭店，在北京出行无车是不可想象的，何西来自己可以驾车，于是，我每次也就成了搭他便车的蹭车客。叨扰受惠多次，聊作回报，自己只有请他到附近一家陕西馆子吃过两次饭。这家馆子也是关中人士何西来介绍我去的，以招牌菜葫芦鸡与各种面食闻名，味道鲜美浓重，但不油腻，甚合我的口味。而且，饭店主人颇有文人雅趣，店里挂有著名陕西文人贾平凹、陈忠实的亲墨多幅。此后多年，我凡请客吃饭多选在此处，店门口有两座大型秦兵马俑塑像，人高马大的，如今每次来此就餐，都叫人很容易想起何西来。

2015年元月